2002

中国年度最佳中篇小说

2002 ZHONGGUO NIANDU ZUIJIA ZHONGPIAN XIAOSHUO

（下卷）

年选
大系

中国作家协会《小说选刊》选编

漓江出版社

目　　录

目录

CHIZIJIAN

■ **迟子建**,女,1964 年生于黑龙江漠河。中国作家协会会员。1984 年毕业于大兴安岭师范学校。1983 年开始小说创作。主要作品有长篇小说《树下》、《晨钟响彻黄昏》。其短篇小说《雾月牛栏》和《清水洗尘》获第一、二届鲁迅文学奖。现为黑龙江省专业作家。

夜晚唱歌的草

迟子建

　　我对大自然的好奇心，远远大于对人的好奇心。比如我看到一片辽阔的沼泽地，看着湿地上那些有别于山冈和沟谷的水色十足、永远纤尘不染的草，我会想这草中有没有一种神草，它在夜晚时会唱歌，它散发出的奇异的香气会使栖息其中的鹤长生不老？

　　如果有两种生活摆在我面前，一种是坐在金碧辉煌的剧场里看一场表达人类内心情感痛苦的催人泪下的戏剧，一种是在夕阳笼罩的森林中漫步，我宁愿选择后者。因为在大自然中，我能感受到它的清新、滋润、温暖和哀愁，我能看见某一片树叶因为失宠于风而面露的憔悴之色，我能听见鸟儿对一片彩云的求爱之声。大自然每时每刻都在上演着戏剧，就看你有没有悟性去发现它。

　　我的小说离不开大自然的关照，离开它我就说不好话了，《芳草在沼泽中》亦是如此。在这里，我也写了爱情。我觉得美好的爱情是温暖的，同时又是克制的。

　　我相信有一种草在夜晚时会唱歌，只要你用心去聆听。

芳草在沼泽中

迟子建

　　回龙观酒馆,我每坐一回都要惹一次是非。这酒馆在紫云巷的尽头,是一座平房改造而成的。它的门脸有些灰暗,不似其他的酒馆有着金光灿灿的牌匾和鲜艳的招幌。它这里也没有什么名厨,不经营鱼翅、大闸蟹、蛇和鳖等奢侈食品。它所有的,是那股朴实的家常气息,炒个渍菜粉啦,炝个土豆丝和芹菜啦,煎几条黄花鱼啦,等等。稍微阔气一点的菜,也不过是小鸡炖蘑菇、豆瓣酱干烧鲫鱼、鸭子炖土豆、辣椒炒鳝丝。来这样的酒馆吃饭,你的心会很妥帖和放松,不用担心兜里的钱在买单时羞涩,不用介意你的吃相是否文雅。在这里,你可以大声说话,可以放肆地猜拳行令,可以和那个绰号叫"臭鱼"的跑堂无所顾忌地针砭时事。酒馆的桌椅很不讲究,它们是主人从旧家具市场花低价搜罗来的,一个个笨头笨脑、满面沧桑的模样。由于它们不苫台布,你能清楚地看到桌面的划痕、松动的木节孔以及烫伤或者烧伤的痕迹。桌面的裂缝更是比比皆是,这些藏污纳垢的裂缝又是苍蝇最喜欢钻的地方,所以有的时候你刚坐下来,先行欢迎你的往往是从裂缝中抽身而出的苍蝇,它们就像你约来的先期而到的客人一样,绕着你嗡嗡地飞着,寒暄个不休。

　　靠窗的位置,在回龙观酒馆是最抢手的。这是因为,从窗口,往往能看到暗娼的影子。她们一般是傍晚时才出现。我前面说了,回龙观酒馆在一条巷子的尽头,尽头的地方永远是危险生活的温床,因为它不惹人眼目,安全性较高。这些暗娼是为着回龙观的客人而出现的,所以她们看上去就像是酒馆放在窗外的摆设。如此,选择窗前位置的人,就要多付出一些钱来,名为"买桌费",类似于大酒店的包房费。当然,并不是所有的男人要了窗前的位置就是为了瞄上一个女人、从"糊涂乡"出来就进入"温柔乡"，有的人纯粹就是为了好奇，想看看这些女人是什么样子，就像西方人看"秀"一样。当然，大多数的男人在夜晚要了这样的位置，是专为了窗外的风景的。所以有的时候你看着一个酒客要的几样菜还没有怎么动，可他却急着"结账"了，就知道他看上窗外的某个女人了。这种时刻，你给他结算酒钱时就要动作麻利，否则会令客人发窘。在回龙观酒馆，人们不把付酒钱称为"买单"，他们还沿袭着老习惯，叫"结账"。客人会吆喝："哎，丫头，结账了！"这里的服务员不像别处通称为"小姐"，而是叫丫头，也的确就是丫头嘛，她们个个长得很苗壮，脸庞红扑扑的，笑容憨憨的，裙子下面露出的小腿粗粗的，说话时嗓门都很大，据说这与回龙观主人的审美眼光有关，他不喜欢那些杨柳细腰、皮肤白皙、说话嗲声嗲气的小姐。

回龙观酒馆的墙壁，与其他酒馆也是不一样的。它没有悬挂一幅画，而是吊着一串串的蒜瓣子。这些大蒜既是装饰，又可以为客人所食用，两全其美。还有，墙壁上吊着形形色色的农具，如镰刀、锄头、镐头、耙子等等，布置得就像农业展览馆的一角似的，仿佛是在提醒客人，别忘了你吃的东西是由劳动换来的。进得酒馆，你能听见此起彼伏的说话声，能闻到灶房里炝油锅的气味，能听见录音机所放出来的热热闹闹的二人转，真是俗气而又亲切，烦扰而又温暖。去大酒家，坐在水晶吊灯下的华丽餐桌旁，面对着精致的餐具，面对着侍立在一旁随时帮你斟酒和更换食碟的小姐，你会觉得浑身不自在，不是你在吃饭了，而是饭在吃你了，真的不如到回龙观这样的酒馆来得实在和惬意。

先说我在回龙观惹的第一桩麻烦吧。那还是四年之前，我第一次被老吴给拉到这里。那是一个夏日庸碌的黄昏，我正愁晚上没地方吃饭呢，老吴叫住我，说要请我吃饭，我愉快地答应了。我是一个单身汉，早餐就是一边走在上班的路上，一边顺路买两根油条对付一下。午餐不用说了，是在单位吃千篇一律的盒饭。那盒饭里的鱼肉散得像旧棉絮，青菜的颜色就像老妓女的脸一样黯淡，肉条裹着黏黏糊糊的荧粉，真的是难以下咽。只有晚餐，我才吃得相对有模样一些。我会回到住所，下碗清淡的面条，或者是调碗鱼汤喝。当然，有的时候太疲劳或者是情绪低落，我干脆就买上几个包子当做晚饭了。在去回龙观酒馆的路上，老吴讳莫如深地对我说,在那里吃饭,跟在外国似的,因为它的窗外就是隐蔽的"红灯区"。老吴是个四十多岁的男人,个子跟我一样矮小,但他不似我这样干瘪,而是胖胖的,满面油光。也许是在机关工作过久的缘故吧,他过早地谢顶了,肚子微微腆着,由于腰椎间盘突出,他总是不由自主地佝偻着腰,这使他看上去更显得矮小。平素在班上,他矜持、严肃,以致看上去有些刻板。他是我的"头儿"。我们这个隶属于市委机关的处室,总共五个人,老吴是处长,年近五十的张亚玲是副处长,我、小米和小姚是科员。我们的工作就是为市委领导写各种会议的讲话材料,所以我们处室所订的报刊是机关里最多的。小米最喜欢做的事情,就是一边哼着歌一边用剪刀哗啦哗啦地剪报纸。她在剪之前要大致把报上的消息浏览一遍,看看哪些讲话和社论对我们写材料有利。天下文章一大抄,尤其是我们所写的那些讲话稿,基本上是从这本书上抄一段理论,再从另一篇社论上抄一段议论,真正属于自己的话没有多少。这种工作很像农村妇女打袼褙,把一块块大大小小的布角连缀在一起。有的时候我们熬了不知多少日夜写出的、几经审阅才通过的重大会议的讲话稿,领导在大会上慷慨激昂地一读完,就迫不及待地把它扔在一旁了。让我觉得这稿子在没出炉前是宝贝,一旦它露出头来就沦为了弃婴。而你看下面听会的人呢,他们有的眼神直直地盯着主席台,而心思却不知飞到哪里去了;还有的低头悄悄看着被调到振动状态的手机的来电显示或者是新收到的短消息;更有甚者,干脆打起了瞌睡,直到报告结束时惯例响起的掌声把他给惊醒。看着这一幕幕情景,真是令人痛心啊。所以,我们很少到会议现场去听报告,那样你会觉得自己从事着天底下最无聊最滑稽的工作。第二天,你能够在报纸的显赫位置上再看到这篇稿子,不过它的署名已经是某位领导的署名了,它跟我们仿佛是一点关系都没有了。

老吴的家庭有一个七十多岁的老母亲,还有一个在上海读大学的儿子。他和做小学教师的老婆的工资加起来也不过两千块左右,所以他平素是极为节俭的。他穿着从夜市买来的廉价的西装,抽两元钱一包的香烟,喝便宜之极的茉莉花茶,骑自行车上下班。那天,老吴却把自行车扔在单位,破例打的士带我去酒馆,令我好不感动。路上,我说回龙观的名字很耳熟,似乎是哪里的地名。老吴说,就是北京的回龙观嘛,这酒馆的主人有个要好的同学，他是个画家，后来去北京求发展，住在回龙观，因为他的画不被人接受，穷困潦倒的他就自杀了。为纪念他，这酒馆的名字就叫回龙观了。

　　回龙观酒馆在城西，那里几乎就是郊区了。一下车，老吴就嘱咐我，碰到一个高个子跑堂的、外号叫"臭鱼"的男人，千万少和他搭话，他有点魔怔。你若和他聊上，得，一夜你也别想逃出来，在对某件事的谈论上他如果不占上风，情急之下他会把桌子给你搁了。老吴还特别叮嘱我，别跟人说自己在市委机关工作，我们这种工作性质的人来这里，若是传出去，会引火烧身的。他的话我并不以为然，因为我来的是酒馆，又不是黑店，即便是能够从窗外看到娼妓游动，我洁身自好，并不染指她们，也没什么大惊小怪的呀。

　　回龙观酒馆给我最初的印象并不好，它的低照度灯光给人一种没吃饱饭的感觉，虚飘飘的。一进去，只觉得到处都杂乱无章的，桌子摆放得很不规矩，东面放着一张小方桌，留着许多空地，西面却挤挤插插地摆了两张大圆桌，令人行走都困难。只有窗前的桌子还算顺眼，在一条直线上，而且间距也比较均匀。还有，墙上挂着的农具十分扎眼，看上去就像凶器一样充满了恐怖感。当然，当你喜欢上了这里之后，就会觉得那桌子乱得很别致，那农具挂得恰到好处。

　　老吴看起来是这里的熟客了，他一进来，有个肩搭一份报纸的店小二就冲他吆喝："哎，你这一段跑哪里发财去了？"老吴冲我眨眨眼，我便明白他大约就是"臭鱼"了。那份报纸的一篇文章的标题做成了红色，所以感觉这店小二的肩头就像挂了一串红果子在卖，十分有趣。老吴笑着回答："我这一段不在鞋店干啦，搞传销去了！"老吴哈哈大笑着，与平素判若两人，真令我吃惊不已。我们拣了靠窗的最后一张桌子坐下来。店小二跟了过来，指着我说："行啊，还配上了个保镖，钱挣海了吧？"老吴顺势说："就是，我现在满屋子都是钱，以后下雨阴天时你得去帮我翻弄翻弄，别捂长毛了！"

　　酒馆里的食客没有一个是安静的。他们有的挥舞着胳膊叫着"哥俩好呀，五魁首呀"在划拳，还有唾沫星子四溅地在激烈地争论着什么。即便是那些不出声的人，也因为录音机里放出的亮亮堂堂的二人转，而显得他们也仿佛在说着什么。二人转那种放开了嗓子的唱腔非常透亮，它的唱词很生活化，有些俗，有些肉麻。但正是因了这俗，它让人觉得亲切，因了这肉麻，给人平添了一种温暖感。老吴在点菜的时候，我已经有些喜欢上了这里。因为这里的人放纵、无所顾忌、互不注意，在这里可以开怀大笑，可以乱弹烟灰，甚至于可以把臭脚放到桌子上。它的闹哄是一种敞开了心灵的闹哄，它的家常的、底层的气息，让人有在月下漫步的逍遥感。

菜上来的时候，天已渐渐黑了，临窗位置的人都把目光放到窗外。果然，我在暗淡的灯影下看到了三个游动的女人。从她们的体态上看，一个似乎老了些，因为她的背影看上去臃肿不堪。另外的两个则苗条得多，想必应该比较年轻吧，因为她们一个披着长发、一个则高高地吊着马尾辫，年老色衰的女人大约不会如此打扮。胖女人穿着直筒式长裙，苗条的女人则穿着袒胸露臂的吊带裙。她们在酒馆的窗外走来走去，微垂着头，就像是丢了什么东西在寻找似的。我很奇怪，她们为什么总是把侧脸给我们，既然是做这种生意的人，又有什么含蓄可讲呢？老吴听了我的话，用筷子点着我的脑门儿说："亏你还是念过大学中文的人呢，连这点道理都不懂，什么是美？朦胧就是美！模糊就是美！若隐若现就是美！稀里糊涂就是美！"老吴激动了，他的嘴角因此而有些歪。我发现酒馆里的女食客难得一见，零星的几个也没有单独来的，而且她们也不坐临窗的位置，她们的身边基本都跟着一个男人。我不知道她们若是看了窗外的女人会做何感想。

随着夜色越来越深，酒馆的生意也就越来越火爆。窗前的男人换了一批，而窗外的女人也换了一批，最开始游荡的三人已经消失了，新出来的女人看上去更加妖娆、风情万种，有一个女人竟然在自己身上披挂了闪烁不休的彩灯，好像一棵圣诞树似的。灯一闪，她的身影也跟着闪，使人疑心她是天外来客。她们似是漫不经心地走来走去，完全就像一个出来乘凉的人在看星星。我这才明白为什么回龙观的灯火这样迷离，那是因为它本身就是一个剧场，它的剧目每时每刻都在上演，当然它的灯光要虚目以待了。老吴的酒喝得很冲，他一遍遍地感慨着："生活啊——"给人一种不知所云的感觉。我见他有些失态，就提醒他少喝点，上次市委机关的人年终体检的时候，老吴查出了高血压、血稠、脑动脉硬化的毛病。我的话才出口,老吴就不无调侃地说:"到了我这把年纪,是该硬的地方不硬,不该硬的地方却硬了!"他说出如此粗鲁的话,令我震惊。接着,他用伤感的语气告诉我,他兢兢业业地工作了大半辈子,给领导写材料,快把脖子都写直了,他听老婆说,有时晚上做梦他还大段大段地朗读社论呢。这次市委宣传部倒出个副局级干部的位置,领导已经事先找他谈话了,说要提拔他,可是第十一中学的一个比他年轻十岁的校长却意外地把他给顶了。他说,虽然说明天才公布这条消息,但他今天什么都知道了。老吴很委屈地说,那个校长的老婆是开酒店的,家里很有钱,他听朋友悄悄告诉他,人家的钱起了关键作用。老吴还说,如今这世道,你要想走仕途,要么有钱敢送,能使自己青云直上;要么你就"上面"有人,关系硬,谁都拿你高看一眼。至于人品和才华,那都是狗屁! 其实我听小姚和小米私下议论过,他们说老吴要被重用了,而我对此类事是漠不关心的,我平素关心的是谁能够嫁给我这个无钱无权又无貌的人,使我回家时能够喝碗热汤。我明白了老吴为什么请我,他原来要找个人倾诉一下苦闷和失意呀。我劝老吴,提不提那半格有什么了不起的,还不是照旧过日子? 老吴义正词严地纠正我:"当然不一样了! 首先吧,因为你的级别起来了,别人就高看你一眼了。你的待遇也就改变了,上下班不用骑着破自行车闻着臭烘烘的汽车尾气了,生病住院时也可以进高干病房了。而且,你报销个什么也方便多了,你说现在哪个干部出来吃饭是花自己的钱,也就我们土鳖吧!"老吴越说越激动,后来他眼睛湿润了,声音哽咽了,我只能又叫了一瓶酒,陪着他喝。他的舌头开始不听使唤了,他说,之所以找我来,是因为他觉得我是一个孤儿,在精神上能理解他。他还劝我如果有别的门路,干脆换个单位工作得了,他说自己写了大半辈子的假话和空话,有时觉得活着跟死了没什么区别。他如此对我敞开心扉,使我深受感动。

我的第一次麻烦就是这时候惹的。也许是多喝了点酒的缘故,抑或是我为老吴的遭遇有些愤愤不平,当我听见店小二"臭鱼"吵吵嚷嚷地与人辩论一个敏感的政治话题时,我不由怒火中烧,骂他:"我们到你的酒馆是为了图快活的,哪个孙子再敢谈时事,老子就割了他的舌头!""臭鱼"闻讯后就伸着舌头过来了,他晃着脑袋,把一把尖刀横在我面前,意思是你有本事就来割我的舌头啊,一副挑衅的姿态。我有些慌张,但故作镇静地拿起了刀，并且慢慢吞吞地站了起来。我巴望着有人上来阻止我，可是周围的人都在有滋有味地吃自己的酒，没人理睬我们。"臭鱼"有恃无恐地叫嚷着："割呀，割下来让大师傅当盘菜炒了，好给你当下酒菜!""臭鱼"的舌头由于伸得时间过长，开始滴答滴答地往下流涎水，流到了老吴的脸上，老吴就势霍地站了起来为我解围，他冲"臭鱼"骂道："谁他妈的往老子头上滴哈喇子?""臭鱼"缩回了舌头，他没有和老吴理论，他斜着眼睛义愤填膺地指着我说："你小子是不是中国人，中国人不关心中国人的事，那还叫人么?"他铿锵有力地把"人"念成了"银"。我也上来了虎劲，我抢白他说："你一个臭跑堂的，关心国家大事有个屁用! 谁听你的，还不是瞎叫唤!""臭鱼"被激怒了，他随手从桌子上拿起一只盘子，扔到我脸上，幸亏我躲闪得及时，没有被它划破了脸，但是从盘子里飞旋而出的麻婆豆腐却溅了我一身。我以牙还牙，也把一只盘子撇到"臭鱼"身上，那是还剩半盘的鱼香肉丝，灶房的师傅把它做成了金红色，你能想象"臭鱼"的白围裙有多脏了吧。那一刻他愣了，但随之就进行新一轮的反击。于是乎，碗盘交替着飞旋，我们就像魔术师在表演杂技似的。即便如此，酒馆仍然秩序井然，该望窗外的男人还是望着窗外，该猜拳行令的人依然在挥舞着胳膊，偶尔有人漫不经心地朝我们这打量一眼，然而他们很快就转回了头，仿佛这种事在这里是司空见惯似的。录音机的二人转唱得火辣辣的，有人和着旋律摇头晃脑地跟着唱着，好不自在。老吴见我真的和"臭鱼"打起来了，就顾不得伤感了，他连忙呵斥住我，对"臭鱼"说："我的弟兄你也计较，真是不给老哥面子。""臭鱼"梗了梗脖子，正要申辩什么，一个女服务员从灶房伸出一张红润的脸吆喝道："'臭鱼'，你瞎闹什么，上菜了!""臭鱼"就骂骂咧咧地进了灶房。老吴对我说，"臭鱼"原来异常精灵，高中快毕业时得了场脑病，从此智力锐减，大不如从前。他家给他找了一个差事，在一家文化单位的收发室分管信报的收发，他在那里养成了看报的习惯。别人订阅的报纸还没看呢，他就会用那双又脏又油的手把它们翻得污渍斑斑、皱皱巴巴，令那些多数有洁癖的知识分子大为不满。"臭鱼"最留意的就是国家大事，他对柴米油盐、男欢女爱的事情漠不关心，完全像五四时期的热血青年，忧国忧民，愤世嫉俗。回龙观的主人和"臭鱼"是小学同学，他了解到"臭鱼"因为一天到晚只是哗哗翻报，他所在的文化单位的收发室不愿意要他了,而"臭鱼"生病后的愚钝又符合他用人的原则,就把"臭鱼"招到回龙观当跑堂的。"臭鱼"很喜欢这份工作,他做得兢兢业业的,只是仍然改不了看报的习惯,每天都要去报摊买上几份报纸,一有空闲就看。所以你有时候所看到的"臭鱼",肩上往往搭的不是白毛巾,而是一份报纸。

那天深夜结账的时候,"臭鱼"大步流星地朝我走来,他说:"咱俩摔的那些东西,都记在了我的账上,你放心吧。"这时我忽然觉得"臭鱼"是可爱的。从那以后,我们就成了朋友,虽然我每去回龙观都要有麻烦,但再没有是因为"臭鱼"而引起的。

以后的几年在回龙观所发生的种种是非恩怨,容我以后再拣些有趣的见缝插针地说给你听,现在让我告诉你我刚刚惹的一桩是非,我在酒馆把我的女朋友司马林秀给打跑了。自从她父亲去世之后,我们的关系就一天比一天紧张。她的母亲,那个其貌不扬的家庭妇女,她原来总是一副低眉顺眼的样子,非常的谦恭和随和,可自从她那做历史研究员的丈夫去世之后,我惊讶地发现,这个年近六十的人一下子挺起了腰杆,或者换一种说法是,她真正活了起来。她比以前活跃了,她穿花里胡哨的衣服,而以前她只穿青色的老绿色的衣裳。她还把短发给烫成鸡窝状,脸上拍了白粉。不过白粉涂抹得不够均匀,那脸就黑一块白一块的,使之看上去像个被太阳晒得皱巴了的花脸蘑。司马先生在世时,她还细心侍奉着公公,可是司马先生一走,她就把公公送到了司马先生的弟弟家,她说亲生儿子养老人是天经地义的事情,她一个做儿媳的不便再养公公了。以往碍于司马先生的脸面她不敢去打工的场所,如今她也可以随心所欲地去了,她到一家浴池给人搓澡,每月能挣四百多块钱,此外,她还交往了一个比她小八岁的在家具市场出苦力的用三轮车送家具的男人。总之,司马先生活着时就仿佛是一座高山,把她这条本来是要自由向前奔流的河给拦腰斩断了,如今这高山消失了,她就可以撒欢地向前奔流了。只不过若是她年轻的时候奔流的话,两岸还有郁郁葱葱的风景可以观赏,如今已是她人生的秋天了,风寒水瘦的,可以被她享受的景色已经透出苍凉之气了。虽然如此,她看上去仍然是朝气蓬勃的。我很为司马先生难过,一个知识分子遵从父母之命娶了位农村太太,当他把她带入城里后,他以为只有他是委屈和忍辱负重的,他不明白他的妻子也同样如此。毫无疑问,司马先生在世时,她的生活是压抑的、隐忍的、寂寞的,如今她冲出了牢笼,又可以和她所贴近的底层的人民那么水乳交融地打成一片,她浑身洋溢着生活的热情,仿佛年轻了许多。她有两个孩子,一儿一女。儿子是外科医生,早已结婚。她的女儿,也就是司马林秀,比我还大四岁,已过三十岁了。不过她因为生得娇小,看上去似乎很年轻的样子。她是一家印刷厂的工人,也许是因为整天与纸张打交道的缘故,她最憎恨的就是书了。所以我们交往最亲密的一段日子里,她向我提出的惟一要求是,结婚时家里别摆一本书,她一见书就想吐。我当时什么也没有说,因为我一离开书就活不了,阅读一本自己所喜欢的书,实在跟热恋一样地美妙。也许是因为她讨厌书的缘故,司马林秀对父亲并不喜欢,她从来不进他的书房,她说整天呆在书房的人老是使她联想到阴暗的洞中的老鼠。我和她的交往,起始于一桩麻烦。我不是机关里的一个写材料的小科员嘛,有一回,由我主笔给市委书记写一个有关城市古建筑保护的会议的讲话稿,我这方面的知识有限,就着手查阅相关资料,结果我在一个社科类的内部刊物上,发现了一篇署名司马为民的文章《论城市古建筑保护的现实意义》,这文章写得深入浅出的,十分好读,完全不似一些貌似高深的学术著作到处是引经据典的大段论文,有的为了显示其学术的"全球性",还夹杂着一些洋文,看起来让人昏头涨脑的。司马为民的那篇文章,字字珠玑,又句句是实话,有说服力而又不缺乏美感,我如获至宝,大段大段地摘抄,很顺利地写就了讲话稿。顺便说一下,我们写文章经常这么东拼西凑地摘抄别人的文章,因为大大小小的会议每时每刻都在开,不同类型的发言就得随时写,我们又不是每个行业的专业人士,可又得做出专业的样子,只能如此去做,说得动听一些就叫做"借鉴"。一般的借鉴是没人跟我们计较的,因为我们衙门大,文章出来的署名又不是我辈凡俗之流,而是领导的显赫大名,谁敢与之计较呢?然而司马为民却不然,那天的会议他刚好在场,他在台下听着领导在读自己的文章,他怒火中烧,未等会议结束就拂袖而去。他铁青着脸把情况反映到会务组,声言要起诉抄袭他文章的人。会务组的人见他情绪激动,不敢怠慢,立刻就找到了老吴,老吴连忙拉着我去见他。老吴是有手段的,他先毕恭毕敬地给老先生行个礼,说是久仰大名,不是因为工作忙,早就应该登门拜访和求教,然后他又针对司马先生要对簿公堂的想法发表自己的见解:"明天这文章一见报,署名就是市委书记的了,你要是起诉的话,法院的传票上就得写他的名字,你要是不介意的话,那当然可以了。"司马为民干瘦干瘦的,下巴很长,微微翘着,左手的食指很黄,看来他嗜烟。他听了老吴的话,说我们要么在报上登个声明公开向他道歉,要么赔偿他五千元的经济和精神损失,所谓"私了"。老吴答应跟领导商量一下,把解决的意见尽快通告给他。司马为民一走,老吴就破口大骂,骂他瘪三,说是一个内部刊物上发表的作品,只是作为交流用,哪有那么大的社会影响,他凭什么狮子大张口地要五千元,这分明是敲诈!为了息事宁人,第二天,老吴和我登门谢罪,用公款会议的开销费给他买了一盒茶、两条香烟。就是在那天,我认识了司马林秀。司马先生听说我是个在孤儿院长大的孩子,至今不知道自己的生身父母是谁,而且是孑然一身的时候,就突然对我热情起来了,他非要留我们吃晚饭,我们见他无意再纠缠此事了,就留了下来。晚饭时,司马林秀回来了,她个子不高,很瘦,面色苍白,不苟言笑,给人一种很忧郁的感觉。她的面容还算清秀,眼睛不大,但很纯,鼻子和嘴巴生得也小巧,很有点古典的气息。司马先生向她介绍了我们,她只是那么散漫地瞄了我们一眼,就进她的房间了。吃饭的时候,她一直不说话,低着头,未等大家吃完,她就离开了饭桌,给人一种特别的印象,不活泼却很有主意,不漂亮却耐人寻味。我承认,她身上有一种很别致的东西吸引了我。从那以后,司马先生常打电话让我去过周末,我与司马林秀越来越熟悉,逐渐对她产生了好感。我很喜欢她不事张扬的处世态度,她不太打扮,对物质生活的要求很低,吃穿都不讲究,这对于清贫的我来讲是福音。她不谙世事,很单纯,你跟她讲社会所发生的一些复杂事时,她总是使劲睁着眼睛,很不相信的样子。我们的交往,少了年轻人的那种疯狂和激情,却多了一份稳重和平和。老吴就说过,像司马林秀这样的姑娘,最适合做老婆。正当我们谈婚论嫁之时,我未来的岳父去世了,原来一直很赞同我们交往的司马林秀的母亲,突然改变了主意,她说她早就没相中我,嫌我过于单薄,跟女人一样弱不禁风,说是她不能让女儿嫁一个没有力气的男人。而且她对我的职业更是嗤之以鼻,因为她"文革"时期曾与丈夫有过下放的经历,她认为写文章是个惹是生非的职业,说出事就出事,她不能把女儿往火山口上扔。言下之意,我不能娶司马林秀。而司马林秀呢,她又是一个没有主意的人,父亲在时听父亲的,母亲说了算时就听母亲的,这很令我气愤。她告诉我,她母亲给她找了一个新对象,是个个体户,卖烧鸡的,那人很壮实,有一套三居室的房子,老太婆想让他们在秋天时把婚事办了。我把司马林秀约到了回龙观酒馆,对她进行最后的努力。以往我是忌讳领她到这里的,怕她因此而对我的生活产生怀疑。这次把她带来,是觉得万一我们谈崩了,吵起来了,这里的人都不会注意我们的。如果在我那一居室的小屋吵起了架,饶舌的邻居肯定要说我在欺负女孩子,没准打电话给派出所说我耍流氓呢。而在其他的公共场所,你要是与什么人争执起来,好,围观者立刻蜂拥而至,就像看摸彩票一样。

　　司马林秀穿着件水粉色的裙子,裙子的领口很高,是她母亲亲自做的,她说女儿的脖子过于细腻白皙,要把它隐藏起来,以免男人垂涎欲滴、想入非非而使女儿引火烧身。司马林秀一进回龙观,就对那悬挂的农具产生了恐惧感,她老是担心它们掉下来砸着她。她还讨厌二人转,说她听了头晕。我反复劝说,这才把她留了下来。我们来的时候,天还微微亮着,"臭鱼"见我带来了个姑娘,就殷勤地端茶倒水,说是要赏个辣花萝卜给我们吃。司马林秀在我点菜的时候,嘱咐我不要浪费,少点一些,我开玩笑说:"你要离开我了,我总得大方一回,给你留个好念想吧?"她微微笑了笑,说:"那你就太傻了,还不如把钱省着,给新的女朋友买点什么。"她平素是不开玩笑的,但我还是把那话当做了玩笑。当天黑了起来,酒馆的灯光愈发显得朦胧的时候,我觉得司马林秀美得令人心疼,那是一种含苞带露的美丽,如荧荧的星光一样动人。我忍不住抓住了她的手,用颤抖的声调动情地说:"别离开我,林秀。"她没有抽回手,但她温和却又是坚定地说:"我妈说了,我今天是最后一次和你出来,你忘了我吧。"她说这话的时候,语气是平静的,一点忧伤的味道都没有,这使我很难过。我紧紧地握着她的手,我哽咽地说:"你就不能给自己做一回主吗?为什么一定要听你妈妈的?你不是爱我的吗?"她的嘴角抽搐了一下,说:"我打小就闹不明白一个问题,我为什么是个人呢?我看花和鸟都比人强,可我托生的就是人啊,我没办法啊。我不愿意当人,可是爸爸妈妈却让我成了人,我就想好了,有关人的事,他们让我怎么做,我就怎么做。我不爱人,什么样的人我都不爱,我也不爱自己,我觉得人是可怜的、可笑的。"我火了,指着窗外说:"如果你妈妈让你像外面的女人一样拉客,你难道愿意当妓女吗?"我是多么希望她能够像受了侮辱一样地给我一个耳光啊,可是上帝啊,她却镇定地点了点头。我终于抑制不住自己的绝望和悲哀情绪,劈手打了她一巴掌。她并没有被激怒,她沉默了一番,然后从容地把杯里的酒喝光,起身对我说:"我发誓,你再敢去找我,我就跳楼自杀。"我知道她没有威胁我,虽然她比我大,但她经历单纯,心地透明,一直没有学会撒谎,我只能眼睁睁地看着她离去。我想也许不该把她约到回龙观,这个地方从来就不是我的福地。

　　我垂头丧气地回到住所,给老吴打了个电话,让他找个借口给司马先生家打个电话,看看林秀在吗,她独自从城西回家,我有些放心不下。老吴很快回了电话,说:"她刚到家,怎么,你们闹别扭了?"我说:"我把她带到了回龙观,我们分手了。"老吴沉默了一刻,然后小声说:"你把她往那种地方带,还不是逼着她离开你? 你简直是疯了!"老吴压抑着声调,我知道他在自己的小书房里,他大约怕老婆听见他讲回龙观,所以仿佛是被人给勒了嗓子在跟我说话。我向他提出请求,我自从到了市委机关,一次都没有休过假,现在公务员不是规定每年有半个月的休假期吗,我请求明天开始休假!老吴一听急了,他的声调高了起来:"别说你了,我在机关干了二十多年,我休过一次假吗? 这个工作就是这么缠人,你又不是不知道,下个月有两个重要会议呢,你现在给我撂挑子,这不是给我出难题吗?"可是我去意已定,我蛮横地说:"反正我明天开始就不上班去了,你不准我假我也走!"老吴颤着声乞求道:"你这不是给我拆台吗,最近还有我的一次机会,我在工作上一点都不能出差错,你这个时候走,等于卡我的脖子呀!"我也激动地说:"这几年,今天说有机会提拔你,没提;明天又说有机会提拔你,提的又是别人,你还没看淡这些,还没受够折磨呀? 官场是什么,就是一群头脑空虚的人疯狂地抢一把椅子坐,抢上的就是爷爷,抢不上的就给人跪着当孙子! 你与其给人陪衬着当孙子,还不如当自己的主人呢! 你都快五十的人了,何苦受这份罪呢!"我的话一定深深刺激了老吴,电话里传来的是急促的喘息声,接着,他一言不发地挂断了电话。我也把手机关掉了。我的居所没有安装固定电话，我喜欢手机，它灵巧轻便、实用性强，随时随地可用，又随时随地可以弃之不用，私密性极强。比如你坐在回龙观酒馆望窗外的风景呢，手机响了，你完全可以躲进洗手间，在寂静的环境中与人谈公事或者私事，不会有人知道你在哪里的。接完电话，照样可以在喧闹的环境中开怀地吃喝。所以我每月的工资，有四分之一是付了手机的费用了。司马先生活着的时候，就对我的手机颇有微词，他说养个手机，等于养个小孩了，他说的当然是钱，可我觉得从人性的意义来理解，他的比喻是贴切的，它的确就是我可爱的孩子，须臾与我不能分离。

　　我不知道自己该到哪里去休假。我是个孤儿，一个亲人都没有，我所能去的，只能是陌生的环境。而我又不喜欢去那些名声在外的旅游点，人多嘈杂且不说，那样的地方开销还特别大，不是工薪阶层的我所能享受得起的。我清楚地记得大学三年级的暑假，我到黄山去，在上山的时候，栈道上满是游人，你想停下来欣赏一下山岭间的奇松怪石都不可能。后面的人永远在逼着你向上，你所能听见的，除了身前身后人的粗重的呼吸声，就是他们见缝插针地抢拍照片的"咔嚓"声。到了山顶，我本想住一夜看日出的，可是一问那些旅馆，便宜的早已客满，而好旅馆的价格跟黄山的顶峰一样让人望而生畏，我只能凑合着吃了一碗面条，租了一件棉衣，择了一处幽静的地方，把天当做屋顶，把地当做床铺，等待天明。刚开始的时候，我还怀有浪漫的遐想，把头顶的星星当做我被子上盛开的花朵，把四周随风摇曳的树当做丫鬟为我驱除热气的摇扇。后来疲倦像洪水一样袭来，熬到大约凌晨两三点钟的时候，我终于支持不住地睡着了。太阳是如何升起来的，清晨山间的云雾是如何曼妙地涌动的，我一无所知。后来我想，如果我很有钱，就可以闲适地住进一家好旅馆，休息充分了，想什么时候看日出都可以。那时我陡然明白，优雅的生活原来是要以金钱作为基础的。所以声名显赫的风景，在我看来全都是奢侈的风景。

　　我打开电视机，为了打发无聊的时光，手里拿着遥控器，不停地换台。在中原省份的一个频道的卫星节目中，我看到一档名为《新闻透视》的节目，记者报道说他们省著名的芦苇湖旅游风景区，由于邻近的一家造纸厂排污设施没有达到国家要求的标准，已经使旅游区的湖水变质，芦苇枯黄,以往栖息在湖畔的白鹤已经迁徙了。接着,镜头里闪现的是一排排无人入住的芦苇丛中的小屋和没有了游人的湖泊。我突然生发出一个念头,我要去被污染了的芦苇湖,因为那里没有游人,相对寂静。而且,一处遭受了摧残的风景,与我此时的心境正相符,所谓"惺惺惜惺惺"。

在火车上折腾了一天,又在汽车上颠簸了三个小时,我到达了芦苇湖。那是个细雨霏霏的午后。一下车,果然闻到了一股隐约的臭气。风景区有五片大小不一的湖,旅馆就建在湖泊间的芦苇丛中,是一座挨着一座的小白房子,很别致。在电视上看,这旅馆是建在地面上的,现在我才看明白,原来它们的地基就是一根根裸露着的伫立在芦苇中的柱子,难怪这房子规模都不大。在这浩浩荡荡的芦苇丛中,是悬空的一条条木质的过道,走上去晃晃悠悠的,类似浮桥,发出咯吱咯吱的响声。我设想月色温柔的夜晚,你走在这样的路上,看着下面的芦苇丛跳跃着的月光,嗅着湖水和草的清香气息,听着湖面上水鸟偶尔响起的温存叫声,一定是格外动人的。

旅馆的小房子个个都紧闭着,十分萧条。我没有带伞,早已被淋得浑身精湿。正当我不知道该到哪里去做住宿登记的时候,忽然听见西北角的一座屋子传来了一声吆喝:"哎,你是干什么的?"循声一望,见是一个穿蓝衣服的又矮又胖的中年男人站在屋檐下跟我打招呼。我快走了几步,对他说:"我是来旅游的。"那人笑了:"你是外地人吧,不知道今年这景点的行情,哪还有什么旅游的人呢。"他把我让进屋子,递给我一条散发着臭汗味的毛巾,说:"擦擦头吧,你也真够倒霉的,就这么点云彩,让你给摊上了。"

他告诉我,他是看护景点的,这里已经不对外营业了,所有的工作人员都撤离了。将来湖水治理好了,再另择日期开放。我问他,如果别人不知道这里的变化,慕名而来,你们也不接待吗?他"嗨"了一声说:"一闻到这臭味,谁还愿意住在这里啊,还不是转身就走人了!"我说:"可我想在这里住上一段日子。"他诧异地望着我,然后恍然大悟地说:"我明白了,你是哪个地方的记者,想在这了解点情况写文章,是不是?"我连忙摇头,说自己不过是想找一个清静的地方独自呆呆。他仍然坚持自己的判断,并且对我说:"我懂,你这是为了不暴露自己的身份,这叫做暗访,对不对? 就像中央电视台《焦点访谈》的那些记者。"我哭笑不得地对他说:"你先给我登记个住处吧。"他大声地咳嗽了一下,说:"这景点都封了,你住在这里光杆司令一人,有什么意思? 再说了,灶房又不开伙,你难道喝西北风不成?"我问他,难道附近就没有吃饭的地方吗? 他先跑出门吐了一口痰,然后回来对我说:"有是有,不过离这有五里路呢,那个村子叫芳草洼,有几家小吃店,对了,那里小旅馆也有,前些年风景区生意好,这些小白房子一旦满员了,住不下来的人就奔芳草洼去了。"

我想五里路对在城市生活的人来讲算不得长路,估计慢走的话,一小时也到了。而且,我也用不着一天吃三顿饭,每天去吃一次,再带点现成的回来,不就解决了温饱问题了吗? 再说了,我住在这里,又吃在别处,这是多么浪漫的事啊。你想想吧,你每天穿过这大片大片寂无声息的芦苇丛向一个村子走去,可以尽情地浏览四周的风景。虽然空气不好,芦苇颜色枯黄,但是这无与伦比的空旷又上哪里寻得来呢! 我甚至为这种安排有些兴高采烈了,我说:"就这样吧,你给我安排个住处,我每天到村里去吃饭!"

他便给我开了一间房,那是离他的住处最近的一座小屋。打开门,先闻到一股发霉的气味。那人解释说,由于很长时间没有住人,门窗紧闭,所以才闷出了这股气味。由于是雨天,室内光线有些昏暗,我见里面的设施很现代,有卫生间、空调和电视电话。屋子陈设趋于古朴,床、柜以及桌椅以紫檀色为基调。这是一个典型的标准间,左右对称摆着两张床。我向他打听这房间的价钱,那人很诡秘地说:"我可以告诉你,我是看你折腾得太累了怪可怜人的,才留你住下来,我可是没有发票给你开呀。"我把背包扔到椅子上,说:"我是私人外出,又不报销,要发票也没有用。"他一听十分振奋,眼睛泛出一股逼人的亮光,他说:"反正这里又没有别人知道你住进来,干脆,咱们都各行方便,你就看着给我俩钱得了,够我换几壶酒喝的就行!"显然,他不再怀疑我是记者了,对我放松了警惕。他怕我不了解行情,接着补充说:"你知道吗,往年到了旅游旺季的时候,这一个标准间能达到三百二十块一宿啊。"我笑了笑,说:"我一天给你五十块,你看怎么样?"显然他对这个价格是乐于接受的,因为他的眼睛显得更亮了,他给了我一拳,说:"少了点,不过也行了,谁让咱俩有缘分呢!"他告诉我,由于停业了,所以水电之类的管线已经被掐断了,这屋子里的空调、电视、电话都只能是个摆设了。我想用不上空调我可以开窗,电视我压根儿也不想去看,电话成了哑巴正合我意,这没什么可遗憾的。惟一的缺点是,用水不方便了,洗脸刷牙和上厕所怎么办?那人听了我的忧虑,一拍胸脯说:"我那间屋子有水,回头我把浴缸给堵上塞子,我用桶给你把水拎来,把浴缸灌满了,我看你在里面游泳都够用了!喝的水呢,我每天给你烧一壶开水,你看这就没问题了吧?"

我想我已经要开始过天堂的日子了。

这个有心计的留守人员叫刘满堂。他说到做到,用了半个多小时的时间,打着伞提来一桶桶的水,把浴缸几乎给注满了。黄昏时雨休了,他又给我送来了一壶开水,并且殷勤地邀请我到他那里去吃饭。原来他那里能开伙。为了表示我的诚心,我先给了他三百块钱。他大喜过望地说:"怎么,你能在这里住六天?"我半开玩笑地说:"你给我储备了一浴缸的水,还不是要留我多住!"他听了我的话显得很激动,他说:"你要是不嫌弃我做的饭,每天跟我吃也行,我这里最缺的就是青菜,这地方你也见了,没地方能种菜,不过我把海带和辣白菜当青菜吃,味道也是不错的。还有啊,坛子里腌着咸肉、松花蛋、花生米、银鱼干也是应有尽有,你看是不是也能跟着凑合着?"

他的话险些让我流出涎水,我想这阔气得跟坐酒馆有什么区别呢?

老刘做饭用的是煤油炉,它像个大烛台似的龟缩在墙角。老刘说,本来他要搬一个煤气罐过来的,可风景区的领导不让,说是你在这里留守,安全第一,弄个煤气罐不利于防火,他就只好用煤油炉。他抱怨这炉子小里小气的,像是小孩子过家家用的玩意儿,火来得太慢,炒出来的菜少了股香味。老刘皮肤粗糙,嘴很阔大,胡子拉碴的,衣着倒挺整洁。他拌了一盘海带丝,用干辣椒炒了碟咸肉,还煎了一盘银鱼。在这期间,天色徐徐暗了。在远离人烟的地方,黑暗的到来是有层次的,不似在城市里,你感觉到的黑暗由于灯火过盛的缘故,是温吞吞的,一点也不明朗。而在真正的大自然的怀抱中,黑暗是纯粹的,它能够尽情地将其本色展现出来,那是一种无拘无束的黑暗,它确实就像一匹漂亮而有活力的黑马一样,可以自由地奔跑和撒欢。我站在门口,能看见黑暗在芦苇上像潮水一样漫过,我甚至听见了黑暗所发出的声音,就像一双粗糙的手抚过光滑的绸缎所发出的声音。我情不自禁地伸出手来,想触摸一下这黑暗,结果我的指尖马上就有了感觉,仿佛谁给我戴了一枚戒指,不过这戒指发出的是野草莓一样的甜香气息。

"哎,饭菜妥了,进屋来吃吧。"老刘吆喝我,我感觉黑暗在我身上滑了一下,一耸身逃走了。

老刘点起了蜡烛。他抱怨没有电,一到晚上老是黑咕隆咚的。其实我并不喜欢灯光,我觉得它过于明亮,缺乏情调。相反,烛光却因其气息微弱而让人顿生怜爱之情。而且,灯光的光焰是持之以恒的,缺乏变化,而烛光却一颤一颤的,摇摇摆摆的就像一个女孩子在跳舞。

我们相对而坐,老刘特意准备了酒。那是散装的白酒,很冲。一口喝下去,只觉得嗓子眼里热辣辣的。老刘连忙让我吃口海带丝压一压,听他的口气,那酒就是燃烧的小火苗,而海带丝则是水。我咳嗽着问这酒有多少度? 老刘笑着说:"这是个人家酿的酒,醇,度数谁也说不清,谁测那玩意儿呀! 不过它度数低不了!"老刘说完,问我姓什么,从哪里来? 我告诉他跟他一个姓,从中国最北的地方来。他叹息了一声,说:"那里冷啊,听说冬天时能把人的鼻子耳朵都给冻掉了?"

我说:"你看我不缺鼻子不少耳朵的,没你们说的那么悬乎!"

老刘又问我老家在哪里,父母大人有多大年岁了? 我不愿意跟外人讲自己的身世,所以陌生人一旦问到这,我就胡编滥造,有时我说父亲死了,母亲还健在;有的时候则说娘没了,爹还在。我从不说他们已经双双亡故了,因为看别人对你的同情目光,心里实在不是滋味。

"那你娘是怎么死的?"老刘听了我的胡话,很同情地问。

"她是个精神病,她发病时点了一把火,把自己烧死了!"我恶毒地设想着。

在我的内心深处,我觉得一个能够遗弃亲生儿子的母亲除了她不道德外,其天性中必定还有残忍的东西。

"哦,可怜!"老刘叫道,我不知他是说我那虚拟的母亲的命运可怜呢,还是哀叹我的命运可怜。他猛喝了一口酒,一个劲地摇头。他在摇头的时候,烛光在他的脸上像一群蜜蜂似的欢快地跳来跳去,使他的脸看上去花花搭搭的。

　　几样菜中,最可口的是小银鱼了。老刘告诉我,这鱼长不大,最长的也超不过人的眉毛,它们就生长在芦苇湖中,是这里的特色鱼。他所存的,是往年打捞上来后晒干的。这鱼若是新鲜的,用白醋把它们腌了生吃最鲜美。有时那鱼还活着,你把它扔进白醋里,啊,你看吧,它们一个个又蹦又跳着,跟孙悟空大闹天宫似的,但是要不了多久,它们就纷纷直着身子不动了。这时候,你放上点盐,撒点姜末,喜欢辣味的浇上点辣椒油或者芥末,喜欢甜味的再微微加点糖,你就尽管敞开肚子吃吧,能把你鲜得直栽跟头!老刘讲起银鱼来,那双本不大的眼睛就显得大了,而且看上去神采飞扬的。我想起了"臭鱼"有一次告诉我,他平生吃的最美的东西,是在太湖吃醉虾。据说那虾也都是活的,白得透明,扔进酒里后,它们逐渐醉昏,这时候你用筷子拈着它,将其送进嘴里,哎呀,简直是鲜美得无法形容了。记得"臭鱼"讲的时候口水都流出来了。而我也许是由于生性敏感的缘故,对食用活物总是心怀恐怖,张不开那个口。你看着那晶莹剔透的虾和鱼在醋和酒中挣扎的情形,难道就能心安理得地吃下去?

　　老刘就像哀悼一段美好的往事一样惆怅地叹息了一声,说:"这两年湖水一被污染,银鱼不见了,白鹤也飞走了。以前呢,你要是来这里,水是清的,湖上还养了大片大片的荷花,夏天荷花一开,哎呀,那可是真清香啊,芦苇碧绿碧绿的,银鱼一打就是一网,游客都说这里是人间天堂哇。"老刘越说越伤感,竟然有些眼泪汪汪的了,可以看出他是性情中人。

　　烛光摇曳着,就像暗夜盛开的一枝花。这花像红红的高粱,又像灿烂的菊花。有的时候它耸动得厉害,仿佛有风在吹拂它的睫毛;有的时候它则安恬如端坐在莲花宝座上的观音,我喜欢极了它。老刘见我把目光放在蜡烛上,就嘲笑我说:"你们年轻人爱弄个小情小调的,看着这蜡烛,想老婆了吧?"

　　"我的老婆像芦苇湖的白鹤一样飞走了。"我有些伤感地说。

　　老刘带着一股怜爱之情用筷子敲了一下我的脑门,笑着说:"你老婆飞了,所以你就出来散心,是不是?"见我不回答,他用一种历经沧桑的口吻对我说:"小伙子,别丧气,天下就分了两种人,不是男的就是女的,女人一帮一帮的,哪里还不找她一个出来?"他见我仍然不吭气,就继续开导我说:"其实女人都很坏的,尤其是你让她知道你喜欢她的时候。她们捉弄男人的办法就是自己站在高岗上,打扮得花枝招展的,看着你往上爬。等你快爬到地方了,好,这些个小妖精又往高处去了,你又得往上爬,直到把你给累死。"他的一番话仿佛是经历了女人对他沉重的折磨似的,我不禁哑然失笑。我一笑,他也笑了。这一刻,我喜欢上了这个刚结识的朋友。

酒不知不觉喝光了,我看烛光时眼神开始发虚了。有的时候那光膨胀成了个大火球,有的时候则暗淡渺小得如一只萤火虫在飞。老刘大约看出我已醉了,就说时候不早了,让我回去歇息。他怕我醉了点蜡烛不安全,就把一个手电筒给了我。可我不想睡觉,一出了老刘的屋子,我就摇摇晃晃地沿着木踏板向前方走去。黑夜因着有了星光和一弯淡淡的上弦月,看上去就像一个冷美人有了隐隐的笑容一样,显得异乎寻常的美丽。凉风使湖畔的芦苇丛发出刷刷的响声,而阔大的湖面则是星光浩荡,仿佛湖里已消失的银鱼又一群群地再生了。我在一处幽静得已感觉不到自己存在的地方,畅快淋漓地哭了起来。我哭得很沉迷,很痴情,很投入,那是多么幸福的哭泣啊。我的泪落在芦苇上,芦苇掂了掂它,然后把手一摆,将它给甩在湖水里,于是,湖面的星光就伸出柔软的舌头来亲吻我的泪水了。

我很早就醒了。我多次体验过了,在大自然的怀抱中,我总是处于似睡非睡的状态。仿佛那清风明月、溪流花朵喜欢在夜里和你聊天,它们会伸出柔软的触角轻轻地把你摇醒。所以有的时候我在梦中,却能隐约听见窗外的鸟鸣或者是河畔青蛙的鼓噪声。天色还不明朗,我打开窗户,想透透空气,结果扑面而来的是刺鼻的臭气。昨天,我对这气味的感觉还没那么强烈,也许是雨水压抑了臭气的挥发。不过,窗外的景色却很动人,湖水和近处的芦苇呈现着温柔的浅灰和朦胧的鹅黄色,让人有欣赏一幅疏朗有致的水墨画的感觉。

我洗漱完毕,拿了一些钱放在身上,就出了旅馆。老刘兴许是昨日贪杯过甚的缘故,路过他的屋子时,发现门还紧闭着。我尽量把脚步放得轻一些,担心木板路所发出的嘎吱的响声会把他扰醒。

　　走出了芦苇湖旅游风景区时,一条土黄色的乡间小路出现了,路旁竖着一块歪歪斜斜的木牌,上面用箭头和文字标明了芳草洼的方向,可以想见芳草洼是旅游到此的人常去的地方,我想我空空落落的肚子就等着去芳草洼填满了。

　　路两侧没有农田,它们是一望无际的沼泽地。我没有遇见一只白鹤,只看到几只麻雀低低掠过,它们的叫声使清晨有了丝丝缕缕的生气。

　　太阳没有起来,可是雾气逐渐起来了。沼泽地由于湿度大,雾气极易生成,因而晨昏时分常常是雾气蒙蒙的。越向前走雾气越大,渐渐地连眼前的路都看不真切了。我仿佛也成了一片雾,自由地在草间穿梭。我想起了童年在孤儿院时郑妈妈给我们讲过的故事。她说雾气是龙王爷喘出来的气,是仙气,多闻闻这气,人就不会生病。从那以后,只要我赶上有雾的日子,我就一定要在雾中穿行一番。我觉得雾气是很洒脱的,它来无影,去无踪,形态千变万化,妖娆绮丽,你看得见它,以为它是可以触摸的,可当你伸出手来,却什么也抓不住。不似你看见一棵树、一簇花、一条溪流,你在欣赏它们的同时,完全可以用手去感知它们。你触摸了树,树叶也许会给你的手染上一抹绿色;你触摸了花,手就像擦了香脂一样香气浓郁;而你触摸了溪流,满手都会是清凉之气。独有雾气,你触摸了它,手上什么变化都没有,就像轰轰烈烈却没有结果的爱情一样,让人惆怅不已。

　　白雾簇拥着我,仿佛在推着我向前走。四周静极了,我能听见的,只是自己的呼吸声。在喧闹和嘈杂的环境中,谁能感觉到自己的呼吸呢?而在空旷幽静的地方,呼吸却是最真切的一种存在。我听着自己的呼吸声,知道生命正在勃勃跃动,知道我的眼睛还在留恋这尘世的风景。

　　浮想联翩地走了不知多久,太阳出来了,雾气逐渐消散,这时我看清了沼泽地的风景,它有大片大片的浸在水中的青草,还有不知名的野花点缀其中。那青草很宽,像兰花的叶子,沉实而阔大。野花以黄色的居多,虽然说零零稀稀的,但望去仍然给人明媚之感。而且,那股弥漫的臭气越来越不明显了,我甚至能够闻到随风而起的阵阵野花的香气。极目远望,可以看见房屋的影子了。

　　芳草洼是宁静的。我到达的时候,炊烟正缕缕升起。没有风,那炊烟一簇簇地旋升着,像是房屋开给天空的花朵。最先发现我的,不是人,而是鸡、鸭、鹅。鸡和鸭对生人是毫不介意的,它们很随便地看了我一眼,就扭扭摆摆地向别处去了。鹅就不一样了,它耸起脖颈高亢地叫着,对我怒目而视。我觉得它那不依不饶的姿态很有趣,就停下来看它,谁料它叫得愈发凶了,直到把它的主人给叫出来为止。

她三十上下的样子,中等个儿,偏瘦,瓜子脸,细眯的眼睛看上去给人一种温柔、慵懒的感觉,穿一件水红色短袖衫、一条露小腿的宽松裤子,趿拉着双塑料拖鞋,头发有些乱,好像还没梳洗的样子。她就像我在途中所见到的野花,美丽、寂寞而又有些随心所欲的样子。

她上上下下地打量了我好久,终于说了一句话:"又不是警察,你瞎叫唤个嘛?"她把头朝向鹅,责备着它。

鹅很委屈地叫了几声,扭着头走了。鹅走路是腆着肚子的,看上去很骄傲、很不可一世的样子。

数落过了鹅,她仍然不跟我说话。她歪着脑袋继续打量我,就像看西洋景似的。我见她身后的房屋很破旧,且也没有饭馆的招牌,就想着离开那里。才转过身,就听到她说话了:"你到底找谁家啊?"

我转过身说:"我想找家饭馆吃点东西。"

她"哦"了一声,说:"这地方以前倒是有饭馆,不过现在都关门了,谁还来这里吃东西嘛!"她说话时似乎很中意这个"嘛"字,把它咬得很重,好像这"嘛"字是她嘴里含的一块沉甸甸的金币似的。

我想既然没有饭馆,索性就去哪家食杂店随便买点饼干之类的东西对付一下,于是问她:"卖饼干的地方总还是有吧?"

她没有正面回答我的话,而是嘟囔说一个大人,吃个饼干能顶饿吗?见我笑了,她又说:"你是外地来这旅游的吧?"

我点了点头。

她说:"那你怎么连个背包也没有背,就这么空手来的?"

我说:"我住在芦苇湖,背包扔在那里的旅馆了。不过那里的餐馆都不营业了,看旅馆的人告诉我,说芳草洼有饭馆,我就来了。"

"你从芦苇湖走过来,就是为着吃饭?!"她惊异地叫道。她这一叫不要紧,鹅以为我在威胁它的主人,又扭着大屁股"嘎嘎"叫着向我冲来了。

"有你什么事,你玩你的去嘛!"她伸出脚来,冲鹅屁股踢了一脚。鹅缩了一下身子,悲哀地叫着逃走了。这回它跑得很远,大约是不想再为主人瞎操心了。

她的眼睛飞快地转了几下,然后对我说:"反正我天天总要吃饭的,你要是不嫌弃家常便饭,就到我家吃。"

"这再好不过了!"我说,"我可以付给你饭钱!"

"我不想收你的饭钱——"她停顿了一刻,然后唇角浮现出小孩子搞了恶作剧的那种坏笑,她说,"我想让你帮我干点农活,我知道你是城里人,没干过什么活,可是这活简单,一学就会。"我想她是要把我当做打短工的使唤了。本来我是可以拒绝的,但我却没有,一则觉得她是个有趣的人,气质和言谈不像个农村妇女,我有和她交往的欲望;二是我想能在异乡用自己的劳动换来温饱,不也是件很惬意的事情吗?

我答应了她,尾随她进了屋子。那屋子一进去就是灶房,灶膛里的火劈啪燃烧着,从锅盖里冒出一股香味来,给人一种暖洋洋的感觉。灶房的门是向南开的,而连着它的一左一右的两间屋一个开着东门,一个则是西门。她把我让进东屋,然后穿过灶房去了西屋。她走路很特别,腿抬得很高,一蹦一蹦的,仿佛跳着走路,给人一种淘气的感觉,所以她的脚步声听起来是短促有力的。

东屋里没有什么陈设,但是很整洁。床铺上苫的蓝色方格布单看不出一点褶皱,就像刚刚熨过了似的那么平整。窗前的蓝色窗帘也是如此,虽然它被束起在墙角,但你从它无波痕的垂感中看得出它因平整而呈现的舒展。一只立在东墙的桌子虽然看上去油漆斑驳的,但它上面摆着的玻璃杯、暖水瓶、点心盒、茶叶筒、花瓶、镜子都规规矩矩的,很有秩序。且每样物品都不惹尘垢、光可鉴人,足见女主人是个心里不能容忍灰尘的人。屋子的墙壁上没有花里胡哨的挂件,比如一般农家所贴的年画、金元宝的挂件、财神爷喜气洋洋的塑料招贴画、镶满了照片的镜框等等,它一样都没有。它有的,是四周干干净净的墙,虽然不是很白,由于很久没有粉刷现出枯黄的颜色,但还是给人一种分外明净、爽朗的印象。

女主人把饭端到西屋,吆喝我过去吃饭。我穿过灶房走进西屋。一进去,先看见了支在窗前的一张圆形饭桌,桌子周围摆了一圈条形板凳。鸡蛋羹、玉米锅贴热气腾腾地摆在那里,令人馋涎欲滴。正当我落座以后，拿起一个锅贴准备往嘴里填的时候，突然发现对面向北的地方立着一个约莫五六岁左右的小男孩，他站在一张小床旁边，怀抱着一个玩得已经破损不堪的玩具汽车，好奇地望着我。他衣着整洁，有些瘦，一双大眼睛格外有神，看上去漂亮而又安静，就像忽然从哪里冒出来的小精灵似的。我跟他打了声招呼："小朋友，你好！"他不吱声，仍然充满好奇地望着我，好像我是天外来客似的。他的沉静的目光和沉稳的姿态，不知怎的有点使我慌乱，我不知所措，把锅贴拿起又放下，放下又拿起。为了消除尴尬，我对他说："你叫什么？过来和叔叔一起吃饭吧。"他仍是一言不发地望着我，使我更加不自在了。正当我窘得想要离开的时候，女主人端着一碟咸菜进来了。她对我说："这孩子听不见声音，你跟他说话等于白说。"她放下咸菜，打了一个手势，小男孩就把玩具放在床上，慢悠悠地走过来吃饭。也许他不明白妈妈为什么招来一个陌生人吃饭，所以他一直盯着我看，使我觉得浑身不自在。女主人倒是毫不在意，她很自然地吃着东西，并且不断地劝我多吃些，她说看着我实在是太瘦了，让人觉得我从小到大就没有吃饱过饭。

"这孩子怎么会聋呢？"我问。

"他三岁的时候，有一次拉肚子，我就把他带到卫生院去了。卫生院的医生是个老头，他给他开了庆大霉素点滴，过了一周，他不拉肚子了，可是我发现跟他说话的时候，他什么反应也没有，就吓得把他带到县城的医院去看，结果说是用庆大霉素用的，他是聋子了。我当时还不相信，一个小孩打了几天吊针，怎么能说聋就聋了呢？"她放下了筷子，眼圈红了，说，"我不相信这诊断，就带他去了省城，人家也说他是聋了，而且是不能治的聋，我二话没说，又领他去了北京。到了那里，我才死了心。诊断都是一样的，他永远听不见声音了。"

我也吃不下去东西了，我觉得真不应该在饭桌上提起她伤心的往事。

"咳，有的时候我真后悔，你说哪个小孩不闹毛病啊，拉肚子有什么大不了的，领他打的什么吊针嘛！有的时候你对小孩子太精心了，反而是容易出事，那些对孩子粗心大意的人，人家的孩子倒是长得小老虎似的壮实！这就像你把花养在盆里，今天怕它干了浇浇水，明天怕它养分不足又给它施施肥，后天怕它不见光，把它又给搬到太阳底下，结果呢，折腾来折腾去,它却死了,可是随便长在野外的花,又没有人管它,你看人家开得倒是火爆、鲜亮!"她感慨地说着,凄楚地笑了一下,那是被生活所捉弄而发出的苦笑。

我问她,有没有起诉卫生院,他们应该对此事负责赔偿。

女人垂下了头,她沉默了一刻,然后抬起头,对我说:"快吃饭吧,一会儿你还要下田干活呢!"她避开了我提的问题,似乎有着什么难言之隐。我也就不便再多说什么。吃过饭,她找出一套破旧衣服让我换上,那衣服我穿着显大,直晃荡,她笑了,说:"你一穿这衣裳,我才知道我男人有多高大!"她那自豪的语气令我十分汗颜,觉得自己委琐、渺小、卑微。我觉得脸火辣辣的,似乎被人给打了耳光一样的难受,她也许察觉到了我情绪的变化,她叹了一口气,说:"我男人也不过就是个衣裳架子!"如果说我的自尊心刚才还像冰山一样窒息在海底的话,那么她这句话一出,这冰山又浮出了海面,呈现巍峨之势了。她在领我出门的时候嘱咐我,若是有人问我是她家什么人,就说是她的表弟,大学的暑假来乡下玩,别的就不用跟他们多费口舌。

她把聋儿留在了家里。我们沿着村边弯曲的小路往田里走着。在过于晴朗的日子里,我觉得太阳就像傻瓜一样,只会笑,满地都撒着它热烈却无内涵的笑影,让人觉得这样的阳光是无所用心的。小路很窄,我们若是并排走,就容易挨得太近,所以就一前一后地走。她提着一壶水走在前面,我跟在其后。她没有扛一件农具,让我不知道下了田该怎样干活。我们碰到的人,还没有碰到的家禽多,一会儿看见猪趴在地上懒洋洋地晒肚皮呢,一会儿又看见鸡不屈不挠地在垃圾堆上刨食;再过一会儿,咿呀叫着的鸭子又出现了,它们晃着身子,给人神气活现的感觉。我们遇见的三个人,见了她都问:"柱子还没回呀?"她就说:"没回。"别人就说:"又不是什么大不了的事,使俩钱,让人先回来嘛!"她不置可否地笑笑,不再说什么。听他们的口气,那个叫柱子的人似乎是摊上了什么麻烦事。

芳草洼的田地都集中在北侧,那里地势稍高一些,庄稼不至于被涝着。而其他地方,与我途中所经历的情景一样,是一望无际的沼泽地。沼泽地上若隐若现的水洼看上去就像一块块明亮的镜子在闪闪发光。女人把我带到一片地里,指点我要干的活儿,那就是清除稻田里的稗草。她说稗草长得太厚了,都耽误稻子生长了。我见那稗草像高粱一样,很可爱的样子,就随口说这种草不像是坏草啊。她听了我的话笑了,说:"稗草也真的没那么坏,它的果实还能酿酒呢,我们村里专门有一户人家养稗草,待果实熟了就割了酿酒,拿到城里去卖,比种稻子收入还高呢!"

"那你们也别把稗草拔了,留着它酿酒不是很好么?"我说这话,是被大片稻田里的稗草吓着了,这还不得拔它个两三天啊。

"那怎么行呢,稗草和稻子不能长在一处。再说了,不是人人都知道酿稗草酒的秘方嘛。"她把水壶放在地上,说是太阳大,一会儿就会害渴的,让我多喝水,小心中了暑。布置完活儿,她就转身回村了。走前她对我说,午饭会给我送过来,让我不必回她家去。

我发了一会儿呆,开始拔稻田里的稗草。刚拔了几棵,汗就下来了。我觉得浑身燥热,太阳实在是过于活泼了。我呼哧呼哧地喘着粗气,心想自己这不是找罪受吗?我盼望着来点云彩束缚一下太阳,因为它实在是闹腾得让人有些头晕眼花。可是偌大的天空一片云彩都没有,它晴朗得给人一种无心无肺的感觉。这种时刻,老吴的话起了关键作用。往往在我们熬夜写会议材料的时候,我都会抱怨说干一行,甚至不如当个农民来得洒脱。老吴对我的论调嗤之以鼻,他说:"你这是不成熟青年的浪漫主义想法。真要是让你当个农民,你就哭天抹泪了!你以为农民那么好当,那么自由?你也是受气的呀。大热天干活儿,他得受太阳的气;太涝的时候,他受雨水的气;闹蝗虫的时候,他又得受虫子的气。所以说'文革'一结束,那些当年豪情满怀上山下乡的知识青年,哪个不闹着返城?有本事在那里当陶渊明呀!"我当时对他的话是不以为然的,因为我认为劳动是一种单纯的行为,和它作对的无非是大自然的风霜雨雪,是能够忍受的,而工作所呈现的空虚和乏味,而浸透着人世的苍凉,让人难以承受。

似乎是为了反驳老吴的话似的,我喝了点水,把上衣脱掉,光着膀子,热情洋溢地干了起来。这样一来,立刻就不觉得暑热难当了,稗草在我手里一棵棵地被连根拔起,我的手被它的叶片染绿了,那是一股散发着植物汁液气息的绿,十分惹人喜爱。稻田在我的眼里也变得可人了,它们不时伸出饱满的手来抚弄我一下,似乎是在轻轻地问候我。拔掉的稗草在怀里有了一定数量后,我就把它们抱到稻田尽头扔掉。累了的时候,就坐下来歇息一会儿,这时我是很想吸支烟的,在田野里咀嚼烟草的味道,一定会令人筋骨舒坦。快到中午的时候,我已经喜欢上了这项农活儿。在干活儿的时候,我的脑海里就像天空一样的湛蓝、单纯、一尘不染,没有任何的烦恼和不愉快。

太阳升到中天的时候,我饿了。因着畅快的劳动而带来的饥饿是洋溢着喜悦之情的。我几次向村里张望,期待那女人早些把饭送来。

稻田里忽然传来一阵响声,仿佛是风吹过的声音。我转身一看,原来是那个生着一双明净大眼睛的聋儿!他穿着件蓝背心,提着一只篮子,穿过稻田,笑着朝我走来。我迎着他走过去,接过篮子,指了指地,意思是他一定累了,坐下来歇一会儿吧。不料他摇了遥头,然后伸出手来指指篮子,又指指自己的嘴,我明白了,他告诉我篮子里装着吃的东西。我拿开苫在篮子上的白纱布,看见了一只黄色的塑料碗里盛着两个玉米面菜团子,一把洗得干干净净的水灵灵的葱摊开了横在它旁边,看上去像是用翠竹搭成的木排。此外,还有一瓶酱。装酱的瓶子还温着,可以想见这是新炸的酱。此外,我还在篮子里发现了两支用报纸卷成的喇叭形状的烟和一盒火柴,足见这女人的周到、细心和善解人意。

迫不及待地,我拧开酱的瓶盖,抓起一个菜团子,狼吞虎咽地吃了起来。那男孩见我吃相狼狈,忍不住撇着嘴笑了。我指指篮子,示意他可以跟我一起吃,他撩开背心,露出圆鼓鼓的小肚子给我看,意思是他已经吃过了。他的聪明可爱更令人为他的遭遇而痛心。很快,小葱蘸着鸡蛋酱,饭就像落入了陷阱的猛兽一样没了踪影。其实,要是篮子里再有两三个菜团子,我也一样能把它们消灭掉。吃完饭,我就悠闲地点起一支烟,坐在稻田里抽起来。那烟是烟叶碾碎的,很冲,我想这可能是她男人的口味。可惜那孩子什么也听不见,否则我可以问问他,你爸爸去哪里了?

我坐在稻田里,看着指畔的香烟袅袅升起,它那微蓝的色调和舒展的姿态使我想起回龙观夜晚温柔的灯光,对它平添了一股怀念之情。

男孩抓着什么东西从稻田尽头气喘吁吁地跑了过来,他的脸涨得通红,似乎很气愤的样子。到了我身旁,他将两株稻子放到我眼皮底下,"啊——啊——"地叫着,抗议着我。我明白,自己在拔稗草的时候,不小心连带着拔了稻子。男孩瞪着眼睛,握着稻子的手颤抖着,我只能劈手打了自己一耳光,算做自责吧。他大约见我认错了,这才不那么激动,他蹲下身子,小心翼翼地把那两株稻子重新栽上,之后,他捧起那只塑料碗,向低处的沼泽地跑去了。我不知道他这是去干什么,想去追他,但他跑得实在太快了,再说这村子里他熟悉的地方,料必不会出什么事的,也就由着他去了。我猜他可能去水洼里捉蝌蚪,把它们放在碗里,回家去喂鹅。

　　下午的活儿做得比上午要顺手多了。而且,我特别注意不要错把稻子再拔掉了。大约过了一小时左右,男孩回来了。他双手捧着碗,走得小心翼翼的。待他到了近处,我才发现那里竟然盛着发黄的水!那水只剩了小半碗,可以想见他在路上曾经趔趄过,把水晃荡洒了一些。他找到他刚才栽上的那两株稻子,把水均匀地浇在它们身上。之后,他放下碗,抹了抹额上的汗,忽然背过手去,从后面抽出来一支橘黄色的野花,把它递给我。他一定是因为手里捧着碗,才把花掖在裤腰里的!那花很娇艳,它像闪电一样照亮了我的心,我接过花,眼睛不知不觉地潮湿了。

　　黄昏时我和那男孩一起离开了稻田。他曾经很起劲地帮我拔了一会儿稗草,后来他困了,就躺在稻田里睡了。他睡着的时候,田里的一种黑壳虫子不时地爬上他的脸,在那上面游走,我怕那虫子有毒,索性守在他身边,帮他捉虫子。所以如果不是因为他睡觉,我的进度还可能更快一些。

　　灶房的火燃烧着,可女主人却在东屋睡着。她侧着身子,一只手压在耳朵下,另一只则放在乳房那。她的衣服打着卷,所以露着肚子,我看见了她的肚脐,泛着深深、圆圆的涡痕,可爱得就像一颗金黄色的樱桃。我们的脚步声并没有使她醒过来,足见她睡得有多香甜了。男孩从我身后奔向他的妈妈,他先是把她的衣裳往下抻,使她的肚子不再外露,然后他就用双手摇晃她的身子,把她弄醒。那女人起了身,看见我站在门口,她很不好意思地说:"原只想着眯一会的,谁知道睡着了。"她一定是想起了锅里正煮着饭,她趿拉上拖鞋,快步奔向灶房,拉开锅盖,一股白炽的哈气像雨前云彩一样浓烈地升起,同时,一股香味也随之飘起。"哦——"她感慨地叫了一声,庆幸地说,"再挺一会就干锅了,你们回来的正是时候。"她抓起抹布,用它垫着手,从锅里取出一个铁盆。她把盆放在锅台上,转身给我打来了洗脸水,她说:"快洗洗吧,吃过饭你还要回芦苇湖呢!"

坐在西屋的饭桌前时，见西窗满是夕阳，它们把屋子映照得一派辉煌，使那餐饭洋溢着奶油般的甜香气息。这女人在做饭上是别出心裁的，她把米饭、咸肉和胡萝卜放在一起蒸，菜饭兼顾，形色俱备，食之给人一种妙不可言的感觉。那男孩也很中意这饭，他闷着头，吃得津津有味的。饭毕，一直沉默着的那女人问我，中午她给我卷的烟味道如何？我如实地说那烟有点冲。她笑了，说："那是我男人买的烟叶，他口重，得意那味道。"我就趁机问她男人怎么不在家？她低了一下头，用筷子在桌面上无所用心地划来划去，然后对我说："他给抓起来了。"

"他犯了什么罪？"我问。

"他到沼泽地上打死了三只白鹤，把它们拿到城里去卖，让人给抓住了。"

"不是说这里的白鹤都飞走了么？"我说。

"别人也都这么说。可是我们家柱子不信。也真是怪呀，他一去寻鹤，鹤就出来了。"说完，她咯咯地笑了起来。

我这才明白，早晨刚到这里时，听到鹅冲着生人叫，她以为家里来了警察。

"得关他多长时间？"我问。

"其实要是肯交钱认罚，他现在应该在家里的。我前天去城里看他，警察说要是放人，就交三千块钱罚款。三千块钱呀，他卖鹤也没得了那些钱嘛！"她停顿了一刻，接着说，"我不同意罚那么多钱，警察就说起码要把他关半个月。说打鹤是犯法的事，不能让他逍遥法外。我想他半个月在外面也挣不到那么多钱，在里面又有人管他吃喝，就把他扔那回来了。"她抿了一下嘴，对我说："我那天把警察给气着了。我说光抓打鹤的人不行，还得把吃这鹤的人给抓起来，他们难道就不犯法么？我家柱子把鹤卖给了城里的大饭店，去那里吃饭的，哪个是小白丁？不是有钱的大老板，就是公款消费的官员，他们有几个是干净的人嘛！"她义愤填膺地说着。

我并没有太在意她的牢骚，我的注意力集中到了白鹤身上，既然沼泽地的环境如此被污染，芦苇湖的银鱼都灭绝了，大批的白鹤都迁徙走了，为什么还有滞留在这里的鹤？我把这问题提给了女主人，她用肯定的语气说："我们这里的人都说，不走的鹤是因为离不开这里的芳草，这种草只在沼泽地里生长。"

"芳草?"我问,"这草什么样子? 它对鹤有那么大的吸引力吗?"

"我也不知道什么样的草是芳草。这一带的老辈子都说,那草很神奇,专长在白鹤出没的沼泽里,这种草无论是人还是动物吃了它,都会得道成仙。"她说。

"鹤本来就是仙嘛,"我说,"它还用得着寻芳草吗?"

"鹤也会病,也会老呀,"她说,"它们也有生离死别的伤心事,它寻到芳草,吃了它,就没有烦恼了。"她说。

我说:"谁见过芳草? 你们家柱子能找到鹤,他是不是见过芳草?"

"他呀,就是见了也不会认出来的。他是个有眼无珠的人。我听人说,这草看上去和其他的草没什么不一样的,只是它中意了什么人或是动物,它就发出香气,你循着香气去找,就能找到它。"说完,她开始收拾碗筷。在我们聊天的时候,那男孩一直沉静地望着我们,似乎想从我们的口型上猜测谈话的内容。

女主人让我换上了自己的衣服,然后她从仓房里推出一辆旧自行车给我,说:"太阳落了,时候也不早了,你要是走回芦苇湖,天就黑透了。反正柱子不在家,这车子在家也是闲着,你骑着走吧。"虽然她没有让我明天继续来干活,但是从她借给我自行车用的举动来看,她是想继续雇用我这个短工的。

回到芦苇湖时,天色已经模糊得看不清周围的景致了。本来我早就应该到的,可是沼泽地上有芳草的传说吸引了我,我在路上停顿了近一个小时,坐在沼泽地里,企图闻到一股独特的香气,结果什么也没感觉到。老刘站在门口迎着我,他一见了我就埋怨,说是我早晨走也不和他打个招呼,说我失踪了一天,他怕我在这里人生地不熟的,再出点什么事。见我推着辆自行车,他就问我从哪里弄来的? 我说是芳草洼的一户人家借给我用的。我向他隐瞒了自己干了一天活儿的事情,只是说我已经吃过饭了,现在很累,想回去睡了。

"我看你爱吃银鱼,又给你煎一盘,等着和你一起吃呢!"他似乎有些失落地说。

我便有些过意不去,把自行车放好,答应陪他一起再吃点。

我们今天没有点蜡烛,他说做的两个菜一个是银鱼,一个是花生米,都可以不用筷子,用手抓着吃就行。我们敞开门,就坐在门口,能够借着微弱的月色模糊地看见对方的脸。老刘如昨晚一样备了白酒,刚喝了一口,他就问我芳草洼的哪户人家借给我自行车的? 我如实告诉了他。他笑了,说:"原来是聋子家呀,我告诉你,那聋子的妈妈在这一带可是挺有名的!"说完,他笑了。他这一笑,使我明白那女人有点什么故事。果然,老刘告诉我,说那女人可不是个地道的农民,她曾经在省城上过两年大学。她上大学期间,和自己的老师好上了,怀了孕。事情露馅后,她以为那老师最后能为她离婚娶她,可是人家反咬一口,说是这女学生为了毕业后留校,主动勾引的他。她气坏了,流了产之后,花钱雇了两个社会上的小无赖,把那老师给教训了一顿。老刘笑着问我:"你能猜出她怎么教训的他么?"我心里很难受,没有吱声。老刘说:"她让人把那老师给捆了,她拿了一把大钳子,把那老师的牙差不多给拔光了! 后来公安局的人问她为什么用这办法伤害老师,她就说那老师所说的爱她的话都是假的,一个说假话的人应该配着假牙才对! 乖乖,她也真够厉害的! 结果呢,学校就把她给开除了。女人呀,要是走错了一步棋,步步就跟着错下去了。"老刘说:"她从省城灰溜溜地回到小县城,又认识了她现在的丈夫。她丈夫虽然是个农民,可是脑筋活泛,最不爱做的事情就是种地。他把芳草洼的地租给别人种,自己在城里打工。就这样,他们认识了。结果呢,一个原来的大学生就落到了芳草洼这个小村子,而且祸不单行,她的小孩打吊瓶还把耳朵给整聋了,你说她这命,是不是赶上黄连苦了?"

"那她可以起诉卫生院嘛,聋儿应该得到赔偿。"我说。

"咳,人要是倒霉,喝口凉水也塞牙。"老刘咂了咂嘴,说,"卫生院的那个老医生,他把人家的孩子给弄聋了,心里愧得慌,就四处打听哪里有能把聋子治好的神医。结果听说湖北有一个老中医用祖传的偏方能治这病,就好心地领着他们一家三口去了那里。谁想到去了湖北小孩的病治得没听见丁点动静,那老医生又出了车祸,截了一条腿回来。你说他的腿还不是因为那小聋孩子才丢的嘛,这女人可能就不忍心再跟人家打官司了。唉,这下倒好,一个聋子和一个瘸腿的,弄了俩残疾。"老刘说完,填进嘴里一些吃的东西,吧唧吧唧地嚼着。

　　我默默地喝了一口酒，想起女主人亲手为我卷的、放在篮子里的两支烟，内心不由一阵抽搐似的疼痛。

　　晚风吹拂着，芦苇丛传来沙沙的声响，臭气在微风中舞蹈着，让人对它无可奈何。我望着满天的星星，心想要是能够飞到天上，坐在银河畔把盏望月，那该多么令人销魂啊。那里不会有水质的污染，不会有生活中这些让人烦恼和忧愁的事情。我想若是能够在沼泽地里找到芳草，我食之后能够得道成仙，也许星星的守护者就会是我了。

　　"芳草洼的人在沼泽地里打到了白鹤。"我对老刘说。

　　"那可真是神了！"老刘不相信地说，"除非是老得飞不动的鹤才会留下来。"

　　我怕老刘追问起来，我会暴露在那里干活儿的事实，于是连忙岔开话题，问他沼泽地里果真有一种芳草么？

　　"在我看来，那都是胡编滥造！谁见过长生不老的人？人要是不死，那一定是变成妖怪了！芳草，那不过是人骗自己好好活着的借口！"他斩钉截铁地说。

　　我不能玷污刚刚树立在心中的有关芳草的神话，因为我看到的现实是流着肮脏恶心的脓血的，所以我宁愿相信神话。在我看来，神话也是一种理想和信仰。我推托自己累了，想早点歇息了。老刘叹了一口气，咳嗽了一声说："随你的便吧！"

　　我躺在黑暗中，从敞开的窗口听风声。我不知道那刷刷的响声究竟是风摇芦苇的声音呢，还是芦苇摇风的声音？就像我在回龙观，当灯火温柔地弥漫的时候，我分不清究竟是夜晚烘托了灯光呢，还是灯光点燃了黑夜？

　　回龙观的主人金小龙，被大多数人称作"小金龙"，他在城西是鼎鼎大名的。他只比我大三岁，可却拥有了几千万的资产。据老吴说，这人中学都没毕业，为了混饭吃，曾经在街头给人擦过皮鞋。后来，他看上了不规范的图书市场，做了书商，专门盗印畅销书，几年就发了。有了一定的资金后，正赶上打击文化市场盗版的风潮，他就金盆洗手，开了一家超市。他开的超市叫绿色超市，专门经营绿色食品和日用品。如今的人们已经被蔬菜里过量施用的农药和生活日用品的化学成分吓坏了,所以他的超市生意格外红火。在他的超市里,你除了能看到绿色蔬菜和水果之外,还能见到绿色碗筷、绿色香皂、绿色布料、绿色化妆品、绿色玩具等等。在经营超市的时候,他又玩上了股票。他这人不似其他玩股的人,他胃口小,见好就收,所以他炒股是不断进钱的。后来,他玩腻了股票,瞧准了按摩行业的美好前景,就开了一家盲人按摩院。解决了不少残疾人的就业问题,为此他还受过表彰。据说他之所以开回龙观酒馆,是听说那一带原来有家大型的纺织厂,这个厂子后来破产了,年轻的下岗女工比比皆是,他觉得酒馆一旦开起来,她们就是巨大的招牌和广告。果不其然,回龙观一开就火了。

平素,小金龙是很少到超市、按摩院和酒馆的。具体经营的事情他都放手给手下人操作,所以回龙观的主人更像是"臭鱼"。小金龙用人是很讲究的,他不用那些过于聪明的人,据说他有一个理论,说是聪明的合伙人就是你的灾难。他在爱情上有着英雄般的神话传说,他中学时暗恋一个女生,后来这女生嫁了个负心汉,把她给抛弃了,她精神崩溃了,整日衣冠不整,沿街歌唱。那时小金龙已经是个腰缠万贯的人了,他收留了这个女人,经常把她带在身边,去剧院,去茶馆,去健身房,不在乎别人对他的议论。

我记得那是冬天最冷的一天,下班时天已经黑了,我很想到回龙观喝壶酒暖暖身子。一进门,只见临窗的位置有个肤色白皙、气质高雅的穿黑毛衣的女人,她端端正正地坐着,面前只摆着一听可乐,似乎在等什么人。见我进来,她冲我笑了笑。她的笑容是耐人寻味的,不是明亮的笑,也不是晦涩的笑,更不是挑逗的笑和无所用心的笑,那是一种忧伤而又亲切、安静而又撩人心魄的笑。我迎着她走过去,指着她对面的椅子说:"可以坐吗?"她矜持地点了点头。我一坐下来,就发现这女人不太对劲,她先是把面前的可乐推过来让我喝,然后她忽然抓住我的手,情深意切地说:"天这么冷,你知道我惦记着你,外面就是再暖和,也没有我的胸脯暖和呀,我知道你会回家的!"说着,她攥紧我的手,很委屈似的号啕大哭起来。正当我不知所措的时候,一个表情有些阴郁、面容清瘦的高个子男人从灶房奔了过来,他不容我辩解,上来就给我一巴掌,把我打得鼻血飞溅。我奋力把手从那女人的手里挣脱出来,抓起那听可乐,朝他的脸砸去!那可乐真是长眼睛,正砸在他的太阳穴上,一下子就把他砸昏了。"臭鱼"跑了过来,他大声地叫着他的名字,我这才明白那人就是小金龙,而那女人则是他一直爱着的人。小金龙苏醒以后,对我说的惟一一句话是:"窗外有的是女人,你为什么要碰我的!"虽然那是我惟一一次见着小金龙,但我被他的爱情所感动了,我甚至觉得他是幸福的,因为他在全心全意地爱一个人。

　　我第一次真正接触到女人,也是在回龙观。正是这惟一的一次,给我惹了不小的麻烦,以致很长一段时间我都不敢再去回龙观了。这事情还是由司马林秀引起的。我和她接触了半年左右,难免有些耳鬓厮磨的亲昵举动,她对这些并不拒绝。可是当有一个周末的雨夜她在我的住处帮我洗衣服的时候,我被那种温暖的情调所打动了。当时窗子半敞着,细雨淋湿了窗台,录音机里放着一盘轻音乐,司马林秀穿着一件淡绿色的连衣裙,像是一棵夕阳下的垂柳,使我热血沸腾。我抱她上床,想要她。当我脱她衣裳的时候,她突然冷冷地对我说:"我不能做结婚后才应该做的事。"我亲吻她,说着这种时刻的男人习惯说的蠢话,诸如我爱她爱得发狂啊,我一生只爱她一人啦,等等,希望激起她的欲火。可是她很坚决地把我推开,说:"我还没给你洗完衣服呢。"我很沮丧,也很气恼,问她为什么这么古板?不料她很沉静地对我说:"我妈说了,跟你怎么接触都行,就是不能那样。"我抢白她:"是你跟我谈恋爱呢,还是你妈妈?"她回答说:"随你怎么想,我就是不能和你那样。"那时我还天真地认为,她搬出她妈妈来搪塞我,只不过是为了自尊。一个纯洁的女孩子在初次和男人接触时,一定是要寻找一个她所认为的庄严美好时刻的。就在那个夜晚,我把司马林秀送回家里后,打车去了回龙观。说真的,我原只是想找"臭鱼"聊聊天,松弛一下。也的确,"臭鱼"跟我讲的一些事情使我发出阵阵笑声。比如他说邓小平逝世的消息传来时,他正在菜市场为酒馆买活鱼,一个体户的小半导体开着,从里面传来哀乐,播音员沉痛宣告邓小平逝世了,他就把满兜的鱼扔在地上,站在那里放声哭了起来。他说他崇拜邓小平,他每次让人打倒每次都能爬起来,实在是个伟人。"臭鱼"还给我讲了日本的首相参拜靖国神社的消息传来时,他气得要到北京的日本驻中国大使馆去抗议,连火车票都买了,后来被他母亲给拦住了。他母亲说如果你去北京,我就卧轨自杀。"臭鱼"说人这一辈子就一个娘,就依了母亲的。我问他如果真的进了北京,他怎么个抗议法?"臭鱼"挥舞着胳膊说:"我就让日本大使馆的大使转告他们的首相,你他妈的去靖国神社也不是不行,不过前提是他得先到中国的南京大屠杀的纪念馆,给被鬼子杀害了的中国同胞磕头谢罪!""臭鱼"说这一切的时候,表情是活跃的,情绪也是激动的。可是到了深夜的时候,酒馆的客人越来越多,臭鱼就不得不招呼生意了。我觉得无趣,就结了账出来。雨还在下,酒馆外面的暗娼都穿着雨衣,我打算快走几步,到街口叫一辆出租车。这时忽然有一个女人靠上前来,她什么也没说,只是伸出手来抓住我的手。她抓得那么紧,仿佛我是她的救命稻草。我觉得呼吸急促,就像自己是个贼,被人给当场捉住一样的难堪。我继续向前走,她也继续跟着,她的手是那么的热,那么的粗糙,我感觉自己攥的仿佛是一块火炭。她一直跟到路口,那时人流多了起来,她的手一松,我正庆幸自己可以从容摆脱她,打算尽快叫来一辆出租车的时候,她忽然转到我面前,紧紧地拥抱住我,吻我。雨淅淅沥沥地下着,她的吻那样热烈,那样投入,而且她的舌头是那样的柔软,口腔就像花房一样散发着幽幽香气,我立刻就被俘虏了。先前在司马林秀那里被压抑下去的欲火又像遇到了狂风的残火一样熊熊燃烧起来,我不能自持地跟着她走了。她牵着我的手,依然一言不发,我们经过回龙观,然后她带我走上一条弯弯曲曲的小巷。那条巷子大约是我今生走的最长的一条巷子了,我心急火燎的,可它似乎永远也走不完似的。终于,我们到了她要领我去的地方。由于是夜晚,那里又没有灯火,所以我至今回忆不起来它的具体方位,只知道那是一排低矮的房子中的一间,她把我带进去,熟练地闩上门,脱掉雨衣,我也开始脱衣服,只是由于它们被雨水淋湿了,衣服涩在身上,脱起来十分费劲,最后还是在她的帮助下,才得以完成。坦率地讲,我和她在一起的时候是快乐的,她很懂事,自始至终没有饶舌地问我什么,或者是说什么轻浮的挑逗话。她的皮肤并不是很光滑,但质感很强,有弹性,就像家织的土布一样,虽然有些粗糙,但是给人一种服帖、舒适的感觉。当我松开她的时候,对她还有某种依恋。只是我不懂规矩,当我穿好衣服要离开的时候,完全忘了应该付钱给她。她拦我在门口,伸出手来轻轻对我说："钱——"那是她对我说的惟一的一句话,更确切地说是一个字。我恍然大悟,很狼狈地把衣袋里所剩的钱都掏给她,然后逃之夭夭。那个夜晚,我一夜未睡,我一会谴责自己是个道德败坏的人,一会又找理由安慰自己,这不过是一场游戏而已,何必当真呢! 但是有一点是肯定的,我觉得自己对不起司马林秀,想着将来更应该好好待她。所以有的时候男人偶尔风流一次,会更加激起对自己爱人的热情,这也许是一个道貌岸然的伪君子为自己开脱罪责的一种冠冕堂皇的借口吧。

事情本来到此就应该结束了。我不知道她长得什么模样,她也不会辨认出我来。我们就仿佛是浮游在深水中的两条鱼,在相遇的一瞬谁也不注意看谁一眼,互相摆摆尾就游向自己的水域了。可是两天之后,天还没有亮,我忽然听见有人敲门,我迷迷糊糊地起床拉开门,只见昏暗的楼道里站着一个面容憔悴的女人,她长得很普通,没什么特点,穿一条杏黄色的露肩连衣裙,手里拿着一个身份证,冲我很奇怪地看着。我以为她找错人了,正要关门的时候,她忽然狡黠地笑着问我:"您是刘伟同志吗?"我不知道她怎么知道我的名字,就点了点头。她把手中的身份证放在我眼皮底下晃了一下,我见那竟然是我的证件,而它什么时候遗失的我竟然一无所知! 我以为她只是一个路不拾遗的好心人,就一边说着"谢谢",一边去拿身份证。可是她并没有把证件给我,而是说她渴了,想进屋喝口水。我没有多想,就把她让进屋子。

"你怎么知道我住在这里? 你在哪里捡到的它?"我一边给她倒水,一边回头问她。

"身份证上有你的住址,我就找来了。"她说,"我倒了两次公共汽车才到了你这里。"

我把凉白开水递给她,她一口气就喝光了。放下杯子后,她说:"我猜得不错,你真的是个单身汉。"她笑了笑,把身份证放在茶几桌上,垂下头说:"我是在回龙观捡到的它。你也许忘了,前天的雨夜,你跟我——"她停顿的一刻,我已经觉得血液凝固、心脏仿佛停止了跳动! 她接着说:"你在掏钱的时候,不小心把它给带出来了。"

我的手在颤抖,我不能相信自己和这样一个粗俗不堪、毫无气质的女人拥抱在一起! 而且那是我的第一次啊! 我觉得自己终于为自己的下流和轻浮付出了代价。我许久没有说出一句话来。她见我羞愧满面的样子，就善意地笑笑，说："你放心，我不会问你在哪里工作的。去回龙观的男人，有几个会说自己的真实身份呢！再说了，我感觉你在这方面还是个生手，也许你只是一念之差。"她很同情地看着我，令我无地自容。

正当我考虑怎样才能把她打发走的时候，她突然开始脱衣服，见我目瞪口呆地望着她，她很大方地说，她辛辛苦苦地一大早跑来，不能就这么空手而回，言下之意，我得再和她做一回人肉生意！我连忙从书桌的抽屉里拿出三百块钱扔给她，我求她不要继续脱衣服了，赶快拿着钱走吧！她把钱捻开，数了数，然后冲我笑了笑，说："我看得出你不是个有钱人，这些也够意思了，谢谢！"她收好钱，又朝我要了一杯水，依然是一口气把它喝光，然后她迈着轻快的步子走了。

那天我很晚才去上班，我悄悄把事情告诉了老吴。老吴教训我说："咱们这种人去那里不过是看看野景，在心里轻轻松松，你还真做去呀，你也不嫌她们脏，万一给你染上点什么病，你划得来吗！"我不知那是老吴在我面前故意表演他是纯洁的呢，还是真正为我的行为感到遗憾。他安慰我，不要胡思乱想，这些女人虽然没有廉耻，但说话基本不会出尔反尔，他让我最近一段时间少去回龙观，时间久了，她自然也就把这事淡忘了。可我仍然提心吊胆的，以至于司马林秀来敲门的时候，我都会吓得两腿发抖。有一次在单位，我们正由于无聊在讲黄段子解闷，分机电话突然响了。小米抢先去接，说是门卫打来的电话，有一个女人在传达室找我，我紧张得呼吸急促，以为那女人找上门来敲诈我了。结果接过电话一听，竟然是幼时与我在孤儿院的一个叫玲玲的女孩，她出差来到这个城市，抽空来看我的。那件事在很长的时间里，使我寝食不安、焦头烂额。我一看到那个身份证，就像老鼠见了猫一样心慌。无奈之下，我谎称身份证丢失了，去派出所重新申请办理了一个，把那个旧证用剪子铰成一堆碎屑，扔进了垃圾箱里。

几个月相安无事之后，我实在是想念臭鱼，又去回龙观了。结果我没有遇见那个女人，或者是说遇见了也认不出来，因为回龙观门口实在朦胧得看自己的脚都吃力。而那些女人也是隐藏在深深的黑暗中，呈现的只是模糊的影子。

有的时候我会在梦里见到回龙观，那时它不是房屋的影子了，而是一条汪洋中的大船。我觉得涨满了风的船帆就像一只被折断了的天使的翅膀一样，让人触摸它的时候满怀哀伤。

连续四天，我每天清晨骑着自行车去芳草洼，晚上再回到芦苇湖。尽管我故意放慢了干活的速度，那片稻田的稗草还是在不知不觉中被拔光了。此外，我还给白菜地喷了农药。我的脸被太阳晒得很黑，胳膊暴了皮，但是情绪却很饱满。劳动确实能够给人带来快乐。每天中午，依然是那可爱的小男孩给我送饭，篮子里放着她亲手卷的烟。当我小憩一会儿，坐在稻田里的时候，聋儿喜欢捉来各式各样的虫子给我看。对虫子我一样也不认得，叫不出它们的名字，而聋儿看虫子的表情则是丰富多彩的。他看着虫子伸着腿乱蹬，他也跟着手舞足蹈的。若是那虫子一派安然，他也安静地望着它。虫子的色彩更是异彩纷呈，有的黑而泛着幽蓝的光泽，有的黄色夹杂着红色，还有的一派翠绿，让人觉得这些虫子顶着一幅幅画在爬行。

田地里的活都做完了的那个黄昏，我带着聋儿回家。我有些怅然若失的。西边的天际流泻着夕阳的余晖，看上去就像一条金河从头顶穿过。我看见牲畜心满意足地归栏，炊烟像是烟囱祭献给上苍的美女一样袅袅升起。一些农人在自家的门口吆喝牲口或者孩子。聋儿提着送饭的篮子，如今饭没了，里面斜斜地放着一束开得格外灿烂的野花，是我在沼泽地为了他妈妈采的。

"是你采的？"女人见了篮子里的花，惊奇地叫了一声。

"喜欢吗？"我问。

她没有回答我，而是笑着取来一只罐头瓶，把花插上去，然后用手指把花枝理得疏朗有致，就像在给花梳头似的。她冲我歪了一下脑袋，指着瓶中的花问我："你看哪一朵最美丽？"

我指了指那枝紫色呈穗状的花朵。

"我也喜欢这朵。"她很怜惜地说，"可惜，这种花有毒。"

我很不好意思，连忙表白自己不认识花，见到好看的就采，请她别介意。说着，我上前去抽这枝花，打算把它扔掉。她抓住了我的手，说："别扔它,有毒的花,它的气味是没毒的,你不吃它是不会受害的。"她这一握我的手,我就像少年一样地红了脸。

晚饭比以往要丰盛些,使我明白它隐含着答谢的意思,我留恋的短工生活就要结束了。

饭桌上还备了酒,是那种用塑料袋包装着的白酒,极像医院里使用的点滴用的液体袋,我知道这种酒大都没有规范的出产厂家,很多是由酒精勾兑而成的,它的销路主要在农村。女主人用剪刀小心翼翼地剪开一个小口,把一袋酒分倒在两个茶杯里,一个多些,一个只有小半杯。当酒像泉水一样汩汩流淌的时候,我闻到了一股浓烈的酒气,心想这样的酒跟火苗又有什么区别呢。她把多的那杯酒摆在我面前。

"本来想让你尝尝稗子酒的,可是人家今年还没酿呢,去年的都卖光了。"她似乎很有些过意不去地说,"只能让你对付着喝柱子平常喝的酒了。"

聋儿大约是饿了,他等不及了,握着筷子先自吃了起来。女人嗔怪地拍了一下他的脑门,责备他没有礼貌。聋儿撇着嘴用筷子指点着两个盛酒的杯子,意思是说你们是要喝酒的,又没有我的份儿,我当然要早点吃饭了。

才喝了一口酒,我就对那女人说,要是还有什么活儿需要我做,尽管说,我喜欢在她家干活儿。说这话的时候我脸热心跳,感觉自己就像无赖似的。大约我不自然的神情引起了聋儿的注意,他歪着头好奇地看着我。我冲他扮了个鬼脸,他就呵呵地笑了起来。

"家里没什么活儿了——"女人说。"我想你大概也该离开芳草洼了。"她一针见血地说,"我从第一天就看出来了,你是个有文化的人,你来这里,兴许是遇见了不痛快的事。干了好几天的活儿了,我想你的心也该敞亮了。"她举起酒杯,和我的杯子碰了一下,说:"祝你愉快!"

"听你的谈吐,你不是个农村人。"说这话的时候,我觉得自己是狡猾的,因为我已经从老刘那里知道了她的遭遇。

"农村人应该什么样子?"她很狡黠地问。

"我形容不出来。"我说。

她帮我夹了一片腊肉放在我的碟子里,笑了笑,说:"你形容不出来,就不该怀疑我不是农民嘛。"说到"嘛"字的时候,她依然把它咬得很重。

正当我不知如何辩解的时候,从院子里传来一阵"橐橐"的声响,那声音越来越近,很快,一个挂着双拐的干瘦老头出现在西屋门口。先前听到的声音,不过是拐杖点地的声音。

他穿着破旧,花白头发,豁着牙,气喘吁吁的,一副落魄相,看上去像个乞丐。聋儿看见了他,就把筷子撇下,惊喜地"啊啊"叫着扑上前去,搂着老头的腰,十分亲昵的样子。

"吃了吗?"女人问。

"吃了。"他摩挲着聋儿的头,叹息着说,"这小混蛋,这么多天不到爷爷家去玩了。你知道吗,爷爷前晚上梦见你能听见声了,蚊子在屋子里闹,你都能顺着声把它给捉到!"

我看着他的残腿,明白他就是老刘所说的出了车祸的卫生院的老医生了。

女人给他搬了一个板凳,他坐上去,把双拐搭在怀里,目光直直地看着我。

"他是我家远房亲戚家的孩子,大学的暑假来这里玩,住在芦苇湖,每天来帮我干点农活。"女人指着我,对那老头说。我连忙起立,对他说了句"老伯好"。

"芦苇湖不是都封景点了吗?"他哑着嗓子问。

"封是封了,来了人他们还是接待的。"因为屋子光线暗淡,这使我在撒谎的时候比较镇定自如,"我和三位同学都住在芦苇湖。"

"倒也是,送上门的钱他们要是不挣,不就是傻瓜了么!"老头说完,问那女人,"柱子挨抓真的是因为打到了白鹤?"

"那还有假。"女人说。

"哼,他的枪法跟他使斧子一样有准!"老头气咻咻地说,"这白鹤跟我一样倒霉!"

我愣了一下,为什么老头说白鹤与他一样倒霉呢?难道是柱子用斧子把他的腿给砍残废的?

女人的表情很不自然了,她起身去了灶房,很久没有进来,似乎在回避着什么。老头大约觉得有些失言,他叹息了一声,将双拐夹在腋下,起身走了。聋儿扯着老头的衣角,跟着他走。

"不多坐一会儿了?"女主人在灶房问。

拐杖点地的声音仍然是"橐橐"的,听起来倒像是一个木匠在木头上用凿子修理雕刻的花纹。

"不呆了,我腿疼,早点回去躺着。"老头的话语里带着一股情绪。

女主人没有多说什么,老头一走,她就回到了饭桌前。我见她的神情不似先前那般活跃了。但她仍然努力装作很愉快的样子,唤我喝酒。

"这孩子跟这老头很亲嘛。"我说。

"他呀,不知道是这老头把他给弄聋的。老头打他听不见声音后就常来看他,陪他翻绳,给他画小动物看,有时还教他认字,也真够难为他的了。"

我试探着问:"他的腿怎么瘸的?"

"唉,还不是因为这个孩子。他跟着我们陪孩子去武汉看病,出了车祸。"她喝了一大口酒,不知怎的这酒把她给呛着了,她咳嗽起来,脸涨得通红。她的表情使我觉得她是在撒谎。不过我也不想对这事刨根问底。

"这孩子只是聋了,他并不哑,我能听见他有的时候不由自主地发出一些声音。你们应该把他送到城市的聋哑康复学校去做语言的训练,这样将来他还会说话。"我建议道。

"那得需要一大笔钱呢,我们付不起。就说领他这几次出去看病借的钱,还有一些没有还完呢。再说,你也看见了,这老医生的腿瘸成这样了,我们也不能一点都不管他吧。"她大约觉得跟一个陌生人谈这一切有些唐突,所以又用轻松的口气说,"就真是有那么一大笔钱,我也不会让他去练习说话的。你说人说话不就是为了交流么? 他自己会说,可他听不见别人怎么说,那多难受啊。再说了,他听不见声音还很快乐,无声的世界能使他心静,甚至能发挥他其他方面的潜能,比如音乐和美术,这也未必是坏事情。"

"何以见得?"我问。

"我看这孩子很喜欢描画东西。他有的时候用笔在纸上画,有的时候用根木棍在地上画。他画的小动物和花草都有他自己的想象,比如长着翅膀的灯和梳着辫子的花瓶,还有长着牙齿的草和流着眼泪的花。我觉得他这方面的天赋不错。还有的时候,我在灶房做饭,听见他随便哼着什么,哼出的调子就像音乐一样,很有旋律感,我就想他要是将来搞不了美术,也说不准是个大音乐家呢。孩子已经这样了,我就把他往好处想,不然还能怎样呢?难道天天愁眉苦脸嘛?"

"你的言谈更加使我坚信你不是个农民。"我说。

她没有回答我的话,而是仰起头对我说:"你一直在审问我,现在该我问你了,你是什么出身啊?是知识分子家庭,还是农民家庭?"

"我不知道我的出身,"我说,"我是个孤儿。我三个月大的时候,被人给遗弃在南方的一个池塘边。当时,我是被一片大荷叶给包裹着的。池塘的看守人以为谁用荷叶包了吃的东西给他送来了呢,结果打开一看,是个喘气的小家伙在睡觉。躺在荷叶里一定又光滑又清香,我睡得很滋润。"我努力用轻松的口气讲述自己的身世,可是语调还是有些颤抖。

她大约没有料到是这样的回答,半晌没有吱声。只听见她用筷子轻轻敲击着盘子,发出清脆的声响,在这黯淡的气氛中,给人一种深山响流泉的美感。

"我把灯拉开吧?"她用轻柔的语调说,"屋子太暗了。"

"我喜欢这样,"我说,"别开灯,在黑暗中说说话不是很好吗?"

"也好,"她说,"不然蚊子会顺着亮光钻进来。那孩子听不见蚊子的叫声,有时早晨起来脸上让蚊子叮得到处是包。"

我给她讲我幼时在孤儿院的故事。讲我童年时如何梦想到寒冷的地方去,所以报考了北方的一所大学。讲我大学毕业以后所从事着的刻板而乏味的工作。当我要讲到回龙观的时候,灶房传来劈啪劈啪的脚步声,看来是聋儿回来了。我习惯性地停止了话语,女人笑了笑,说:"你说你的,他又听不到。他这是跟着老医生到他家要够了,回来睡觉了。"

"那就把灯给他打开吧?"我说。

"不用,"女人说,"这孩子不喜欢灯光。他自己摸着黑能上床的。再说,这屋又不是黑得伸手不见五指。"

聋儿的脚步声到东屋去了。

"他这是找我去了,"女人说,"睡觉前,他得让我亲亲他才肯上床。"

脚步声很快又从东屋传到了西屋。聋儿发现了他妈妈,同时也发现了我。他对我还在场大约有些不满,他没有扑到他妈妈的怀里,而是坐在我旁边的板凳上,抓起筷子使劲地敲着碗,似乎是在抗议。

"这小东西。"女人嗔怪地笑着说,"你先到院子站一会儿,我把他安顿好了,把酒端到东屋,我们去那接着聊。"

我抚摩了一下聋儿的头,做出跟他道别的样子,然后起身去了院子。

一到了院子,欺生的鹅又叫了起来,我正要走得远一点儿,免得再引起聋儿的注意,转而一想他什么也听不见,便释然了。鹅叫了十几声后见主人没有出来,大约觉得无趣,索性就闭嘴把我当熟人看待了。院子里的月光和星光毕竟层次高,它们是不欺生的,它们将如水的光辉洒在我身上,而又不发出丝毫的叫声,让人觉得它们是很体贴人的。记得我刚到芦苇湖的时候,月亮还残得厉害,几天之后,它竟然丰满起来了,气色也好看了,活脱脱一个美少女的模样。院的篱笆前有两棵榆树,它们在月光下投下斑驳的影子。我走到树影下,蹲下来,瞅准了一个形态好看的树叶的影子,正打算伸出手去捉它,不料一阵风乍起,把树影摇得跳来跳去的,感觉它们就像是放在筛子里的一堆稻米,被一双有力的手给筛得四处飞旋。风声、月光以及脚下跳荡的树影使我有一种如在梦中的感觉。我坐下来,期望这流动的树影能够突然变成一块飞毯,将我带走,使我远离尘嚣。

"你进来吧,他睡下了。"女人的声音传来了。那声音在被风所传扬的时候,风把自己嗓音的特色糅了进去,因而我听到的声音不似她在屋子里说话的样子,有些苍凉,又有些颤抖。

东屋里开着灯。不过那是恰到好处的灯光,既不过分明亮让人觉得缺乏情调,又不过于暗淡使人容易想入非非。她把酒和菜摆在了铺着蓝色方格布单的床铺上。她很细心,还在菜肴下面垫了一块透明的塑料布,以防把吃的东西撒在床单上。我们一左一右坐在床铺前,继续聊天。她说她和丈夫都不喜欢下田干活儿,这在芳草洼是遭人耻笑的。她说做屋子里的活她很乐意,一旦在田野里侍弄庄稼,她就头晕眼花。她受不了太毒的日头。所以,她家的地即使种了,也大都是雇人种的。就说稻田里的稗草,早就该拔了,可她丈夫热衷于打鹤,她也不愿意去地里劳动,于是就任由稗草疯狂地生长。"要不是你来了,我就得等他放出来后,逼着他去做了。"她笑着说。

"你很喜欢他?"我说。

她点了点头。

"那是爱情吗?"我鼓足勇气问。

她抬起头意味深长地看了我一眼,然后说:"那天我不是给你讲了芳草的传说了嘛,我想你说的那个东西就是芳草。"她微妙地把"爱情"用"东西"给替换了。

"你是说那只是个虚幻的东西?"我步步紧逼地问。

"我没说它虚幻。"她垂下头,把双手的指尖相互顶在一起,做出一个屋顶形状,然后对我说,"你在芦苇湖一定听说过我的故事,我从你的话里听出来了。"

"你使钳子的功夫看来不赖。"我跟她开着玩笑,承认了自己听过她的故事。

她很难为情地笑了起来,她说:"这就是我,不能委屈自己。我当时要是不那么干,可能就会疯了。"

"大家都同情你,没人说你不好。"我安慰她。

"你马上就要离开芳草洼了,如果我不知道你是一个孤儿,我是不会跟你说这番话的。"她忽然抬起头,热切地望着我说,"人活着其实就是因为有个形容不出的内心生活,没有这个,生活就显得枯燥无味了。这个内心生活不是柴米油盐,不是通常我们所看到的日子,但它是美好的。"她在说这一切的时候,脸上洋溢着动人的光泽,好像她内心深处的阳光一下子奔涌出来了,她说:"其实这多好呀,你过着简单朴素的日子,却没有人能够了解你的内心,你的内心装得下你渴望着的一切东西,心里有了,这还不够吗?"

她的话使我觉得温暖,同时又觉得寒冷。我不知怎的很想哭。有的时候,我一想到自己被遗弃的身世,就有一股说不出的屈辱感。我的血液仿佛是肮脏的,我常常生出想把这些我无法知道来历的血液给放掉的念头。女人大约看出了我的伤感,她对我说:"我看你今晚就别走了,天太晚了,月亮又不是很大,路不会太亮堂的。把这点酒喝完后,我就到西屋和孩子一起去睡,你自己在这屋睡。等到天亮了,你起得早的话,就不用和我打招呼,自己回芦苇湖吧。"

　　她的话语虽然表达了她对我的关心,但也委婉地拒绝了我对她的热情。

　　"不,我马上就回芦苇湖,我喜欢走夜路。"我故意用玩笑的口吻说,"我一个人经过大片大片的沼泽地,没准能闻到奇异的香气,找到芳草。那样的话,你明天早晨起来后可别忘了看看天,如果看哪一朵云彩眼熟,没准儿那就是我呢。"

　　"行啊,"她笑了,"我最怕太阳了,你要是变成了云彩,最好是朵乌云,我一出门,你就过来给我遮阴凉,那时我就能自己去稻田拔稗草了。"

　　"你常雇用像我这样的短工吗?"我问。

　　她点了点头,然后补充说:"只有你是个有文化的短工,是个高级短工。如果你不是心情不好,你是不会接受我的建议的,我这叫趁人之危。"

　　"那我就不趁人之危了吧。"我把杯中的酒一饮而尽,然后吃了几口菜,把筷子放下,跟她道别。

　　她并没有挽留我,而是沉静地放下筷子,送我出门。经过院子的时候,我又看见了榆树的影子,它们密密麻麻的,晃来晃去,就像湖底的一群小鱼。

　　"谢谢你到沼泽地给我采花,"她说,"我每天会给这花剪枝和换水,它就会开得长远些。"

　　"最好能够开到你们家柱子回来。"我说。

　　她没有吱声,一直把我送出门口。当我要走向通往芦苇湖的小路时,她突然对我说:"柱子使斧子的事,你别说出去。"

　　我站住了,我说:"他一定是在武汉时看见孩子治不好,他绝望了,所以就用斧子找老医生撒气。而你怕柱子被抓起来,安抚了老医生,让他守口如瓶,互不追究过失。"我停顿了一下,抚摩了一下她的头发,说:"你撒谎的时候让酒给呛着了,看来是不常撒谎的。"

　　"我不太喜欢过于聪明的人。"她颤着声说。

　　"我也是。"我说。

　　我离开了芳草洼。风很温柔地吹着,我走出村子时,觉得内心一片光明。如果是过去,让我一个人走在荒无人烟的夜路上,我会吓得毛骨悚然。然而现在我却觉得独自夜行是一种极大的享受。我有什么可怕的呢？除了风、泛着隐隐亮光的沼泽地上的水洼,不就是芦苇和遍洒着的星月之光么？它们哪一样不是可爱的呢？我走得很慢,我在慢慢地啜饮夜晚这杯香醇的美酒。在野外,月亮用不着太大,就能把黑夜给照亮。我觉得脚下的路纤尘不染,洁净得仿佛用银河之水刷洗过似的。我走得轻松而又逍遥,好像是风和月光在推着我走似的。我想起了孤儿院的阿姨教我们唱过的一支童谣,忍不住唱了起来:

> 我是乖乖兔宝宝
> 红红的眼珠尖尖的耳
> 太阳出来了我刷牙
> 洗白了牙齿吃萝卜
> 星星出来了我睡觉
> 一睡睡到公鸡叫
>
> 我是乖乖兔宝宝
> 短短的尾巴三瓣的嘴
> 天热了我躲在树阴下
> 和小虫子捉迷藏
> 下雪了我蹲在火炉旁
> 把火花当做星星数

　　回到芦苇湖的时候,老刘没有像往天一样等着我。我悄悄地走到我住的小房子,把手伸到上衣的口袋掏钥匙的时候,这才发现我穿的衣服肥肥大大的,我忘了把柱子的衣服换下来了。

　　进不了屋,又不便惊醒老刘,我想起了早晨走的时候,我是把窗子打开了的,就想翻窗入室。我绕到房子侧面,见窗口面对湖水,而靠近湖水的墙壁没有任何可供行走的地方,才知道这窗口的设置是多么的巧妙合理,你除非是跳进湖水中才可以游着爬上来。我不会游泳,又不知这湖的深浅,实在不想冒险。而且现在又不是湖水清澈、莲荷飘香的时候,真的葬身湖水的话,还沾染了一身的臭气,实在不怎么美妙。我索性坐下来,等待日出时老刘出来。

正当我凝神望着微风起伏的芦苇丛的时候,木质踏板传来了脚步声。脚步声嘎吱嘎吱地,有板有眼,一听就是老刘的。

"我以为你睡了呢,"我说,"我特意放轻了脚步,怕把你惊醒。"

"哼,我在这留守,要是睡得太死的话,金山还不得让人给搬走了?"老刘把一口痰吐在湖水中,问我,"你怎么不回屋睡呢?"

"我把钥匙给弄丢了。"我说。

也许是暗夜中老刘看不清我换了衣服,也许他压根儿就是个粗心的人,他一点也没怀疑我说的话,返身回去把备用钥匙取来,将门打开,说:"歇着去吧。"

见我仍然坐在原处不动,他就陪我坐了下来,从裤兜里掏出烟,先给我点了一棵,然后又给自己点了一棵。他抽了几口后,说:"我闻到你身上有一股糊味,好像是太阳烤肉皮的那种味。"

我笑了,说:"这几天我可不就是坐在野地里晒太阳了嘛。"

"太阳把你心里的眼泪都晒干了吧?"他说。

我没有回答。

"你第一天来这里的时候,晚上我听见你的哭声了,"他说,"一开始我还以为是白鹤在叫呢。"

我抽着烟,享受着这寂静而美好的夜晚。

"除了你在爱情上受了挫折外,我猜你在工作上也是不痛快的。"老刘说。

"你怎么知道?"我问。

老刘狡黠地笑了笑,说:"下午时我给你往浴缸提水,听见你的手机叫,我就帮你接了。"

我想起来了,昨天晚上我睡不着,就随手打开手机,想查一查有没有谁发过来的短消息,结果看过后忘记把它关掉了。已存在的两条短消息都是旧消息。一条是公共消息:光宇通讯公司为感谢广大用户多年来的支持,现六折销售手机,品种多样,型号齐全,请您莫失良机。还有一条是老吴在一个月前发来的:单位明天分豆油,别忘了带一只二十斤装的油桶。我记得那天和司马林秀在一起,我关了手机,老吴只得给我发短消息。

"谁打来的?"我问。

老刘说:"我刚接过电话,才说了一句'喂——'那人就冲我大嚷,他说:'好啊,你跑哪里去了,也不给我打电话,我给你打你又不开机。我告诉你,我惹事了,这一惹事倒好,我不用像你那样给孙子们写狗屁材料了。如果你不想丢了饭碗,你得早点回来,我跟上头撒谎,说你找到了亲生父母的下落,认亲去了! 回来你可得帮我把这谎撒匀了。'"老刘的记忆力真不赖,他几乎是把电话的内容倒背如流了。

"这一定是老吴!"我说。

"他不容我说话,只管自己说,说什么回龙观要拆迁了,要是你再不回去,就没机会去那里了。"老刘说,"他说完了,我才告诉他我不是这手机的主人,他就傻眼了,以为我把你绑架了,求我千万别撕票。"老刘笑了,说:"我跟他说我不是绑匪。他就问你在什么地方,我想你大概不想让别人知道你在哪儿,就没说得那么准确,只是说在中原一带。"老刘讲完电话的事情,就推心置腹地对我说:"我跟你说,你要是干工作不顺心了,我有一招教你。"

"什么高招?"我问。

"其实,我原来在城里的一家大公司给领导开车,后来我让小舅子给害了。"老刘换了一棵烟,猛抽了一口,说,"我小舅子开了家汽车修理部,他常来找我,说是有什么什么车,主人低价卖给他了,他让我从中帮他联络联络,要是能高价把车再卖了,高出钱我们对半分。我是开车的,这方面的熟人多,我就四处帮他联络,卖了五台汽车,他说每台都高出了原价三万块,这样我拿到了七万五千块钱,把我给高兴坏了。结果呢,直到有一天他犯了事,我才知道那些车都是他们犯罪团伙抢劫来的。他们抢劫的时候还杀过两个人。事发之后,他把我交代出去,我成了销赃的人。当然,我不了解实情,但是非法卖黑车的事实是成立的。结果,我小舅子被枪毙了,我蹲了一年监狱。出来后,老婆气死了,儿子又下了岗,真是家破人亡啊。我回到公司,领导也跟我反目,他妈的不要我了,我也没声张,回家后就取了两盘录音带放给他听,他一下子就傻眼了。这录音带里有他跟哥们儿做非法生意的谈话,他们一般坐在车上谈,不避讳我,而我呢,知道对这些有钱有权的人要留一手,就暗中录了音。我所做的录音,最妙的是领导泡小姐时的声音,绝对肉麻得让你听了直想吐。"

"你又不在现场,这种录音你怎么做得了呢?"我问。

"嘿,咱在这方面有经验,有的时候他在家呼我,说是公司有应酬,我就得开车过去。领导的老婆在这方面又精又傻,她们一般是亲自下楼目送着丈夫上车,以为他跟司机一起走,又被司机送回来,不会出什么事的。事实呢,一般是车一开出去,领导就做出关心我的样子,说是他谈生意要很晚才回来,他自己也会开车,让我回家歇着,他自己开车回家。而没有一回他不是深更半夜要回家时又呼我,说是他喝了酒,驾车不安全,让我去某某地方接他。其实他这是做戏给他的老婆看的。我知道他每次都是去会情人,而且知道他们一般是开车到野外寻欢作乐。我呢,有一回抓住了一个机会,我下车回家的时候领导憋了尿出去撒,我就装作拉了东西回来,把小录音机放在后排座的沙发垫的空隙里,把它调到录音位置。那盘带子足足可录两个小时,而且录音停止时不会发出声音,绝对不会惊着野鸳鸯的。结果我第二天早晨一听,我的天哪,他们把车开到野外,在车上翻云覆雨的,真够无耻的。"

"你可真有心计,"我说,"我觉得你要是生活在战争年代,完全可以做一个出色的党的地下工作者。"

老刘笑了,他说:"领导听了录音后问我想要多少钱?我说你看着给吧。除了钱之外,我还要求他给我安排个工作,那时候芦苇湖这里效益好,风景又美,我心灰意冷的,想来这里平静平静,他就想办法给我安排到这里了。"

我想老吴如果有老刘的这套看似比较卑鄙的伎俩,他早就该提拔起来了。

老刘讲完这一切,显得有些疲倦。他说人生是残忍的,人与人的关系就是互相利用和互相挟制,所以要记住掌握别人的短处和要害部分。你所掌握的东西平时在你安居乐业的时候,它就是陪伴你的温顺的小猫,而一旦有人加害于你了,它们就会变成无往而不胜的老虎,帮你反戈一击。

我问老刘,为什么把这么隐秘的知心话告诉我?

老刘站起身,对我说:"我听打电话的那人说你是个孤儿,我最看不得的就是孤儿落难。"

老刘去睡了,可我却毫无睡意。我坐在湖边,一直到太阳升起才回到房间。

我一直以为那女人会到芦苇湖找我,她至少应该把我的衣服换给我才是啊。一天又一天过去了,没有一个人来到芦苇湖。我每天和老刘在一起喝酒、聊天,但大多的时候我们是沉默着望着微风荡漾的芦苇丛。有的时候芦苇深处有什么响声传来,我们就以为白鹤回来了。但看不到鹤的踪影,再仔细谛听,那不过是旋风搞的鬼而已。

夜晚坐在回龙观临窗的位置上,我有一股说不出的感动。酒馆似乎并没有被即将拆迁的消息所影响,它经营得还是那么有声有色的。"臭鱼"的肩头仍然搭着一份报纸,神情活跃地招徕客人。他见了我所穿的那套又肥又大的破旧衣服,就问我是不是也想做个跑堂的。而老吴则说我穿着那身衣服就像个修鞋匠。二人转依然热热闹闹地调动着每一个人的情绪,有人在高叫着划拳,有人在吆喝丫头结账,还有的人匆匆到窗外的朦胧灯影里去了。我能看到窗外那些像鬼魂一样飘来荡去的女人的身影。老吴惆怅着说,西郊的改造,吵吵了这么多年,一直没落到实处,这回好,说行动就要行动了。言语之间带着一股对回龙观难以割舍的情怀。我们连干了三杯酒后,老吴开始面目舒展地给我讲他所惹的祸。他说我出走的第三天他得知,这次要提拔的干部规定要在四十岁以下,说是上面有指示,要重用年轻干部。老吴说一听机会又一次丧失了,他彻底绝望了,他就很想搞个恶作剧为自己荒唐的工作做结。我们那可爱的市委书记,他是工人出身,只有初中文化。所以他的秘书特意告诉过我们,写材料要尽量做到深入浅出,不用生僻字,我们都明白,那是怕领导出丑。如果领导讲话前总要跟秘书学生字,那该是多么丢面子的事啊。可是老吴这次抓住了一个书记在欢送离退休老干部会议上讲话的机会,他把那篇稿子写得佶屈聱牙,而且找了种种借口,直到开会前一个小时才把稿子给了书记的秘书。秘书对老吴有着惯常的信任,再加上那并不是什么重要的会议,所以他也没有把稿子再过目一下,直接就交给书记了。

老吴讲到这里的时候忍不住笑了起来,他说:"书记大人把'耄耋'读成了'毛至',把'豁达'念成了'谷达',把'枭雄'读成了'鸟雄',把'买椟还珠'读成了'买卖还珠',哎呀,你能想象那些老干部脸上是什么表情了吧?简直比听马三立的相声还开心呀!"

"所以人家就把你给调到残联去了?"我说。

老吴收敛了笑,他说:"我知道领导肯定要给我小鞋穿的,我也不想干这个要使人发疯的工作了,但没想到他这小鞋给我穿得这么快,我以为他总要表现一下气度,秋后再算账。到底是工人出身啊,做事绝不拖泥带水,我也算佩服他! 来,再干一个!"

"依我看,你把人家书记的秘书也连累了。"我把酒干了,对老吴说,"书记肯定会因为他的粗心大意而迁怒于他。"

"我他妈的就想连累他! 你瞧他那副德行,见了领导低三下四的,见了机关里比他位置低的人就牛哄哄的!"老吴骂道,"不过就是书记的一条狗嘛!"

我和老吴都有些醉了。在这种时刻,当我听着男人们无所顾忌的谈笑,当我听着动感十足的二人转,当我望着窗外那些不知名的女人的身影,尤其是当我看着墙壁悬挂的那一件件农具的时候,我是多么怀念芳草洼的女主人啊。我怀念她给我卷的烟,怀念她跟我聊天时脸上丰富的表情,怀念每天中午她打发聋儿提着篮子给我送饭的情景。我不知道她那因为打了白鹤而被抓起来的丈夫出来没有,他会不会像我穿他的衣服一样,把我的衣服也穿在身上?

"唉,有的时候我就想啊,要是当年那个看池塘的人见那荷叶里包着一团肉,把你当乳猪给在火上烤了,我还上哪里找你这样的朋友啊。"老吴叹息了一声说。

"我真希望是那样。"我说。

老吴大约觉得这玩笑容易使人伤感,就调侃自己说:"嘿,我混到残联来了,离死也就不远了。你这次去的肯定是个山清水秀的地方,看来在那也结交了一个半个朋友,回头你在那里帮我先买块墓地得了,我不能活着窝囊,死了再憋屈自己到上不着天、下不着地的殡仪馆去!"老吴有些眼泪汪汪的了。

"那地方没法埋人。"我说。

"为什么?"老吴问。

"因为它到处都是沼泽地。"我说。

"嘿,沼泽地就什么也不能埋了?"老吴尖着声叫道。

"能埋芳草。"我说。

"什么?"老吴又大声地问了一遍。

"芳草!"我提高了嗓音重复了一遍。

老吴兀自倒了一杯酒,一饮而尽,然后他把空酒杯倒扣在桌上,红着眼睛吼道:"别扯淡了!"

SUNHUIFEN

■ **孙惠芬**,女,1961 年生于大连庄河。著有中短篇小说集《小窗絮语》、长篇小说《歇马山庄》等。现任《海燕》文学月刊编辑。其短篇小说《台阶》曾在本刊获奖。

歇马山庄的两个女人

孙惠芬

李平结婚这天，潘桃远远地站在自家门外看光景。潘桃穿着乳白色羽绒大衣，脸上带着浅浅的笑。潘桃也是歇马山庄新媳妇，昨天才从城里旅行结婚回来。潘桃不喜欢结婚大操大办，穿着大红大紫的衣服，身前身后被人围着，好像展览自己。关键是，潘桃不喜欢火爆，什么事情搞到最火爆，就意味已经到了顶峰，而结婚，只不过是女孩子人生道路上的一个转折，哪里是什么顶峰？再说，有顶峰就有低谷，多少乡下女孩子，结婚那天又吹又打披红挂绿，俨然是个公主、皇后、贵妇人，可是没几天，不等身上的衣服和脸上的胭脂退了色，就水落石出地过起穷日子。潘桃绝不想在一时的火爆过去之后，用她的一生，来走她心情的下坡路。于是，她为自己主张了一个简单的婚礼，跟新夫玉柱到城里旅行了一趟。城就是玉柱当民工盖楼的那个城，不小也不算大，他们在一个小巷里的招待所住了两晚，玉柱请她吃了一顿肯德基，一顿米饭炒菜，剩下的，就是随便什么旮旯小馆，一人一碗葱花面。他们没有穿红挂绿，穿的，是潘桃在镇子上早就买好的运动装，两套素色的白，外边罩着羽绒服。他们朴素得不能再朴素，平常得不能再平常，然而越平常，越朴素，越不让人们看出他们是新婚，他们的快乐就越是浓烈。他们白天坐电车逛商场只顾买东西，像两个小贩子，回到招待所，可就大不一样。他们晚上回来，犹如两只制造了隐私的小兽，先是对看，然后大笑，然后就床上床下毫无顾忌地疯。事实证明，幸福是不能分享的，你的幸福被别人分享多少，你的幸福就少了多少。这是一道极简单的减法算式，多少大操大办的人家，一场婚事下来，无不叫喊打死再也不要办了，简直不是结婚，是发昏。可是在歇马山庄，没有谁能逃脱这样的宿命。潘桃这看似朴素的婚礼,其实是一种精心的选择,是对宿命的抗拒。潘桃的朴素里,包含了真正的高雅。潘桃的朴素里,其实一点都不朴素,是另外一种张扬。它真正张扬了潘桃心中的自己。有了这样巨大的幸福,有了这样巨大的与众不同,从城里回来,潘桃与以前判若两人,见人早早打招呼说话,再也不似从前那样傲慢。不但如此,今天一早,村东头于成子家的鼓乐还没响起,潘桃就走出屋子,随婆婆一道,站在院外墙边,远远地朝东街看着。

同是看光景,潘桃的看和婆婆的看显然很不一样。潘桃尽管在笑,但她的看是居高临下的,或者说,是因为有了居高临下的态度,她才露出浅浅的笑。她笑里的目光,是审视,是拒绝与光景中的情景沟通与共鸣的审视,好像在说,看吧,看能热闹到什么程度! 也好像在说,看呗,不就是热闹吗? 婆婆的看却是投入的,是极尽所能去感受、去贴近那热闹的。她先是站在院外墙边,当鼓乐通过长长的街脖传过来,就三步并成两步窜到大街对面的菜地里。婆婆张着嘴,目光里的游丝是顺着地垄和街脖爬过去的,充满了眼气和羡慕。歇马山庄多年来一直时兴豆子宴,潘桃的婆婆为儿子结婚攒了多少年的豆子,小豆黄豆绿豆花生豆,偏厦里装豆的袋子烂了一茬又一茬,陈换新新压陈,豆子里的虫子都等绿了眼睛,可是,就在临近结婚半个月的时候,潘桃亲自上门宣布旅行结婚的计划。大妈,俺想旅行结婚。潘桃语气十分柔和,眼里的笑躲在两湾清澈的水里,羞怯中闪着小心翼翼的波光。可是在婆婆看来,潘桃清澈的眼睛里躲的可不是笑,而是彻头彻尾的严肃;羞怯里闪动的,也不是小心翼翼,而是理直气壮的命令。因为潘桃说完这句话,立即又跟上一句"玉柱也同意旅行结婚"。婆婆的眼睛于是也像豆子里的虫子,绿了起来。潘桃婆婆嫁到歇马山庄,真就没惯过谁,她当然不会惯潘桃,但是她还是没有说出自己的想法。她淡淡地说,玉柱同意旅那就旅吧。

其实潘桃婆婆最了解自己,她惯的从来都不是别人,而是自己,是自己在儿子面前的无骨。她流产三次保住了一个儿子,打月子里开始,儿子的要求在她那里就高于一切。儿子打喷嚏她就头痛,儿子三岁时指着大人脚上的皮鞋喊要,她就爬山越岭上县城买,儿子十六岁那年,书念得好好的,有一天放学回来,把家里装衣服的木箱拆了,说要学木匠,她居然会把另一只木箱也搬出来让他拆。村里人说,这是命数,是女人前世欠了别人的,这世要她在儿子身上还。潘桃从她最无骨的地方下刀子,疼是阵疼,空虚却是持久的。儿子带儿媳妇去旅行那几天,看着空落寂寞的院落,她空虚得差点变成一只空壳飘起来。别人家的热闹当然不是自己家的热闹,但潘桃婆婆还是像看戏一样,投入了真的感情,只要投入了真的感情,将戏里的事想成自家的事,照样会得到意外的满足。

李平是十点一刻才来到歇马山庄屯街上的。这时候人们并不知道她叫李平,大家只喊成子媳妇。来啦,成子媳妇来啦!男人女人,在街的两侧一溜两行。冬天是歇马山庄人口最全的时候,也是山庄里最充闲的时候,民工们全都从外地回来了。男人回来了,女人和孩子就格外活跃,人群里不时爆出一声喊叫。红轿车在凹凸不平的乡道上徐徐地爬,像一只瓢虫,轿车后边是一辆黄海大客,车体黄一道白一道仿佛柞树上的豆虫,黄海大客后边,便是一辆敞篷车,一个穿着夹克的小伙子扛着录像机正在瞄准黄海大客的屁股。成子家在屯子东头,女方车来必经长长的屯街,这一来,一场婚礼的展示就从屯西头开始了。人们纷纷将目光从鼓乐响起的东头拉回来,朝西边的车队看去。人们回转头,是怕轿车从自己眼皮底下稍纵即逝,可万万没想到,领头的红轿车爬着爬着,爬到潘桃家门口时,会停下来。红轿车停下,黄海大客也停下,惟敞篷车不停,敞篷车拉着录像师,越过大客越过红轿车开到最前边。敞篷车开到前边,录像师从车上跳下来,调好镜头,朝轿车走去。这时,只见轿车门打开,一对新人分别从两侧走下,又慢慢走到车前,挽手走来。山庄人虽孤陋寡闻,也是见过录像的婚礼的,可是他们确实没有见过刚入街口就下车录像的,关键这是大冬天,空气凛冽得一哈气就能结冰,成子媳妇居然穿着一件单薄的大红婚纱,成子媳妇的脖子居然露着白白的颈窝。人们震惊之余,一阵唏嘘,唏嘘之余,不免也大饱了一次眼福。

坐轿车、录像、披婚纱,这一切,在潘桃那里,都是预料之中的,最让潘桃想不到的,是车竟然在她家门口停了下来。车停下也不要紧,成子媳妇竟然离家门口那么远就下了车。因为出其不意,潘桃的居高临下受到冲击,她本是一个旁观者的,站在河的彼岸,观看漩涡里飞溅的泡沫、拍岸的浪花,那泡沫和浪花跟她实在是毫无关系,可是,她怎么也不能想到,转眼之间,她竟站在了漩涡之中,泡沫和浪花真的就湿了她的眼和脸。距离改变了潘桃对一桩婚事的态度,不设防的拉近使潘桃一时迷失了早上以来所拥有的姿态。她脸上的笑散去了,随之而来的是不知所措,是心口一阵慌跳。慌乱中,潘桃闻到冰冷的空气中飘然而来的一股清香,接着,她看到了一点也没有乡村模样的成子媳妇。一个精心修饰和打扮的新娘怎么看都是漂亮的,可是成子媳妇眼神和表情所传达的气息,绝不是漂亮所能概括,她太洋气了,太城市了,她简直就是电影里的空姐。她的目光相当专注,好像前边有磁石的吸引,她的腰身相当挺拔,好像河岸雨后的白杨。她其实真的算不上漂亮,眼睛不大,嘴唇略微翻翘,可是潘桃被深深震撼了,刺疼了,潘桃听到自己耳朵里有什么东西响了一下,接着,身体里某个部位开始隐隐作疼,再接着,她的眼睛迷茫了,她的眼睛里闪出了五六个太阳。

潘桃和成子媳妇的友谊,就是从那些太阳的光芒里开始的。

——

同样是新婚妇,潘桃结婚,人们还叫她潘桃,潘桃从歇马山庄嫁到歇马山庄,人们不习惯改变叫法。成子媳妇却不同,她从另一个县的另一个村嫁过来,人们不知道她的名字,就顺理成章叫她成子媳妇。至于成子媳妇结婚那天到底有多风光,潘桃只看那么一眼,就能大约有所领会。那一天鼓乐声在村头没日没夜地震响,村里所有男女老少都跟了过去。一些跟成子家没有人情往来的人家,为了追求现场感,都随了礼钱。潘桃婆婆现跑回家来翻箱底儿。她的儿子没操没办没收礼,她是可以理直气壮不上礼的,豆子霉在仓里本就蚀了本,再搭上人情,那是亏上加亏。可是,成子和成子媳妇在街上那么一走,鼓乐声那么大张旗鼓一闹腾,不由得不叫人忘我。那一天东头成子家究竟热闹到什么程度,成子媳妇究竟风光到什么程度,潘桃一点都不想知道。其实她心里已经很是知道,她只是不想从别人嘴里往深处知道。她本是可以往深处知道的,一早站在院墙外等待,就是抱定这样一个姿态,谁知看那一眼使事情的性质发生了变化。可是潘桃越不想知道,她的忘我参与过的婆婆越是要讲,呀,那成子媳妇,叫她坐斧就坐斧,叫她点烟就点烟。婆婆话里的暗弦,潘桃听得懂,是说她潘桃太各色太不入流太傲气。潘桃的脸一下子就紫了,从家里躲出来。可是刚到街上,邻居广大婶就喊,去看了吗潘桃,那才叫俊,画上下来似的,关键是人家那个懂事儿。潘桃的脸一下子就白了,又不能马上调头,只有嗯啊地听下去。就这样,那一天成子的热闹,成子媳妇的风光,在潘桃心中不可抗拒地拼起这样一幅图景:成子媳妇,外表很现代,性格却很传统,外表很城市,性格却很乡村,一个彻头彻尾的两面派!

别人的好心情有时会坏掉自己的好心情,这一点人生经验潘桃没有,一个与自己毫不相干的别人的婚礼,一次性地坏掉了潘桃新婚之后的心情,潘桃猝不及防。以往的潘桃,在歇马山庄可是太受宠了,简直被人们宠坏了。潘桃的受宠有历史的渊源,是她母亲打下的基础。她的母亲曾是歇马山庄的大嫂队长,一个有名的美人儿。一般的情况下,女人的好看,是要通过男人来歌颂的,男人们不一定说,但男人走到你面前就拿不动腿,像蜜蜂围着花蕊。潘桃母亲既吸引男人又吸引女人。潘桃的母亲被女人喜爱,其原因是她那双眼睛。她的眼睛温和安静、清澈。她的眼睛看男人,静止的深潭一样没有波光,没有媚气,让男人感到舒适又生不出非分之想。她的眼睛看女人,却像一泓溪流直往你心窝里去,让女人停不上几分钟,就想把心窝里的话都掏出来。潘桃母亲当了十几年大嫂队长,女人心中的委屈、苦难听了几火车,极少有谁家女人没向她掏心窝子,男女间的口风却从没有过,这是多么难能可贵的事情啊!女人们说,是人家嫁了好男人,人家男人在镇子上当工人,有技术又待她好,她当然安心。自以为懂一些男女之事的男人却说,怪不得男人,风流女人嫁再好的男人该守不住照样守不住,这是人家祖上的德性。潘桃三四岁时,母亲领到街上,就有人来套近乎,说俺儿比桃大一岁,男大一,黄金起。也有的说,俺儿比桃小三岁,女大三,抱金砖。潘桃小时候看不出有多么漂亮,但却比母亲幸运,母亲用多少年的实际行动换来了大家的宠爱,而她,头上刚长满细软的头发,就吸来了那么多父母的目光。潘桃六七岁时,能在街上跑动,动辄就被人揽到怀里,潘桃十几岁时,上到初中,身边男孩一群一群地围。十几岁的潘桃招人喜欢已经不是依靠母亲的光环,潘桃到十几岁时已经出落得相当漂亮,走到哪里,都一朵云一样,早上的日光照去,是金色的,正午的日光照去,是银色的,晚上的日光照去,是红色的,潘桃走到哪里,都能听到啧啧的赞美声。那些赞美声是怎样误了她的学业还得另论,总之被宠的潘桃自认为自己是歇马山庄最优秀的女子是大有道理的。

女人的心里装着多少东西,男人永远无法知道。潘桃结了婚,可以算得上一个女人了,可潘桃成为真正的女人,其实是从成子媳妇从门口走过的那一刻开始的。那一刻,她懂得了什么叫嫉妒,还懂得了什么叫复杂的情绪。情绪这个尤物说来非常奇怪,它在一些时候,有着金属一样的分量,砸着你会叫你心口钝疼;而另一些时候,却有着烟雾一样的质地,它缭绕你,会叫你心口郁闷;还有一些时候,它飞走了,它不知怎么就飞得无影无踪。从腊月初八到腊月二十三,整整半个月,潘桃都在这三种情绪中往返徘徊。某一时刻,心口疼了,她知道又有人在议论成子媳妇了,常常,不是耳朵通知她的知觉,而是知觉通知她的耳朵,也就是说,议论和她的心疼是同时开始的。某一时刻,烟雾绕心口一圈圈围上来,叫你闷得透不过气,需长嘘一口,她知道她目光正对着街东成子家了。潘桃后来极少出门,潘桃不出门,也不让玉柱出门,因为只有玉柱在家,她的婆婆才不会喋喋不休讲成子媳妇。玉柱一天天守着潘桃,玉柱把潘桃的挽留理解成小两口间的爱情。事实上,小两口的爱情确实甜蜜无比,潘桃只有在这个时候,整个一个人才轻盈起来,放松起来。过了小年,玉柱身前身后绕着,潘桃都快把那个叫做情绪的东西忘了,可情绪这东西要多微妙有多微妙,就在玉柱被潘桃缠得水深火热的夜里,那莫名的东西从炕席缝钻了出来。当时玉柱正用粗糙的手抚着潘桃细腻的小脸亲吻,亲着亲着,自言自语道,要不是旅行结婚,真的不会发现你是那么疯的一人,看在城里那几天把你疯的。潘桃突然僵在那里,眼盯住天棚不动了。她不知道那个东西怎么又来了,它好像是借着“旅行”这个字眼来的,它好像一场电影的开头,字幕一过,眼前便浮现了一段洁白的颈窝,一身大红婚纱,耳边便响起了欢乐的鼓乐声,婆婆尖锐的话语声:看人家,叫吃葱就吃葱。潘桃的眼窝一阵阵红了,一种说不出的委屈,被冲击的饭渣一样泛上来,潘桃把脸转到玉柱肩头,任玉柱怎么推搡追问,就是不说话。

一场婚礼成了潘桃的一块心病,这一点成子媳妇毫无所知。结婚第二天,成子媳妇就换了一身红软缎对襟棉袄下地干活了。成子媳妇没有婆婆,成子的母亲去年八月患脑溢血死在山上,刚过门的新媳妇便成了家庭里的第一女主人。成子媳妇早上六点就爬起来,她已经累了好几天了。前天,娘家为她操办了一通,她人前人后忙着,昨天,演员演戏一样绷紧神经,挺了一整天,夜里,又碎掉了似的被成子揉在骨缝里。但新人就是新人,新人跟旧人的不同在于,新人有着脱胎换骨的经历,新人是怎么累都累不垮的,反而越累越精神。成子媳妇脸蛋红红的,立领棉袄更兀现了她的几分挺拔。她烧了满满一锅水,清洗院子里沾满油污的碗和盆。院子里一片狼藉地静,偶尔,公公和成子往院外抬木头,弄出一点声响,也是惟一的声响。这是可想而知的局面,宴席散去,热闹走远,真实的日子便大海落潮一样水落石出。作为这海滩上的拾贝者,成子媳妇有着充分的精神准备。她早知道,日子是有它的本来面目的,正因为她知道日子有它本来的面目,才有意制造了昨天的隆重和热闹,让自己真正飘了一次,仙了一次。一个乡下女人的道路,确实是过了这个村就没有那个店了,告别了这个日子,你是要多沉就多沉,你会结结实实夯进现实的泥坑里。这是成子媳妇和潘桃的不同。潘桃怕空前绝后,成子媳妇就是要空前绝后,因为成子媳妇了解到,你即使做不到空前,也肯定是绝后的。成子媳妇过于现实过于老到了。成子媳妇之所以这么现实老到,是因为她曾经不现实过。那时她只有十九岁,那时她也是村子里屈指可数的漂亮女孩,她怀着满脑子的梦想离家来到城里,她穿着紧身小袄,穿着牛仔裤,把自己打扮得很酷,以为这么一打扮自己就是城里的一分子了。她先是在一家拉面馆打工,不久又应聘到一家酒店当服务小姐。因为她一直也不肯陪酒又陪睡,她被开除了好几家。后来在一家叫做悦来春的酒店里,她结识了这个酒店的老板,他们很快就相爱了。她迅速地把自己苦守了一个季节的青春交给了他。他们的相爱有着怎样虚假的成分,她当时无法知道,她只是迅速地坠入情网。半年之后,当她哭着闹着要他娶她,他才把他的老婆推到前台。他的老婆当着十几个服务员的面,撕开了她的衣服,把她推进要多肮脏有多肮脏的万丈深渊。从污水坑里爬出来,她弄清了一样东西,城里男人不喜欢真情,城里男人没有真情。你要有真情,你就把它留好,留给和自己有着共同出身的乡下男人。用假情赚钱的日子是从做起又一家酒店的领班开始的,用假情赚钱的日子也就是她寻找真情的开始。没事的时候,她换一身朴素的衣服,到酒店后边的工地转。那里面机声隆隆,那里全是她熟悉又亲切的乡村的面孔,可是,就像当初不知道她的迅速堕入情网是自己守得太累有意放纵一样,她也不会知道她的出卖假情会使整个人也变得虚假不真实。她在工地上、大街上转了两年多,终是没有一个民工敢于走近她。那些民工看见她,嬉皮笑脸讥讽她、挑逗她,小姐,五角钱,玩不玩? 与成子相识,就是这样一次遭到挑衅的早上。她从一帮正蹲在草坪上吃早饭的民工前走过,一个民工喝一口稀粥,向天上一喷,嗷的一声,小姐,过来,让俺亲一下。她没有回头,可是不大一会儿,只听后边有人厮打起来,一个声音摔碎了瓦片似的,粗裂地震着她的后背——她是谁她是俺妹,你耍戏俺妹就是不行。一行热泪蓦地流出了她的眼窝。与成子的相识是她的大德,他人好,会电工手艺,是工地上的技术人员。为了她的大德,她辞掉领班,回到最初打工的那家拉面馆;为了她的大德,她在心里为自己准备了一场隆重的婚礼,她要用她挣来的所有不干净的钱,结束那场城市繁华梦——那哪里是梦,那就是一场十足的祸难!

　　一场热闹的婚宴既是结束又是开始,结束的是一个叫着李平的女子的过去,开始的是一个叫着成子媳妇的未来。腊月的日子,小北风在草坪间穿行,掀动了带有白霜的草叶,空气里到处弥漫着冻土的味道,田野、屯街,空空荡荡。腊月的日子,无论怎么说都更像结束而不像开始。但是,你只要看看成子家门楣上的双喜字,门口石柱上的大红对联,看看成子媳妇脸颊上的光亮,你就知道许多开始跟季节无关,许多开始是隐藏在一张红纸和门板之间的,是隐藏在一个人的内心深处的。成子媳妇在结婚之后的第一个上午,脸颊上的光亮是从毛孔的深处透出来的,心里的想法是通过指尖的滑动流出来的。她洗碗刷锅,家里家外彻底清扫了一遍,她的动作麻利又干净,一招一式都那么迅捷。因为不了解歇马山庄邻里乡亲们的情况,她没有参与公公和成子还桌还盆的事,到了正午,她在锅里热好剩菜剩饭,门槛里一手扶着门框,响脆的声音飘出屋檐,爸——成子——吃饭啦——女主人的派头已经相当地足了。

　　就像一只小鸟落进一个陌生的树林,这里的一草一木,成子媳妇都得从头开始熟悉,萝卜窖的出口,干草垛的岔口,磨米房的地点,温泉的地方。因为出了腊月就是正月，出了正月就是民工们离家出走的日子，成子媳妇不想忽视每顿饭的质量，包饺子、蒸豆包、蒸年糕、炸豆腐泡。成子媳妇尤其不想忽视每一个同成子在一起的夜晚，腿、胳膊、脖子、后背、嘴唇、颈窝、胸脯，组合了一架颤动的琴弦，即使成子不弹，也会自动发出声音。它们忽高忽低，它们时而清脆悦耳，时而又沙哑苍劲。当然成子是从不放过机会的。她的光滑她的火热，她的善解人意，都没法不让他全身心地投入，彻头彻尾地投入，寸草寸金地投入。被一个人真心实意地爱着的感受是多么幸福！在这巨大的幸福中，成子媳妇对时光的流逝十分敏感，每一夜的结束都让她伤感，似乎每一夜的结束于她都是一次告别。到了腊月二十八，年近在眼前，成子媳妇竟紧张得神经过敏，好像年一过，日子就会飞起来，成子就会飞走。于是大白天的，就让成子抱她亲她，成子是个粗人，也是一个不很开放的人，不想把晚上的事做到白天，就往旁边推她，这一推，让成子媳妇重温了从前的伤痛，她趴到炕上，突然地就哭了起来。她哭得肝肠寸断，一抽一抽的，仿佛受了天大的委屈。成子傻子一样站在那里，之后趴下去用力扳住她的肩膀，一句不罢一句地追问到底怎么啦，可越问成子媳妇越哭得厉害，到后来，都快哭成了泪人。

二

　　日子过到年这一节，确实像打开了一只装着蝴蝶的盒子，扑棱棱地就飞走了。子夜一过，又一年的时光就开始了，而正月初一刚刚站定，不觉之间，准备送年的饺子馅又迫在眉睫。接着是初六放水洗衣服，是初七天老爷管小孩的日子又要吃饺子，是初九天老爷管老人的日子要吃长寿面，是初十管一年的收成要吃八种豆的饭，当那面糊糊的绿豆黄豆花生豆吃进嘴里，元宵节的灯笼早就晃悠悠挂在眼前了。被各种名目排满的日子就是过得快，这情形就像火车在山谷里穿行，只有有村庄树木、河流什么的参照物，你才会真切地感受到速度，而一下落入一马平川无尽荒野，车再快也如静止一般。在这急速如飞的时光里，潘桃没有像成子媳妇那样，一进婆家门就泼命忘我地干活，潘桃旅行结婚，潘桃的婚事没有大操大办，没有大操大办的婚礼如同房与房之间没有墙壁没有门槛，你家也是我家。仪式怎么说都是必要的,穿着一身素色衣服从城里回来的潘桃,一点都不觉得跟从前有什么两样,不觉得自己从此就是人家媳妇,就是人家的人了。一早醒来睁开眼睛,身边出现的是玉柱,是公婆而不是爹妈,反而让她感到委屈,更懒得做活。当然,潘桃不能死心塌地投入刘家日子的重要原因还在她的婆婆身上,她的婆婆对她太客气了,一脸的谦卑。只要潘桃在堂屋出现,她就慌得不知该做什么,对着潘桃的脸儿傻笑,好像潘桃是她的婆婆;要是潘桃想去刷碗,人还没到就会被她连推带拽推回屋里,这让潘桃一直就觉得自己是一个局外人。在这急速如飞的时光里,潘桃一点点从一种莫名的阴影中跋涉出来,虽然不时地,还能从婆婆嘴里、邻居嘴里、娘家母亲嘴里,听到一些有关成子媳妇的袅袅余音,但她已经不能真切地感受那到底是一种什么东西了。感觉这东西,是会被时间隔膜的,感觉这东西,也会在时间的流动中长出一层青苔。有时,潘桃会不由自主地想,当初那是怎么了呢?怎么会被俗不可耐的大操大办搞坏了心情?再怎么讲,旅行结婚也是与众不同的,自己要的,难道不是与众不同吗?!潘桃隔膜了最初的感觉,也就不太忌讳人们怎么谈论成子媳妇了。当然人们在谈论成子媳妇时,总不免要捎上她:桃,你怎么不能大张旗鼓办一下,让我们看看光景?你就顾自个儿上城看光景,那里就是好吗?潘桃不会讲为什么不办,也不会讲城里光景好不好,那一切都是自己的事,自己的事要不得别人掺乎。但在这急速如飞的时光里,有一个东西,有一个看不见摸不着的东西,却一直在她身边左右晃动,它不是影子,影子只跟在人的后边,它也没有形状,见不出方圆,它在歇马山庄的屯街上,在屯街四周的空气里,你定睛看时,它不存在,你不理它,它又无所不在;它跟着你,亦步亦趋,它伴随你,不但不会破坏你的心情,反而叫你精神抖擞神清气爽,叫你无一刻不注意自己的神情、步态、打扮;它与成子媳妇有着很大的关系,却又只属于潘桃自己的事,它到底是什么?

潘桃搞不懂也不想搞懂,潘桃只知道无怨无悔地携带着它,拜年、回娘家、上温泉洗衣服。潘桃再也不穿旅行结婚时穿的那套休闲装了,对于休闲的欣赏是需要品位的,乡下人没有那个品位。潘桃换了一套大红羊毛套裙,外面罩上一件红呢大衣,脚上是高勒儿皮靴。她走起路来脚步平推,不管路有多么不平,都要一挺一挺。她见人时,满脸溢笑。潘桃一旦把自己打扮起来，一旦注意起自己的举止，喝彩声便像冬日里的雪片一样飘然而下，好像来了一场强劲的东风，把昔日飘荡在村东成子媳妇家的喝彩一遭刮了过来。潘桃几乎都感到村东头的空荡和寂寞了。

如此一来，原来是潘桃自己都没有搞清楚的想法，被人们口头表达了出来：你说是成子媳妇好看，还是潘桃好看？当然是潘桃，那成子媳妇要是不化妆，根本比不上咱村的潘桃。你说是成子媳妇洋气还是潘桃洋气？怎么说呢，在早真没觉得潘桃洋气，就是个俊，谁知结了婚，那么有板有眼打扮起来，还真的像个城里人。人们把这些比较当着潘桃说出来，是怎样满足着潘桃失落已久的心情啊！潘桃脸上的笑毫无拘束地向四处溢开。潘桃不谦虚，不否定，也不张扬，该干什么就干什么，一如既往。但是人们在这句话后面，往往还跟着另一句话：这两个新媳妇，还比上了。这样的话，就没有前边的话含蓄，也没有前边的话中听，好像一只扒苞米的锥子，一下子就穿透本质。潘桃在心里说，谁比了，分明是你们大家比的嘛，俺自从大街上看她一眼就再没见过面，她长的什么样都记不得了，俺凭什么跟她比。但是嘴上没说。

不管在心里怎么跟别人犟，潘桃还是不得不承认，成子媳妇，已经驱之不去地深入她的内心，深入了她的生活。她最初还是隐蔽的，神秘地绕在她的身边，后来，她被人们揭破，请了出来。她一旦被人们揭破，请了出来，又反过来不厌其烦地警醒着潘桃——她在跟成子媳妇比着。这是一个剪不断理还乱的事实，也是一个不容置疑的事实，许多时候，走在大街上，或上温泉洗衣服，她都在想，成子媳妇在家干什么呢？成子媳妇会不会也出来洗衣服呢，为什么就一次也见不到她呢？

真正清楚这个事实的，还是农历三月初六这天，这是歇马山庄大部分民工离家的日子。这一天一大早，潘桃就把玉柱闹醒，潘桃掀着被窝，直直地看着玉柱。潘桃看着玉柱，目光里贮存的，不是留恋，也不是伤感，而是一种调皮。潘桃显然觉得分别很好玩，很浪漫，她甚至迅速穿上衣服，一高跳到地下，一边捉迷藏似的躲着玉柱对她身体的纠缠，一边像一只挑逗老猫的耗子似的叽叽笑着。潘桃真的是过于浪漫了，不知道生活有多么残酷，不知道残酷才是一只隐藏在门缝里的老猫，一旦被它逮住，你是想逃都逃不掉。直到看着玉柱和一帮民工乘的马车消失在山冈，潘桃还是带着笑容的。可是,当她返回身来,揭开堂屋的门,回到空荡荡的新房,闻到弥漫其中的玉柱的气息,她一下子就傻了,一下子就受不了了。她好长时间神情恍惚,搞不清楚自己为什么会来到这里,来到这里干什么,搞不清楚自己跟这里有什么关系,剩下的日子还该干什么。潘桃在方寸小屋转着,一会儿揭开柜盖,向里边探头,一会儿又放下柜盖,冲墙壁愣神,潘桃一时间十分迷惘,被谁毁灭了前程的感觉。后来,她偎到炕上,撩起被子捂上脑袋躺了下来。这时,她眼前的黑暗里,出现了一个人,这个人不是离别的玉柱,而是成子媳妇——她在干什么? 她也和自己一样吗?

　　成子媳妇第一次知道潘桃,还是听姑婆婆说起的。成子母亲走了,住在后街岗梁上的成子的姑姑,就隔三差五过来指导工作。成子奶奶死得早,成子姑姑一小拉扯成子父亲和叔叔们长大,一小就养成了当家做主说了算的习惯,并且敢想敢干,哪里有困难,哪里就有她的身影。出嫁那天,正坐喜床,忽听婆家的老母猪生崽难产,竟忽地就跳下炕,穿过坐席的人群跳进猪圈。后来媒人引客人到新房见新媳妇,就有人在屋外喊,在猪圈里哪。这段故事在歇马山庄新老版本翻过多次,每一次都有所改动,说于淑海结婚那天是跟老母猪在一起过的夜。翻新的版本自然有夸张的成分,但成子的姑姑爱管闲事爱操心确是名副其实。还是在蜜月里,姑婆婆的身影就云影一样在成子家飘进飘出了。她开始回娘家,并不说什么,手卷在腰间的围裙里,这里站站那里看看。成子媳妇让她坐,她说坐什么坐,家里一摊子活儿呢。可是一摊子活儿,却又不急着走。姑婆婆想拥有婆婆的权威,肯定不像给老母猪生崽那样简单,老母猪生崽有成套的规律,人不行,人千差万别,只有了解了千差万别的人,你才能打开缺口。过了年,也过了蜜月,瞅两个男人不在家的时候,姑婆婆来了。姑婆婆再来,卷在围裙里的手抽了出来,袖在了胯间。姑婆婆进门,根本不看成子媳妇,而是直奔西屋,直奔炕头。姑婆婆掀开炕上铺的洁白的床单,不脱鞋就上了炕,在炕上坐直坐正后,将两只脚一上一下盘在膝盖处,就冲跟进来的成子媳妇说:成子媳妇你坐,俺有话跟你讲。成子媳妇反倒像个客人似的菱到炕沿,赶忙溢出笑。大姑,你讲。姑婆婆说:俺看了,现在的年轻人不行,太飘! 姑婆婆先在主观上否定,成子媳妇连说是是。姑婆婆说,就说那潘桃,结了婚,倒像个姑奶奶,泥里水里下不去,还一天一套衣裳地换,跟个仙儿似的,那能过日子吗?姑婆婆从别人身上开刀,成子媳妇又不知道潘桃是谁,便只好不语。姑婆婆又说,当然啦,你和潘桃不一样,俺看了,你过门就换过一套衣裳,还死心塌地地干活儿,不过,光知道干活儿不行,得会过日子!什么叫会过日子?得知道节省!节省,也不是就不过了,年还得像年节还得像节,俺是说得有松有紧,不能一马平川地推。姑婆婆并没有直接指出成子媳妇的问题,但那一层层的推理,那戛然而止的语气,比直接指出还要一针见血,这意味着成子媳妇身上的问题大到不需要点破就可明白的程度。成子媳妇眼睑一点点低下去,看见了落到炕席上的沉默。这沉默突然出现在她和姑婆婆中间,怎么说也是不应该的。眼睑又一点一点抬起来,从中射出的光线直接对准了姑婆婆的眼睛。成子媳妇开始检讨自己了,成子媳妇说,姑姑你说得对,年前年后我天天做这做那的,是有些大手大脚了,我只想到爸和成子过了年又要走,给他们改善改善,就没想到改善也要有时有刻。话里虽有辩解的意思,但目光是柔和的,声调也是柔软的,问题又找得准确,姑婆婆在侄媳妇面前的权威便从此奠定了基础。

节俭,可以说是乡村日子永恒的话题,也是乡村日子的精髓,就像爱情是人生的永恒的话题,是人生精髓一样。姑婆婆由这样的话题打开缺口,一些有关日常生活如何节俭的事便怎么扯也扯不完了。缸里的年糕即使想吃,也不要往桌上端了,要留到男人离家的时候。打了春,年糕不好搁,必须在缸盖上放一层牛皮纸,纸上面散一层干苞米面子,苞米面吸潮又隔潮。圈里的克郎猪不用喂粮食,刷锅水上漂一层糠就行,猪不像人,猪小的时候喝浑水也会疯长……耐心而细致的教导如何水一样无孔不入地渗透着成子家的日子,没人知道,成子媳妇吸纳着、接受着这一滴滴水珠的同时,清晰地照见了自己的过去。她十九岁以前在乡下时,满脑子全装得外面的世界,就从没留心母亲怎么过的乡村日子,十九岁之后进了城里,被影子样的理想吊着,不知道节气的变化也不懂得时令的要求,尤其见多了一桌一桌倒掉的饭菜,有时真的就不知自己从哪里来到哪里去,不知道自己是谁……因为一心一意要操持好这个家,过好小日子,成子媳妇对姑婆婆百般服从百般信赖,开始一程一程用心地检讨自己。

成子媳妇想到自己的大操大办,成子原本是不太同意的,只说简单摆几桌,都是她的坚持。于是成子媳妇说,要是没结婚时就跟姑姑这么近,大操大办肯定就不搞了,当时只图一时高兴,只想到一辈子就这么一回,就没想到细水长流。成子媳妇的检讨是由浅入深完全发自内心的,时光的流动在她这里,也同样隔膜了最初的感觉,长出了一层青苔,让她忘记了锣鼓齐鸣张灯结彩送走一个旧李平,划出心目中一个崭新的时代对她有多么重要。然而正是成子媳妇的检讨,使潘桃的名字又一次出现在姑婆婆的话语中。不能这么想啊成子媳妇,这一点浪费俺是赞成的,庄稼人平平淡淡一辈子,能赶上几个好时候?有那么一半回吹吹打打,风光一下,也展一展过日子的气象,提一提人的精神。不都讲潘桃吗,她和你一样,也找了咱屯子里的手艺人,人也好看,没过门那会儿,她在咱屯子里呼声最高,可就因为你操办了她没操办,你一顿家伙就把她比下去了,灰溜溜的。听说你结婚那天从她家门口走过,看你一眼,笑都不自在了。咱倒不是为了跟谁比好看不好看,咱是说结婚操办总是会办出些气象。气象,这是了不得的。

姑婆婆的节俭经是有张有弛的,并不是一成不变的,这一点让成子媳妇相当服气,也对自己的盲目检讨不好意思。然而从此,让成子媳妇格外上心的,不是如何有张有弛地过节俭日子,而是一个叫着潘桃的女子,有事没事,她脑中总闪着潘桃这两个字,她是谁?她凭什么吃醋?

那是歇马山庄庄稼人奢侈日子就要结束的一天。这一天,成子、成子父亲和出民工的男人一样,就要打点行装离家远行了。在成子的传授下,成子媳妇效仿死去的婆婆,在男人们要走之前的两天里,菜包菜团弄到锅里大蒸一气。在此之前,成子媳妇以为婆婆的蒸,只为男人们准备带走的干粮,当她真正蒸起来,将屋子弄出密密的雾气,才彻底明白这蒸中的另一层机密。有了雾气,才会有分离的甜蜜,蒸气灌满屋子看不见人的时候,平素粗心的成子,大白天里就在她身后蹭来蹭去。雾气的温暖太像一个人的拥抱。往年这个日子,是母亲把成子支出去,如今,公公一大早就出了院门,吃饭时不找绝不回屋。雾气里的机密其实是一种潮湿的机密,是快乐和伤感交融的多滋多味的机密,那个机密一旦随雾气散去,日子会像一只正在野地奔跑的马驹突然闯进一个悬崖,万丈无底的深渊尽收眼底。送走公公和成子的上午，成子媳妇几乎没法呆在屋里，没有蒸气的屋子清澈见底，样样器具都裸露着，现出清冷和寂寞，锅、碗、瓢、盆、立柜、炕沿神态各异的样子，一呼百应着一种气息，挤压着成子媳妇的心口。没有蒸气的屋门使成子媳妇无法再呆下去，不多一会儿，她就打开屋门走出来，站在院子里。眼前一片空落，早春的街头比屋子好不到哪去，无论是地还是沟还是树，一样的光秃裸露，没有声响，只有身后猪圈的克郎猪在叫。这时，当听到身后有猪的叫声，成子媳妇有意无意地走到猪圈边，打开了圈门。成子媳妇把白蹄子克郎猪放出来，是不知该干什么才干什么的，可是克郎猪一经跑来，便飞了一般朝院外跑去。成子媳妇毫无准备，惊愕片刻立在跟在后边追出来。成子媳妇一倾一倒跟在猪后的样子根本不像新媳妇，而像一个日子过得年深日久不再在乎的老女人。克郎猪带成子媳妇跑到菜地又跑到还没化开的河套，当它在冰碴儿上撒了个欢又转头跑向中屯街，成子媳妇发现，屯街上站了很多女人，她还发现，在屯街的西头，有一团火红正孤零零伫在灰黄的草垛边。看到那团火红，成子媳妇眼睛突然一亮，一下子就认定，是潘桃——

三

大街上遥遥的一次对视，成子媳妇是否真正认出了潘桃，这一点潘桃毫不怀疑。虽然成子媳妇从外边嫁过来，如夜空中滑过一颗行星，闪在明处，不像潘桃，在人群里，是那繁星中的星星点点，在暗处，但不知为什么，潘桃就是坚信，那一时刻，成子媳妇认出了自己。人有许多感受是不能言传的，那一双迷茫的眼睛从远处投过来，准确地泊进她的眼睛时，她身体的某个部位深深地旋动了一下。

在大街上远远地看到成子媳妇，潘桃的失望是情不自禁的。在潘桃的印象中，成子媳妇是苗条的，挺拔的，是举手投足都有模有样的，可是河套边的她竟然那么矮小、臃肿，尤其她跟着猪在河套边野跑的样子，简直就是一个被日子沤过多少年的家庭妇女。与一个实力上相差悬殊的对手比试，兴致自然要大打折扣，一连多天，潘桃都懒洋洋的打不起精神。

在歇马山庄，一个已婚女人的真正生活，其实是从她们的男人离家之后那个漫长的春天开始的。在这样的春天里,炕头上的位子空下来,灶里的火就烧得少,火少炕凉,被窝里的冷气便要持续到第二天。在这样的春天里,河水化开,土质松散,一年里的耕种就要开始,一天要有一天的活路。在这样的春天里,鸡鸭禽类,要从蛋壳里往外孵化,一只只尖嘴圆嘴没几天就叽叽喳喳把原本平整的日子嗑出一些黑洞,漏出生活斑驳凌乱的质地。因为有个婆婆,种地的事,养鸡的事,可以不去操心,不去细心,可是你即使什么都不管,活路还是要干一点儿的;即使你什么都不管,时间一长,结婚的感觉和没结婚的感觉还是大不一样的。没结婚的时候,潘桃一个人睡在母亲西屋,被窝常常是凉的,潘桃走在院子里,鸡鸭猪脚前脚后地围着,一不小心,会踩到一泡鸡屎,但是因为潘桃的心思悬在屋子之外,甚至十万八千里之外院子之外,从来不觉得这一切与自己有什么关系。那时候,潘桃总觉得她的生活在别处,在什么地方,她也不清楚。但这不清楚不意味着虚飘、模糊,这不清楚恰恰因为它太实在、太真实了。她有时在大学校园里的教室里,琅琅的读书声震动着墙壁;她有时在模特儿表演的舞台上,胯和臀的每一次扭动都掀起一阵狂潮;她有时在千家万户的电视里,她并不像有些主持人那样,一说话就把手托在胸间翻来倒去,好像那手是能够发音的,她手不动,但她的声音极其悦耳动听。这些实在且真实的场景组成的是另一个空间,它鬼魂附体一样附在了潘桃现实的身体里,使现实的潘桃只是一个在农家院子走动的躯壳。没结婚时,身边什么都有,却像是没有,有的全在心里。而结了婚,情形就大不相同,结了婚,附了体的鬼魂一程一程散去,潘桃的灵魂从遥远的别处回到歇马山庄,屋子里的被窝、院子里鸡鸭、野地里长长的地垄,与她全都缔结了一种关系。屋子,明显是归宿,是永远也逃不掉的归宿,且这归宿里,又有着冰冷和寂寞;院子里的鸡鸭,明显是指望,是一天一个蛋的指望,且这指望里,要一瓢食一瓢糠地伺候;野地里的地垄,明显是一寸一寸翻耕的日子,且这日子里,要有风吹日晒露染汗淋的付出。结了婚,身边什么都有,也便真正是有,可是,因为心出不去,身边的有便被成倍成倍放大,屋子,是夜晚的全部,冷而空;院子,是白天里的全部,脏而旷;地垄,是春天的全部,旷而无边。没结婚的时候,你是一株苞米,你一节一节拔高,你往空中去,往上边去,因为你知道你的世界在上边;结了婚,你就变成一棵瓜秧,你一程一程吐须、爬行,怎么也爬不出地面,却是因为你知道你的世界在下边。在这漫长的春天里,潘桃确有一种埋在土里的瓜秧的感觉,爬到哪里,都觉得压抑,都感到是在挣扎——好容易走出冰凉的夜晚,又要走进叽叽喳喳的畜群里,好容易走出叽叽喳喳的畜群,又要走进长长的地垄里。关键是,玉柱和公公走后,潘桃的婆婆完全变了一个人,她再也不冲潘桃笑了,再也不挡潘桃手中的活儿了,以往小辈人似的谦卑一概地被大风刮去,这且不说,她的笑收了回去,话却从嘴边一日多似一日地淌了出来,仿佛那话是笑的另一种物质,是由笑做成的。十七岁那一年啊,俺妈找人给俺算命,说俺将来一准得儿子济,生玉柱那回,俺肚子疼了三天三夜,都不想活了,可一想起算命先生的话,就咬紧了牙。可那时谁也想不到,养个儿子大了会上外边,要媳妇守着,你说俺这当妈的真能得济?前年,俺在后腰甸子上耪地,和成子他姑耪到对面,她说二嫂呀,可不能这么惯孩子,这么惯早晚是祸根,没听说儿子上刑场前把妈奶奶头咬掉的故事吗,你得小心。你说她这不是狗咬耗子多管闲事,俺惯俺宠有俺惯和宠的福,你说对不对潘桃。婆婆的话不管淌到哪儿,都跟儿子有关,婆婆的话不管淌到哪儿,都要潘桃表态。潘桃最初还能躲着,你在堂屋讲,我躲到西屋,你在院子讲,我躲到娘家——娘家成了潘桃的大后方。可是当春种开始,大田的长垄上就两个人,空气里的追赶和追逼无论如何都驱之不去了。这时的婆婆,好像深知你再躲也躲不到哪儿去了,淌来的水竟卷了草叶和泥沙滚滚而下。淤积在女人人生沟谷里的水到底有多少,潘桃真是不曾知道也不想知道,它在潘桃耳畔流动时本是看不到面积也看不到体积的,可是用不了两天,潘桃的心里就满满当当了,流满了泥沙的水库一满,不及时泄洪便大有决堤的危险。

　　潘桃泄洪的办法之一还是回娘家。因为在一个屯子里,前街后街的距离,以往每天都是要回的。然而这次,潘桃不是回,而是住下不走了。潘桃泄洪,不是再把那些话流淌出去,那些话,一旦变成水淌到她的心里,就不再是话,而是一种心情了。潘桃的心情相当的坏,潘桃平素话就少,坏了心情之后,就更是什么也说不出了。母亲对潘桃要多好有多好,脸对脸地看着,眼对眼地瞅着,不让她上灶,不让她下田,她变成了这里的客人。母亲懂得女儿的不快乐是因为什么,母亲因为这懂得,便有意和她说一些有关玉柱的话,目的在以毒攻毒。分明在想一个人,你就是不提,岂不掩耳盗铃。可是潘桃的毒根不在思念,而在于自己变成了一个到处碰壁的瓜秧,是玉柱将她变成了这样一棵瓜秧,母亲的话反而让潘桃更烦。是这时候,潘桃看到了另一个泄洪的办法,那就是,去找成子媳妇。

　　经历了猪跑人攮那个日子,成子媳妇的心情十分沮丧,屯街上远远看着自己的那些女人的脸,潘桃的脸,常常浮现在她眼前。她想自己那天多么狼狈啊,简直像疯子。然而许多时候坏上加坏又是一种好,就像数学里的负负得正。惦念着村里女人怎么看她,倒使她从万丈无底的空虚中解脱出来。惦念,因为有那样一个惊心动魄的场景,变成了实实在在的内容,供她在静下来的时光里咀嚼。尽管咀嚼的结果让人脸红和难堪,但总比空落着好,总比在空落时,回想这个家曾如何热腾腾装满了雾气要好。那回想的一瞬倒是美好,可是只要定睛一瞅,不免又落到万丈深渊。因为羞怯和难堪常常在转念之中跳出来与她做伴,成子媳妇的心里开始往屯子女人身上转了。她非常想在某一个时辰,换上一身好衣服,大摇大摆走到她们面前,像她结婚那天那样,让她们看看她还是原来那个样子。这种想法是如何拯救了家里彻底空下来的成子媳妇,她自己真是一点都不知道。

　　因为有姑婆婆的监督,成子媳妇没有常换衣服,但她每天早起,第一件事就是站在镜前描眉画眼。她在城里学会化一手淡妆,看似没化,其实比画了还叫人舒服。她脱掉了结婚时母亲给她做的絮得很厚的棉袄,换上一身锈红色毛衣外套。这件毛衣外套是在一家叫着沃尔玛的超市里买的,也是一次告别城市的挥霍,花了她四百块钱。这件衣服的好处是既现代又古朴,它的领子和袖子上镶着花边,是白线黑线两种,有一点不中规矩,但它的腰身却很收,也很长,是传统中式服装的样子,两边留着开气儿。结婚之后,她一直没舍得在家里穿,想留到开春后上集或回娘家时穿。现在,既然在家变得这么重要,成子媳妇便慷慨地从衣柜里抽出它。穿了锈红色毛衣外套的成子媳妇,不管是在堂屋烧火,还是在院子里喂猪,或是到大田翻地,都希望有人看她。乍暖还寒,一件毛衣风一吹就透,可是越冷越能提醒着什么。她在灶坑烧火,她的风门是打开的,她在院里喂猪,她的眼神是不看猪槽的,当她走出门口来到河套边的大田,她的后脑勺便又长出一双眼睛。事实上她确实看到很多眼睛,门口的立柱上长着眼睛,墙头的枯草上长着眼睛,歇马山庄的大街到处都是眼睛,在这些眼睛中,潘桃的眼神尤其专注而投入,似要往她的心上看去的那种。事实上,在这空寂又漫长的春天里,成子媳妇只吸来了一双眼睛,那便是她的姑婆婆。姑婆婆的目光从敞开的大门口射进来,是藏在一条窄窄的缝隙里,她先是眯着上下眼皮,之后抻开了眼角睁开来,是把她推到远处再拉近的样子。姑婆婆把她从眼睛中推出去再拉进来,却没有一句批评,接着就去讲买什么样的鸡崽的事。但姑婆婆的不批评,是要告诉她她的问题已经相当严重。然而在这件事上,成子媳妇恰恰没有立即检讨,她希望用时间来告诉姑婆婆,她一春天也不会换掉它的,她会用日光和泥土来弄旧它,从而告诉她,这其实就是下地干活儿穿的衣服。

　　然而,成子媳妇做梦不曾想到,在她目光跳到躯体之外,常常以局外人的角度打量自己,因而很少向自己的真实生活细看时,她的家里来了潘桃。地瓜的须蔓从村西爬到村东经历了怎样的难度成子媳妇无法知道,地瓜的须蔓在爬进一方孤零的宅院时,一张苍白的脸上嵌着两只葡萄一样黑幽幽的眼睛。当时成子媳妇正在为新买的鸡崽夹园子,突然转头,看见了潘桃。成子媳妇初见潘桃,一下子惊呆,你……潘桃笑了,葡萄里闪出两颗灵动的核,没有说话。

　　你是潘桃!

　　做出这样果断的判断之后,成子媳妇眼睛一亮,蓦地站起,扔掉手中的苞米秸子。成子媳妇在最初的一瞬,还肤浅地想到了自己身上的毛衣,以为是毛衣吸来了潘桃。后来,当看到潘桃灵动的眼仁,她的心一下子从半空落到底处。这种落,不是落到踏实的平地,而是往泥坑里陷,因为潘桃的眼仁里,正扩散着蒙蒙雨雾一样的忧伤,成子媳妇的眼窝,一下子就潮湿了。

　　……

　　你叫什么名字?

　　李平。

　　你的毛衣挺好看的,显得人苗条。

唔……

走在路上时,潘桃并不知道见到成子媳妇该说什么,更不知道自己会进门就夸她,都因为潘桃心中的成子媳妇,还是河边那个臃肿的成子媳妇。

人怕见面。这是一句颠覆不破的真理。对于一个善良的人而言,见了面,就意味着见了心,见了心底的真。而一旦见了心底的真,说了真话,局面便立即变成另一个样子。成子媳妇十分清醒潘桃夸自己,并不是她的本意,但她也十分清楚潘桃的夸绝对是发自内心的。因为有了这样一层感受,成子媳妇觉得自己从泥坑往上升,往上浮,眼睛的潮湿瞬间蒸发,留下股微微的凉意。随之,成子媳妇眼睛里汪满了笑,说,都说潘桃是咱村最漂亮的媳妇,果真不假。

相互道出肺腑之言,两人竟意外地拘谨起来,不知道往下该怎么办。那情形,就仿佛一对初恋的情人终于捅破了窗户纸,公开了相互的爱意之后,反而不知所措一样。她们不是恋人,她们却深深地驻扎在对方的内心,然而那不是爱,也不是恨,那是一份说不清楚的东西,它经历了反复无常的变化,尤其在潘桃那里。她们对看着,嘴唇轻微地翕动,目光实一阵虚一阵。实时,两个人都看到了对方目光中深深的羞怯;虚时,她们的眼睛、鼻子、脸,统混作了一团,梦幻一般。一阵迷乱之后,成子媳妇终于笑出声来,说,看我,还不请你到家里坐。

屋子一如所有乡村人家的屋子,宽大的灶台宽大的餐桌,公公的屋里两间屋连着的,长长的炕能睡十几个人的样子。炕与柜之间,便是一个长长的空间,犹如城市里的客厅。这是歇马山庄新时期最时尚的房屋结构,有没有客人来并不重要,重要的是要有客厅的感觉。潘桃娘家、婆家全是这个样子。与潘桃的娘家婆家不同的是,成子媳妇家客厅里的餐桌上,蒙的不是塑料布而是米色台布,柜子上放的,不是塑料花而是一株灰蓬蓬的干草,炕上铺的,不是地板革而是雪白的床单,这一点不经意间勾起了潘桃某种感觉,是早已被时光掩埋起来的疼。应该承认,成子媳妇家里的样子与她结婚那天留给潘桃的印象相当一致,是静静中有着一种洋气和高雅。然而,昔日的潘桃可以躲避,今天的她无法躲避,今天的潘桃也根本不想躲避,因为她看到,纵有天大的差别,天大的不同,独一种东西她们相同的——她们都是新媳妇，她们的新房里都是空落的，没有男人。她是因为这相同才来的，她们有着相同的命！潘桃说：李平，你真行，还能用心过日子，玉柱一走，我的心一下子就空了，我就像掉了魂，还心烦。

成子媳妇看着潘桃，脸一层层热起来，是那种通电般的胀热。潘桃一句话直通她的心窝，成子媳妇不由得靠到潘桃身边，握住她的手。潘桃，我其实也一样，你心空，还有烦，我心空，连烦都没有。

四

潘桃主动上门——这是多么重要的举动啊！为了答谢潘桃，李平在一周以后，锁了家里的风门和大门，带上一条黑底白点的纱巾从街东走到街西，来到潘桃家。因为潘桃在成子家喊了自己的名字，成子媳妇在往潘桃家走时，觉得自己不是成子媳妇而是李平。潘桃无意中把李平从以往的风月中发掘出来，对李平并非什么好事，但李平并不计较，潘桃是无辜的，这恰恰看出潘桃对她这个人的尊重。其实，那一天她们由心烦开始的许多话题，都是关于结婚前的，都是属于李平而不是成子媳妇的。她们讲她们曾经有过多么美好的理想，为那些理想走了一圈才发现她们原来原地没动。潘桃说，刚下学那会儿，一听到电视播音员在电视里讲话，就浑身打战，就以为那正在讲话的人是自个儿。李平说，我和你不一样，光听，对我不起作用。我得看，一看见有汽车在乡道上跑，最后消失到远处，就激动得心跳加速，就以为那离开地平线的车上正载着自个儿。潘桃说，我这个人心比天大胆却比耗子小，就从来不敢出去闯，有一年镇上搞演讲，我准备了两个月，结果，还是没去。李平说，我和你不一样，我想做什么就敢去做，刚下学那年，拿着二十块钱就离家上了城里，找不到活竟挨了好几天的饿。潘桃说，所以最终我连歇马山庄都没离开，空有了那么多理想。李平说，其实，离开与不离开也没有什么不同，离开又怎么样，到头来不也一样嫁给歇马山庄。咱俩的命其实是一样的，只不过我比你多些坎坷多些经历而已。李平在打开自己过去岁月时，尽管和潘桃一样，采取了审视自己的姿态，但终归是一种抽象的、宏观的审视，是只看见山而没有看见岩石、只看见水而没有看见水里的鱼的审视，而一个抽象的李平，十九岁出门,在城里闯荡五年,挣了一点钱,又遇到了厚道老实的手艺人,并不是太坏的命运。那一天,与潘桃谈着,李平有好长时间转不过方向,仿佛又回到了从前,潘桃让她又回到了从前,不是因为她们谈起从前,而是她们谈话那种氛围,太像青春期的女伴了。

李平能在几日之后就来潘桃家,是在潘桃预料之中的。地瓜的须蔓爬到另一垄地之后爬了回来,带回了另一棵须蔓,这是一份极特殊的感觉。那天离开李平家,从街东往街西走着,潘桃就觉得有条线样的东西拴在了手中,被她从屯东牵了回来;或者说,她觉得她手上有把无形的钩针,将一条线样的物质从李平家钩到了自己的家,只要闲下来,她就在心里一针一针织着。看上去,织的是李平,是李平的人和故事,而仔细追究,织的是自己,是漫长的时光和烦躁的心绪。从李平家回来,时光真的变得不再漫长,潘桃也能够老老实实呆在家里了,也能够忍受婆婆随时流淌的污泥浊水了——婆婆不管讲什么,她都能像没听见一样。这时节,潘桃确实觉得那股烦躁的心绪已被自己织决了堤,随之而来的,是近在眼前的、实实在在的盼望。

盼望李平登门的日子,潘桃把自己新房、堂屋、婆婆的房间好一顿打扫,那蒙被的布单,那茶几上的蒙布,还有门帘,从结婚到现在,已经四五个月了,就一直没有洗过,尤其脸盆盆架,门窗框面,上边沾满了灰尘。等待李平登门的日子,潘桃发现,她结婚以来,心一点也没往日子上想,飘浮得连家里的卫生都不讲究了,这让潘桃有些不好意思。等待李平登门的日子,潘桃心中仿佛装进一个巨大的气球,它压住她,却一点也不让她感到沉重,它让她充实、平静,偶尔,还让她隐隐地有些激动、不安。她时常独自站在镜前,一遍遍冲镜子里的自己笑,把镜子里的自己当成李平。这是多么美妙的时光啊,它简直有如一场恋爱!

李平如期而至。李平走到潘桃家门口时,潘桃正在院子里晾晒衣服。潘桃听到大门吱扭一声响,血腾一下升上脑门,之后李平李平叫个不停。李来与潘桃两手相握,都有些情不自禁。潘桃细细地看着李平,一脸的能够照见人影的喜气。李平还穿那件锈红毛衣,李平的脸比前几天略黑些,上边生了几颗雀斑,这又有什么关系呢。李平先是跟潘桃一样,认真端详对方,可没一会儿,她就把目光移到另一个人身上——潘桃的婆婆。

潘桃的婆婆此时正在园子里搭芸豆架,看见李平,赶忙放下手中的槐条。李平背过潘桃,走向她的婆婆。李平隔着院墙,喊了声大婶——潘桃婆婆立即三步并成两步,从园子里跑出来,一声不罢一声地喊着,成子媳妇怎么是你?

被潘桃冷了多日的婆婆见了李平,会热情到什么程度是可想而知的,在媳妇都是人家的好,姑娘都是自己的好这铁的事实面前,整整有二十分钟是潘桃的婆婆跟李平说话,而潘桃只好一动不动地站在一边。二十分钟之后,实在有些忍不住,潘桃开口。潘桃说,李平,快到屋里坐吧。

在潘桃房间,潘桃有两三分钟一直不说话,任李平怎么夸她的衣柜实用窗帘好看,就是不接言。李平愣住了,毫不设防地愣住了。李平知道潘桃着急,但她想不到潘桃会生气。她不愿意和老人说话,但这是礼节。结婚前,李平的母亲曾告诉过她,必须放下为姑娘时的架子,尤其是在村里的女人面前,她们的嘴要是没遮拦就能一口一口吃了你。李平直直地盯着潘桃,好像在问,你怎么啦?潘桃哪里知道自己怎么了,她就是不想说话。潘桃起初是知道自己怎么了的,可是不想说话这种现实,让她越发地有些迷失,越发地不知道自己怎么了。潘桃的迷失造成了李平的迷失,李平看着潘桃的目光里,几乎都流露出痛苦了。

不知过了多久,潘桃终于说话了,潘桃说,李平,你太会做人了,你可给我婆婆弄住了。

李平将目光里的痛苦眨巴了一下,说,你这是……

潘桃说,你千万别以为我和我婆婆之间有矛盾,不是的,我是说,咱俩真的不一样,我知道该对她们好,可是我做不到,我一见她们就烦。

李平不语,李平没有想过这个问题,在这一点上,她们有什么不一样吗?

潘桃说,你看上去很洋气,像似很浪漫,实际你很现实,我和你正好相反。

李平终于警醒过来,是被现实和浪漫这样的字眼警醒的。她想,她并不是没有想过这个问题,这个问题在她还没有变成成子媳妇的时候早已经想透了,她是因为想透了,才要那样大张旗鼓地结婚,她那样结婚,就是要告别浪漫,要跟乡村生活打成一片。李平目光中的痛苦淡下去,有一些明亮映出来。潘桃,你说对了,咱俩确实不一样,你是因为没有真正浪漫过,所以还要当珠宝戴着它,我不行,我浪漫得大发了,被浪漫伤着了,结了婚,怎么都行,就是不想再浪漫了,现实对我很重要。

不管是李平还是潘桃,都没有想到,她们在热切地盼着的第二次见面里,会一开场就谈起这么深刻的话题。关键是,这话题搞坏了她们之间的感情,这话题,好像王母娘娘划在牛郎织女之间的那条河,把她们不经意间隔了起来。

潘桃被罩在五里雾中。在她心里,浪漫是一份最安全的东西,它装在人的思想里,是一份轻盈的感觉,有了它,会让你看到乌云想到彩虹,看到鸡鸭想到飞翔,看到庄稼的叶子想到风,它能把重的东西变轻,它是要多轻就有多轻的物体,它怎么会伤人?

现实、浪漫、伤人,李平在开始说这些话时,还以为找到了一些能够说清楚自己的宝贝,可是说着说着,就觉得这些宝贝变了脸,变成了一根阴险狠毒的细针,向她心口的某个部位刺去,它们后来还不光是针,而是铁器,是砸到心上的铁器,让她感到一种麻麻的疼。

是怎么从潘桃家走出的,李平一点都不知道,她只知道,潘桃在门口送她时,眼里流动着深深的疑惑和失望,她还知道,她精心备好的送给潘桃的纱巾,又被她揣了回来。

从潘桃家回来,成子媳妇把黑底白点的纱巾掖到箱子底下,转身就拿起锄头朝大田走去。其实大田里的苞米苗已经间完,草也已经除掉,她是将这一些活做完才上潘桃家的。可是此时此刻,她就是要上大田,只有上大田才能离开什么甩掉什么,那东西好像只有距离才能解决。成子媳妇往大田走时,故意拐了好几个弯,并且脱了入春以来一直穿在身上的毛衣。在大田边坐着,晒着烈烈的日光,看着绿油油的庄稼,成子媳妇一点点看到自己内心的疼瘦成了锄掉的蚂蚱菜一样的干尸。

成子媳妇决定,再也不去找潘桃了。潘桃倒没什么不好,只是潘桃能够照见自己的过去,这比一般的不好还要不好,她不要过去,她要的只是现在,是一个山村女人的日子,是圈里的猪,院子里的鸡,地里的庄稼,是屋子里的空荡和寂寞。经历了一次揭疼的成子媳妇,在后来很长一段时间里,都忘了在那空落日子中走进一个潘桃曾让她多么高兴,忘了成子和公公刚离家时自己空落成什么样子。经历了一次揭疼的成子媳妇,在后来很长一段时间里,觉得屋子里的空荡和寂寞是她最想要的,只要走进屋子,就觉得日子是殷实的充实的。倒是姑婆婆要时常走进这空荡里,给她的寂寞撒一点露带一点风,不过这没什么,姑婆婆的露和风都是现在的露现在的风,即使有过去,那过去也不跟她发生关系,是关于歇马山庄的过去,是关于公公婆婆舅公舅婆的过去,而在成子媳妇那里,凡是她不知道的事情,不管是谁的,都是她的现在。

可是,成子媳妇怎么也不会想到,正是因为现在,她才再一次想起潘桃。现在,时光进入了夏季,大量的农活已经结束,山庄里的人闲成了一摊泥。现在,李庄一个叫张福广的养车人从城里捎回了成子和公公脱下来的棉衣棉裤,棉衣的内兜里,夹了一封成子写来的信。成子的信,使早已散去的蒸气又在屋子弥漫了起来。成子媳妇读着读着,就掉进了一汪迷雾里。那伸腿撸胳膊的字迹,仿佛节日里杵在锅底的木棒,将她的心烧得嘎巴嘎巴直响的同时,蒸出她一身一身潮湿。读成子来信之后的日子,成子媳妇既不愿离开屋子又怕留在屋子,不愿离开,是因为屋子里的雾气有成子汗津津的手和热乎乎的嘴唇,怕离开屋子,是因为成子的手和嘴唇只要你一用心去体会,就悄没声地离她而去,扔下她仿佛掉进油锅的小兽,扑棱挣扎。不知是第几次扑棱挣扎,正眼睁睁地追着成子远去的背影,视线里,走来了潘桃,她眼睛黄黄的,一脸憔悴。潘桃朝她正面走来,潘桃一看见她眼窝就红了起来,潘桃说,想死人啦!

想念的本是成子,走来的却是潘桃。事实上,当厮守和见面都不能成为事实,想念变成一种煎熬时,成子媳妇看到了她跟潘桃相同的命运,潘桃走来,不是因为她想她,而是因为她们相同的命运。可是,一旦因为同命相连想起潘桃,想见潘桃的愿望比任何时候都更强烈。

成子媳妇毫不顾忌地就走上了通往潘桃家的路。而只要走向通往潘桃家的路,成子媳妇就知道不是成子媳妇而是李平。不过这没有关系,李平又怎么样呢,她本来就是李平嘛。歇马山庄的屯街有多短促真是只有李平知道。她迈着碎步,没用五分钟就来到了潘桃家。可是,潘桃的婆婆却告诉她,潘桃上镇烫头去了。

歇马山庄的屯街有多么漫长真是只有李平知道,从街西通往街东的路她走了整整一个世纪。

掌灯时分,潘桃一个新锃锃的人走进了成子媳妇家。这也是成子媳妇预料之中的事。成子媳妇由街头拐进院子,刚刚打开风门,她的脑中就出现了这样的信息。因而,成子媳妇过了一个充实又有奔头的下午,她先把黑底白点的纱巾从箱底再一次翻出来,放到炕梢最显眼的地方;然后打一盆凉水放到井台边晒,当水在盆子里被烈日吱吱地烤着的时候,她趴到炕上踏踏实实睡了一觉。好几天了,她都白天也是晚上晚上也是白天,困死了。下半晌,成子媳妇醒来,把晒好的水端进偏厦,坐到里边洗了个透澡,好像要洗掉所有的煎熬。洗着洗着,姑婆婆来了,姑婆婆一进院就大声吵着,怎么大敞着门不见人,死到哪里去了? 姑婆婆自从在成子媳妇跟前找到做婆婆的感觉,用词越来越讲究,什么话都要流露点骂意。成子媳妇的声音从偏厦飘出来,姑姑,在这,洗澡哪。姑婆婆一听,语气更泼,男人不在家洗给哪个死鬼看嘛,再说大夏天的干吗不去河套? 成子媳妇赶忙说,就不兴为女人洗。这是一句即兴的玩笑话,可是说完,成子媳妇美滋滋地笑了。

潘桃进门时,成子媳妇的姑婆婆已经走了,堂屋里,成子媳妇正在扒土豆,眼睛不时地瞅着门外。当挎着红色皮包、穿着紫格呢套裙的潘桃在视野里出现,成子媳妇眼眶里突然地就涌满泪花。她从灶坑徐徐站起,她站起,却不动,定定地看着潘桃,任潘桃在她的泪花中碎成万紫千红。

见李平眼泪在腮上滚动,潘桃一拥就将李平拥进怀里,低吟道,真想你。

潘桃的一拥,拥进了太多太多,拥进了从春到夏她们之间所有的罅隙。潘桃紧紧拥着李平,许久,才松开来,开始自己的诉说,她说自从上次分手,她一直很后悔,后悔那天不该生李平的气;她说像她婆婆那样的人,即使你不理她也不会放过你,先和她把话说尽了反而更清静,当时都因为太盼李平太想李平,一时间昏了头脑;她说这些日子天天都想过来看李平,向她赔不是,可是天天都下不了决心,不是放不下面子,而是怕李平不给面子;她说三天一趟河套两天一趟河套,以为能在那里遇上,可后来有人说,李平根本不上河套洗澡;她说今天回家来,听说李平来过,门都没进就过来了。

潘桃不停地诉说，每一句话，每一个字都是真实的，可是说着说着，被自己的真实吓住了。她低下头，打开身上的包，从中取出一个发卡，往李平刚刚洗过的头上别。李平戴上发卡，抹一把眼泪，把潘桃拽进里屋，拿起放在炕上的纱巾，打开，给潘桃系上。李平说，上次去你家就带去了，结果……两个人说着，同时来到镜前，见她们的双眼皮都有些红肿，又禁不住孩子似的笑了起来。

第二天，潘桃一早起来，梳洗完毕，吃完早饭，系上李平给的纱巾，就朝李平家走去。纱巾的位置看上去是在脖子上，而实际这是朋友情在心目中的位置——纱巾的位置有多显赫，朋友在你心中的位置就有多显赫。潘桃朝李平家走去，可是刚刚走出家门口不远，就见李平戴着她送的发卡款款走来。她们会意地向对方走近，脸上洋溢着喜悦——既为看到对方喜悦，又为看到对方的积极喜悦。因为离潘桃家近，她们就势返回潘桃家，而这一次，在院中看到潘桃婆婆，李平礼节性地笑笑，一步不停地朝屋里走，好像一旦停下就伤害了潘桃。

因为第一次的任性导致了不该有的熬煎，友谊伊始，两个人都小心翼翼，仿佛那友谊是只鸡蛋，不能碰，一碰就会碎掉。就这样，她们今天你家明天我家，后来，为了减轻没有必要的负担，她们干脆就上李平家，或者就到门口的树阴下，或者，找一个理由到镇子上逛。

夏天的美好是用水做成的。白日里树下的倾谈是那山里小溪的水，有着潺潺的、晶莹的形态，去往镇子的公路上，肩并着肩的倾谈是那渠道里的水，有着丰满而规则的势头，夜晚里，一铺炕上头对头的倾谈是那湖里的水，有着深不见底幽暗无边的模样。水的流动推动了时光的流动，时光的流动全然就是水的流动，霞光满天的早上流走的是每日一小别之后各自细琐的经历，蝉声嘶哑的午间流走的是身边一些女伴和同学的故事，寂静无声的夜晚流走的，却是她们自己的故事。有时，她们就那么静静的，谁也不说话。她们眼睛看着路上的行人，远处的山脊，灯光下的天棚，任时光流成一眼深井里的水。但更多的时候，她们心中的水和时光的水还是要同时流淌的。她们有时是平铺直叙，没有选择，遇到什么讲什么。

路上看到青蛙跳到水里,潘桃就说,小时候看到青蛙,常常想要是托生个青蛙多么不幸,一辈子就坝上坝下地跳,有什么意思,谁想到自个儿长大了,也和青蛙差不多,只在街东街西地走。李平说,还说你浪漫,浪漫的人是绝不会悲观的,人怎么能和青蛙一样,人街东街西地走,是为了寻找知音,有知音的人和只知哇啦哇啦叫的青蛙能一样吗,有知音的人和没有知音的人都不能一样。讲到青蛙和人,自然就讲到了命,讲到命,自然就讲到了那个决定她们命运是这样而不是那样的恋爱。而讲到恋爱,她们却要讲一点技法,要倒叙或者插叙,要搞一点悬念卖一点关子。潘桃说,你知道我是怎么爱上玉柱的吗?李平说,还不是他答应你把你的户口办到城里到城里安家,好多做美梦的女孩都是这么被人骗到手的。潘桃说才不是呢,有条件在先那叫什么爱情?李平说,你难道没有条件?潘桃说,要不怎么说我浪漫,那时候我高中毕业,在镇上开理发店,到理发店里追我的人相当多,镇长的儿子厂长的侄子都有,可是我没一个往心里去。那时我正迷恋孙国庆《走四方》那首歌,其实也说不清是迷孙国庆还是迷《走四方》,有一天下班,往家走的路上,正唱着,就发现前边有一个人背着行李,大步流星地走在夕阳里的山冈上,那山冈就是歇马山庄的山冈,因为是下坡,那个人走起路来一冲一冲,简直就跟 MTV 中的孙国庆一模一样。我放开车闸,快速冲下山冈,撵上那个人,我喊了一声孙国庆,你猜听到我的喊他怎么样?怎么样?他听我喊,顿了一下,接着,嗷的一声就唱了起来,"走四方,水迢迢,路长长,迷迷茫茫一村又一庄——"当天晚上,我们就在小树林里约会了。李平静静地看着潘桃,羡慕地说,你真是爱情的宠儿,够浪漫的。

　　她们有时尽量给对方一些机会,让对方说,自己静静地听,似乎多说了,就多占了便宜,而她们都宁愿对方多占便宜。但有时,却是需要交换的,是需要你一段我一段的,比如潘桃讲了自己的恋爱,李平就必须讲她的恋爱。这种时候,不用潘桃逼,一个静场,李平就知道该自己投罗网了。在进入夏季之后,在与潘桃有了密切交往之后,李平发现,她一点也不在乎提过去了,这并非因为只有过去,才能解决她们的现在,而是她已经拥有了挑选和省略某些过去的能力,拥有了虚构过去的能力。这其实一点都不难,只要你略微地谨慎稍微地用心。李平说,你知道我是怎么爱上成子的吗？潘桃说，我当然知道，肯定是他答应你在城里给你盖栋高楼，要不一个在城里打工的小姐哪肯嫁他。李平说，你真聪明，我这人确实和你不同，我开始是有条件的，我把条件看得很重，我从进城打工那天，就没想再回乡下，所以我的眼光就从来没想看什么民工。与成子相识，完全是个偶然，他跟他的包工头到酒店吃饭，我给上茶倒酒，一下撞了他的手，后来就老来纠缠我，我开始反感他反感得要命，觉得是癞蛤蟆想吃天鹅肉，可是有一天，他给我送来一封信，信上说，我不是一般的民工，我是我们包工头的侄子，我在城里不但有房子，还可以给你找工作。我看完信就约了他。就这么的，我被骗回了歇马山庄。李平在说自己恋爱过程时，没有讲出属于爱情肌理的那一部分，但这一点潘桃并不追究，她不追究，不是相信李平就是那样务功利的人，而是把这看成是李平对自己的一份情谊——故意用自己的不好衬托别人的好。潘桃说，好你李平！

李平和潘桃好上了，这在歇马山庄两个新媳妇中间，既是心理的，又是身外的。心理上，她们谁也离不开谁了，她们一早醒来，只要睁开眼睛，就看到对方的笑脸。她们的好，既像是恋爱中的女孩，又有别于恋爱中的女孩。像的是，她们都因为生活中有着另一个人，才有了交谈的内容和热情，不像的是，恋爱中的女孩没有敞在院子里漫长的日子，而她们有日子。现在，她们发现，她们彼此就是对方的日子。有一回，她们正趴在墙头，彼此眼对眼地看着，李平突然说，潘桃，你想没想过，一个人一生中，面对的和感兴趣的，其实就一个人。潘桃懵懂，轻轻地眨巴眼睛，你什么意思？李平说，我上小学时，有一个叫兰子的女伴，她皮筋跳得好，我俩只要离开课堂，天天一起；上中学，又有个叫迟梅的同学，她妈是知青，我被她头上的红发卡吸引，上学放学，总要一起走；进城，在第一家饭店，有一个比我小一点的同乡，普通话说的好，有事没事，我都愿去找她。听她讲话；结了婚，有了成子，就谁都不在心上了，谁知，成子一走，心里空了，老天就派来了你。有了你，我都快把成子忘了。潘桃不语，似在琢磨。李平说，细细想，女人的世界其实没多大，就两个人，两个人就是世界，细想想，世界多大都跟你没关系，玉柱是你丈夫，可是现在，此时此刻，你能说他跟你有什么关系吗？潘桃终于琢磨出头绪，说，李平，你很深刻。潘桃一边佩服地看着李平，一边用手抚着李平肩上的头发，那样子好像她与李平的关系，因为李平深刻的提示而更加深入了一层。地瓜蔓爬到这一程,真的是不可只用长度来度量。

　　心里的东西,无疑要溢到身外,就像瓜熟了总要裂出沟痕。潘桃和李平相好之后的那个秋天,动辄就肩并肩地穿过屯街穿过田野向镇上走去。潘桃一直是注重打扮,现在则更加地注重了,不过她再也不化浓妆,不穿艳丽衣服,而像李平那样化淡妆,穿灰调子的衣服。随着与李平友情的加深,她认识到,李平的洋气,是从对色彩的选择开始的。李平自从那件穿了一个春天的毛衣外套脱掉,再也不守一件衣服只要穿就穿脏穿旧的原则了,不换衣服其实是对自己青春时光美好时光的作践,她开始由最初的半月一换到后来的一周一换。随着与潘桃友情的加深,李平渐渐认识到,结了婚就逼迫自己进入一种乡下女人的日子是多么大的错误,人一生不会有几度青春,在青春里要毫不气馁地抓住,青春这东西,你抓住一百,才能留住五十,你如果只抓五十,就连二十都留不住。潘桃身上那种不向现实就范的孩子气,确实唤醒了李平一段时间来极力用理性包裹的东西。事实上,理性永远是理性,理性包不住热情,就像纸包不住火。两个人由友情的加深开始了相互的欣赏,由相互欣赏开始了形影不离,好像只有这样,才能使她们有一种相加的力量——她们在大街上走时,心底里感到的是一种相加的力量。

　　潘桃和李平好上了,这是大家有目共睹的事实。入秋之后,一些不很中听的议论便像秋雨后的蘑菇一样长了出来。现在的年轻人,学好不能,学坏可是太快了,那成子媳妇,刚来时还本本分分的,现在可倒好,日子都不想过了,地里的庄稼十天半月也不去看一回。要俺看,不是潘桃把成子媳妇带坏,而是成子媳妇把潘桃带坏,她在城里呆过,再说,潘桃她妈在咱村子里,谁不知道是最会过日子的人,根儿在那呢。

　　对于谁带坏谁的问题,潘桃婆婆和李平的姑婆婆都表现得比较谦虚,潘桃婆婆一再说是让她的儿媳妇带坏了,成子媳妇刚结婚时,并没这样,人家一春天就穿一件衣服。李平姑婆婆却说,还是让她的侄子媳妇带坏了,怎么说潘桃是天天上她的侄子媳妇家,而不是她的侄子媳妇上潘桃家,要是她的侄子媳妇不拿什么引逗她,她怎么能老去,再说,潘桃早先搞过烫发,也没变过发型,现在可倒好,几天一变几天一变,绝对是她的侄子媳妇带坏了潘桃。然而，不管谁带坏了谁，不管有多少议论，潘桃和李平是不在乎的。对于不在乎的人，议论，就像肥料对于一株已死的稻苗，不会起半点作用。相反，有村里人的议论，有两个婆婆的议论，潘桃和李平不向山庄女人就范的理想更清晰起来。

好是真好，但是偶尔的，一点微妙的不快，也还时有发生。有一次，在镇子一家理发店烫头，一个曾经追过潘桃的小伙一边梳理潘桃的头发，一边开玩笑说，有一种办法可以叫你们烫头不花钱。李平说，有什么办法？小伙子说，亲一口。李平说，这可是个不错的交易。我看行。小伙子分明是撩人，李平也分明是迎合了这种撩，潘桃一下子就生气了。从理发店出来，潘桃绷着脸，一路上不跟李平说话。见潘桃生气，李平知道不经意间，露出了自己在城里学坏的小尾巴，快到家门口时，就主动邀请潘桃，说，今晚到我家睡吧。其实，走到半路，潘桃已经不生气了，可是一时又拉不回来，听李平邀她，便赶紧答应，好，不回家了，就让婆婆痛痛快快讲去吧。一场不快，引出的就是这样一个结果，往友情的深度再走一步，像赎罪，更像奖赏，且这奖赏又往往是你给一寸我给一尺，你给一尺我给一丈。潘桃冒着婆婆面前夜不归宿的风险住了下来，李平便毫无疑问要掏出自己最最真挚的东西。然而那东西是什么，一时并不清楚，还需一点点留心一点点寻找。关门之后，屋子一下变得温馨起来，宁静起来。以往，潘桃也在晚饭后到李平家坐过，但因为没有想不走，感觉还是很不一样。要走的夜晚，温馨和宁静往往浮在表面，与人的肌肤和喘息离得很近，让你时刻担心它会一瞬之间溜走；而决定不走的夜晚，温馨和宁静却是沉在墙壁里和天棚上，是那种旷远的、与人隔着距离的凝视，专注而深情。关了屋门，拉了窗帘，洗了脚，放了褥子和被，钻进被窝的潘桃和李平，第一次萌生了孤独的感觉。村庄的山野，黑夜，万事万物都离她们那么远，它们注视着她们，却离她们那么远。或者，它们是因为注视，和让她们觉得远，觉得孤独，孤单。有了孤独的感觉，同病相怜的感觉尤其重了，看着潘桃黑幽幽熟透了葡萄一样的眼睛，黑里透红的瓜子脸，丰满的小猪一样蜷在被子里的身体，李平突然的就知道该给潘桃什么东西了。李平说，潘桃，咱俩好是不是？潘桃说，这还用问！李平说，要好，就该像姐妹那样掏心窝子，不能说谎是不是？潘桃翘起脑袋，警觉道，我跟你说什么谎了吗？李平笑了,说,你觉什么惊嘛,我是说我自个儿。潘桃翘起的脑袋又陷下去。你说谎了吗?李平收回笑,目光里有一泓清澈的水雾喷出来。潘桃,李平说,语调十分的轻也十分的亲。我其实骗了你,我和成子的恋爱,其实并不是我上次讲的那个样子。潘桃说,这你不说我也知道,你是故意把自个儿说得很坏。李平说,不,不,你不知道,你不可能知道,我其实嫁给成子时,已经不是女儿身了。潘桃愣住,眼睛直直瞅着李平。李平说,十八九岁时,我比你浪漫,我那时太幼稚,以为只要有真心,城里肯定有我的份儿,实际上完全不是那么回事,城里狼虎成群,你有真心,只能是喂狼喂虎。进城第二年,我爱上一个酒店经理,也确实因为他的身份吸引了我,可是他骗了我,他有老婆,他和我好只是为占便宜,后来,他让他老婆当着众人的面寒碜我……受了伤害,堕落两年,赚了些钱,那时我以为自己从此就完了,那时我对男人充满仇恨,对人生十分绝望,也想不到还会有什么真情……算是老天可怜我,让我遇到成子……遇到成子,我就发誓,我要把自己最真的东西给他,一生一世……李平说得十分平静,仿佛在说别人的故事,可是,泪却从她的眼眶漫了出来。潘桃伸出手,抹了李平眼角的泪,紧紧攥住李平的手,说不出话。李平说,那些男人,没一个好东西,越是知道你是假的,越是要上,真的,他们反而吓得往后退,就不知道这是为什么。潘桃往李平身边挪了挪,靠得更近了。潘桃说,李平,不能想象那是什么样的日子,真的不能想象,不过,有些经历,并不是坏事,不管好经历坏经历,我其实很羡慕一个人有经历,经历是财富。潘桃说着,赶紧揭开被子,钻到李平被窝。李平感激地搂住潘桃,说,你真的这么想吗?你觉得我脏吗?潘桃说——气哈在李平脸上——当然是真的,在我眼里,你是世界上最最干净的人。

　　这样的夜晚,你一尺,我一丈,你一丈,我十丈,她们一步步往前走,走出一片沼泽,一片湖泊,走出一条康庄大道。她们没走进时,根本不知道那里有什么,会怎么样,她们一旦走进去,便看到了无穷无尽的景色——她们不管穿过的是什么,最终的结果,都是看到了无穷无尽的景色。

五

有了伴的日子要多快有多快,转眼之间,夏天过去,秋天也过去了,整个歇马山庄苞米都收光了,只剩成子家的苞米还在地里独立寒秋。见再不收已经说不过去,李平便携了潘桃来到自家苞米地里。这一天,听到树叶哗啦啦响,从另外的空间感受了时光的流逝,李平想起,自己居然四五个月没有回一趟娘家了。她于是告诉潘桃,苞米收完,她要回趟娘家,住个三天五天。李平正说着,潘桃砍苞米的手不动了。许久,她转过脸,对李平说,娘家这么远,看不看其实都一样,全是形式,我都不怎么回。李平说,这可不是形式,是牵挂,你不回,隔三差五总能望见,能听见。潘桃明知道李平的话是在理的,可是偏偏不往理上说。她说你总改不了你的面面俱到,把自己搞得不像自己,你要走,我就上城里去看玉柱,不是有你,我不知去了几千回了。这一回,仿佛一颗子弹打中了李平,潘桃上城看玉柱,这和李平没有一点关系,可是这话却像一颗子弹,一下子就制服了李平,她长时间不语。事情弄到这步天地,这么你一尺我一丈地往深处走,她们都看到,等在前边的,绝不是什么美好景色,谁就此打住谁才是聪明的。李平当然不是傻子,再也不提回娘家的事了。她不提回娘家,潘桃也不说上城,两个便一心一意地砍着地里的苞米。

然而,这一事件之后,无论是李平还是潘桃,都隐隐地感到,他们之间,有了一道阴影。那道阴影跟她们本人无关,而是跟她们所拥有的生活有关,但又不是她们眼下的生活,而是在她们眼下的生活之外,是她们的更大一部分生活,只是她们暂时忘了它们而已。还好,她们并没有就此想得更多,她们也根本没往深处想,她们只是希望在她们暂时的生活中发生一些什么事情来驱走阴影。

事情确实发生过。是在第一场霜落在歇马山庄山野地面那天发生的。那一天,李平姑婆婆天还没亮,就来到了成子家拽开了屋门。姑婆婆显然没有洗脸,眼角滞留着白白的眼屎。姑婆婆进到屋里,不理李平,两手捏着腰间的围裙,气哼哼直奔李平新房。当她站在新房地中央,看到炕上被窝里确如她预料的那样,还躺着一个人,嘴唇一瞬间哆嗦起来。你……你……姑婆婆先是指着炕上的人,然后仿佛这么指不够准确,又转向了从后面跟进来的李平。姑婆婆的脸青了,如一张茄子皮,之后,又白了,如干枯的苞米叶。姑婆婆看定她眼中的成子媳妇,眼里有一万支箭往外射。姑婆婆终于说出话来:我告诉你成子媳妇,我们于家说的可是一个媳妇,不是两个! 看你把日子过成什么样子,弄那么一个妖不妖仙不仙的人在身边,这是过日子吗?! 李平起初还决定忍让,让姑婆婆尽情抖威风,可是见她出语伤人,又伤的是潘桃,便说,大姑,别这么说话,不好是我不好。这时,潘桃从炕上翻了起来,嗷的一声,李平你没有错你凭什么认错,要错是你大姑的错,她嫁出去的姑娘泼出去的水,凭什么回来管你于家的事! 于家的日子怎么过,跟她有什么关系! 然而潘桃刚说完话,堂屋里就冲出另一个人的声音:潘桃你是谁家媳妇,你能说你不是老刘家的媳妇吗,谁允许老刘家的媳妇住到老于家?

　　进门的是潘桃的婆婆。显然,李平的姑婆婆和她早已串通好;显然,两个年轻媳妇形影不离时,两个老媳妇也早就形影不离剑拔弩张了。见两个婆婆一齐指向潘桃,李平终于忍不住,李平说,这确实是我的家,你们这么一大早闯进别人家吵架,是侵犯人权,都什么时候了,都新世纪了。李平的声音相当平静,语调也很柔和,但谁都能听出其中的不平静,其中的凌厉。这一点潘桃很感意外,似乎终于从李平身上看到了她对浪漫的维护。

　　李平能说出这样的话,自己也毫无准备。但那话一旦出口,就有了一种理直气壮的感觉,站稳站直的感觉。这感觉对此刻的她,要多重要就多重要。有了这感觉,可以从骨子里轻视姑婆婆们的尖刻话语,可以冲她们笑,可以听了就像没听到一样。说出那样的话之后,李平转身就离开屋子,到院子里打水洗脸。潘桃也跳下炕,随她来到院子里,留下两个婆婆在屋子里疯狂地自言自语。

　　人与人之间的关系,说来也是非常奇妙,你硬了,她反而软了,两个婆婆从屋里走出来时,居然彻底地改过脸色,好像刚才满脸乌紫的她们从后门走了,现在走出来的是她们的影子。她们在院中央停了下来,潘桃的婆婆说:桃,我都是为了你好,都是村里人在说。李平的姑婆婆说:侄媳妇,就算俺狗咬耗子多管闲事,你可千万别生气,你俩可要好长远点。说罢,她们飘出院子,剩下潘桃、李平四目相对。

　　一场胜利不但将潘桃和李平的友谊往深层推了一步,抹去了阴影,且让她们深刻地认识到,她们的好,绝不是一种简单的好,她们的好是一种坚守、一种斗争,是不向现实屈服的合唱。她们友谊有了这样的升华,真让她们始料不及,有了这样的升华,夜里留在李平家睡觉的意义变得不同凡响了。因为睡觉的意义有了这样重大的不同凡响,后来的日子,她们即使没有话讲,也要在一起。她们在一起,看一会儿电视,就进入睡梦,仿佛是一种简单的睡伴。

　　然而,她们的未来生活,潜伏着怎样的危机,姑婆婆那句意味深长的话,到底有着怎样的寓意,她们一点都不曾知道。

　　那个山庄女人现有的生活之外的生活,那个属于她们的更大一部分的生活,是在什么时候又转回山野,转回村庄,转回家家户户的,谁也说不清楚。它们既像地球和太阳之间的关系,又是公转的结果,又像地球和自己的关系,是自转的结果。说它公转,是说它跟季节有着紧密的联系,说它自转,是说它跟乡村土地的瘠薄留不住男人有着直接联系。它最初磕动山庄女人们的心房,是从寒风把河水结成冰碴儿那一刻开始的。其实是那日夜不停的寒风扮演了另一部分生活的使者,让它们一夜之间,就铺天盖地地袭击了乡村,走进了乡村女人等待了三个季节的梦境。它们先是进入乡村女人梦境,而后在某个早上,由某个心眼直得像烧火棍一样的女人挑明——上冻啦,玉柱好回来啦——她们虽然心直,挑明时,却不说自家男人,而要从别人家的男人打开缺口。而这样的消息一经挑明,家家户户的院子里便有了朗朗的笑声,堂屋里便有了霍刺霍刺的铲锅声。潘桃,正是从婆婆用铲子在锅灶上一遍一遍翻炒花生米时,得知这条消息的。到了冬天,在外做民工的男人们要打道回府,这是早就展现在她们日子里的现实,可一段时间以来,她们被一种虚妄的东西包围着,她们忘掉了这个现实之外的现实,或者说,她们沉浸在一个近在眼前的现实里。那个属于山庄每一个女人的巨大的现实向潘桃走近时,潘桃竟一时间有些惶悚,不知所措,那情景就仿佛当初玉柱离她而去那个早上。潘桃将这个消息转告李平,李平的反应和潘桃一样,一下子愣在那里。她俩长时间地对看着,将眼仁投在对方的眼仁里,看着看着,眼睛里就同时飞出了四只鸥鸟。它们开始,还羞羞答答,不敢展翅,没一会儿,就亮开了翅膀,飞向了眼角、眉梢,飞向了整个脸颊。对另一部分生活的接受不需要太多的时间,它们原本就是她们的,它们原本是她们的全部,她们曾为拥有这样的生活苦苦寻觅,她们原以为一旦觅到就永远不会离开,可是,它们离开了她们,它们毫不留情,它们一走就根本不管她们,让她们空落、寂寞,让她们不知道干什么好,竟然把猪都放了出去,让她们困在家里觉得自己是一个四处乱跑的地瓜蔓子。一程一程想到过去,李平感激地看着潘桃,潘桃也感激地看着李平。李平说,真不敢想象,要是不遇到你,我这一年怎么打发?潘桃说,我也不敢想象,要是你也旅行结婚,不在大街走那么一回,让我看见你就再也放不下,我的生活会是什么样子。李平说,其实跟怎么结婚没有什么关系,主要是缘分,还有命运,谁叫我们都是歇马山庄的新媳妇。潘桃说,我同意缘分,也同意命运,但有相同命运的人不一定能走到一块儿,就说你姑婆婆家的两个闺女,结婚当年就生了孩子,就乳罩都不戴了,整天晃着脏乎乎的前胸在大街上走,你能跟这样的人交往?潘桃说完,两人竟咯咯地笑起来,最后,李平说,潘桃,看来我们需要暂时地分开了。潘桃说可不是,真讨厌,他们倒回来干什么?!

　　矫情归矫情,盼望还是一点点由表及里地钻入了她们的日常生活。潘桃不再动辄就往李平家跑了,而是在家里里外外收拾卫生。李平不但地下棚上家里家外打扫了个遍,还到镇上买来天蓝色油漆,重新漆了一遍门窗。盼望在她们做完了这一切之后,又由表及里地进入她们身体,在夜深人静的时候,在她们分别从内心里赶走对方,一个人在新房里默默地等待一个如胶似漆的拥抱的时候,一种刻骨铭心的身体里的饥渴竟山塌地陷般地率先拥抱了她们。

　　冬月初三,歇马山庄的民工们终于有回来的了。他们先是由后街的王二两带头,然后山路那边,就出蘑菇一样,一个一个钻出来。他们由小到大,由远到近,几乎两三天里,就一古脑儿拥进村子。他们背着行李,大步流星地走在山路上,歇马山庄,一夜之间,弥漫了鸡肉的香味烧酒的香味。这是庄户人家一年中的盛典,这样日子中的欢乐流到哪里,哪里都能长出一棵金灿灿的腊梅。

　　然而,欢乐不是乡村的土地,不可以平均分配。在欢乐被搁浅在大门外的人家,腊梅是一棵只长刺不开花的枝条。当捎口信的人说,玉柱和他的父亲,和一家装修公司临时签了合同,要再干俩月,空气里顿时就长出了有如梅花瓣一样同情的眼睛。在外边,谁能揽到额外的活谁就是英雄好汉,最被人羡慕,可回到家里,就完全不同,回到家里,捎信人倒变成了英雄好汉。捎口信的人刚走,潘桃就晃晃悠悠回到屋子,一头栽到炕上。

在婆婆眼里,潘桃的表现有些夸张了,无非是晚回来几天,又不是遇到什么风险,是为了赚钱,大可不必那个样子。再说啦,就是真的想男人想疯了,人面上也得装一装,那个样子,太丢人现眼了。但是,婆婆没有说出对潘桃的不满。自从寒风把男人们要回来的消息吹了回来,婆婆也变了样子,变回到年初潘桃刚结婚时那个样子,一脸的谦卑,好像寒风在送回山庄女人丢失在外的那一部分生活时,也带回了温和。潘桃的婆婆不让潘桃干活,不停地冲潘桃笑,当天晚上,还做了两个荷包蛋端到西屋,小心翼翼地说,桃,起来吃啊,总归会回来的嘛。

一连好几天,潘桃都足出不户,她的母亲闻声过来叫过她,要她回娘家住几天,潘桃没有答应。父亲回来了,娘家的欢迎属于母亲而与她无关。婆婆劝她上外边走走,散散心,或到成子媳妇家串串,潘桃也没有理会。山庄的女人一旦被男人搂了去,说话的声调都变得懒洋洋了,她不想听到那样的声音。李平倒不至于那么肤浅,会当她的面藏着掖着,故意说男人回来的不好,甚至会说多么想她。可是,好是藏不住也掖不住的,相反,越藏越掖越露了马脚。冬月,腊月,两个月的时光横亘在潘桃面前,实在是有些残酷了,它的残酷,不在于这里边积淤了多少煎熬和等待,而在于这煎熬和等待无人诉说,而在于这煎熬和等待里,抬头低头,都必须面对一个人——婆婆。

女人的世界其实没多大,就两个人。李平实在了不起,李平的总结太精辟了。李平的男人回来了,就有了她的又一个世界,李平有了这样的男人女人两个人的世界,便抛下她,撇下她,婆婆便成了她惟一的世界。最初的日子,潘桃对婆婆是拒绝的,不接受的,婆婆冲她笑,她不看她,婆婆把饭做好,喊她吃饭,她爱理不理,即使吃,也要等着婆婆的叫停下来十几分钟之后,那样子好像是婆婆得罪了她,是婆婆导演了这天大的不公。结婚以来，她一直拒绝着与婆婆交流，她将一颗心从李平那里收回来，等待的本是玉柱那巨大的怀抱，现在，那怀抱不在，却出现了躲避大半年的婆婆，这哪里是什么不公，简直就是老天爷冥冥之中对她的惩罚，那意思好像在说，这一回看你怎么办？

　　老天爷对潘桃的惩罚自然就是对潘桃婆婆的奖赏，老天爷把儿媳妇从成子媳妇那里夺回来，又不一下子送到儿子怀抱，潘桃婆婆真是不敢相信这是真的。十几年来，男人一直在外边，独自守日子惯了，男人早回来晚回来，已不是太在乎，换一句话说，在乎也没用，你再在乎，为过日子，他该出去还得出去，该什么时候回来，还是什么时候回来，凡是命中注定的事，就是顺了它才好。而儿媳妇就不一样，命中注定儿媳妇要守在你身边，如何与她相处，做婆婆的可是要当一回事的。潘桃婆婆也知道，这新一茬的媳妇心情飘得很，跟那秋天的柳絮差不多，你是难能捉到的，尤其一进门男人又扔下她们走了。但她抱定一个想法，她们总有孤寂的时候，她们孤寂大发了，她们那颗心在天空中飘浮得累了、乏了，总要落下来，落到院子和灶坑。她们一旦落下来，便和婆婆要多缠绵有多缠绵，有时候，都可能缠绵得为一句话、一个眼神争得脸红或吵起架来。歇马山庄新媳妇不到半年就闹分家，就跟婆婆打得不可开交的实在太多了，为了能和儿媳妇处好，潘桃婆婆在潘桃孤寂下来那段日子，拼命和她说话，恨不得能把自己大半生心里的事都敞给她，有时说得自己都不知为的哪一出，可是想不到这反而把儿媳说完了，把儿媳妇推给了成子媳妇。她怎么也想不到，村子里居然出了个成子媳妇。那段日子，做婆婆的心底下翻腾得什么似的，都快成一块岩浆了，飘飞的柳絮没落到自家的院子落到人家，实在叫她想不通，这且不说，忽而的进进出出，她看都不看，把这个家当成了一个旅馆，饭店，这也可以不说，关键是，她从来就没叫她一声妈！这就等于她们还没缠绵就吵了起来，等于她们压根儿就没有好过。她们为什么要这样呢？这样子其实两边不讨好，人们会说，一边没娶上好媳妇，一边没遇上好婆婆，这实在是丢了刘家祖宗的脸。也是的，拉不近儿媳，心里气不过，就和成子媳妇的姑婆婆好上了，也是同病相怜的好，她们原来一点都不好。成子媳妇的姑婆婆曾苦天哀地地买了潘桃婆婆家一只老母鸡，说是娘家老爹得了风湿病，要杀给老爹吃，结果，潘桃婆婆在让利十块钱卖给她的第二天，就听人说她拿到集上卖了十五块。为此她们三四年没有说话。两个被儿媳妇和侄媳妇抛弃的女人不得不又好上，把各自的媳妇讲得一塌糊涂，然而潘桃婆婆无论怎么讲，有一点是清醒的，那就是，只要儿媳妇回到她身边，她是肯定不会再讲她的。现在，这样的机会终于来了，虽然做婆婆的还弄不清楚，儿媳妇人在身边，心是否也在，可是她想她的心不在这又能在哪儿呢，人家成子媳妇抛了她。人在自信时总会变得明智，儿媳妇的心从外边收回来了，潘桃婆婆为了这个收，就尽量找一些合适的话来说。婆婆知道说别人潘桃不会感兴趣，就说成子媳妇。她当然不能说她好，成子媳妇现在已经够好的了，好得都把潘桃忘了，再说她好她就该飞上天了；也当然不能说她的不好，毕竟她是潘桃的朋友，她们好时差不多穿了一条腿裤子。婆婆的话是那些不好也不坏的中间性的话。这有些不好把握，如履薄冰，但自信有时候还给人勇气，潘桃婆婆是一步步度探着往前走的。婆婆说，成子媳妇也不容易，爹妈都不在身边儿，又没有婆婆。这话的潜台词是，哪里像你，爹妈在身边又有婆婆，你该知足。婆婆说，成子媳妇倒挺温和，可怎么随和，那脸上都有一些冷的东西，叫人不舒坦。这话的潜台词是，你尽管不随和，各色一些，但面相上还是看不出的。婆婆说，成子媳妇看上去老实本分，其实村里人都说她很风流，是那种不显山不露水的风流，她脸上那一点冷，就是遮盖着她的风流。这句话的潜台词是，你尽管看上去很浪，但其实骨子里是本分的。婆婆所有的话，都是要从潘桃和成子媳妇的比较中找到潘桃的优势，从而巧妙地达到安慰的效果。然而，这些话恰恰是最致命的。安慰本身，就是一种照镜子，婆婆实际上是搬了成子媳妇这面镜子来照自己，自己无论怎么样，都在这面镜子里。自己难道是要成子媳妇来照吗?! 当然，最致命的，还不是这个，而是那些关于谁最风流的话，风流，在歇马山庄，并不是歌颂，是最恶毒的贬斥，这一点没有人不清楚，可是此时此刻，在潘桃心中，它经历了怎样的化学反应，由恶性转为了良性，潘桃一点都不知道。她只知道在听到婆婆强调李平的风流时，她的心一瞬间疼了一下，就像当初在街门口，看到成子媳妇与成子挽手走过时，心疼了一下那样，她想我潘桃怎么就不风流呢? 她的眼前出现了李平被成子拥在怀中的场景，出现了李平被许多城里男人拥在怀里的场景。李平被成子拥在怀中，被一些城里男人拥在怀中,并不是在歇马山庄里与自己厮守了大半年的那个李平,而正如婆婆说的,是风流的,是从眼睛到眉梢,从脖子到腰身,通通张狂得不得了的李平。堂屋里的空气一层层凝住了,有如结了一层冰。这让潘桃婆婆有些意外,她说的话在她看来是最中听的话。潘桃婆婆先是从潘桃眼中看到了冰凌一样刺眼的东西,之后,只听潘桃说,当然成子媳妇风流,你们哪里知道,她结婚之前,做过三陪,跟过好多男人了。

说出这样的话,潘桃自己没有防备。她愣了一下,目光中婆婆的眼睛也瞬间瞪大,愣了一下。但是话刚出口,她就觉出有一股气从肺部蹿了出来。多日来,那股气一直堵着她,在她的胸膛里肺腑里鼓胀,现在,这股气变成了一缕轻烟,消失在堂屋里,潘桃感到了从未有过的轻松。

六

在与成子团聚的时候,李平并没有像潘桃想象的那样多么放纵多么恣肆,李平十分收敛,新婚时毫无顾忌的样子一点都不见了,好几次,成子从院里走进堂屋,顺手往她的胸上摸一把,她都没好气地说,你——粗鲁!晚上,成子不顾一切,把炕上的石板弄出声响,也希望李平有点动静,可李平就是不出声。成子着急,胳肢她笑,李平恼怒着说,怎么这么没脸皮。李平不够放松,有意收敛,激起了成子的恼火,你,刚分手不到一年就变了心,为什么?见成子恼火,李平直直看着他,目光忧郁着说,成子,你才变了,年初你还是个孝子,怎么不到一年就变得这么粗,你不想想,咱们是两个人,可爸在外干了一年回来,还是一个人,你不为他想想。见媳妇的拘谨是出于一份善良,成子的恼火转成感动,热烈的亲密便只缩到被窝深处,并且,一场酣畅淋漓的亲密之后,两个人往往看着天棚,听着窗外寂静的夜声,会立即陷入一种静默,好像他们做了什么不该做的事,有了罪过。刚进于家,因为不能设身处地,李平并没有这么深入地体会公公,那天,成子和公公从外面回来,她做了一桌好菜,她和成子有说有笑,可是公公吃了几口就放下筷子出去了,公公出院,李平也放下筷子跟了出去,见公公直奔西山顶婆婆坟地。那一刻,李平知道这个春节、这个团聚的日子该怎么过了。她绝不让成子在大白天走近她,而且有的活,比如杀鸡,她和成子追上抓着，却要一手拿刀一手拿鸡走到公公跟前，要公公杀。而干活时，又总是跟公公无话找话，说夏天的干旱，说村长收了几回水利费和农业税，说克郎猪不知为什么有几个月不爱吃食，说养了十只母鸡结果就三只下蛋。李平所说的一切，都是乡下人一年当中最最关心的事情，是乡村日子在一年中的重要部分。李平说这些，单单没提潘桃。在过去的一年中，潘桃是李平日子中最最重要的部分，可是李平没说。李平没说，绝不是有意回避，而是当着公公，她根本想不起潘桃。和公公说话，过去生活中那些被忽视的、不重要的事情，你方唱罢我登场似的，纷纷涌到她的跟前，而与她朝朝夕夕在一起，险些让她忘了鸡鸭猪狗的潘桃，却云一样，转眼间无影无踪了。

压抑着团聚的欢乐，每时每刻替公公着想，是李平目前面临的最大的现实，这样的现实又牵连出过去生活中另外一部分现实，使潘桃变成了与现实对立的一个虚无。此刻，潘桃确实成了李平生活中的一段虚无，她已把她忘了，她的每一时刻都是有着紧凑的具体的安排的，比如什么时候磨米磨面，什么时候杀鸡杀猪，什么时候浆洗衣服，什么时候买布料做衣服。惟有上集时，李平才想起了潘桃，想应该喊她一块儿去，可是在家里一直放不开手脚与媳妇亲密的成子早就骑车等在村西路口了。

这一天，与成子上集采买年货的这一天，李平还真的一程一程想起了潘桃，因为李平顺便在镇上烫了头。李平在烫头时，想起了潘桃曾跟她讲过的跟玉柱恋爱的故事，那故事因为有着黄昏的背景，有着音乐的旋律，极其的浪漫美丽。李平从理发店出来，与成子肩挨肩往百货店转，心里突然起了一份伤感，为潘桃——直到现在，她还没有跟玉柱见面，她一定是很苦的。李平真实地感受到了潘桃的痛苦，真实地同情潘桃，一路上都在想着潘桃的事，可是，回村路过潘桃家门口，却没有拐进去。非但如此，李平在潘桃家门口走过时，还格外加快了步伐，好像生怕潘桃看见。李平确实是怕潘桃看见的，尤其是跟成子一起。就像在家里不愿意让公公看到他们在一起一样。

一转眼，腊八到了，腊月初八是吃八样豆做的米饭的日子，但是，成子父亲和成子商量，这一天杀年猪。成子父亲要成子提前一天到村里请几个人喝酒。姑姑姑夫，村长和会计，还有和他们在一个工地干活的于庆安、单进奎。这一天成子家每个人都有了自己的活路,成子请客,父亲劈柴,李平切萝卜和配菜准备杀猪菜。劈柴活累,要动力气,请客轻松,只动动嘴,但成子还是不愿父亲一个人挨门挨户走。一个孤单的人在街上串,总有一种流落街头的感觉。这一天里,于家里家外都有了活络的气息。院外,有噼噼啪啪的劈柴声,屋里,有哐当哐当的切菜声,锅底,有忽忽忽火苗的蹿动声,锅上,有咕噜咕噜水的翻开声。李平的脸粉里透红,红里透着灿烂的微笑。公公脸上尽管没有笑容,但也是平展的,安详的。成子中午回来吃饭向父亲汇报时,语速很快,声调很高,透着压抑不住的自满自足,我先去了黄村长那,他一听就答应了,说谁请我不到,你爸请我不能不到。成子的汇报,自然让父亲和李平都平增了士气。日子在这样的节骨眼上,该是它最有滋味的时候。下午,成子再一次离家时,李平破例喊住他,说,你该把棉袄穿上,外边起风了。成子回屋穿棉袄时,李平抿着嘴,朝成子狠狠看着,看上去面无表情,但成子一下子就看出来那满得快要溢出来的幸福。其实它已经溢了出来,只是他不点破而已。

　　日子在这样的节骨眼上,若说有滋味,也是一种农家里极其平常的滋味,若说它平常,其实是说它没有什么波澜不是什么奇迹,是日常正常运行中必须有的事情。然而,这滋味因为一年当中并不多见,因为难得,它也便是农家里最不平常的滋味,是那平静中的波澜,平实中的奇迹。拥有这样波澜和奇迹的于家人,统统表现了一份知足,一份安定,他们一点也不知道他们的生活里还潜藏着什么。

　　事情是在下半晌露出水面的。事情在露出水面时,没有半点前兆。下半晌,公公劈完柴,到街外的草垛边抽烟去了。李平从锅里捞出鲜绿的萝卜片,正要往热水里切海带,成子从外边大步流星回来。李平因为有了中午时分跟成子的分别,以为这大步流星里携带的是兴奋,是欣喜,忙抬头迎住他。这一迎可把李平吓坏了,成子的脸扭曲得仿佛一只苦瓜,粗重的喘息从鼻腔传出时,顶出一股李平从没见过的愤怒。应该说,他脸上的愤怒和鼻腔里的愤怒呈一种你争我抢的趋势,把成子整个一个人都改变了,变成一副穷凶极恶的样子。成子逮住李平目光后,擒小鸡一样把李平从灶台边擒到里屋。成子威逼的目光和手中的力气,让李平感到自己一瞬间变成一粒尘屑,渺小、轻飘,而成子却仿佛一座山一样高大、威严。李平不知道发生了什么,李平目不转睛地盯着成子,心悬到嗓眼,堵得她喘不过气息。这时,成子哆嗦的嘴唇中吐出了几个字,是石头,但落了地。你骗了我,你跟了城里人,你骗了我。他是希望李平把石头捡起来,扔掉它,可是,李平不但没有捡起来扔掉它,反而将它夯实——迷乱之中,李平也从哆嗦的嘴唇中吐出几个字:是的,我是骗了你,我是跟过城里人,可是,我确是爱着你的。字是石头一样沉重,落地有声,可是在成子听来,不是石头,而是一枚炮弹,它落在他与李平之间,轰然滚起万丈浓烟,弥漫了他的视线,弥漫了他的生活。成子一松手,将李平推到墙边,后脑勺与墙壁砰的一声撞响之后,成子大喊,你给我滚——

李平当天下午就夹包离开于家,离开歇马山庄,回娘家去了。李平走时,用围巾把自己出过血的后脑勺包扎得很严,从走出门槛的第一步,就再也没有回头。

成子家的猪没有杀成,父子俩关门三天三夜没有起炕。

潘桃是在李平离村的第五天才从婆婆口中得知消息的。她得知消息,异常震惊,立即清醒是谁搬弄是非,眼睛直直地盯着婆婆,目光中含着质问。可是盯着盯着,想起自己在说出那样一个事实时的痛快,不由得低下了头。

玉柱和他的父亲在腊月十三那天回来了。玉柱没有得到想象的那样热烈的拥抱,潘桃也抱他亲他,但总好像心中有事。玉柱一再追问到底发生了什么事,潘桃坚决不说。潘桃不说,却要时而地叹息,眼神的顾盼之间,有着难以掩饰的惆怅。那惆怅蚕丝似的,一寸一寸缠着日子,从腊月到正月一直到二月。二月底的一天,潘桃婆婆在外面喊,看,李平回来啦——潘桃立时扯断眼中的惆怅,一高跳下炕,跑出屋,跑到大街。李平确实回来了,正和成子俩走在街上。然而他们却不是结婚那天那样,一左一右,而是一前一后。李平脸色相当苍白,眼窝深陷着,原来的光彩丝毫不见。李平看见潘桃,立即扭过脸,仰起头,向前方看去。脖颈上,耸立着少见的、但潘桃并不陌生的孤傲。

潘桃本是要同李平说句什么,可是李平没给机会。

三月底,歇马山庄的民工又都离家出走了,李平家常去的,不再是潘桃,而是李平的姑婆婆。潘桃已经怀孕,每天握着婆婆的手,大口大口呕吐,像说话。婆婆听着,看着,目光里流露出无限的幸福与喜悦。

CHENGSHIXU

■ **陈世旭**，1949 年生于南昌。1972 年始有作品发表。著有长篇小说《梦州》、《裸体问题》；短篇小说《小镇上的将军》、《惊涛》、《马车》等作品，曾获全国优秀短篇小说奖。现为江西作协副主席。

我该感谢什么

荒疏了好几年,忙来忙去还是觉得爬格子比较适合自己。主要理由是这件事可以把必须打交道的人减少到最低限度。所以说最低限度,是因为除了一个人闭门造车,还有编辑的关要过。我还没有封闭到写了东西不想发表的境界,俗人么。因为荒久了,手生,心里没底,去年把中篇《试用期》寄给《十月》的时候,心里惴惴的,像第一次投稿。好在不久就收到了主编王占军的回信,信不长,对稿子的评论只有一个词:扎实。是否真是这样不重要,重要的是这个词在这里是作为正面肯定使用的。

从八十年代走上职业写作道路以来,许多好心的朋友对我批评最多的就是叙述陈旧,小说写得太实,我自己对此也是认账的。因而有很长一段时间特别沮丧和惶惑。实就是老实,呆板,死心眼,跟愚蠢没什么区别。看看别人的小说,一篇篇都那么空灵,那么聪明,才气横溢,真是又嫉妒又绝望。这也是我当时想从写小说的圈子逃出的潜在原因之一(托词是公务缠身)。再回来,是因为发现别处比此处更难呆,无路可走,仍只有重操旧业。因为没有天分,又懒于学习,技艺自不会长进。再写,还不过是老一套。自然就担心能否被接受。

《十月》用了《试用期》,又有《小说选刊》、《新华文摘》等转载,使我多少得到一点信心:就是"实"的小说也还是有人接受的。土坯虽没有金砖的价值,但还没有到完全被抛弃的那一天。我们这个财富激增的时代,平地起了无数金碧辉煌的摩天高楼,在偏远的乡村,我还是见到过土坯屋。因此,时隔一年之后,我又写了《救灾记》,没有想到《人民文学》、《小说选刊》都接受了。

为此,我该感谢什么呢?我想,首先还是应该感谢我国之大。因其大,才有了经济与观念发展的不平衡;因这不平衡,才有了我这样钝鲁的落伍者暂时的栖身空间。然后我应该感谢编者的容人容文之量。容量乃是一种气度。

救 灾 记

陈世旭

一

　　城门镇石埠村其实是个荒湖洲。城门何以叫"城门"，石埠何以叫"石埠"，没有人说得清。倒是有"城门无门，石埠无埠"的话。

　　秦友三说，这是民间理想化的结果。起先，人们在森林采果，在深山打猎，在洞穴生火，在江湖捕鱼，在原野耕作。他们唱"断竹、续竹、飞土、逐肉"，他们"三人操牛尾，投足以歌八阕"。后来，因为余裕和短缺，就有了交易，就有了"朝聚井汲"，就有了"市井"，就有了算计，就有了攻伐，就有了城廓。古话说"筑城之卫君，造廓以守民"。这就有了城市。"埠"呢，固然有码头的意思，更用来指大城市。城和埠，就是人多的城市，繁华热闹的地方，车水马龙、灯红酒绿、茶楼饭馆、俊男美女、歌场舞台、声色犬马、丝竹管弦、奢靡淫逸成群成堆的地方。也就是世世代代只见远山近水、高树矮草、老桥古井、竹篱茅舍、鸡鸣犬吠、猪屎牛尿的偏远地方的乡下人做好梦时去的地方。

　　岳卫东听得眼睛直翻白，似懂非懂。尤其搞不明白秦友三怎么会突然变了个人。他在机关里从来无声无息像个木头人。有一回向岳卫东打听他的一张稿费单，没有开口，先就脸红了。那张稿费单岳卫东居然弄丢了，他竟没有再问。现在到了乡下，面对岳卫东这么一个从不读书看报的勤杂工，竟口若悬河，仿佛要把一肚子像塞满了的袋子似的学问都倒出来。更像一个攒足了憋急了的人，总算找到茅坑，一下子扯落裤子，一泻如注，痛快淋漓。

秦友三还有几个月就到退休年龄。中等师范毕业,先是当了几年小学教师。因为业余写些小说散文之类的,有了些影响,调到省作协办的一个文学期刊当编辑。"文革"时作协砸烂,刊物停刊,整个机关都一锅端到乡下。后来作协和刊物都恢复,他也跟着回来重操旧业。差不多当了大半辈子编辑,要以此终生了,刊物却办不下去了。先前的财政拨款除了发工资,医药费都报销不了。稍有些活动能力的或下海或从政或去特区,纷纷跳槽走了,剩下几位走不动的就策划改刊,走市场的路子。其实怎样才是市场的路子,鬼也讲不清,反正是不能发作古正经的诗歌小说之类。

秦友三平日在编辑部,除了被自己无休无止的劣质香烟熏得咳嗽外,从来没有响动的。他那张桌子在门后边最暗的一个角落里,上面杂乱地堆满了杂志和稿子,严严实实地挡住了别人的视线,要是没有从那后面弥漫下来的一片永不消散的烟雾,鬼也不晓得那里还躲了一个大活人。但这并不等于他对刊物的事不关心。眼见得大厦将倾、大势将去了,他在那堆纸墙和烟雾后面闷闷地说:

"一个省一个文学园地总要的,不然拿什么培养文学人才。"

同仁们一致说他自作多情。问他,哪个要你"培养",哪个认你的账?几十年间,许多在他手上发过处女作的作者,有的农转非了,有的工转干了,有的小官升大官了,有的文坛上混出个人五人六了,有哪位还记挂当年?还记挂一个小小的无名省刊里的、从小编辑变成了老编辑的秦友三?偶尔有人到编辑部来,顶多就是为编辑部的越来越破旧凌乱,为秦友三黑里泛黄、胡子拉碴、越来越老的脸和他手指上的几十年都不变牌子的廉价烟一惊一乍地叹口气而已。

秦友三说:

"这并不说明什么。我从来没有指望哪个回报。要讲回报,他们功成名就,就是回报。"

大家都笑,叫他"秦圣人"。说世上这样的圣人早就死绝了,没想到这里还剩了一个。其实我们懂你的心,不就是职称没有解决么?即使刊物不办了,我们也一定设法让你一酬壮志,爬上副高这一格。

秦友三的学历是中专,因为"文革"中断,编辑岗位的连续工龄又不够规定的年限,在编辑系列职称评到中级就算到头了。在他后面先先后后进编辑部、一口一声叫他"秦老师"的小年轻们因为是大学毕业,或是弄了个党校函授的马列或政治经济学之类专业的本科文凭,早都成了副编审甚至编审了,他仍在原地踏步,以至于引起了大家的深切同情。这次省里组织万名干部下乡救灾,省作协摊上两个名额,秦友三抢着报了名。大家也都说这是老天赐给老秦的最后一个良机,下去立个功弄个先进模范回来,破格评个副编审再退休应该不成问题。

岳卫东连着两年高考落榜,在家里瞎混,没事就跟巷子里的小老板到南边跑运输打货。老子怕他跟坏伴,出事,提前退了休,让他顶替自己到机关做勤杂工。做了半年,什么事都做不顺当。先是让他给各个办公室扫地打水。他在家里原是连油瓶倒了都不扶的,哪里甘心伺候别人。十天半月也不见他扫一次地,偶尔拿了扫把,却恰在大家上班的时候,把一个机关弄得尘土冲天。提开水则更不能指望他,倒是他要泡茶了,见水瓶空空,骂一帮知识分子懒得屁眼抽蛇。又让他去做收发,更要命,报刊从来不分不送让大家"自我服务"不说,不得不送的信件汇款老是丢三落四,弄得大家总是提心吊胆,先是求他小心在意,再是求领导趁早换人。

领导找他谈话,说,一个年轻人要有理想,不能这样饱食终日,无所用心,做混世魔王。

他说,我怎么没有理想。振振有辞地畅谈雄心壮志:一是当大厨;二是当夜总会的调酒师;三是开小车(他看起来人野,脑瓜子却灵,瞎混的那些日子,他倒是学会了开车,还拿了驾照)。

领导说,有理想就好办。前边两个我们无法帮你,后一个可以,但主要看你自己的表现。你这个吊儿郎当的样子,哪个敢给你车开? 给你开了,哪个敢坐?

几个头儿私下也商量过,他老子老岳在机关里干了一辈子,没有功劳有苦劳,对他不能下狠手。只要满足了他的愿望,他也许就浪子回头金不换了。单位好歹还有一辆老掉牙的"伏尔加",司机也不安心,迟早要换人开的。但至少要他有一点守规矩的表现,否则也难服众。头儿就去做老岳的工作,让老岳动员他参加这次下乡救灾。他听说回来可以开小车,二话不说就答应了。

机关里边都皆大欢喜,有人顶了苦差,其余人就免了受苦。而且顶差的又心甘情愿,真是各得其所。开欢送会,都很真诚地感动起来,一致说:等着二位立功,凯旋回来。二位的事也就是我们的事,到时候哪个不出力哪个不是东西。

二

分到城门镇救灾工作组的成员总共是四个人,除了省作协来的秦友三和岳卫东之外,另外两位是县国税局的郑科和小程。

郑科是县国税局一个业务科的副科长。县国税局是科级单位,局下面的业务科其实没有级别,但大家还是叫"郑科",而且按通例免去"副"字。小程是县委书记的外甥,即本地的高干子弟,去年才从中等财校毕业分到县国税局。城门镇是县国税局联系的扶贫点。他们两位去年就派在这里蹲点,快满一年了。省里统一组织救灾,他们也就直接转到救灾工作组。规定的救灾工作期限结束,使他们原定的蹲点期满后还要在乡下多呆一个多月。对此,两位都没有怨言,向局里表示说一定继续站好这班岗,吃这点亏算不了什么。局领导很赞赏,汇报到省救灾工作指挥部,还上了救灾工作简报,通报表扬到全省。

郑科也好,小程也好,当地群众一律喊做"郑书记"、"程书记"。"书记"这顶帽子最大,戴在哪个头上哪个都高兴。高兴就好。秦友三和岳卫东来了,当地群众(包括镇里的干部们)也都照样恭敬地喊"秦书记"、"岳书记"。

秦友三再三制止无效,竟黑了脸,说:

"你们这样太不严肃了。我和小岳连党员都不是,你们不要开玩笑。"弄得一个一个灰溜溜的,脸上挂不住。

郑科说:

"秦老师你也真是,乡下风习就是这样,讲礼性。这是抬举我们,你何必当真,入乡随俗才好接近群众。"

秦友三说:

"是怎么回事就怎么回事,不能欺世盗名。"

郑科本来的笑容虽说带着嘲讽,却是友好,给秦友三一噎,立刻冷硬成一团歪扭的线条,有些吓人。

小程不屑地说:

"还是省里来的有水平。"

一下就捅到要害,把四个人划成两个阵营。

其实他们之间的隔阂,从秦友三和岳卫东刚到城门镇的头一天就发生了。

城门镇离省城并不算太远。上午省直单位参加下乡救灾干部,在省委机关大院集中举行过欢送仪式后直接就出发。按照"直接下到乡村"的要求,秦友三和岳卫东到城门镇时刚过中午,镇长宋财火领着镇上的一帮干部在镇街口夹道迎接。车一停,宋财火让人接了行李送去住处,把秦友三和岳卫东径直带到了饭桌上。菜一钵一钵地跟着上了桌,都是热气腾腾的。乡下吃饭的时间比城里晚,他们来得正是时候。

秦友三坐了半上午汽车,连东南西北还没搞清,就被人按着坐了下来。他稍稍坐定,头依旧嗡嗡作响,渐渐看清,这是一间用劣质材料装饰过、挂满了大红大绿的塑料花草的餐厅包房。包房里人声鼎沸,几张桌子都坐满了人。桌上大钵大碗堆得针插不进,桌桌都上了酒。

秦友三摸摸索索从胸口里掏出刚下车时宋财火递给他的名片,掀起眼镜仔细看了一遍,确信没有错,才对身边的宋财火说:

"宋镇长,下来前,省委领导明确讲了让我们到群众家里吃派饭的。"

宋财火说:

"秦书记你放心,派饭有得吃的。你们刚到,镇上不敢说接风洗尘,总要表示个意思。也就是顿便饭,原很对不住你们的。"

秦友三没有听清宋财火对自己的称呼,只循着自己的思路往下说:

"这明明是酒席,怎么是便饭……"

宋财火没等他说完:

"你们从省里的大机关出来,就是代表了省委对基层的关怀,我们下面的干部群众怎么感激都不为过的。这要叫酒席,那是让你们见笑了。"

说着就站起来敬酒。

几张桌子都早等着这一声开席号令,秦友三要把何为便饭、何为酒席理论个清楚,不但不合时宜,别人也没有留给他开研讨会的工夫。镇长一吹哨子,满包房立刻就跃马欢腾起来。

秦友三原还想质疑一下,即便接风,他和岳卫东只两个人,就是加上早已在这里的县国税局两个转到救灾工作组来的,也就四个人。城门镇是个小乡镇,镇上的党政头脑就是都来作陪,也不过就桌把人,怎么会一下子来几十号食客。秦友三几十年蹲在一个小而又小、差不多要被历史淘汰出局的寂寞的文化社团小单位,除了不得已参加单位小年轻结婚的酒席,很少见过这样的场面。尤其这回似乎是被人当做上宾了,竟有几分说不出的惶恐。活了几十岁,还不至于怯场,还不至于受宠若惊,只是不安。来前,机关的头儿很郑重地交待他,你年纪大了,我们自然放心,岳卫东这后生就拜托你了。下去,一是要注意保重身体,搞坏了身体,将来医药费都是问题,单位的财政状况你晓得的;二是千万不要出事,不要违规,我们这样的单位,一无权二无势三无钱,领导上社会上都看不起的,再要捅出娄子,惹出什么麻烦,那就不是你们两个人的事,我们一起要背霉的。真话跟你说,我们倒并不指望你们给单位立什么功,争什么光,你们无怨无悔地下去,无灾无难地回来,就是好事。你们为大家出了力,积了德,大家会记得的。

没想到,车子才刚上路就明明白白走岔了道,打开眼睛把尿拉在裤裆里,日后怎么交待?下面的日子还长,开了这样的头,还能保证车子走在正轨上吗?

但眼前的阵势,一两个人势单力孤的怎么改变?总不能一见面就跟这么多人翻脸吧。秦友三肚子里纵有万千官司,此时也打不成也,只能是犹犹豫豫地随着大伙端起酒碗站起来。

郑科紧跟在宋财火之后端起酒碗向秦友三和岳卫东敬酒:

"从现在起我们就是一个战壕里的战友了。能跟省里大机关来的干部并肩战斗,真是三生有幸。"

刚才宋财火敬酒,秦友三站是站起来了,却并没有喝。坐下后酒碗仍放回原处。现在郑科敬酒,他只把手扶了扶碗沿,却不端起。

郑科笑道:

"秦老师不至于这么看我不起吧。"

秦友三连忙说:

"哪里哪里,我肠胃不舒服。"

郑科很体贴他说:

"那一定是饿了,这里吃饭不像省里大机关有规律。你先吃点垫垫底,我先干了。"

一仰头把一碗酒喝下。

两大碗酒下肚,郑科的话马上多了。他斜眼瞟了瞟闷闷坐着的秦友三:

"我晓得,秦老师还是看我们不起。说来说去,宋镇长就是个科级,属于喝白酒、打白条、摸白手的级别。我呢,叫是科长,其实是股级,只够喝黄酒、看黄片、回去搂黄脸婆。秦老师看这年岁,最少也是县处级,属于喝红酒、收红包、亲红嘴那个档次。从这里回去,就该是喝洋酒、抽洋烟、泡洋妞的地厅级了……"

秦友三瞪着眼睛看看郑科,耳边只是一片叽里咕噜的嘟哝,没有把意思弄得太明白。但是看着郑科那张流气十足的胖脸,他能肯定那不是什么好话。搁在桌上的手不由自主就有些抖起来,先前极力保持着微笑的脸也一点一点地拉长了。

所谓一人向隅,举座不欢,场面自然尴尬起来。

忽然包房里响起了一个嘹亮的女声,接着就有一股带着刺鼻的脂粉气的风刮到桌边:

"刚才哪个讲宋镇长是摸白手的? 也太无知了。如今当上乡镇长,村村都有丈母娘。只要本事过得硬,天天夜里做新郎……"

这是一个其貌不扬的女人。脸皮又黑又糙,鼻孔跟她的动作一样夸张,上面架着一副光闪闪的金丝眼镜。衣着显见是精心考究过的,料子很不便宜,款式上极力往大学女教授之类的知识女性的格调上靠,只是效果不理想,给人的感觉是她似乎刻意要向人提醒自己从外到里的掩饰不住的粗俗。

"你们只管揭发,那个讲胡话的人是谁,我要罚他三杯。"

她充分利用着一个自我感觉良好的女人在男人堆里的特权。

这个女人的出现果然给一桌子的沉闷注入了兴奋因子。众人轰然道:

"除了你的活宝郑科,还有哪个。"

郑科说:"我也是为了激将省里的秦老师,我和宋镇长都敬不上他的酒,看看你有没有面子。按说,秦老师是大作家,最尊重妇女的。"

那个女人马上就一扭屁股挤到秦友三身边:

"秦老师你好,我叫罗兰,就在这家宾馆服务。听说你们要来住,我激动了好几夜呢。你不晓得,我也是文学爱好者,最崇拜作家的呢。"

接着就一亮喉咙,又念了一首顺口溜:

"激动的心,颤抖的手,满怀深情来敬酒。领导在上我在下,要干几下就几下。"

"好!"

满包房齐声发喊,震得吊顶上的塑料葡萄串簌簌乱动。

很多年没有人喊他"作家",这么看得起作家了,更没有一个女人这么热情洋溢地来跟他讨好了。虽然风骚了些,毕竟是对他的敬重。秦友三原准备认真地对待这敬酒的,惟其认真,他对这女人的话也就听得特别清楚。听罢,他先前半张的嘴就那样僵着,好半天,才见他的喉结抽动了一下:

"荒唐。"

然后他就丢下狼吞虎咽的岳卫东,顾自走出了包房。

三

城门镇叫是镇,其实就是一个村盘子上的一条小街。街两边是镇党委和政府的机关,牌子都跟省里机关一样大,只是里面没有几个人。几家私人开的土杂店、小吃铺,都半开半掩着没有生意。比较显眼的建筑,一幢是秦友三中午罢宴的镇招待所,现在的名字叫"城门宾馆";一幢是美容美发厅,有一个很怪的名字叫"芭丹奴"(岳卫东记得省城里有一家叫这个名字的店,是卖鞋的)。芭丹奴高三层,是城门镇的摩天大楼。一楼门头上一个玻璃破碎的灯箱上标着三层楼的功能分别是:一楼:理发美容;二楼:卡拉 OK;三楼:桑拿按摩。因为它跟相隔不远的城门宾馆的存在,街上的这一段就是城门镇的曼哈顿了。

似乎有人特意要制造一出挖苦讽刺的闹剧,把这两幢镇上最摩登的建筑分隔开的,居然是一个清朝留下来的贞节牌坊。这牌坊显然是多次让人革过命的,前后蹲着的石兽早已缺手断脚,眼不是眼鼻子不是鼻子。牌坊柱子上的文字都敲打得差不多了,但横匾上的四个大字还依稀可以辨认。那四个字是:

节凛冰霜

虽然残破不全,却寒气凛然。每个字都像是一张宁死不屈、冰冷彻骨的寡妇脸,对周遭每日生生不息的饮食男女充满了刻毒的嫉恨。

除了行政和商业设施,就是城门镇所在的村盘子里的历任村干部和一些发家致富了的农户的私宅。占地都很大,盲目模仿城里房子的火柴盒子形状,外墙遍贴瓷砖。弄得岳卫东总以为是公共厕所。

整条街把常住的和流动的人口一块算上,也超不过一千人。几分钟就转一个来回。

正是南方十月小阳春的天气,半下午,太阳暖洋洋地照着,一条街都在惬意地打着瞌睡。秦友三和岳卫东转了好几个来回,没有见到街上有什么人走动,四处静静的。所有的屋子都无声无息,黑黑的门窗里面仿佛正策划着阴谋。太阳晒得起烘的街沿墙根下,有三两堆人围着搓麻将。打牌的和看牌的都很文雅,说话都像是窃窃私语,不时响起的洗牌声一下就被街上昏昏然的寂静吞没了。

街上最抢眼的是成堆的垃圾、烂草、枯叶,横流的粪便、污泥、浊水,在亮晃晃的阳光里发酵,升腾起一股股沤馊腐败的恶臭。

这街上的静默跟中午酒席上的热闹恰成对照。秦友三很奇怪,那么多乱哄哄的人这时候都到哪里去了呢?

岳卫东说:

"中午醉翻了十几个,没醉的也都去睡觉了。说是要养精蓄锐,晚上好喝醒酒酒。"

"晚上还要喝?"

秦友三差一点叫起来。他中午因为罢宴没有进食,晚饭如果还是酒席,食堂也就肯定不会开饭,那也就意味着他还要饿一顿肚皮。

"下午县里有领导来看望救灾工作组,镇上还要摆酒席的。"

岳卫东打了个饱嗝,他中午吃得太多,还来不及消化。

"小岳,这回我要跟你讲,下午你不能再上他们的酒桌了。"

"为什么?"

"我们是来救灾的,不是来喝酒的。"

"怕个卵! 他们当官的喝得,我一个平头老百姓为什么喝不得。不喝白不喝。"

秦友三怔怔地看着岳卫东。他晓得岳卫东从来天王老子也不放在眼里的,一旦他要横起来,跟他讲注意影响之类的大话屁事不顶。

沉默了好久,他说:

"小岳,我不敢讲我比你老子差不了几岁,对眼下世道的见识,还只怕是你过的桥比我走的路多。你就看我一回老脸好不好?"

岳卫东圆起嘴,粗粗长长地出了口酒气:

"秦老师,你一辈子活得这么小心也太没有味了。你今天就是饿死了,又有哪个会说你一句好话? 你还指望那班人会在你死后给你也立个牌坊吗?"

刚才看那座贞节牌坊的时候,秦友三给岳卫东讲起过"饿死事小,失节事大"的古训。这后生居然马上就活学活用上了。

秦友三说:"小岳,可惜了你,你比我有才。你真该多读几年书就好了。"

岳卫东得意起来:

"秦老师,莫给我戴高帽子。不就是想笼住我么,我听你的就是了。"

秦友三说:"我说的是真心话。以前我太不了解你了。"

转街剩下的时间,秦友三跟岳卫东是在一家豆腐店挨过的。中午没吃东西,肚皮早饿得贴了背脊骨,好不容易在一个拐弯抹角的地方发现了这家豆腐店。店里还剩下几块上午没有卖完的豆腐。又求老板在后园里拔了棵青菜,一起煮了。他让给岳卫东也来一份,这样也就把晚饭顶了。

当地人自嘲说:小小城门镇,三家豆腐店,镇里打豆腐,镇外听得见。如今,"三家豆腐店"也只剩了一家。店老板是当地村盘子上的农民。先前跟一个外地来镇上开豆腐店的老板学打豆腐,后来几家外地人的豆腐店都开不下去,卷铺盖走了,他便试着撑了个门面。

外地人的豆腐店所以开不下去,一是因为税太重,二是因为镇上的机关到这里要货都是打白条,一拖两三年不清账。当地人的购买力又低。一个大集,杀了一头猪,半边也卖不完。豆腐店的收入,还不够填补镇上机关拖欠的账,就只有关张。几家外地人开的餐饮店也是这样,做不到两年三年就做不下去了。难怪秦友三和岳卫东在镇街上转了几转,看到的被烟熏黑的先前明显是餐饮店的门里,都是冷锅冷灶,桌倒椅歪的。在镇政府厨房做饭的老彭是这家豆腐店老板的姑丈,有机会接近镇领导,白条多了的时候能够帮忙讲上话,这家店才勉强维持了下来。

"这年头,种田赔钱,做生意更难。就是做干部好,月月工资邦硬不说,走到哪里还有吃有拿。着累不赚钱,赚钱不着累,古话总没有错的。"

豆腐店老板一边迷迷糊糊地准备着夜里打豆腐,一边有一句没一句的像是自言自语,不急不慢,不温不火。显然,这些话他对无数人说过无数遍了,秦友三却受不住。他照先前讲好的价把钱压在桌上,对岳卫东说:"我们回吧。"

回到招待所,天已擦黑。秦友三让岳卫东莫开灯,免得人来找。自己点上一支烟。两个人就在黑屋子里闷坐,听下边的餐厅包房掀起的一阵又一阵喧哗的声浪。镇里在招待县上派来慰问救灾工作组的罗光明一行。罗光明先前就是城门镇的党委书记,洪水退下去之后刚调到县上去当县长助理,预备明年换届当副县长。所以镇里的接待也就多了好几层意义,格外热烈。

只是这一顿吃喝,又不晓得要摊到哪笔账上。反正是吃喝的人不掏钱,掏钱的人不吃喝。秦友三忽然想起下乡前不久处理的一篇小说稿。那稿子显见是个农村基层作者写的,技巧不怎样,情绪却激烈。写的是一个乡长腐败的事,题目就很直露的叫《鱼肉乡里》。他觉得这正是上面要抓的反腐倡廉题材,文坛上也正跑着火,就签给主编定夺。主编匆匆扫了一遍,马上就退给他:这样的稿子怎么能用?只有黑暗没有光明。我讲了多少回,办刊物惟一要当心的就是守土有责。宁可刊物没人看,也不能出一丁点差错。你我都不是吃不了能兜着的人,刊物本来就半死不活了,发这样的稿子,不等于是自杀?

秦友三倒没有觉得事情有那么严重,揭露黑暗本身就证明了光明的存在。难道坏人做了坏事,好人还批评不得? 问题是批评不要偏激,要有节制,有度。批评的目的是匡救世道人心,不在发泄。还是讲一点君子之风,忠恕厚道,哀而不伤,怨而不怒的好。他把稿子退给作者的时候,很恳切地把这些意思写在信里。信是他自己花钱买邮票寄的,因为刊物早已不退稿子。他希望能给作者一点安慰,使他有所提高。作者很快给他回了信,只说了句很失望,再没有话。他当时觉得作者有些固执。但现在,他觉得自己一下子理解了那位不曾谋面的作者。作者显然对基层的情况烂熟于心,一定又是个有血性的人。要把这么气人的事诉诸笔端,怎么温文尔雅得起来。

四

一大伙人,人没有到,声音早到了,呼呼啦啦的只差没有把楼顶掀翻。楼梯还是多少年前的旧木板,被一片杂沓的脚步踩得轰轰隆隆乱响,像是要散架。

乡镇干部大都在野地跑得多,习惯了大声说话。不像大机关的人,处处谨小慎微,生怕踩死了蚂蚁。其实还是怕人:怕比自己级别高的人讲自己没规矩、少修养;怕跟自己级别一般或不如自己的人讲自己张狂,起卵劲。乡镇干部就不必有这些馊讲究。不是风,就是雨,要不就是自行车或汽车轮子在坑坑洼洼的路上乱蹦,说话声音小了,只怕对方听不清。今晚又加上喝了酒,兴奋,一个个脸色酱紫,青筋暴跳,直了喉咙只想出粗气,岂肯收敛。

这伙人在秦友三门口站住脚,砰砰嘭嘭地把门当鼓擂。

岳卫东挺尸似的躺在床上懒得动身。秦友三正犹豫着,外面的人说话了:

"秦老师,请开开门,我们晓得你回来了。"

秦友三原以为不开灯,就没有人晓得他们的影形,没有想到这却是一个什么都瞒人不过的过方。先前没有人打扰他们,只是因为顾不过来而已。

秦友三顺手把床头的开关打开,起身开了门,一股夹着呛人的烟酒味的气浪猛扑进来。

"罗县长来看你们了。"

几个脸红脖子粗的人乱七八糟地大叫大喊,似乎是给了秦友三他们天大的荣幸。

被拥在前面的一个小白脸向秦友三伸出手:

"这位就是秦老师吧。我是罗光明,县长助理,不是县长。"

他回头白了那些人一眼。

"一样的一样的,还不是迟早的事。"

那伙人又是一阵乱喊。

"我看你们真是喝多了。让省里来的同志见笑。"

罗光明批评了一句,又对着秦友三说:

"乡镇干部就是这样的,野惯了。我从来滴酒不沾的,他们不过是借了我的名义装疯。总是共事了一场,也难得。"

这伙人里,只罗光明口里没有一丝酒气。看得出,他跟下属的关系是很亲切随意的,他在他们中间也确有威信。他白白净净,一副文弱书生的样子,但在长期的基层工作中,他属于那种已然历练出来的人。不只是适应,而是有了驾驭的能力。

"怎么让省里来的同志住北边? 南边没有房间了么? 谁安排的?"

随着罗光明回头,一伙人也跟着回头,接着一个站在门外的人从这伙人让出的一个空当里露出来:

"是我。南边有房间,秦老师不肯住,非要住这边。"

是镇政府办公室主任老刘。他眼睛本来就小,喝了酒,更眯成一条缝。

城门宾馆就两层楼。楼下的房间都打通了,隔成大小不一的餐厅包间。楼上依旧是先前的筒子楼格局,总共八间房子分在走廊两边。朝南的四间临街,都依照城里宾馆标准间的样子装修了,用来接待上级领导。城门镇离县城和省城都不算远,上级来人其实极少因为公事拖累在这里过夜的,今天没办完,明天再来就是,无非是坐着车子多兜几趟风。凡过夜的大都是来度周末:吃饱喝足了,或是去旁边的芭丹奴风流快活,或是打一通宵麻将。

郑科和小程下来蹲点,各占了南边的两间。安排秦友三和岳卫东的住宿时,镇政府办公室刘主任极快地眨着细小的眼睛,指着南边空着的另外两间房子:

"镇领导的意思,这两间就给二位领导住。以后来往的客人,管他哪一级的,就让他们住北边的房子。二位领导是省里来的,谁都得让。"

刘主任说着,抓牢了手上的一大串钥匙,却不开门。

秦友三听话里的意思,住南边显然比住北边待遇要高,就问:

"北边的房跟南边的房不一样么?"

"那倒不见得。亲家母比胯,差上不差下,打扫一下跟南边一回事。只是冬天冷些,烧盆炭火就是。若是天热,赛过庐山哩。"

"那说明还是有差别。现今正是冬季,要是我们住了南边的房子,是不是会影响这里的营业额?"

"那也未必。就是影响了,又怎样? 要算政治账,不能算经济账。"

"那怎么行,原是派我们来做救灾工作的,让镇上减少了收入,岂不等于帮了倒忙。"

"不至于,不至于。"

刘主任晃晃手上的钥匙串,要去开门的样子。

"我们还是住北边吧。"

秦友三很坚决地说。

"领导实在坚持住北边,我是不敢做主答应你的。回头我去请示一下镇长再说吧。你先进来休息。等镇长定了,再调换就是。"

刘主任却开了北边的房门。

里面原来早已打扫过了。秦友三、岳卫东的行李是从车上直接拿到这里的。当时他们被人拥着去了餐厅,行李则已在此冷落有时了。

房里沿四个墙角放了四张床。靠近窗子的两张挂了蚊帐(冬天似乎是用来遮尘土),铺了垫被。门后面的两张空着。上面架着的棕床,棕索断得七零八落,只好又铺上木板,以便放脸盆脚盆、提包提袋之类。

一屋子散不去的霉味。

秦友三顾不及在意,软塌塌地走到一张挂了蚊帐的床上倒下来。坐了一上午车,中午又没有吃东西,他觉得浑身没有气力。岳卫东吃得肚子滚圆地进来,两只醉眼什么也看不清,一头栽在另一张有蚊帐的空床上,就排山倒海地打起呼来。直到秦友三实在熬不过,拉他起来转街。回来,屋里已经黑了,什么也看不清。秦友三又不让开灯。房里究竟什么样子,他一无所知。其实,就是晓得,他也不会在意。省作协好多年没有盖过宿舍。他现在还跟娘老子挤在一套一室一厅的单元房里。那间所谓的"厅",也就刚能摆下一张吃饭的桌子。他天天要日卷夜铺。现在两个人住一间这样大的房子,还有一张固定的床,比家里享受多了。

"不行。回头换过来。怎么能这样对待省里的同志!"

罗光明越说越来气。

秦友三赶紧说:

"不消得,真的不消得。罗县长!比起那些水冲了屋现在还睡在棚子里的灾民,已经是一个天上一个地下了。"

罗光明说:

"秦老师,你不要客气。镇上的条件本来就够差了,我们工作没有做好,心里很不安的。能做好些,为什么不尽力而为?再说,你们并不是一般公务人员。你们是大文人。要不是这场洪灾,请都请不到你们。"

罗光明后来把那些蜂拥他来的人一个不剩地都轰走,在秦友三房里坐了很久。

他跟秦友三谈得很投机。他说他先前给领导写报告、写总结,在县里还算个小笔杆子,也是极迷文学的。诗、散文、小说,都写过,就是不成器。跟熟悉的编辑好说赖说,才上了几次报屁股。还给省作协的刊物投过稿,都退了。只是秦老师没有印象就是。晓得自己终究不是那块料,只能退而求其次,安心给领导提包。他心里其实最看不起做官。做官最多就是个万金油罢了,到处搭得,到处屁事顶不得。李鸿章有句话说得很对头的,一个人连官都不会做,还能做什么?不错的,中国现今仍是官本位。那又怎样?为官不过一时荣,文章才是千古事。莫说他有可能当副县长,就是当了县长、市长、省长,又怎样?死了就死了,一阵青烟散去。哪像文人,千古流名。历来不知多少文人世世代代妇孺皆知,当时的帝王将相呢,有几个能让人想得起来?

说起自己做官的经历,罗光明更是感慨万千。跟领导当了几年秘书之后，一直在基层打滚。下面有些情况，你们上面的人恐怕想都不能想象。

城门镇是全县最穷的一个乡镇，石埠村又是全镇最穷的一个村。他在镇上当书记的时候，就去抓这个点。心想把这个点抓好了，对面上的工作就有说服力。哪晓得这却是一把糊不上墙的稀牛屎。

作为镇上的一把手，他抓的点不吃一点小灶那是假话。可任你怎样喂偏食，都是肉包子打狗有去无回。村子临湖，修了坝，却没有资金修闸，年年内涝。他一去，先抓这件事，求县水利局帮忙。可人家把钱拨到村子，他们一夜之间就当救济款分了。下回不拨款了，直接送水泵，又无偿安装好。用了不到一年，当年冬天就被拆下来抬去贱卖，把钱分了。闸建不成，以后干脆等内涝过去，给各家发玉米种子，总能补收一茬秋作物。哪晓得人家根本不种，都倒进锅里炒吃了。吃完了，再问你要救济粮。

就是这样的地方，人越是穷，也越是刁。问题最多，闹事的也最多。真是应了那句话：穷山恶水出刁民。

罗光明不住地摇头叹气，很痛心。他说，坦率地讲，他是个悲观主义者。在这种让人寒心的地方待长了，无法不悲观。这回县里提他，他心里是有愧的，无政绩可言呀。想想，也是组织上给的一个体面的台阶吧。否则，不走，怎么办呢？做官是一种命运，有的人操劳终生，却迄无成就；有的人平庸一世，却禄位高升；有人天生是种树的，有人天生是乘凉的。历史就是这样写着的，何况生活本身未必公平。同样一个人，让你站在灯下，你自然就发光；让你呆在暗处，你只能被埋没。同样的工作能力，在发达地区稍稍弄出响动，就会引起万众瞩目；在落后地方，你就是做十倍的努力，也未必有人晓得。人们关心的毕竟只是结果。你还无可抱怨。这是一个实利主义的时代。马太效应，在官场上同样起作用。

秦友三礼貌地听着。官场对他是个陌生的世界，他也从不关心其中三昧。他在平常日子里接触到的对官场的议论，多是负面的，是批评甚至咒骂。现在听一个个中人的心得，竟有这样多的辛酸苦楚在其中，真是家家有本难念的经。听此人谈吐倒也不俗，既不是陈词滥调的官腔，也不是操娘骂爷的村话。

罗光明见秦友三听得认真，很感动：

"我这些话很消极,平时除非忍无可忍发牢骚,没处说的。我说这些,想必秦老师不会见怪。"

"你只管说,只管说。"

秦友三心里真生出几分同情来。

"要不是见到秦老师,我也难得这样敞开来讲话。为什么说做官对头多,老板仇人多,文人朋友多?就因为文人讲人情、懂人心。不瞒二位说,你们下来前,这边有人还是有不同看法的。觉得你们单位又不管人又不管钱,下边一点油水也捞不到,反了两张嘴。我就讲他们,给物给钱都是有数的,精神财富才是无价的。"

看看时候不早了,罗光明起身告辞。他长久地握着秦友三的手,说自己做官是误入歧途,什么时候无路可走了,他也会学古人那样哭而返之,拜到秦友三门下来做个后学弟子。临出门,他又再三嘱咐二位注意身体,要在这种地方坚持几个月,是件很不容易的事。至于救灾,也就那么回事,几个月哪能改天换地!主要的还是一种政治姿态。只要不出大乱子,不闹出人命官司,就谢天谢地了。

五

镇政府的会议室跟昨天见到的餐厅包房好像是一个模子刻出来的,也是满吊顶的塑料葡萄。椭圆的环形会议桌中间凹下去的地方,放了几个塑料花瓶,瓶里满是厚厚的尘垢毁了颜色的塑料花。胶合板的桌面这里那里已经到处起皮了,下面的抽斗满是碎纸、烟头、揉成一团的烟盒之类。桌子四周的座位五花八门,有靠背椅,有长条凳,坐上去一律是摇摇晃晃的。惟一像样些的是上座主持人位置的一把皮转椅,不过皮子也老化了,上面有好几处翻起的破口,还有烟头烧出的黑洞。窗外的大树挡住了光线,会议室白天也要开灯,那些挂满了蜘蛛网的灯却没有几盏是亮得了的。加上满屋子多数人都在吞云吐雾,会议室也就一片昏暗,影影绰绰。

秦友三对环境很麻木。外面条件再不好的地方,也不会比他长年待着的那个用三合板隔出的编辑部更脏乱差。使他有些心神不定的是镇长宋财火正在喝的那碗汤。

今天上午的会议内容是镇上的党、政、人大、政协、纪检、武装六套班子向省救灾工作组汇报。通知是八点开会,自然打了提前量。不过九点钟,人也都先后到齐了。倒是主持会的宋财火最后一个进来。看看屋里已坐满了人,他大声解释:

"操,昨天晚上给罗书记搞惨了,早上硬是爬不起来。"

宋财火刚在皮转椅上坐下,厨房老彭用一只粗瓷盘盛了一只瓦罐,很及时地端到他面前。也不晓得他刚才埋伏在附近的一个什么地方,只等着宋财火的大驾出现。

宋财火漫不经心地揭开瓦罐,用勺子在里面拨了拨,小心地尝了一口,这才说:

"那就开始吧。雷镇长,你是我们这帮人里头惟一的正牌大学生,全镇的基本情况,就请你讲。我这里就对不起,有偏各位了。"

就低下头,吸吸溜溜地喝起汤来。

今天上午所有的发言预先都打印好了稿子,每个到会的人手一套,会前已经摆放在每人座位前的桌上,发言的人就是照本宣科。秦友三到得早,已经把稿子匆匆浏览了一遍。他是看惯稿子的,毫不费力。那上面除了地名、田亩、人口一类基本情况,余下都是从文件和报纸上抄的现成话。

强烈吸引秦友三注意力的,是宋财火正喝的那碗汤。那碗汤是清蒸的,蒸得烂熟,香气扑鼻。秦友三怎么也忍不住咽口水。他就坐在宋财火边上,不管他怎样强制自己不往宋财火那边看,眼睛的余光还是忍不住清点着那罐汤的成分:肉饼、墨鱼、蛋、枸杞、桂圆……

秦友三又想起那篇题目叫《鱼肉乡里》的小说稿。看看旁若无人的宋财火,听着他有滋有味的吸溜声,秦友三很后悔当初给那位作者写了那样一封退稿信。

秦友三极力按捺住自己,发言的人讲些什么,他一句也没有听清,只有宋财火吸吸溜溜的声音在他耳边翻江倒海。终于忍不住,他说:

"宋镇长,你可不可以等下再喝?"

话一出口他就恨自己:声音细得像蚊子叫,好像是在乞求。

屋里其他的人却一怔。这样的事从来没有见过,镇长要不发作才是怪事。

宋财火却没有在意,随手把瓦罐一推:

"我正不想喝了。老彭也不晓得怎么搞的,昨天像是打翻了盐船,只差没有咸死人。今日呢,又一点盐味也没有了。操!"

他"操"的显然并非仅止厨房。

接下来宋财火就是聚精会神地打电话和听电话。那只手机从他怀里一掏出来,刚开机,就像听到召唤似的马上响了,是一段广东音乐《步步高》的乐曲,很欢快地跳跃出来,在满屋子打旋(镇上说是穷,几套班子的正副负责人却人人有手机)。此后,这乐曲便跟宋财火的声音交替响起,再没有间断。宋财火说完话,等不了几久,乐曲若没有响,他这里便向一个什么地方揿过去,然后便又是他一长串时高时低、时急时缓、时重时轻的说话声。

宋财火敦实精壮,脸上永远是高度充血的涨红,似乎永远处在兴奋状态。他的表情和肢体语言都很丰富,形成一连串起伏变化很大的姿态:一下上身挺直,毕恭毕敬,嗯嗯连声,就像对方正当面在教训他;一下猛然后仰,后脑贴在椅背上乱摇乱扭,哈哈大笑,显然对方说起一件只有他们自己心里明白的乐事;一下胸口前倾,又顺着桌洞下滑,满脸先前被乱糟糟的胡碴子弄得愈见生硬的皱纹一点一点地虬曲起来,最大限度地柔和起来。小小的手机随之贴紧了耳朵,恨不得要塞进耳孔,头也跟着一点一点地低下去,直到鼻子落到桌面上。声音则变成了极低的一片含糊不清的虫鸣。

先前他毫无顾忌地喊叫时,别人显然早已习惯了。他喊叫他的,别人照样该念的念,该听的听,两不相干。现在他的声音突然细小了,念的人倒像是唱歌的人突然失了伴奏,没有依托了,也不由自主地随着停下来。听的人先前都心不在焉,交头接耳的,想心思的,打瞌睡的,现在也都一下集中了注意力。满屋一下子静了下来,只听一只蜂在屋子头边的桌子下面嗡响。

宋财火马上感觉到了,抬起一只手来,示意念的人继续念。见没有反应,忽地站起身,喝了一声:"怎么停下来了?"又赶紧对电话道歉:"不是讲你,是讲这儿的鬼东西。"然后就离开座位,走到外面去。好大一阵,满面春风地回来，刚落座，电话又响了。

一个上午，宋财火就这样反反复复地说说听听，出出进进。这一屋子人似乎跟他毫无关系。

主持会议的人不把会当回事，其他人当然就更可以各行其是。秦友三怎么也想不到，一个原本应该百分之一百的郑重其事的会议会开成这个样子，比他小时候在穷街陋巷里见到的下等茶铺还不如，一时不知所措。按照任命，他们这个工作组组长是郑科（郑科倒是谦让过秦友三，但任命岂是可以随便更改的）。郑科在会上坐了不到十分钟就走了，说是去处理一件什么急事，再不见回来。走的时候倒是跟秦友三打了个招呼，却并没有交待秦友三哪怕是临时替他负一下责。秦友三自然不好代表工作组说话。想想，也只有岳卫东可以管。因为下来前，单位领导是交待过的。就对身边的岳卫东低低地叫了一声：

"小岳！"

岳卫东听见了，却懒得答理。今天吃过早饭，回房间时，正好撞见对面刚起床的小程开门。毕竟都是上下年纪，小程说："进来坐坐？"岳卫东也就不客气地进去。这才发现，南边比北边好得多。本来他并不在乎住什么房，昨晚罗光明就此大做文章，他觉得不过是做官的装腔作势。原来两边的差异这样大，简直是展览馆里的新旧社会对比。而且郑科和小程是一人一间，他却同秦友三共住一间。明摆着是不拿他们当回事。一下子火气就上来了，回到房间就对秦友三叫起来，要卷铺盖走了，不在这里受鳖气。秦友三好说歹说才把他劝住，让他跟着自己进了会议室。一坐下，他就跟小程凑在一起，叽叽咕咕地玩一只手机。

手机是小程的。他不断地收发短消息：

"又在干？"

"屁！"

"那在做什么？"

"开会！"

"很文明呀！"

"当然！"

"太无聊了，只怕没精神。"

"那倒是。"

"当官的白天文明不精神，夜里精神不文明。熬吧，熬到夜里就活了。"

……

岳卫东很快就入了迷，早上的满头火气烟消云散。

"小岳！"

秦友三加重语气又叫了一声。

岳卫东这才回过头，也叫了一声：

"吵什么吵！"

秦友三只有克制着，无从发作。他真不晓得这样的会，会是个怎样的结局。

秦友三的担心其实是多余的。看看时间差不多了，宋财火关了手机，在那皮转椅上正襟危坐，严肃出一张扑克脸。他清了清因为打电话而沙哑的喉咙，请工作组的各位领导就上午的汇报作指示。自然是没有下文。小程和岳卫东还在弄手机，不知收到一条什么消息，正叽叽嘎嘎地坏笑。秦友三有一肚子官司，却打不得。只有宋财火总结。按规定，救灾工作本来就在当地党委领导下进行。

宋财火这回的话倒不多，干脆明白：

"救灾的任务讲起来有四条：一个是摸清灾情，二个是赈济灾民，三个是恢复生产，四个是安定人心。其实要下死力对付的就是最后一条。说好听些叫'安定人心'，说难听些就是防止坏人鼓动闹事上访。今天在座的，工作组领导也好，各位难兄难弟也好，就是要铁了心抓这一件事。只要不让上面怪罪，就算万事大吉。真要出了什么乱子，我们一个也跑不掉。我横直没有几天干了，只等着回去吃老米。各位前程还远，自己看着办吧。散会！"

六

镇政府食堂就是两间土坯屋。一间是灶屋，一间堆杂物和柴草。

秦友三和岳卫东下来之前，常年在食堂用膳的其实只有镇长宋财火一个人。他的饭顿顿由老彭送到他的住处去吃，老彭自己就在灶台上对付。除了一截烧火时用来垫坐的木墩，厨房里外一张桌椅都没有，显然也不打算有。好歹干净些的一块地方是院子的井台，因为这里老有水冲刷。老彭平时杀鸡、剖鱼、洗菜、淘米都在这里。不顺便用水冲一下，他自己也落不得脚。

这口井有些年头了，红砂石的井沿被井绳勒出了一道道口子，井边用两根剥皮杉木做了个杠杆。横杆上一头捆着大石块，一头吊着水桶。不打水的时候，水桶就悬在举手刚能够着的上方。岳卫东喜欢反反复复地打水冲井台。秦友三胃不好，吃饭慢，他还没有吃完，岳卫东就洗了自己的饭碗，接着就冲井台，弄得他一顿饭吃不安生。

"小岳，你歇一会儿不好吗？"

小岳说：

"你吃你的，我冲我的。这地方你不是喜欢么，我给你冲干净些。"

岳卫东心里有气。

镇政府食堂原本很清闲，干部们镇上有家的回家吃饭，家不在镇上的各人到时自有解决的去处。厨房老彭平时主要的任务就是种菜、喂鸡、养猪，顶多偶尔给不尴不尬没赶上饭的干部煮碗面条。他真正要认真做的是镇长宋财火的饭。

宋财火很讲究养生。一天一盅药膳汤，一个星期一只炖鸡，雷打不动的。他尽量不上酒席（陪上级领导或在外地开会出差是万不得已），非上不可，蔬菜也必然由食堂的菜园供给。老彭来时是明确过的：种菜不准偷懒用化肥和农药。农家肥好办，麻烦的是虫子。再麻烦也要用手捉，不就几棵菜么！

宋财火是当地人，高中毕业回乡务农。慢慢地从村会计当到镇文书，到副镇长，最后在镇长这个位子上画了句号，一连当了好几任。镇党委书记走马灯似的在他上面换，就是没有他什么戏。起先他还在心里暗暗指望。后来看到上面不但没有提他的意思，连在两任书记间的空白阶段，明确让他暂时主持一段工作这样的话也舍不得说，他也就彻底死了心。他今年已经五十出头，全县像这种年纪还在当乡镇长的再没有第二个。只要不触犯国法，他犯不着在乎什么。他在当镇长的头一个任期，就在县城盖了屋,把老婆儿女都迁进了城。他一个年过半百的人在一个穷得兔子不拉屎的乡镇过单身汉日子,哪个好讲他搞特殊。哪个讲,哪个自己来"特殊"就是。

秦友三和岳卫东就像两个侵略者,践踏了宋财火安宁惬意的乡居生活。

饭是天天不少顿顿要吃的,而且秦友三坚持非在食堂吃不可。这就给宋财火带来了莫大的不方便:按宋财火的膳食标准一式三份,怎么可能? 另做两份,面子上又似乎不太好看。

办公室主任老刘为此专门向秦友三请示了几次,提供了两种模式,请他选择:

一种是副镇长雷振华模式。雷振华大学毕业分到县农业局,又作为培养对象下派到城门镇挂职(副镇长)锻炼。下来一年多,除了出差、下去或回县城,只要在镇政府上班,吃饭时,他基本就是代表镇党委和政府陪客。

一种是在这里扶贫蹲点的郑科小程模式。只要镇上有接待任务,他们就跟着一块吃,这模式其实跟雷振华模式一样。不同的地方有两个,一是角色不同,郑科小程永远是客;一是餐数不同,郑科小程一般是每个星期四来镇上,星期五抓一天工作,星期六又回县了。县里若有事,那就连着几个星期都不来。

老刘眨着小眼睛说了半天,嘴角上起了白沫。秦友三一声不响地听着。听完了,说:

"上面有规定的,乡镇有食堂我们就在食堂吃饭。我们按规定标准交钱,你们按规定标准办伙。"

"上面有上面的规定,下面有下面的实际,不可以灵活些么?"

秦友三再不答话。

老刘只有悻悻退去。

而且秦友三坚持就在食堂门外的井台上吃饭。

老刘跟秦友三讲用膳的事,秦友三并没有问过岳卫东的想法,就一意孤行。不是说这样的事秦友三不能做主,他就是不懂秦友三何苦这样死心眼。你自己要跟自己过不去也就罢了,凭什么弄得他的日子也不好过。

在家里娘老子也不敢怎样管他,到这里来反而像是受了管制。秦友三在他面前就像警察。

岳卫东没有几天就跟县国税局的小程混熟络了。小程倒是个没有城府的人,什么事都不避讳他。

小程热心奉劝岳卫东,既来之,则安之。他跟他们头儿郑科就一直很安心。莫说他们在这里的日子还要延长一个月,就是再延长一年,他们也不烦。乐得! 做工作组,在当地是客,在单位有功,只要你不为难人家,就两头不管还两头讨好,等于活神仙。

"至于城门镇这个地方,穷是穷些,但是穷也有穷的好处,比方,鸡就比省城便宜多了。虽说是土鸡,土鸡有土鸡的风味,常有你们省城的老板结了伴特地来寻土鸡哩。你想吃,随时跟我讲,我给你免单。芭丹奴老板是我血伙,不会卖我们的。"

岳卫东听得心里痒痒的。问:

"你们郑科也去芭丹奴么?"

"他倒不去,说是嫌腌臜。其实他不消去,他有罗兰。罗兰这个女人很够味。自己跟他好不算,还帮他找秧子。罗兰人长得不怎样,倒是骚得很,惹火,听说床上功夫不错,当地人说她是胯一叉,养一家。她好就好在懂男人,晓得怎样让男人快活。"

岳卫东怔怔的,没头没脑地说:

"我们哪有你福气。"

小程很同情:

"你是说你们那个秦圣人吧。也真是的,一副老古板,黄土都埋了半截了,还作古卵正经。现今什么是正经,他讲得清? 无非女人想开了,男人想通了,大家快活。这就是生活。网上有句话你看到没有:生活就是被强暴,如果你无力抗拒,那就躺下来享受。"

岳卫东听得服气,不在意一个在县里工作的人,倒比自己能说会道,对小程不由刮目相看。回头再看秦友三,怎么看怎么不顺眼。

秦友三心里也在打鼓。老婆病死多年,他对性事已无太多兴趣,却还不至于心如死灰。他已不止一次半夜三更听见对面郑科和小程房里女人叫床的声音。岳卫东真要入了他们的伙,那就毁了。他因此盯岳卫东就跟盯贼一样,总让岳卫东跟着他。要不,岳卫东到哪儿他也跟到哪儿啊。连岳卫东在厕所待久了,他也会在外面叫,不听到回应不罢休。总之绝不让岳卫东单独行动。

岳卫东依旧一桶一桶地提水,倒水,明显是向秦友三宣泄。秦友三把剩下的饭菜三下两下强咽下去,换了个讨好的口气:

"小岳,下桶水莫倒了。我洗碗。"

岳卫东却松开吊桶,跳下井沿,径自走了。

七

城门镇这地方物质上穷,精神上却蛮丰富,盛产黄段子,并且表述时常用顺口溜形式。这成了一种风尚。一个干部在酒桌上或其他两三个人以上的公共场合讲不出至少一两个黄段子,是要遭人笑话的。即便谈正经公务,也往往从带着色情意味的话头开始,似乎一个个都宣过誓不黄不开口的。连雷振华这样从大学本科出来没有几年的下派干部,也不能不很快接受这影响。他跟秦友三介绍城门镇时先念了四句话:

> 住的是洋房,
> 骑的是摩托,
> 日里有酒喝,
> 夜里有按摩。

雷振华说这是城门镇当地人给自己定的小康标准。所谓"洋房",就是因为用了钢筋水泥,贴了瓷砖。所谓"按摩",顶多也就是跟那种花十块八块就可以上床的女人摸摸捏捏。

司机老宋忽然破口大骂起来。

老宋本来就窝了一肚子火。城门镇就这么一部七十年代留下的烂吉普,早成一堆废铁了,还在作垂死挣扎。镇政府曾经有过一次动议,让镇上各机关、企事业单位,包括学校,凡吃皇粮的,每人借几百块钱给镇上买车。某种程度上,汽车也是一个镇的脸面,大家有责任维护这张脸面的。但是这个动议在教育界遭到了抵制。抵制的方式很绝,当时,镇上拖欠中小学教师工资已经半年了,上面考虑到城门镇确有难处,拨了一笔款子下来,一次性解决这半年的拖欠。镇上就是要从这笔钱里按人头扣"借款"。所有的教师没有一个说不借的,也没有一个去领这拖欠了半年的工资的。上面来人检查,大家只说工资依然拖欠着,没有领到。回头问镇上,镇上说钱在账上,他们不领。又问为什么不领,大家说因为领不到足额,而上面说的是"足额发放"。这就自然暴露了镇上借钱买车的事。

车没有买成,就还只有靠那辆烂吉普跑。跑一天,修两天。其实修与不修都差不多。只是司机借了修车的名,可以清闲,弄半天车子,搓半天麻将——这还是罗光明当书记时候的事。

罗光明喜欢往下面跑,除了开会,很少待在镇党委的办公室里。他调来当书记时,没有把家从县里搬来。在城门镇他也就处处无家处处家。镇上就留给宋财火坐镇。

宋财火是坐山虎。历任书记是过山龙。罗光明之前的几任书记,自恃是一把手,总跟宋财火争控制权,总是闹得很僵。龙虎斗的结果,龙走了,落下个不容人、没能力的名声。虎留下,仍是一方霸主。

罗光明接受历任书记的教训,尽量避免跟宋财火过不去,让宋财火保持一个事事说了算的自我感觉。这样,宋财火心里熨帖,他也落个清静。有了成绩,哪个也不能不认他这个一把手;出了纰漏,他可以帮助上级追究直接责任人。基于这样的透彻考虑,罗光明甚至尽可能避免同宋财火的正面接触。牙齿跟舌头很亲,也难免有咬着的时候。一任下来,宋财火对罗光明很是赞赏。到处说罗光明是最有水平的书记,不像其他几任,都是狗屎。

罗光明老是往外跑,就辛苦了司机老宋,跟着他历尽坎坷,吃尽苦头。老宋跟宋财火同宗,论辈分是宋财火的公公。在镇上大家都叫他三把手。他火气再大,别人也奈何他不得。不过一把手要用车,他也不能不开。

罗光明一走,老宋便彻底清闲起来。除了宋财火,哪个要用车,他都说坏了,开不动。宋财火除了到县城开会、回家,在镇上几乎从不用车。至于郑科他们,县国税局会派车接送,也基本不会用老宋的车。

秦友三一副穷酸相。老宋在镇上论见多识广没有几个人可以跟他争,让他给这样的"省里领导"开车,他觉得受了污辱。但是宋财火让他出车,他又不能不出。为了表示重视,宋财火还让雷振华陪同,这更是给老宋火上加油。他从来没有给副职开过车的。雷振华一开口说话,他心里那股恶气就腾地冒了起来。

发火总要有一个说得出的理由。老宋的一口恶气就出在车子下面的路上。

镇上自己没有赚钱的工商业。外地人来了,不是摊派就是打白条,只差没有放抢,只有来几个跑几个。财政没有收入,就只好挖地皮。镇上做任何一点跟公益有关的事,种树、修路、改造学校危房,都让大家集资。集资到手了,先前许了要办的几件事也就跟着没有了影形。倒是看到头头脑脑们忙忙碌碌地省内外、国内外考察个不停,今天换了套西装,明天有了只手机。至于脸上,则永远是冒着酒气,泛着油光。就有人看不顺眼,暗里把镇政府号召集资建校时写在大街墙壁上的标语"再穷不能穷教育,再苦不能苦孩子"改成"再穷不能穷领导,再苦不能苦嘴巴"。镇上当不安定因素查了个鸡飞狗跳也没有查出个眉目,反而是许多人私下说查的人自己才是不安定因素。

车子下面这条路就是一个例证。

几届镇政府开张时都发了狠的,一定要做到村村通公路。多少年过去,路是通了,却没有一条按设计完过工。弄到最后都是因为资金短缺虎头蛇尾,不了了之。其实上面拨的款加上了集资,是够数的。但钱再足,也像是水泼到沙上。结果,所有的路都成了合不拢的伤口,比没有挖过之前更难走。一路的坑坑洼洼,人畜可以绕着走,车子却绕不过,只能从一个坑里爬起,又掉进一个坑,又再爬。

秦友三颈椎和腰椎都有老毛病,颠了没有好久,浑身骨头就嘎嘎作响,要散架。他对司机老宋起先不以为然,觉得他也不过是一个仗了势在镇上骄横跋扈的角色。许多骂贪官污吏骂得极狠毒的人,其实自己比他骂的人一点不逊色,只是也许权势比对方有限些罢了。但老宋到底只是个司机,在这种地方开这种车走这种路,也是不容易。

八

到城门镇之后,不断地听到人讲起石埠村。主要是讲它的穷。现在实地来看,真是名不虚传。

其他的村子说是穷,至少都会有一幢像样的屋,高高耸立在村盘子中间,鹤立鸡群。石埠村连村长曾驼子的屋,都跟一村子的破屋混作一堆,无法分辨出来。

村盘子在洪水里浸泡了几个月,总算打着寒噤浮了出来。低洼些的地方,仍是亮晃晃的汪洋。屋里屋外没有水的地方,积着厚厚的溜滑的落淤。破堤后,水淹过了屋檐,屋里齐窗头的墙上留下黑色的水线。水线以下的墙壁长出一片灰黑的绒毛。堂屋里空空荡荡,只有一张粗笨的老式八仙桌和两张条凳。桌子和凳子都颇讲究,有雕花的装饰,恐怕是这屋里惟一值钱些的东西。后来晓得,这是土改时从地主家分来的浮财。水淹前,用石块压住,没有漂走。

秦友三想,形容穷,常用"一贫如洗"这个成语,现在的石埠村,是实实在在的给水洗了一遍。劫后余生,真是凄凉。村长家尚且如此,村民的窘况可想而知。

那只八仙桌上搁了一只缺了半边耳朵的黑乎乎的瓦罐,一股略带些腥味的浓香一点一点地在空旷的屋里弥散。瓦罐旁边是一只竹编的小簸箕,里面堆着几只已经煮熟的番薯。番薯没有什么特别,只是显见煮前用心刷洗过,两头和身上的须根都重重地切去。

曾驼子让秦友三和岳卫东坐了一条板凳,又让雷振华和老宋坐了另一板凳,自己就佝着腰站在桌边:

"几位领导真的不喝酒?"

"算了吧,你!喝酒?你有么!"

老宋粗声大气地讪笑。

"有……怎么没有……"

曾驼子脸上一下红一下白,嗫嚅着,腰佝得更低。

"有酒?有尿差不多。我还不晓得你曾驼子。"

老宋说着，就去揭那只瓦罐的盖：

"大家吃吧，还等个卵。"

曾驼子再不敢抬头。他是真的没有酒。村盘子上先前有一家小杂货店，破堤时搬走了，现在还没有复原。就是复了原，曾驼子一时也拿不出打酒的钱。又不好开口借，哪家不难呢。破堤的时候，儿子金宝不在村盘子上，他是村长，要照护一村子人往坝头上搬，等人回头，屋里已经进了水，养的一塘鳖也没有捞出几只。这几只鳖他一直很小心地拿竹笼盛着，泡在水里。退了水想送到城里去卖，算算，就是卖了钱，连来回的车钱也不够付，只有留着。这是他去年一年仅有的最后一点收成了，看得极金贵。金宝刚上小学的女儿吃薯吃得呕心，一直吵着要公公杀鳖，曾驼子总说"好，好"，却总没有动刀。他是怕一旦有上级领导下来，没有拿得出手的东西，会慌了手脚。

果然就接到镇上的电话，说省里的救灾工作组和雷镇长要下来。

杀鳖的时候，孙女就一直搂着曾驼子的一只裤脚不放，一步也不离开。

曾驼子喝她：

"还不死去上学，缠着我做什么。"

"就不！到哪里上学？"

孙女跟她老子一样，很犟。

曾驼子这才记起来村小那几间土坯屋，水浸了不到一天就塌了。只有哄她：

"你去别处玩，等煮好了，我会喊你。"

"你不会的。那些人到时候汤也不会剩一口。"

孙女有经验的。

曾驼子只有随她。

这个小丫头现在就靠在门框边上，一只脚踏进门槛，一只脚留在门槛外。她头发稀稀拉拉，又黑又瘦，脑门和眼睛因此显得特别大。塌塌的鼻梁下面，两条清水鼻涕像透明的虫子从鼻孔一直爬到嘴唇上。乌黑的嘴唇紧抿着，像是克制，又像是抗议。

"是我们屋的孩子吗？"

秦友三问曾驼子。他其实并不是头一个看到,别人只是懒得做声。

曾驼子扭过身子,一下跳起脚来:

"金宝,你死了吗!一个女儿管不住。"

屋外响起一阵很重的脚步声,接着门口一黑,闪出一个莽长莽大的汉子,但只一眨眼工夫就消失了,随手老鹰抓小鸡样的一把提起了门口的小丫头。

然后是一声清脆尖利、撕心裂肺的哭喊。

哭喊后来变成了断断续续的抽咽,一直为秦友三他们的这顿派饭伴奏。中间秦友三几次要去看个究竟,都被众人拦下了。他勉强咽下去一只番薯,也不晓得什么味道,就搁下了碗。

等大家都总算放落了碗,秦友三从身子摸出几张零星票子,搁到桌上:

"这是我的饭钱。"

又对岳卫东说:

"你也交吧。"

岳卫东食量大,这一桌东西本来也不够塞他的肚子。但碍着身份(毕竟是省里来的)不得不吃得斯文。胃还没有找到感觉,桌上就所剩无几了。老宋一上桌就毫不客气,霸气十足地一路风卷残云。那罐鳖汤,他差不多一个人承包了。岳卫东很看不起他,也只有忍着。现在秦友三让他交钱,他心里的火气腾的一下上来,心想:就吃了两只烂薯,值得两块钱(这是规定标准)?那罐鳖汤倒是值钱,他尝也没有尝一口。钱不钱无所谓,这口鳖气难吞。这些话他一时又说不出,只好两只眼睛直直地瞪着秦友三。

秦友三以为岳卫东没有带钱,说:

"要不我给你垫上。"

一边的曾驼子早急了,两只手在桌洞上盲目地死劲抓挠:

"这怎么要得,怎么要得,从来没有过这种事的。"

一面乞求雷振华:

"雷镇长,你做个主。"

似乎秦友三不是付钱,倒是讹诈。

雷振华说：

"秦老师，你头回来，这顿饭就算了吧。"

雷振华已经晓得了秦友三的执拗，不便多说。

曾驼子仿佛获救似的正要说什么，外面响起一声炸雷：

"什么头回二回？你们吃了喝了拿了，哪回付过钱？"

屋里几个人一下呆住。

曾驼子口里叫着"报应"，跟跟跄跄地扑出门去。

老宋从簸箕上别下一根细篾，剔着牙齿，对秦友三笑说：

"秦书记，你算是碰到一只癫痢头了。"

<h1 style="text-align:center">九</h1>

曾驼子是石埠村的老村长，又是村支书，党政都是他一个人。从互助组、合作化当到现在，一直没有换。一个穷村，没有人肯当村长，也就赖住了老实巴交的曾驼子。其实，再穷的地方，也不是没有便宜可捞的。但曾驼子什么便宜也不晓得捞。正因为这样，大家也就认定了曾驼子。

曾驼子忠厚本分，却生了个无法无天的儿子。秦友三他们这回来石埠村，原因就是曾驼子这个无法无天的儿子。

排查城门镇的不安定因素，重中之重是石埠村。石埠村的重中之重，就是曾驼子的儿子金宝。

金宝从乡下出去，当过兵，复员后又在县里当过工人，工厂散了，又去省城打过工——他远房的一个姐夫当头儿的那个单位，是个知识分子窝。金宝因此成为石埠村最有见识也最不安分的人。

金宝的那个姐夫是个难得的清白官员，先前在县里当过县长，因为害怕县里的恶浊，才去报名参加聘任厅级干部的考核，且选了一个清水衙门。就是这样的地方，他让金宝在他那里打工，明明让金宝吃了亏，却依旧被人诬告，差一点害了前程。这番经历给金宝很大刺激，觉得再没有任何怵着。回到村里，很自然成了众人的头。

曾驼子当村长，大家认的是他的懦善：不抗上，也不欺下；不求功，也不作孽，只图他保一方平安。但光懦善，哪里就保得了一方平安。

救灾工作组下来前,镇上的把一批城里人捐赠的衣物分送到各村。石埠村得到的几麻袋,从车上卸下后,当场在坝头上(当时村盘子里水还没有退尽)抖开,竟是一大堆几十年前的破布烂絮:臭气刺鼻的厚底袜子、百孔千疮的大腰棉裤、甚至暗血斑斑的大花内裤……这些东西,除了镇上的废品收购站,城里人就是存心要找也难找出来。明显是东西从城里送到镇上,镇上有人做了手脚、调了包,再往村盘子上分。

金宝当时就叫起来。他晓得城里大机关捐衣物的时候是有规定的,不光破烂的不准捐,就是腌臜了的也一定要洗干净。

他是不久前从省城回来的,见过大世面,他的话大家自然都信,七嘴八舌地就吵起来。

镇上来送捐赠物资的一个干部很不高兴,说没有见过这样的,我们把党的温暖送到你们手上,不说别的,人力、车船费也花了不少,不见你们一句感谢,倒是怪话连天。

金宝争道:

"党是叫你们送垃圾下乡吗?"

"好好的衣服,怎么是垃圾。"

"你觉得好,你穿件在身上试试。"

那个干部看一眼蓬头垢面的金宝,很不屑:

"你这副尊容,莫非要穿金戴银?"

金宝咬着牙向他逼过去:

"你说什么? 有种再说一句。"

"你要怎样?"

那个人一面嘴硬着,一面往后退,没留意脚后跟绊到一块石头,仰面倒在水里。

这成为城门镇抗洪救灾中发生的第一件恶性事件。

金宝是破圩快一个月才从省城回到村盘子的,他回来就窝在坝头上临时搭的草棚子里,每天跟老子一起捞鱼摸虾。大家起先并不怎样警觉他,这回"殴打镇干部"的事件之后,他忽然成了镇上以至县上关注的对象。石埠村的人则忽然看到村盘子上总算出了个肯为大家出头出气的人物,很有些振奋,头一回觉得,曾驼子应该给他儿子腾出村长的位置。

也正因为这样,石埠村潜在的问题也就更显得严重,不可小视。问题是若要下决心整治,又很有些棘手。

金宝的老子曾驼子多年来一直是全县有名的老先进、老模范。他那个远房的姐夫,现在是一个地级市的副市长。这样的背景,镇上很难轻易下手。

接到省救灾工作组要下来的通知,宋财火很高兴,像石埠村这样难剃的癞痢头,正好让工作组剃。弄好了,天下太平,镇上也没有得罪人;弄出了事,责任自然由工作组担当。

秦友三他们下来之后,宋财火一直在准备着找个适当的时机跟秦友三谈石埠村的事,工作组是省里派下来的,政策水平比镇上高得多,镇上就指望他们能彻底解决好老大难的石埠村问题。话还来不及说,秦友三倒先开口了。

秦友三在镇街上住了几天,思来想去,很不自在。一是为自己,原说是下来救灾的,结果整天待在镇街上,除了吃饭就是睡觉,等于做客。这样待下去,到时候怎么交待? 二是为岳卫东,县国税局的小程天天跟岳卫东讲"吃鸡",秦友三起先没在意,以为是讲改善伙食。后来见到他们一说"吃鸡"就挤眉弄眼,慢慢疑到不是什么好事。等有一次听到小程眉飞色舞地大谈身体狂欢,才终于悟到所谓"吃鸡",就是嫖妓。还有所谓"秧子",就是"小情人"的意思。小程是县里的人,他秦友三管不着,也犯不着管。岳卫东要是跟坏了,他就更无法交待了。三是为宋财火,秦友三一开始就不习惯跟宋财火打交道。宋财火是当地的父母官,他自然不敢冒犯,惟有敬而远之,但他不肯吃请,不肯陪客,好像是故意跟镇上过不去。尤其他天天在井台上吃饭,几乎等于是向宋财火示威。他自己以为在严格要求自己,宋财火却认作是在给他脸色,也就有了抵触。见了面,起先还多少打个招呼,点个头,后来就干脆连正眼也不给一个。秦友三主动喊他,他往往装没有听见,实在装不过身,顶多嗯一声便扬长而去。镇长这种态度,其他干部对秦友三也就只能冷淡,避之惟恐不及。秦友三想,搞得这样僵,怎么工作? 镇上是待不下去了,只有下去。

秦友三找到宋财火。宋财火说:

"你们自己定吧,镇上还不是听你们的? 你们是上级。"

　　宋财火话里虽带刺,礼性还是周到的,派了车,又让副镇长雷振华护驾。他在心里冷笑,秦友三这样一个迂阔老朽,跟金宝那样刁蛮的莽汉会闹出一个什么局面,有笑话看的。

　　宋财火的预见没有错。金宝的那一声断喝,让秦友三听得胆寒。传说中的金宝几乎是凶神恶煞,但那只是传说,常有夸张渲染的成分。秦友三没有想到,金宝对干部的敌意果真这样深。

十

　　郑科和罗兰今天特别尽兴。

　　被翻红浪,汗气淋漓,两个人交手缠脚地胡乱躺着,喘息难定,竟一时无语。上上下下每个手指头以至每根神经末梢,都胀胀的、痒痒的、酥酥的,说不出的舒畅。

　　事先郑科服了伟哥。每次跟罗兰较量,他都有些怯着。罗兰的欲望又强烈又旺盛,似乎永远没有满足的时候。她每一次应约到郑科房里来,郑科以为主动的是自己,没想到她一进来就把郑科掀翻在床上,令郑科措手不及。

　　以后每次倒都是罗兰很用心地伺候郑科,就像一个饿急了的叫化子啃一只烧鸡,连毛带土一块吞了不算,恨不得连骨髓也吸个一干二净。

　　罗兰随便掩了件睡衣就一路小跑着冲进郑科的房间。她在自己房里洗抹的时候就觉得浑身上下着了火,楼板击鼓似的咚咚震响,她就差没有喊口号。

　　这是他们久违了的狂欢之夜。整层楼就只有他们两个,拆了墙倒了壁也没有别人晓得。来劲的时候,郑科和罗兰都畜牲似的嗷叫起来,整幢房子都好像在摇晃。所有的灯都亮着,雪白的光照耀着两个无忌的肉体。

　　“今天像是把一生一世的事都干完了。”

　　终于瘫下来。

　　郑科一累就有些偷懒,罗兰则永远是兴犹未尽。

　　省里来的两个人去了石埠村,镇上好像忽然解除了戒严,一阵松快,又恢复了随心所欲的日子。倒不是说有哪个怕省里来的那两个人,你本来过得无拘无束,尽兴尽意,忽然来了两个生人,不肯合群,还老讲夹生话,一天到晚睁着两只疑心重重的眼睛,让你觉得背上生了疔,浑身不自在,不烦吗?

现在,宋财火可以畅畅快快地喝肉饼墨鱼汤了;小程可以在芭丹奴通宵达旦了;镇上干部凡打牌的、吃请的、打情骂俏的,都可以放手放脚了。最有解放感的是罗兰。她到郑科房里来,可以不必贼似的偷偷摸摸地上楼下楼、开门关门,更不必绑了手脚、卡了喉咙似的放不开了。

罗兰是那种经得男人折腾也能折腾男人的女人。她对此很自负:"秧子样的女人好看不好吃。女人要脱光了,做过了,你才晓得她的好处。"她是县里有名的石灰篓子,搁到哪里,哪里就留个疤迹。对男人们来说,罗兰最大的优点是敢做敢当。男女关系出了事,按惯例倒霉的总是男方。但跟罗兰相好的男人有福了,关键时刻她总会挺身而出,郑重声明她是勾引者,没有男人什么事,顶多是骨头酥了,向她投了降,成了她的俘虏。她老子是县里的商业局长。她出了事,就给她换地方。哪里都有饮食服务业,哪里都不会安不下一个服务员。换到后来,只有城门镇这个没有人肯来的地方。

没有料到,罗兰倒在这里成就了一番事业。

罗兰先是承包了城门镇招待所的经营。当时招待所因为负债累累,年久失修,几乎已经关张。她让银行的一个相好帮忙贷了一笔款子,翻修一新,改名叫"城门宾馆"。然后亲自去选了几个乡下妹子来做服务员,选用的条件除了模样周正之外,便是胆要大,吃得亏。聘用合同签得很活,不适应或不适用的随时可以更换。

主要的客源是过往的司机。离城门镇几百公里外有个煤矿,矿上往省城送煤,城门镇是必经之处。先前这里没有像样些的吃住地方,司机就一踩油门往县城赶。罗兰说留住了这些司机,就留住了城门宾馆的财神。

罗兰的措施很有创意,司机们吃、住都可以不必付现钱,代之以从车上卸煤,以实物相抵。卸了煤,再往车上灌上相应的水,到了城里购煤的单位,连车带煤过的是地磅,鬼也不会管你车上有几多煤几多水。

卸下的煤,去抵司机吃住的费用,肯定是绰绰有余。煤积多了,罗兰请了两个粗工,在宾馆的后院里竟办了个蜂窝煤厂,供应镇上各单位和居民的日用需要。煤价虽不比县里买的便宜,但少了运费,合算多了。

城门宾馆因为经营灵活,客源(主要是司机)日多,芭丹奴也就应运而生。罗兰找到芭丹奴老板,城门镇的吃、住、娱乐配了套,她要入一个干股。因为客源是她开发出来的。

芭丹奴老板很诚恳:

"这还用得了你开口?我早给你记上了。不讲没有你就没有城门镇今日的人气,你是城门镇真正的半边天。没有你罩住,莫说公安、税务、文化稽查了,就是防疫站那两个人毛也会让我一天也不踏实。"

罗兰推了他一把:

"去你的,没有那么严重。"

芭丹奴老板是懂事的。

城门镇只有两个企业没有人打白条子,也没有人动不动就"大检查",一个是城门宾馆,一个就是芭丹奴。为此两家成了城门镇的纳税大户。虽然芭丹奴是按剃头铺、城门宾馆是按小吃店的标准包的税,但比起豆腐店,每年交的钱总要多些。郑科他们下来蹲点之后,还把两家遵纪守法积极纳税的经验加以总结,介绍到全县。

罗兰读书只读到初中二年级就怎么也读不下去了,后来就在社会上读男人这部书。起先还只是寻求原始的欢乐,后来就越来越有了文化,这是她比许多天真女孩幸运的地方。耽于肉欲没有使她堕入风尘,相反,使她获得了教化。男人们在酒桌上和床第间教给了她许多做上等女人的至理名言,比如"男人通过征服世界来征服女人,女人通过征服男人来征服世界"之类。罗兰说的"爱好文学"就是指的对这类格言的爱好。

这类格言使罗兰在两性交往中成为更加主动的一方,也使她的放荡有了理论。没有关系,能办什么事?关系靠什么建立?靠各人的资源,或是权,或是钱,或是血统,或是缘分。女人的资源就是本身。

男人们还教会了她包装自己。有个老板让一位小文人写了一本传记,又由老板本人掏钱印刷出书,目的自然是光大自己。但小文人当时正好同罗兰相好,为了感谢她给了自己写作的激情,他把罗兰署作了作者,并且把作者像印到书上。罗兰的那张相片占了一整面铜版纸,连注明"作者近照"的空白都没有留。比传主本人的照片还要光大——传主只出了一张在大班桌后面吸烟深思的工作照,而且只占了一张纸的三分之一。罗兰那张玉照显见是精心挑选的:眉眼嘴唇都画得分明,怒张的鼻孔比平时收敛得多。穿了一件领口极低的衣裳,不经意会误看做半裸。目光在金丝眼镜后面含情脉脉,嘴唇微启,仿佛在轻轻地告诉别人一个小秘密:她惟不知人间有羞耻二字。

罗兰的心很大。她依靠原始资源获得了原始积累,她的眼光和胸襟也跟她青春勃发的肉欲一样不断膨胀,只不过可供她施展的天地有些局限就是。

郑科这次来,离上次隔了半个月。他主要是烦秦友三。秦友三一去石埠村,罗兰马上就让宋财火给他去了电话。她自己不好打,要提防郑科老婆。

罗兰很急。秦友三他们去了石埠村,镇上是少了碍眼的人。但石埠村是个是非窝,秦友三一去,时间长了只怕会扯出更多的麻烦,这是宋财火事先没有想周到的地方。

郑科说:

"就那两个人,还消在乎?他们连东南西北也搞不清。"

罗兰说:

"他们去了就会搞清的。"

"搞清了怎样?是听政府的,还是听闹事群众的?工作组我是组长,还不先得我说了算。"

罗兰一翻身说:

"我就喜欢你这样。我还要。"

郑科说:

"你会要我的命。"

罗兰格格笑起来:

"男人最喜欢女人说的一句话是'我要',最怕女人说的一句话是'我还要'。我两句话都喜欢说。"

十一

这天晚上到底出事了。

屋里冷得要命。秦友三把所有的衣服都穿上,用被子连头带脚捂着,还是窝不出一丝热气。

这幢公社化时建的生产队仓库,早已像是一件破衣烂衫,什么也遮挡不住。事先已经用木板、谷草和塑料皮尽可能地堵塞了破洞和缺口,但风还是从屋上地下到处钻进来,在屋子里打着旋。大水过后,村盘子上谷草也是极金贵的。秦友三用的这些谷草,还是雷振华求了老宋到没有过水的村盘子上讨来的,一半铺了床,一半塞了洞。

雷振华和曾驼子的意思,是让秦友三、岳卫东就住在曾驼子家。几间破屋还是可以腾出间把来住人的,这样,吃饭起居都好有个照应。但秦友三执意不肯。主要就是吃饭不方便。说是派饭,但让曾驼子收钱等于要他的命。即便交了钱,村民那里也讲不清,会弄得工作组形象不好。反正秦友三老婆死了之后他自己在城里也是做饭做惯了的,先前还要管儿女的吃喝,儿女大了,另立了门户,他就一个人单过。现在到了乡下,只不过换了个环境,生活方式并没有变。至于岳卫东,还不是跟他儿子一样吗。

大家只好依他。

在石埠村住定的当天夜晚,一直拥着被子坐在床上抽闷烟的秦友三,瓮声瓮气地问岳卫东:

"一个电话讲了这么长?"

刚进门的岳卫东一下怔住,半天才反应过来:

"秦老师你盯我就跟盯贼一样,我还有一点隐私权吗?"

"是女朋友吗?"

秦友三又问。

"你太过分了!"

岳卫东暴跳起来。半个多月来的煎熬和怨气终于压抑不住。手脚乱抖了一阵却不晓得朝哪里发泄,一屁股重重地坐在床上,把最外面的一块铺板咔吧一声坐成两截。

"你莫急哟。"

秦友三慢吞吞地又摸出一支烟续上:

"我活了几十岁,也是从年轻时候过来的,哪里就没有干柴烈火过?这些时里苦了你了,小岳。不光是嘴苦,是心苦。心苦比什么都苦。你刚才打电话,我都听见了,谢谢你还真把我当回事。"

石埠村村委会办公室就在隔壁,也是用的先前仓库的房子。电话是从省城打来的,对方居然有本事找到了石埠村这个电话,显见是怎样的急迫。村委会办公室值夜的那个人把岳卫东喊过去,听了没有几句就走了。电话那边是一个大喊大叫地撒着娇的女声,问岳卫东是不是死了,怎么半个月一点声息都没有。岳卫东涨红了脸,结结巴巴,很兴奋。

电话打得很长,乡下的夜里又安静,除了风和偶尔的狗叫,就再也听不到响动。岳卫东打电话的声音就是不想听也止不住往耳朵里钻,何况秦友三想听——他担心是小程从镇上打来的。很快他就听出,岳卫东是在跟一个女孩子通话。他从来没有听岳卫东说话那么柔和,那么软过,几乎是低声下气。电话快打完的时候岳卫东忽然提高了声音:

"算了就算了!我总不能把人家一个老头子一个人丢在这里。"

秦友三马上就意识到,岳卫东说的那个"老头子"就是自己。对方一定是要求岳卫东回去一趟,并且以分手相威胁。

秦友三很感动。他看出岳卫东粗中有细,看起来野,心里聪明,却还没有觉得岳卫东如此有情有义。看来他是老了,对青年开始有了隔膜甚至偏见。

"你回去一趟吧。什么叫爱情?爱情就是受苦受累哟。自古别离最苦、相思最苦,一日不见,如隔三秋哟。"

秦友三咧了咧干嘴唇,想幽默一下,却幽默不了。

岳卫东把两只手从乱得像鸡窝似的头发里抽出来,疑疑惑惑地抬起身子:

"秦老师你不是跟我开玩笑吧?"

"你回去一趟吧。顺便给我带封信去。"

在那封给省作协的头儿写的信里,秦友三希望单位能募集些衣被给石埠村。他晓得这种募集已经好多回了,各家能交的都交得差不多了,本不好意思开口,但先前募集的都是交由上级有关部门组织的统一赈济,这回是他个人的一点特别请求。一是因为石埠村的情况太特别了,二是也给他和岳卫东一点面子,让他们在这里好开展工作。

信写得很简单。石埠村怎样苦法,干群们关系怎样紧张,一句没有提。这些都是岳卫东回去补充的。大家见到岳卫东先前一张血气方刚的脸变得一片晦暗,面黄肌瘦,整个小了一圈,不由哗然。当时就"轰"地起身,各人去家里寻东西。交上来让财务看看还有没有能挤出的款子,去买了几十床军用棉被。又让刊物编辑部卖了多年积存的旧报旧刊,临时买了几斤酒和猪肉,第二天就动身上路。

车子在石埠村老仓库门前的谷场停下,几个人一下车,一齐搂住了秦友三:

"先什么也不讲,把这点酒肉解决了吧。"

炖猪肉的香味引来了村盘子上的好多人,大人看看是工作组的单位来人慰问也就知趣地走开了,只有细伢子馋巴巴地挤满了门窗,任大人们怎么喝叫,只雷打不动。

秦友三干脆把一锅子煮熟的肉连锅端到谷场上,让几个大些的伢子出头领着分吃。自已跟省作协随车来的几个人同村干部商议衣被的分发。

对秦友三和岳卫东的下村,石埠村人起先是反应很冷淡。看人倒不像是整天就只晓得吃喝玩乐的贪官,但老实当什么用? 老实就是没有用。又听讲是清水衙门来的,就更没有望头。百无一用是书生嘛。众人有一句没一句闲聊,聊到三十年前的"文革"。省里的大学也下放过几个教授到石埠村来改造,一个个手无缚鸡之力,挑起圲来,半兜子土,一上午总要跌个十跤八跤。其中自然也有有本事的。有个教授在平地插根筷子,凭着日头影子就晓得几点钟。一说总是八九不离十。但晓得几点钟有何用? 乡下人,天光了就出工,天黑了就归屋,要晓得几点钟做什么。秦友三他们顶多也就有这一类的本事。秦友三和岳卫东去走望各家,有的一口一个命苦,只叹气,懒得细讲什么。也有好心的,挑明了相劝:秦书记(秦友三马上更正:我不是书记,是老秦),那就叫秦老师吧,没有事你们就歇着。我们的事,就是跟你讲了,你也帮不上忙的,何苦惹麻烦。

省作协这次的捐赠和慰问,给了秦友三很及时的支持,虽说相对于石埠村的贫困,这些捐赠只是杯水车薪,但让石埠村人觉得金贵难得的,是秦友三的一片诚心。

只金宝和几个年轻人一点不买账,他们要争的是大是大非,不是小恩小惠。

这是最让秦友三焦心的事。

金宝说:

"就是跑到天边,就是跑断了脚,也要找到一个讲理的地方。"

秦友三说:

"跟我讲是一样的,我是工作组,我会向上面反映。"

金宝说:

"秦老师,不是我小看你,是他们小看你。他们不会把你当回事的。"

秦友三说:

"后生家,千万冷静!国有国法,国法碰不得的。你真要告状,应该去法院;若是反映情况,去党委政府信访办。而且去几个代表就行了,万万莫带一帮人上县、上省去堵党政机关的门。那是要犯法的。"

金宝说:

"法,干部犯得,农民就犯得。干部做得初一,农民就做得十五!"

秦友三说:

"那就把事情闹大了。"

金宝说:

"那也是被逼的!"

秦友三说:

"后生家后生家,千万听我一句话。你们不就是要解决问题吗?我保证让你们的事得到一个圆满解决,要得么?"

金宝说:

"秦老师,你是好人,我们晓得的。我们不会难为你。"

秦友三说:

"那就莫带人上访,要得么?"

　　金宝幽幽地看着秦友三,叹了口气。他说的不难为秦友三,是不指望秦友三在石埠村的事情能帮上什么忙。却没有想过,他组织上访,就是难为了秦友三。如果是这样,那他还是不能不难为秦友三。总不能为了一个局外的好人,丢落石埠村一村人的活路。

　　金宝离开的时候,没有明确答应秦友三的恳求。秦友三晓得他们依旧在做聚集上访的准备,他天天夜里睡觉都再不敢脱衣服。

　　在家里每次买新棉被,都是给日渐成人的儿子女儿添置的。他从家里带来的这床棉被盖了几十年没有换过,被子又薄又硬,像块门板,中间裂了好几道口子。几次想让弹棉匠翻新,事到临头又作罢了。他的日子过得极将就马虎,他这辈子好像始终是在为别人活着,自己则得过且过。这回单位送衣被来,头儿看他的铺盖实在不像话,让他留床新棉被下来,他左右不肯。他就是再冷也不过就一两个月的事,石埠村的人要在这里过一生一世。

　　半夜里下霜了,秦友三觉得寒霜穿过了屋顶、墙壁和那床门板样的被子,直接落到他身上,把他冻成了一团冰。他不停地转动颈子、活动手指和脚趾,证明自己还活着。尽可能地尖起耳朵,倾听着潜伏了危机的夜晚。

　　屋外到底不可避免地响起了慌张的脚步声,然后有一个人猛烈地拍打他的窗子。

　　秦友三一掀被子翻下床,摸着黑跌跌撞撞地扑到门口,打开门,一下就看见了远处坝头上一行黑色的人影和一串火把的亮光,像刀子一样在夜的当胸划开一道血口。

十二

　　石埠村村民跟镇政府的矛盾集中在两个问题上。

　　一个是镇统筹。

　　秦友三从雷振华那里晓得,乡镇一级的统筹指标,居然是按照县里规定必须达到的目标,而不是按照当地实际收入预先确定的。雷振华自己也很困惑和无奈,规定的指标是哪个也不能改,县里也是有目标管理的。

这些基本的目标达不到,一切政绩都无从谈起。

城门镇今年是大灾年,按省里的政策,今年的一切税费都可以告免的。但宋财火把文件一甩:这叫扯卵蛋!上头请客,下头买单,好人哪个不会做。镇财政断了来路,镇上干部都去喝西北风?结果,灾前预定的镇统筹指标不但没有随灾情酌减,反而有所增加。增加的理由是洪水退了以后圩内排涝又用了电。

电是镇上自办的电站发的,成本高,因而电价竟比国家规定的电价高出三四倍。这些费用只有作为生产成本由农民自己来出。

这样高的电价引起了村民的怀疑。因为那个电站是镇上的干部集资办的,其中镇长宋财火和城门宾馆经理罗兰个人出的资最多,也就是两个最大的股东。电站的经营自然他们说了算。一听说要收这样高的电费,村民家家吓得拔了电线,不再用电,依旧用煤油灯。但排涝是生产自救,有规定期限的,镇上派了干部下来督促,不开机不行。开机就要用电,用电就只有用镇电站的电。

火气大的人就说,这是镇上一群黑了心肝的干部合了伙到村民这里来趁火打劫。

罗兰所以在秦友三下村之后火烧眉毛一样找郑科,自然有情分的原因,但主要是害怕村民情绪的膨胀和爆发。

再一个是村提留。

石埠村今秋和明春的日子,只能靠国家救济。在生产恢复且有了收成之前,本无提留可言。但石埠村破圩前,先前的镇党委书记罗光明带着几个干部住村蹲点抗洪,后来水浸了村盘子,他们也就撤回镇上,给石埠村留下了两万多块钱的伙食费。住村时干部们觉得劳苦,罗光明也很体恤,就让每天从各家养鳖的农户和杂货店赊鳖和酒,当时都是由村委会打的白条。结算的时候,村委会账上拿不出,只有作为村提留摊到各户。大家自然不肯。干部下来抗洪是他们应尽的职责,并不是村民请来做客的,凭什么让村民给他们摊吃鳖喝酒的费用。

去找乡政府。乡政府的干部说:你们还讲不讲理?都依了你们,乡政府不要做事了。办电站是为一方造福,如今讲市场规律,你们还以为是吃人民公社冤枉的时候吗?至于村一级的摊派,是村一级的事,怎么找到乡里来了。

后来又写状子,告到县里,告到地区,告到省里。省里下批文到地区,地区转到县里,县里转到乡里:一定要妥善处理。乡里报告:我们已经处理过了。

这样来来回回,一个月过去,一切又回到了原样。

金宝说:

"做干部的有个游戏,叫公文旅行,我们的状子转来转去,说不定根本就没有哪个能做主的领导看过。只有我们自己走一趟。一堆大活人,总比几张纸有分量。"

秦友三问过雷振华的看法。雷振华闪烁其词,只叹气不已:"这地方太穷了。经济一天上不去,这些事一天就少不了,大家都难。村民有村民的道理,镇上有镇上的苦衷。怎么办好,天晓得。"

雷振华送秦友三、岳卫东到石埠村当天就跟老宋回镇上了。

那正是石埠村山雨欲来风满楼的时候。

正在进行着的事情,根本就不可遏止。一个村盘子,只有村长曾驼子是秦友三讲什么听什么的,但他也只能是整天惶惶然地跟在秦友三身边,除了咒骂金宝是曾家的报应,再不晓得如何是好。金宝今夜出门,他生拉硬扯地拖了儿子几步,想想不是办法,赶紧松了手,来找秦友三。

望着那一行似乎执意要烧穿霜夜的火光渐去渐远,秦友三顿脚不已:"我们两个老家伙,在背后硬追是没法子追上那些后生家了。有没有近路可以抄到他们前边去?"

曾驼子说:

"有是有,只是要过河。"

"没有船么?"

"没有,水浅不到齐腰。"

"那就不怕。快走。"

曾驼子事先已经晓得,金宝他们这次去省城上访,为了避开镇上的堵截,决定不走必须穿过镇上的公路,而是从相反的方向去邻县拦车。路上要过的一条河在近处只有一座桥,过了桥他们还要回头往下游走,如果从下游涉水过河,就可以迎头撞上他们。

金宝他们人多势众,意气昂扬,又打着火把。路虽不平,到底是条车道,曾驼子带秦友三抄的是湖汊子,天黑,又不敢打电筒,高一脚低一脚地瞎撞,脚不是陷在泥坑里半天拔不起来,就是让枯死的蒿草荆棘缠住。

秦友三过了五十之后,常常做梦被恶人追赶却总迈不开脚,或是去一个地方,别人都到了,自己却总也到不了。现在他清醒着,而且是格外的清醒,却在重复着梦境。他拼命向前倾着身子,不是曾驼子扯着,每一步,他都有可能扑倒。这样把曾驼子也累得七死八活。他比任何时候都清楚地感觉到钙在自己骨头里的迅速流失,器质性老化的无情来临。这种感觉不久就消失了,人好像腾云驾雾,眼前一片光怪陆离,意识里只剩了一件事:莫停,千万莫停。

过河的时候,曾驼子喊道:

"秦老师莫急,我看看哪里浅些……"

秦友三仍直直地往前扑去,然后就那样直直地栽倒在河里。

曾驼子好不容易把秦友三扯起,两个人浑身都湿过了胸。

"这怎么要得! 这怎么要得! 半夜里到哪里去找衣服换!"

秦友三抓住曾驼子,没有话,只往前推。

金宝和他那些同伙后来在路上停下来。他们的脚前,是一块黑黑的石头,石头旁边是一个僵僵的"大"字。

那块石头是抱头蹲着的曾驼子,那个"大"字是保持着先前的姿势终于撑不住、硬邦邦地往后倒下的秦友三。

十三

那支上访的队伍差一点变成送葬的队伍。

秦友三患的是突发性胃穿孔。进抢救室的时候,他的胸腔和腹腔里已经满是鲜血,嘴里也在不断地往外喷着血沫。

医生是在觉睡得正好的时候被喊醒的,很不耐烦,等看到秦友三,立刻吓得变了脸色:

"你们想害死我吗,半夜三更把这样一个危重病人送我手上。早一些你们做什么去了?"

秦友三在这个城门镇邻县的医院被做了临时性的紧急处理,就被急救车送到省城。

金宝遣散了那支上访的队伍,跟老子曾驼子一起随车送秦友三。

秦友三醒来的时候看见金宝坐在床边,出了口长气:

"我等你,没想到实在站不住。"

金宝说:

"我晓得。"

"没有事吧?"

秦友三搜寻着金宝的脸。

"现在还没有。"

金宝垂下眼睛。

"答应我,以后也莫有,要得么?"

秦友三抖抖索索地伸手。金宝抓住他的手,轻轻地按在床上:

"你在,我答应。工作组走了,你不在,就很难说。"

"要是我帮你们把问题都解决了呢?"

秦友三还是那句老话。

金宝还是不回答。

他不相信秦友三能解决什么问题。就是解决了石埠村那两桩具体官司,镇上县上那帮贪官污吏他解决得了么?解决不了,他们不还要做坏事么。

"报应!"

曾驼子两只浑浊的眼睛狠毒地斜着金宝,不停地在一边咕哝。

秦友三的手在金宝的手掌下动了动:

"我晓得你不相信我。我只求你容我一点时间。"

金宝不想再谈这个话题:

"秦老师,你好生养病吧。"

其实秦友三心里还是有些底数的,只是八字尚没有一撇,不好跟金宝讲明。他托省作协来看他的同事,把他生病住院的事带个口信给市教育局的局长。

"你还有这么个关系?怎么从没有听你讲起过?"

同事很惊讶。

"我也是偶然才想起的，一直也没有联系。"

秦友三说的是实话。

秦友三师范学校毕业，分到市里一所小学当班主任，遇到的头一件麻烦就是班上几个学生打群架。学校决定对为首的一个学生做开除处分，秦友三出面，把这个学生保了下来。理由有三条：一、这个学生是班上的学习尖子，在同学中很有威信；二、这次打架是为一个长期受人欺负的同学出气，虽然不足为训，但还是有正义感的；三、他刚当班主任，请学校给他一个锻炼的机会。学校后来把对那个学生的开除处分改为了留校察看一年，一年以后那个学生被全班同学一致选为班长。三十多年过去，他又成为市教育局局长。

秦友三后来偶尔从电视上看过这个学生，脸模子没有什么大的变化，只是人更高大壮硕了。学生给他打过几次电话，说滴水之恩，当涌泉相报，问恩师有什么事需要他帮忙的尽管说话。

秦友三说：

"你能记得我就足够让我安慰了，我有什么事敢麻烦你？一心做个好官比什么都好。"

学生见他淡漠，也就无话。

秦友三现在想，当初把话说得太绝了。人活一生世，哪个能保得住没有求人的事？

市教育局长倒没有秦友三想象的那么复杂。接完省作协的电话，就马上动身赶到医院来看老师了。

秦友三说：

"我要向你道个歉，我讲过没有事求你的，我讲错了。"

局长很腼腆地一笑：

"秦老师跟我开玩笑。我晓得你自己的事一定不会跟我开口的。省作协的人跟我讲了，你下去救灾了。那个城门镇是我管得到的地方。你要我做什么，只要做得到，我一定做。"

秦友三说：

"那就再好不过。"

秦友三已经听说，教育部门专拨了一笔款子，要发放到灾区，用于被洪水毁损的乡村小学的重建和修复。

局长很痛快地说：

"有这回事。你让他们打个报告来。按规定，一个村小的重建可以拨十五万元。"

秦友三先是眼睛定定地看着学生，涌起一片雾水。然后他猛烈地翻起身来。

局长赶紧扶住：

"秦老师，你要做什么？"

秦友三说：

"我要代石埠村的老老少少给你叩头。"

十四

秦友三先是靠墙立着，渐渐就立不住，身子顺着墙像根煮熟的面条软软地溜了下来。又坚持挺着，还是挺不住，终于一屁股跌坐在地上。

中午，岳卫东一阵风样地冲进秦友三的病房，一路大叫大嚷，把睡得昏昏然的一病室人惊吓得以为什么大难临头了。

秦友三慌慌张张地从枕头底下摸出眼镜戴上，看清了岳卫东劈头盖脸的大汗和风箱一样起伏的胸口，心咯噔一下直往下沉：

"又出事了？"

"完了！"

岳卫东出着粗气。

市教育局的那笔带了帽子拨给城门镇石埠村重建村小的款子，被县里扣住了，理由是从全局考虑，所有到县的拨款、捐款都应该统筹使用。石埠村的人不晓得从哪里得到这个消息，又准备上访请愿。岳卫东连夜从石埠村跑几十里路到县城，总算爬上一辆送煤的便车，赶到省城。临走的时候，他跟石埠村的人许了愿：给他两天时间，他一定问出个结果。没有结果，你们再上访不迟。

秦友三住院第二天，岳卫东就回石埠村了。秦友三倒下，他很没有面子。他本来就觉得离开秦友三回家有些不仗义，秦友三一倒，他更是懊悔不迭，要是自己在，就不至于拖垮秦友三。

"怎么会这样，怎么会这样哩。"

秦友三听了好几遍才总算听明白岳卫东的话，浑身筛糠样地抖着。下床的时候，一只枯瘦的手一把抓住岳卫东，差点栽倒。哪个也拦不住，他扯着岳卫东径直出了医院。

班车在快到县城的时候抛锚了。如今的班车都是私人在跑。车子买来时差不多就是快报废的，又几乎不做保养，只要能动就只管跑，跑烂了算数。秦友三让岳卫东搀着，跑一阵，歇一阵，总算挨进县城，天已经黑了，机关都下了班。打听了好几个地方，才搞清，原来今晚有个什么艺术团到县里来做慰问灾区的演出，县里的头头脑脑、机关单位的干部都去县剧院看演出了。就又寻到剧院来。一进剧院的门厅，秦友三就再也挪不动脚了。

岳卫东把秦友三扶到一个角落立住——整个门厅，连张凳子也找不到。秦友三推他：

"你快些，去找一下县里管事的。"

铺着仿大理石地砖的地面冰凉，很快就凉透了秦友三全身。他像个蹲在路边的乞丐一样尽量把两个膝盖抱紧在胸口，不知为什么，心里涌起一股莫名的悲凉。

下乡救灾，他们是从省城直接到城门镇的，没有进县城。但县城里的这个剧院，他在城门镇时听人讲起过，说是县里的人民大会堂。剧院盖得确是堂皇讲究，差不多是依省城那个最大剧院的葫芦画的瓢，只是规模略小些。剧院外面是一个大广场，大得怕人。因为一个县城的人口毕竟有限，感觉上比省城的广场还开阔。广场的草坪种的都是进口的草。先前有些树，因为觉得树种不理想，都砍掉了，改种了塑料的棕榈，空心里面都装了灯，到夜晚，通体透明，杆子是通红的，叶子是通绿的。更有无数的西洋造型的路灯把整个空空如也的广场照得一片惨白，如同白昼，让人心里乱乱的，甚至有些恐怖。

秦友三不解，一个连国家公务人员、教师工资都不能按时足额发放，动不动就从农民身上打主意，却又并不缺乏青山绿水和人文特色的县，何以也要这样铺张喧嚣地模仿大都市,不伦不类地"亮化"和"广场化"?

镇上的干部满脸嘲讽,笑道:"秦书记看来真是老了,思想封闭、观念保守。什么叫开放意识? 什么叫超前意识? 什么叫大气魄、大手笔? 这不就是吗。"刻薄些的则说:"秦书记到底是一介书生,不知方外之事。也难怪,官有十条路,九条人不知。当官的不搞工程,到哪里去抠红包?"

雷振华受过高等教育,有一次秦友三跟他说起这些疑惑,他的讲法倒比较负责任。他觉得关键在强调政绩。政绩有两种,一种是老百姓认的,一种是上级认的。老百姓认的上级不认,不光不成其为政绩,说不定还会惹祸。只有上级认的政绩,才是算数的政绩。有了算数的政绩,你才能被提拔,被重用。什么是上级认的政绩? 就是做出了让上级欢喜的事。什么是上级欢喜的事? 就是能让上级被提拔、被重用的事。反正有了政绩上去了,欠下的债自有后人还。

雷振华说这些的时候,脸上没有表情。秦友三很惊异他年纪轻轻的,怎会对这种连他都激动难平的事这样冷静世故,雷振华说:"不管怎样,抓政绩,总是在做事,总比花钱买官高尚些。"

观众厅里又响起一阵洪水决圩样的掌声、欢呼声,大约是又一个当红的歌星出来了。秦友三艺术上比较迟钝,觉得听起来顺耳的都是些五六十年代的老歌。流行歌曲不管怎样整天的满街轰响,他就是记不住,永远也弄不清那些声嘶力竭的歌星在唱些什么。关于这些歌星的轶事,因为编辑部的几个人喜欢讲,他倒是耳闻不少,谁谁是拿自己当名片结交有钱有势的男人,然后靠他们的器官把她推上成功的顶峰;谁谁唱的歌跟报纸的社论一样。长得虽然不怎样,大款们却喜欢拿跟这些似乎不可侵犯的女人上床打赌,价码一位数一位数地往上加,没有搞不掂的,云云。有些歌星说起来贱(其实这些说法怕主要是出于俗人对名人的妒嫉),倒是蛮能鼓舞人,唱到哪里哪里轰动。比方现在,里面那个歌星唱的那支歌,内容似乎是今日老百姓怎样怎样高兴,唱得极甜美,极婉转,像蜜汁在流。底下的人也听得如醉如痴,如疯如狂,真是高兴得手足无处放。但秦友三怎么听怎么觉得不合时宜。如果有可能,他真想进去提个建议,告诉晚会的主持人,至少此地此时,有许多人暂且还高兴不起来,还是到什么山上唱什么歌的好。转念又觉得自己可笑:你高兴不起来,就晓得别人也高兴不起来？让不高兴的人忘掉不高兴转而高兴起来,不正是艺术的功用吗?

秦友三想着,头越益沉重起来。有人推他的肩,他抬起头,看见岳卫东,旁边是罗光明。他挣了几下,没有挣起来,罗光明连忙去扶:

"秦老师,你怎么坐在这里? 快进去。"

秦友三说:

"不不,我从不看戏的。我来办事。"

罗光明说:

"那就去县宾馆。"

秦友三说:

"罗书记莫忙。我想见你们书记、县长。"

罗光明说:

"秦老师,实在对不起,他们在陪艺术团领导。"

秦友三说:

"我等就是。"

罗光明说:

"哪天晓得要等到什么时候。演出完了,他们还要座谈,还要宵夜。"

秦友三说:

"总有完的时候。"

罗光明说:

"秦老师,不瞒你讲,他们已经委托我了。你要讲的事我们已经晓得了。县里的做法也是万不得已。现在做工作,什么都是一票否决。让种树你的乌纱帽就挂在树上。比方眼面前,这剧院,还有外面的广场,都是形象工程。上上下下、左邻右舍都搞了,我们不搞吗? 搞又没有财力。到现在工钱、材料费都欠着。今年又是大灾,大家就是指望着灾后上面的拨款补财政的缺口,说不定把坏事变成好事。但到手的钱能留住几个?光是这些一帮又一帮的慰问演出就应付不了。讲是不要演出费,但是吃住县里不要负担么? 还莫讲蝗虫样的各路记者,一个也怠慢不得。这些人潮一拨一拨地跟着来,洪峰一样,县里等于又遭了一次大水……"

秦友三说:

"罗书记,请恕我打断你的话,你也是在石埠村蹲过点的。我求你也为他们想一想。他们要出了事,我想你心里也不好过的。"

罗光明说:

"秦老师,你一番苦心,我哪里不懂。我来做工作吧。"

秦友三说:

"我今天就要有明确结果。"

罗光明说:

"秦老师,你放心,我一定让你满意。我以党性担保。"

旁边的岳卫东一声冷笑。

罗光明瞥了岳卫东一眼,又说:

"我以人格担保。"

"担保不担保都无所谓,只求你们……"

秦友三说了一半,说不下去,两行清泪汩汩地在弯弯曲曲的皱纹里迂回。

罗光明说:

"秦老师,你和小岳先去宾馆休息。明早我派车送你回省城医院。"

秦友三说:

"要是可以派车,就麻烦送我去石埠村。我要在那边一直等到县里把钱转到村子的账上。"

罗光明看着岳卫东。岳卫东说:

"秦老师跟我不会在县里住宾馆的。除非县里不肯转钱,到时我会跟石埠村的村民到县里来住。"

"我是怕委屈了你们,也担心秦老师的身体。"

罗光明无可奈何地叹了口气。

十五

岳卫东从被窝里探出头来,立刻闻到一股凛冽清新带一丝甘甜的气息。看看窗户的板缝,几片宝蓝色的光,刀锋一样直插进来。

"下雪了!"

岳卫东欢叫着,一下从铺上跳起。

　　屋子里很热乎，一大盆子焦炭火还熊熊地亮着。岳卫东穿着背心短裤，随手抓起棉袄往身上一裹，就去开门。

　　好大的雪。昨夜金宝他们走时，天上地下还黑黑的。不知什么时候开始飘落的这场雪，到早上完完全全地遮盖了整个石埠村、村外的田、地和湖洲，以及湖对岸的山。晶莹浑厚的雪遮盖了一切却没有填平一切。依稀可以辨认连绵起伏的坡坎，高低错落的屋舍、树丛，弓起的青石桥和蜿蜒的微微扭动的湖沿。到处泛着又像童话又像梦幻的又透明又迷茫、又耀眼又温柔的洁白，在这样的雪下面，人们尽管有叹息但也有炉火。堆雪的屋顶上，炊烟在升。烟囱附近，雪在消融。在这样的雪下面，生命和希望在涌动，孕育自己的青春。

　　是一场好雪。石埠村先前只种一季稻谷，灾后生产自救抢种了冬小麦和油菜，明年就会有一茬春收。麦和油菜都已经出土了。有了这场雪，洪水过后难免的干旱和疫情就会缓解了，预备到来年肆虐的病虫害就会得到抑制了，为了这些所必须付出的代价就会减少到最低限度。这场大雪是石埠村得到的又一笔意外的莫大援助。

　　雪是大自然对农民的恩赐啊。

　　岳卫东回头进屋的时候才发现门口又堆了东西：一竹篮鲜菜，红白萝卜、葱、蒜、芽白，一瓦罐猪肉炖鳖，还有一小坛家酿的水酒。

　　石埠村人说，一回生，二回熟。秦友三、岳卫东这回再来石埠村，大家再没有把他们当外人。当天就有好几家人竞相来请他们到自己屋里去吃住。秦友三自然是感动，还是再三婉谢。此后就天天有人送菜，生的熟的都有。有一家儿子在煤矿开车的，拉了半车上好的焦炭，让工作组烧饭取暖。秦友三跟村长曾驼子说，所有这些他都要作价交钱。曾驼子说，作了价交给哪个？他们不肯认账的。秦友三说，那就村里把钱收下，日后派作公用。曾驼子在上级干部面前一向唯唯诺诺，这回动了气，觉得秦友三太不近人情，事情做得这样绝，一样会伤人的。秦友三左右为难，只好请曾驼子帮着做工作，送菜可以，莫要太多，更莫送荤的，那一样会让他不得安生，让他在石埠村待不住。

　　但今天，不晓得是哪一家，又破了例规。

　　"既然送了，先拿进来吧。"

屋里的秦友三已经在铺上坐起。这些日子,因为心情好,身子恢复得也顺。

"我晓得他们的意思,今日村小上梁,该当喝酒的。"

也许是炭火照的,秦友三苍黑的脸上有红晕泛起。

"难怪!"

岳卫东快活地拨弄炭火,火苗一下蹿得老高。

重建的村小已经现出雏形,是一长排平房。墙已砌起,只等着一上梁便盖顶,在一大片空空的雪地上,显得格外醒目,有点像恐龙的骨架,很精神。

一村盘子人差不多都到了,远远近近的雪地上满是杂沓的脚印。青壮年都派了工,稳稳当当地站在各自的位置上,等着号令。老人和妇女弓了背或笼了手,也都静静地张望着。最吵的是细伢子,在大人丛里钻进钻出,追逐打闹,大呼小叫。

乡下规矩,一家做屋,家家都要出人帮工,这是世代传承的义务。做屋、结亲、送殡,这是乡村日子的三大高潮,均不能敷衍的。做屋有许多仪式:奠基、挖墙脚、立门方、上梁、盖瓦都要喝彩。比方上梁,掌墨的师傅及其助手,一人肩着梁木的一头,各从两边山墙预先靠好的梯子往上爬。每爬一级,就喊一声"满堂红啊"、"步步高啊"之类,底下所有的人就跟着呼应一声"好啊"。每喝一道彩,屋主就给每个人分块米粑或是馒头。倘若抬梁的不慎让梁压得脖子转了筋,喊起来"梁压了颈啊",底下的人因为没有抬头,不晓得出了情况,仍只管一片发喊:"好啊!"那蒙受了痛苦的人自然很气,便喊:"我操你娘啊!"底下则仍是一片震天动地的"好啊"不误。喜庆的时候,人总很粗心。

村小重建,等于是一村盘子家家做屋,哪个肯怠慢!

今日村小上梁,领彩的是村长曾驼子。

一向萎萎缩缩的曾驼子好像重投了一次胎,忽然换了个人,让人眼睛一亮。他的背好像比平时直了许多,穿了一身儿子金宝从部队带回的军装。军装显然大了,袖口和裤脚都挽了又挽,但罩在冬衣上却是合适的。一张总是愁苦不堪的脸舒展开来,柔和而光鲜。秦友三觉得有些不可思议,怎样也想象不到一个看起来就是苦难化身的人的内心世界,原来也蕴藏了这样动人的光彩。石埠村人几十年一直拥戴这个人做村长,不是没有道理的。

　　抬中梁的两个人中,有一个是金宝。他不停地在雪地上跺着脚,不是冷,是发急。他那个大眼睛的女儿很骄傲地站在老子身边,两团小脸冻得通红,上面糊满了米粑的渣子。

　　曾驼子看看时辰到了,举起手,龇开一口零落的黄牙:

　　　　敲起锣来!
　　　　(好啊!)
　　　　天上金鸡叫,
　　　　地下凤凰啼,
　　　　八仙云里过,
　　　　正是上梁时啊!
　　　　(好啊!)

　　呼应的人都倚墙站在两边。中间横着那根梁。领彩的曾驼子站在梁下,操纵着众多的嘴巴,抬头喊一声,低头听一声。

　　然后依次是以酒祭梁:

　　　　酒祭梁头,儿孙封侯。
　　　　酒祭梁肚,富贵发户。
　　　　酒祭梁尾,顺风顺水啊!
　　　　(好啊!)
　　　　……

　　又以鸡血祭梁:

　　　　手提金鸡是凤凰,
　　　　生得头高尾又长,
　　　　头高能载千担种,

尾长能载万担粮啊!

(好啊!)

……

最后是给梁木扎红绸绣球:

手捧绣球仙桃样,

红绸织造在天上,

天上仙女多乖巧,

织得红绸缠正梁啊!

(好啊!)

……

整个仪式十分冗长,又单一繁复。那冗长、单一、繁复里面,有一种庄严和虔诚。

快中午,哪个也没有想到,镇长宋财火来了。他事先没有跟石埠村任何人打招呼。他坐的那辆破吉普轰轰地出现的时候,上梁的仪式已完成,只人还没有散。镇长的突然出现,让先前有些忘乎所以的气氛一下变得尴尬。大家不晓得镇长为何而来。

宋财火是来祝贺石埠村村小重建的。跳下车,他拱手抱拳,一再向众人道歉:

“来晚了,来晚了,实在对不住! 路不好,车子也烂,又下了雪……”

石埠村村民倒并没有怎样关心他的解释,听了跟没听一样,纷纷从他身边走散。

宋财火没有计较村民的冷淡,依旧兴致勃勃地走到秦友三面前,把秦友三一只冰冷干枯的手合抱在自己暖洋洋的掌心里:

“老秦啊,我是特意来看你的。你是积了大德啊!”

宋财火是真心诚意的。秦友三从市里讨来的那笔款子由县里转到石埠村账上之后,他说服曾驼子、村干部和金宝他们,把镇上要收的那笔电费如数交给了镇政府,又扣下两万块报销罗光明他们留下的伙食费。

这一来,村小重建计划里的篮球场就只有作罢。

"以后我回去,还会想办法,这个篮球场,就算我先欠你们的。另外,专款本该专用的,现在这样用,以后上面来查,出了事,我承担责任,不与你们相干。"

看看半条命的秦友三说话上气不接下气的样子,石埠村人就是再有什么话,也不忍心开口了。

宋财火中午在秦友三屋里吃的饭(村小上梁,按乡俗要合村办乡亲酒的。秦友三劝阻了,说灾年,还是省俭的好)。进了屋,他粗声大气地喊了声"嗬,好热!"看看那一炉旺旺的焦炭火,满地成堆的烟头,又说:"这里人气很旺啊。"那一瓦罐猪肉炖鳖和一坛子水酒,正好饱了他和司机老宋的口福。这让他很感慨:"难怪两位要到下面来住,还是下面享福啊。"

宋财火来还有一件事,就是为了表示郑重,亲自来向秦友三和岳卫东报告镇党委的一个决定:推荐几位在城门镇救灾的干部——这其中包括了秦友三和岳卫东——为这次全省救灾工作结束时将要表彰的先进个人。

十六

秦友三没有想到,雷振华会专程到石埠村来送他和岳卫东。

头天,镇政府办公室的刘主任打过电话,说镇上打算派车来接秦友三他们到县城去开会。听秦友三说省作协会来车直接到石埠村,刘主任再三说"何必哩,何必哩,该当我们接的",然后就放了电话。

雷振华却来了,且是步行来的。

秦友三为石埠村村小争取到重建拨款,在城门镇引起很大的反响。大家一下子把他讲得很神,讲他原是极有来头的,几十年前当老师,而今桃李满天下,许多人任了要职,成了社会栋梁。省里的组织部长、市里管文教的书记都是他的学生,连省委一把手的儿子,都是他学生的学生。看他不哼不哈,原是个通天人物,在省里市里县里只怕不开口,开了口没有办不成的事。先前大家都瞎了狗眼。

雷振华对这些传闻竟也深信不疑。代表镇政府来出席石埠村村小重建奠基的那天,他留下来在石埠村住了一夜,跟秦友三做了一次推心置腹的深谈。

雷振华说:

在基层工作就是干耗。耗尽了年华,耗干了心血,好不容易耗到个有权没权的一官半职,人就老了。

在基层能做什么事? 且莫说大丈夫累己累人,真君子多友多敌,千万张关系网,重重叠叠,靠自己你永远爬不出去。像他这种没有背景又不晓得跟帮的人,没有有力的人来提携,仕途上就等于判了死刑。下派了一两年,他也观察了一两年,看透了也想清了,靠做事是做不出头的。仕途上要出头,只有走捷径。

他也晓得如今当官很危险,做什么都有人猜疑。但大家还是一个个如飞蛾扑火,前仆后继,为什么? 因为中国人讲的就是不可一日无权。天底下有什么善恶是非? 只有夺到权力和无能夺到权力的人。这样讲也许很无耻,可有的人为了权力放弃了人格尊严,跟娼妓有什么区别? 要讲不同,只是出卖身体的部位不同,一个卖肉,一个卖灵。有些人甚至比娼妓更贱。镇上的芭丹奴有只外地来的鸡,很傲气,干事的时候一边自顾自嗑瓜子,听电话,任嫖客在她身上瞎忙,她骨子里其实并没有交出自己。而一个交出了灵魂的人,剩下的是什么呢? 一具可怜的空壳而已。

空壳子就空壳子吧,空壳子毕竟是人看得见、摸得着的存在形式。没有物质的存在形式,谈灵魂有什么用?

雷振华说着,从手包里抽出一只厚厚的信封:

"这里是一万块钱,不是贪来的,是我积攒的。我晓得秦老师不会要钱,这点钱也只够点眼药。要靠的还是秦老师本身的影响。秦老师你只管讲我卑鄙,我确实高尚不起来。卑鄙是卑鄙者的通行证,高尚是高尚者的墓志铭啊。"

秦友三一直没有答腔。他惊讶地看着雷振华那张越来越惨白的脸,像看着一个怪物。

"官为什么不能买?"

雷振华接着说:

"好人买了官可以做好官办好事,不强似坏人买了官做坏官办坏事吗?"

"不正当的手段就一定会有不正当的目的。买了官就不是好官了。"秦友三总算反应过来。

"秦老师,你这话,我不敢苟同。世界上没有一尘不染的事业,这是列宁说的。你只怕犯了逻辑错误呢。"

雷振华马上就反驳,他原是深思熟虑过的。

秦友三又给呛住了。也许自己的逻辑真是错了,而今许多事,先前以为正常的成了不正常,不正常的成了正常,这类颠倒还少吗? 只是自己没有跟着倒立,才把什么都看成反的了。但他已经活到这把年纪,新潮肯定是跟不上了。大半生的经历凝固起来的原则,哪里是说丢掉就能丢掉的。丢掉一只跟惯了脚的破鞋子,也还要犹豫再三呢。自从操了编杂志的生涯,他就一天到晚埋在了稿堆里,基本上不读书不看报,家里也没有电视。他又做老子又做娘,即便有电视也没有看的时间。单位开会,领导传达文件,他也仍是看稿。许多流行的术语、套话,他都听得目瞪口呆,莫名其妙。差不多所有人都觉得那些话早已老掉牙了,他还觉得新鲜得闻所未闻。他是一个被信息社会忘记的人,整个精神世界都留在了似乎已经遥远的历史里面,在现实生活中恍若隔世。他无法跟雷振华这一类受过当代高等教育具备所谓现代意识的青年干部对话。他没有相应的理论和经验去证明是对还是错。在雷振华面前他其实是个无知者。他对雷振华甚至有几分恐惧。镇上明春换届,宋财火肯定要退了,镇上也就空出书记镇长两个正职,雷振华想争取就地转正。已经有消息证实雷振华进入候选人名单,宋财火也是取力荐的姿态。现在就看几个候选人哪个的关系更硬扎。雷振华热望秦友三能在他这人生的重要当口起关键的作用。雷振华这样丝毫不加掩饰地讲出自己的内心欲求,把一种赤裸裸的势利变成可以头头是道地加以表述的理直气壮的哲学,这使秦友三觉得不寒而栗。

秦友三当时摆摆手,把一阵一阵发冷的身子缩进被窝,说:

"我累了。我要睡觉。"

就仰了脸,闭上眼睛,忽而又睁开,抬起身子:

"莫忘记把钱拿走。"

雷振华走的时候一定很沮丧、很难堪,秦友三事后觉得自己多少有些

失礼,问岳卫东:

"雷镇长走的时候,我真是累得很,你有没有帮我送一送?"

岳卫东说:

"送他个卵!我看这世上的人,都疯了。特别是当官的!"

秦友三愈加觉得不过意,心里一直放不下。暗自希望有机会能够宽慰一下雷振华。毕竟是年轻人,求上进总是不错的。惟愿他心想事成。

雷振华却主动来了。他是来送秦老师,也是来跟秦老师告别。他在大学里的专业是育种,不久前他上大学时的校长退了休,在海南办了一家育种公司,来信问他有没有兴趣加盟。他答应了。他觉得还是回头去搞专业的好。

秦友三抓住雷振华的手,连连摇着:

"这就好,这就好。"

两个人都没有再提那天晚上的事。

十七

全省救灾工作总结表彰大会是分片区开的,城门镇所在的县城剧院是一个分会场。

秦友三和岳卫东到得早,会场上还很空,许多人还在路上。

几天前镇上已经开了总结欢送会。照例办了送行酒席,秦友三也照例没有上桌,带着岳卫东仍回了石埠村。连着几天,他们那间屋子都挤满了人。两个多月的日子,过起来就好像是两个时辰。众人念起秦友三和岳卫东初来时受的冷落以及后来为石埠村村民吃的苦,唏嘘不已,却不晓得该怎样表白,只一股劲往他们这里送东西,鸡、蛋、腌肉、水酒、鳖,甚至薯干、咸菜、豆腐乳。秦友三并不推辞,一一收下。事先已经交待岳卫东做个记录。临行前的那个夜晚,秦友三向一屋子人请求说,今天就算告别了。明天你们千万莫再送,我怕我经不得那样的场面。众人噙着眼泪,说,我们听秦老师的。第二天天刚亮,秦友三就叫醒岳卫东和昨天从省城来接他们的单位司机(他挤在岳卫东床上)上路了。他们除了身上的衣服,把自己带来的所有行李,跟石埠村村民这些时送的东西,都留在了屋里。

谷场和仓库在村盘子的外围,离村盘子隔着一片水田。村盘子还模糊着,寂然无声。汽车的发动声引起了那边的几声狗叫,就再没有动静了。车子上路以后,司机说:

"这里的人还真是实在,说不送就真的不送了。昨天夜里还那样难舍难分,要死要活的呢。"

岳卫东说:

"他们是怕秦老师难过,吃不消。"

司机也就不再说什么。

因为镇上已经欢送过了,再说镇上要参加会的头头脑脑,还有郑科小程他们已经住在县城里了,秦友三他们也就没有在镇上停留,直接到了县城。

岳卫东很快就感觉到有什么地方不对头。他发现观众厅的前排安排了受表彰的先进单位代表和个人的席位,但自从宋财火那次向他们讲的镇党委的决定,直到现在也没有人正式跟他们联系,通知他们获得了什么荣誉。后来他看见郑科和小程胸口上戴着一大朵红花坐到前排去了,就对秦友三说:

"好像没有我们什么戏。"

秦友三说:

"等等看,或许具体办事的人没有找到我们。"

岳卫东马上站起来:

"我去找他们。"

秦友三一把扯住:

"莫去。有,跑不掉的。没有,去了又怎样?莫非去讨?"

秦友三听见自己的心腾腾地跳起来。他晓得,事情发生了变化。本来,这种例行的表彰,主持者并不是要求太高的,反正是一种名义上的鼓励,多多益善。只要不犯什么大原则,有人提,都会榜上有名的。上了榜又拿下来,不会没有缘故。

大会宣读的表彰名单里,果然没有省作协的秦友三和岳卫东。

岳卫东恨恨地说:

"肯定是那两个流氓做的鬼。"

岳卫东怀疑郑科和小程在背后坏他们是有根据的。

秦友三争取到那笔教育拨款,在城门镇引起轰动,他们眼红得要命,觉得是秦友三抹了他们的面子,故意贬低他们。四处扬言要盯住这笔钱的开支,说这笔钱来路不正,去路肯定也正不了。此外还有更恶毒的话,说秦友三暗中支持石埠村村民聚集上访。当时他们两个风头正劲,工作组还没有结束,单位就已经决定,主要根据他们在救灾工作中的表现,郑科跳过正科提为县国税局副局长,小程接替郑科空出的职位提为科长(也跳过了副科),还同时入了党。这些消息岳卫东听了很不屑,刚下来时,他跟小程厮混过,那是因为无聊。他从心里看不起小程。他也算在江湖上走过,一个人有义无义,他心里是有数的。

"黑了天了!"

岳卫东骂道。想想,郑科和小程转眼就是陌路人,这辈子跟他们再也八竿子打不到边,就转而埋怨秦友三:

"那笔钱,确是不该那样用的。"

从那笔钱里支付宋财火一伙人收的电费和罗光明的吃喝费,岳卫东当时就很有意见,说秦友三拿姐夫的鸡巴不当肉,用国家的钱助长腐败,纵容恶人作恶。讲是怕干部群众对立闹事,其实就是不辨是非,明哲保身,还是自私。

秦友三低头听着,好久才说:

"小岳你是对的。但你我能力有限,安邦定国,除暴安良的事,哪里是你我做得了的。非不欲为,是不能为啊。这回下乡救灾,算是社会放了一点责任在你我肩上。我们能让这一个村盘子破财消灾,得享平安,就是万幸的了,夫复何求啊。再说了,莫看宋镇长他们好像很不像话,他们其实也不易啊。这个县连城门镇在内的好多乡镇,干部们有半年没有拿到全工资了。他们也有家小的,日子怎样过? 书记、镇长还有七站八所供养,其他干部呢? 心术不正的,难免就打馊主意,穷刮地皮。在一个贫瘠地方,又有多少地皮好刮? 宋镇长他们私人集资办电站,还不为的是给自己日后的日子留条后路。讲起来,宋镇长还算仁义,晓得关心干部。镇上一请客,他就把干部都叫拢。一个当头的,能有这点悲悯心肠就该说是相当可以了。还有罗光明他们,白吃白喝,一抹嘴走人,说起来是气人,但比起城里那些只操心气功减肥降血脂的官员,他们风里来,雨里去,天天滚在泥水里,连这点好处都没有,心里能平衡么? 我能把他们怎样呢? 若是有人举报我瞎办,我是认账的,是违规了啊。"

秦友三说着,抬起头,直直地看着岳卫东的眼睛:

"还有一件事,我住院的时候,县公安局派人调查,问我病倒的那天是不是金宝正组织人上访。我说不是,他们是送我上邻县医院急救,因为那个医院离石埠村近。我做了伪证。"

岳卫东问:

"你现在后悔了?"

秦友三很细的脖子上显得很大的喉结艰难地抽动了一下:

"我做什么后悔。石埠村村民的要求是正当的,没有一点过分的地方。金宝是个硬气后生,明大义,有主见。这样的人社会不容是社会的悲哀。"

岳卫东说:

"秦老师,我看错你了。你是个男人。"

秦友三苦笑道:

"莫非你先前以为我是女人?"

救灾工作组的工作结束之前,市教育局那个当局长的秦友三的学生,曾经来过一个电话,问了一下那笔钱的到账情况,就没有再说什么。但秦友三感觉到他有更多的话没有讲出来。那回县公安局向他调查的人走的时候也是满脸狐疑。这两件事结下的阴影一下没有消散。

这预感在总结表彰会上最终应验了。

岳卫东说:

"这个会与我们不相干,我们还坐在这里做什么,不成了傻 B。"

不由分说,站起就走。

秦友三想想,也跟着站起。快步追上岳卫东,叮嘱说:

"回去,你我还是要高高兴兴。这里的事就在这里了,莫把情绪带到单位去。以后有什么事,让他们只管找我,于你无碍。我回去就办退休。下来前领导有交待的,不要给单位惹事。一是莫生病,二是莫违规。我恰恰都没有做到。我这回住院,欠的费用可以自己慢慢还,不拖累单位。只是这一错,不但辜负了领导,也显出这个单位干部政治素质差,给单位抹了黑,一个本来就没有地位的社团,今后的日子只怕要更不好过了。我哪里还有脸向单位提要求,那个副高职称要不要也无所谓。一辈子都穷过来了,儿女也都大了,不靠加那几块钱。你不比我,你今后的路还长,要好生走。"

岳卫东说:

"谢谢你,秦老师。我也要离开单位了。上次回去,几个朋友策划了一下,还是劝我出来开车,跑的士。将来搞好了,开个车行。你以后要用车,只管找我。"

说着,给了秦友三一张名片。

原来连名片都印好了,秦友三由衷地赞叹:

"还是年轻好啊。"

一老一少都开心起来。

走出剧院,眼睛忽然给光亮刺得睁不开。

是个大晴天。没有风。天极蓝,阳光亮堂堂地照着,无边无沿,无遮无拦。

广场上却出事了。许多神情紧张的警察在跑,许多闲人在围观。

岳卫东一眼就看到了人堆里的那个横幅:

石埠村全体村民来送省作家秦友三岳卫东

果真是一村盘子人差不多都来了。老老少少几百号人拥在广场的一角,黑压压一片。前面的几个人跟维持广场秩序的警察推推搡搡,似乎是起了争执。

"快、快些!"

秦友三死催着岳卫东向那群人跑去。但他其实是被岳卫东挟持着,跑得跌跌撞撞。

ZHANGZHE

■ 张　者,男,原名张波,1967 年 10 月
29 日出生,祖籍河南,曾就读于西南师
范大学中文系,北京大学法学院,获法
律学硕士学位。曾任多家新闻单位记
者,现为《南方周末》驻京记者。先后在
《收获》、《人民文学》、《十月》、《大家》等
文学刊物发表作品,有长篇小说《桃
李》,长篇经济访谈录《谏录》,中篇小说
集《朝着鲜花去》等。

消　灭

张　者

一

　　师哥，今年都三十八岁了还是一个未婚青年。师哥老孟是我们老板的法学博士，标准的老博士。这一点和他同宿舍的雷文就不能比了。雷文人家才二十五岁，也是博士，而且专业不比老孟差，是经济学博士，无论是法学还是经济学都是热门专业。

　　年龄像一把利器将老孟和雷文严格地区分开来。三十八岁的老博士和二十五岁的小博士这其中的高下明眼人一见就知道了。在校内老博士是吃不开的，若有同学在理论上发生了争执，一个就会骂：傻叉，傻得像老博士似的。另一个还嘴：我操，你比老博士还傻。

　　这些校骂在校内十分流行，不过你千万别让老孟听到了，他听到了会冲学弟们嚷：谁傻，你们说谁傻，你们才傻呢！小学弟见状一定会逃之夭夭，然后争议的双方会在阴暗的角落里讲和，捂着嘴笑。说，我靠，真碰到老博士了。

　　雷文当着孟师哥的面是绝对不会有任何不尊重的言语的，不过年龄那把利器却实实在在地握在雷文手中，只要雷文一挥手，老孟必输无疑。可是，老孟又是一个不服输不服老的人，要不老孟就不会在三十八岁上还在读博士了。老孟也拿年龄这把利器和雷文抗衡。老孟便倚老卖老地在雷文面前充大哥。老孟说，大哥我毕竟比你多喝几年稀饭，过的桥比你走的路还多，在社会上摸爬滚打了这么多年，很多事比你有经验，你从幼儿园到博士没有一天离开过学校，不知江湖的险恶，这回你就听我的没错。

老孟说这番话是在他和雷文逛旧货市场的时候。应该说老孟和雷文开始相处得还不错的,要不两个大男人不会一起逛街。两人在宿舍就商量好了,为看世界杯外围赛在旧货市场上合伙买一台旧电视机。两人都是中国队的铁杆球迷,这次亚洲十强赛中国队能不能冲出亚洲走向世界,能不能拿到日韩世界杯的入场券,已成了他们最重要的研究课题,也是他们最放心不下的事。

在旧货市场上雷文一眼就看上了一台八成新的平面直角的 21 英寸的长虹彩电,要价才 200 元,就像白送一样。可是老孟却看上了一台八成旧的老式 18 英寸的牡丹,要价也是 200 元。两个人在旧货市场发生了争执。

雷文认为老孟有病,都是 200 元怎么会买牡丹而不买长虹呢! 为此老孟便有了以上的那番话。老孟不要那 21 英寸的八成新的长虹彩电有他的道理。首先,老孟看那卖电视者不顺眼,贼眉鼠眼的。老孟认为那电视来路不正,老孟向那人要发票,那人说要啥发票呀又不能报销,没有。雷文也说,就是,又不报销要发票干什么?

老孟把雷文拉到一边说,这电视有可能是偷的,他在销赃呢! 雷文说,这不关我们的事,又不是我们偷的,我们掏钱买的。老孟说,我是学法律的,你知不知道我们这种行为在法律上叫什么? 叫不当得利。

什么、什么? 雷文不解。

老孟说,按我国《民法通则》第九十二条规定,没有合法根据,取得利益并造成他人损失,即构成不当得利。受害人有权请求受益人返还不当得利,受益人有返还不当得利的义务。

雷文说,你拉倒吧。即便是偷的失主也不可能找我们,不当得利是贼而不是我们。

老孟说,贼反而不是不当得利者,贼属于侵权行为,如果情节严重还可能构成犯罪,盗窃罪。我们才是不当得利者,这种不当得利是基于第三人的行为而产生的不当得利。所以失主可以直接找到我们返还。到那时如果我们又拿不出取得物品的合法根据,那我们就要返还所得物。我们只有找贼退钱,若找不到贼那我们就亏了。

雷文说,等到失主真找到了我们,电视机已发挥完效率了,也就是说我们花 200 元也值了，就当租用的吧。雷文想用他经济学那一套说服老孟。雷文说，如果失主真找到了我们，那电视也可以扔垃圾箱了，如果失主要求返还那就返还呗。

老孟说，如果我们明知电视机没有合法根据，其返还利益的范围应是受益人取得利益时的数额，即使该利益在返还时已经减少甚至不复存在，返还义务也不免除。之所以如此，是因为受益人明知其取得利益没有合法根据，却仍然置受害人的合法利益于不顾，这在法律上属于恶意。法律在这里专门惩戒那些占小便宜的人，所谓占小便宜吃大亏就是这个道理。

雷文冷笑了一下说，电视机是我们花 200 元买的，到时大不了还失主 200 元吧。

老孟说，返还的时候就不是 200 元了。这个长虹按正常价至少值 1000 元，我们花 200 元就买了，我们至少有 800 元的不当得利，等我们把电视看报废了，那么我们消耗了 1000 元而不是 200 元，如果返还就应是受益人取得利益时的数额，也就是要返还 1000 元。

雷文想骂，你这研究的是什么狗屁法律，忍了忍没有吭声。雷文觉得老孟无法理喻，买一个破电视机搞出了这么多说法，真他妈的是傻博士，书呆子。雷文想那失主怎么会找到我们呢，即使找到我们又怎么证明这电视就是他丢的呢，同样牌子的电视有的是。不过雷文觉得这些说服力都不强，如果在理论上说服不了老孟，在具体事件上较劲儿没有意义。

无论孟博士还是雷博士都认为，要消灭一个人的行为，首先要消灭他的理论；要消灭一个人的思想，就要消灭他的肉体。肉体不存在了他就没办法和你论争了。两人在同一宿舍经常性地论争，有时候连饭都吃不好，为此，他们便痛苦地总结出了这套结束论争的方式。

其实，老孟的说法也只是一家之言，关于第三者是否构成不当得利，在法律上也还没有一个定论，争论还在继续。不过，雷文是经济学博士，法律不是他强项，在一些法律问题上研究得就没有老孟那般透彻了。最后，雷文只有依了老孟，雷文痛苦地认为在自己和老孟的论争史上这是最黑暗的一天。为此雷文后来对那台旧电视一直没有好感。

卖牡丹电视机的是一个老太太，也许她听到了老孟向那卖长虹的要发票，便把发票从怀里掏出来，在风中抖着，说我有发票，原价 2500 元，现价 250 元,一折优惠。你回去还可以报销。老太太以为老孟为了报销才要发票的。

雷文在一边极为生气,刚才老太太还开价 200 元,转眼要 250 元了。雷文坚决不干,不买了。老太太见状连忙说 200 元就 200 元吧,我这是跳楼价,就算我吃点亏吧。老太太开始啰嗦,卖给你们我放心,一看就知道你们是知识分子,爱惜东西,我对这电视有感情了,要不是儿子媳妇孝顺又买了一台新的,我说啥也不舍得卖呀!这电视质量那个好呀,我看了十几年没坏过……

连老孟也嫌老太太啰嗦了,把那发黄的发票拿过来,在太阳底下映着看,像验一张百元大钞。发票是十几年前的,可想这电视机的确有些年头了。老孟把发票上的编号和电视机上的编号细致对了对,见无误也无涂改之嫌,这才放心。在付钱时老孟硬让老太太写了一张卖旧电视的证明。老太太说不会写字,不愿写。老孟说那我写,你按手印。

老太太在按手印时望望老孟说,我咋觉得这么别扭,卖个旧电视像杨白劳卖闺女似的。雷文在一边冷眼旁观,一脸的不悦,最后只能苦笑。当老孟把旧电视放在自行车后座,推着走时,那个卖长虹的在后头恨恨地骂:傻 B。

老孟肯定听到了,不过装没听到。雷文乐坏了,算是解了心头之恨。

二

电视买回来后师哥老孟把我们都叫去了。那天在老孟房间看电视的总有十几个人吧。十几个人在老孟房间看电视,这种情况在后来并不多见,除了看足球谁他妈的去看电视,面对的又是老孟那台老掉牙的牡丹。大家对电视节目并不感兴趣,电视剧被同学们称之为"电屎剧";新闻吧又都是会议简报;娱乐节目是一群假模假式的家伙出题考另一群自以为是的傻子;还有就是把大人当幼稚园的小朋友哄让成人玩一些少儿的游戏——电视上除了球赛也没有什么好看的了。不过,球赛能看的并不多,甲 A 已让人提不起兴趣,甲 B 把全国人民当傻 B,踢假球。最多能看看德甲、英超之类的。

　　除了看球赛外,十几人在老孟宿舍看电视只有过一次,那就是看《大话西游》。那一次的直接后果导致了整层楼展开了一次关于文学与电视的大讨论,这也是少有的现象,因为楼上住的没一个是中文系和艺术系的,专业为经济、法律、数学、化学、国际政治的同学。

　　当时十几个人看那《大话西游》哈哈大笑。看完了,老孟说无聊,这是对文学名著的亵渎。

　　雷文说,能让大家快乐就行。

　　这样争论便拉开序幕。这次争论的直接后果是电视被暂时封存了。关于文学与电视论争和其他论争一样最后也不可能有什么结果。后来学术论争变成了争吵。老孟说,下次再看这种垃圾片我就关机。雷文说,这电视也有我一份,你关机还要看我同不同意。这样从艺术争论变成了权利的争夺。不过后来两人还是达成了妥协,电视除了球赛和电视招聘广告外一律不看。球赛当然不能不看,否则买旧电视干什么,电视招聘广告也不能不看,因为两个人都是博士,已把书读到头了,不找工作是不行的。

　　本科生可以赖着不找工作读研,研究生也可以赖着不去找工作去考博,博士生就必须找工作了,一辈子的书都读完了。

　　为了严格执行看电视的协议,老孟拔掉了开关,雷文拔掉了选台盘。那旧电视无论是电源开关还是选台盘都是手动的,只有两个人都同意了才能开电视。通常情况是这样的,老孟说咱看会电视吧,把开关从锁着的抽屉里拿了出来,打开电视。雷文把选台盘也拿出来,开始选台。两人互相配合,缺谁也不成。后来我们几个都准备了一个尖嘴钳,用尖嘴钳夹着不但能打开电源,而且也可以选台。再后来连老孟和雷文都买了尖嘴钳,因为不用尖嘴钳不行了,开关已被尖嘴钳扭滑丝了。

　　最先使用尖嘴钳的是师妹甄珠。那天师妹急着到老孟宿舍看一个大型招聘会的直播,老孟不在。雷文拿出选台盘说,我只有一半权利,没办法了。师妹一急便到商店买了一个尖嘴钳,把电视打开了。老孟回来见电视机开着,大吃一惊,正待发作,见是师妹只有作罢。况且又是招聘会的直播也就跟着看了。

　　用尖嘴钳篡夺师哥老孟的开关权,只有师妹敢带头。因为师妹和老孟的关系不一般。据老孟说师妹正追他,而我们在师妹处却得到了相反的说法。

把师妹许配给师哥最初是老板的动议。老板有一次曾对我和师兄说,你看孟同学都三十八岁了也没个女朋友,你们当师弟的就不知为他张罗一下。

我们说,没有合适的。

老板又说,你看甄同学年龄也不小了吧,虽然是你们的师妹,年龄却比你们大,二十八的大姑娘了还整天疯疯癫癫的。你们也应当关心一下吧。

当时我和师兄很感动,老板对他的弟子就像父母一样。父母只有养育之恩,而导师却有再造之恩呀!从老板处回来我们一合计,便笑了。老板这是让我们为师哥和师妹牵线搭桥呢!虽然老板没有明说,但他的意思是明摆着的。于是,我们就开始拿师哥和师妹说事儿。开始我们对师哥说,甄珠师妹一直在我们面前夸你好,你用什么贿赂了师妹,要知道师妹是不轻易夸一个人的。在师妹眼里天下男人都不是好东西。你居然成了师妹眼中惟一的好东西了,真不容易呀。然后,我们又对师妹说,你给师哥老孟下了什么迷药,他怎么整天在我们面前夸你呀!要知道在师兄眼里天下女人都是水性杨花的祸水,你成了他心中惟一的贞女了。

听了我们的这些谣言,两个人都露出了得意和害羞的神情。不过,两个人的害羞不太一样,师妹照常把腰扭几扭,像个少女似的。她嗔责地瞪我们一眼,面现桃红,用食指点了一下师兄的太阳穴说,去!师兄你真坏。

老孟脸一红,眼睁多大。羞过了却跟在我们身后不离左右,给我们说这说那的。其实我们知道他说的都是废话,想把话题往师妹身上引。我们装着不知,不理他。半天之后他急了,会唐突地问,师妹在哪说的?原话里怎么说的?当时还有谁在场?怎么一个表情?师哥的问号串起来像一个铁锁链,那链子一下便捆住了他的手脚。这样一来他就会老实一些,再不会和你争论什么了,你说什么,他就会应和什么。这时你可以报过去的一箭之仇,你过去和他争论的问题,这时都可以搬出来,你可以任意发挥自己的观点,老孟这时成了一个最没有主见的人。不仅这样,平常最小气的铁公鸡也会拔下最美丽的羽毛献给你。要是和他一起去打饭,他会给你买一个鸡腿,硬塞进碗里。他才不管你喜不喜欢鸡腿呢。

　　师哥和师妹再见面的时候,两个人的感觉就不对了。平常像二小子似的甄珠师妹会穿上真正的女装,搽一种怪颜色的唇膏。师哥会拿出他压箱底的只有在招聘会上才穿的衣服,西装领带的。

　　大家见面基本都是在师哥老孟宿舍。因为人家博士生两个人一个宿舍,人少。这事在我们硕士楼就不行了,人多嘴杂,干不成事。去老孟宿舍是为了看亚洲十强赛。师兄、师弟、师妹我们都去。开赛前师哥和师妹成了我们的主要娱乐节目。有一次我们甚至一个一个地溜出去,看他们单独在一起的状态。雷文这时候不太懂事,我们怎么向他打手势他都不理。后来我们把雷文叫出去说明情况,没想到雷文说,你们师妹和老孟不合适。老孟大人家十来岁呢!像甄珠师妹这么优秀的女孩找什么样的不行。我们说,你别师妹、师妹地叫,我们又不是一个老板,不存在兄妹关系。她可比你大,是你师姐的年龄。

　　雷文说,大怎么了,常言说女大三,抱金砖。

　　啊!

　　我们目瞪口呆,难道雷文看上甄珠师妹了?

　　这一下就热闹了,师哥碰上了劲敌。最后我们商定保持中立,停止撮合师哥和师妹,让他们三个自由组合。反正师妹和师哥都是老大难,解决一个算一个。不一定非得让师哥和师妹好,同一个专业的算是近亲繁殖。最关键的是小博士雷文是一个不错的小伙子,如果成了我们妹夫,那是一桩美事。如果师哥和师妹成了,我们夹在中间都难办,不知是该叫师哥妹夫呢,还是该唤妹妹嫂子?无论是师哥还是师妹其角色的转换都让人别扭。

<h2 style="text-align:center">三</h2>

　　找工作要赶早,无论是硕士还是博士。二年级的时候就开始找工作,往往是签了合同再准备论文,有的合同一签就上班,先过门,婆家需要呗。这样算是实习,毕业后一切都熟了。

　　我们一般不和师哥一起去找工作。他是博士,有自己的点。这样雷博士和孟博士便成了当然的伴儿。不过老孟和雷文结伴去找工作只有一次,后来再没去过,因为老孟和雷文去找工作伤了自尊心。老孟认为和雷文那次去找工作是他最黑暗的一天。那天两个博士心情不错地在招聘会上逛。在一个招聘点两人都停了下来,那个点打着惹人的广告,说专招博士,年薪十万。专业要计算机、法律、经济学。两人见很合适便填了表。

招聘者见了雷文眼睛一下就亮了,验了雷文的学生证就让到一边恳谈席上了。可是见了老孟却又递了一张招聘须知。老孟看也没看就说,我和那位是一起来的,也是博士。我是法学,他是经济学。那人望望老孟,有些不情愿地让老孟出示证件。老孟理直气壮地把学生证递了上去。结果人家看了看学生证又递给了老孟,用笔尖点了点招聘须知的第三条第二款说,请看看这一条写的是什么。老孟一见之下脸便热了,上面写着要三十五岁以下的。老孟三十八岁了,已过了线。老孟的心被刺痛了,可望望那人又不好发作,便悻悻然而去。

临走时瞟了雷文一眼,见雷文和恳谈席上的负责人谈得正热烈,见老孟走了还得意地挥了挥手。老孟在心中愤然骂了一句,小人得志。老孟无目标地在招聘会上又转了一圈,面若冷霜,心如刀割,后悔和雷文那厮一起来招聘会。正走着雷文迎面赶来了,说你怎么走了,那个负责人要和你谈谈呢!

老孟说,有什么好谈的,我对他们公司不感兴趣。

雷文说,我已给人家说了,我们是一起的,如果不要你,我也不去。

老孟一听此话,火一下就蹿上来了,说,我好像是卖不出去的,还要搭上你卖,去他妈的,别说年薪十万,就是二十万我也不去了。

雷文太了解老孟了,知道这一刀正戳在老孟的软肋上,心中极为受用。雷文在脸上却表现得很愤怒,说这种狗眼看人低的公司我也不去了。

招聘会后,老孟几天都没回过劲来。坏心情使老孟成了一个刺猬,连师妹也被刺了一下。师妹又不知老孟的心情不好,这天照例去老孟宿舍玩儿。本来师妹是去找老孟的,但老孟正在床上装睡,不想搭理人。师妹来了老孟还有意打了几个鼾,表示睡了,让师妹走。师妹却不走,便和雷文聊起天来。师妹怕吵了师哥,和雷文聊天的声音有些小,这样在师哥听来,师妹和雷文聊天就有点窃窃私语的味道了。

据师妹后来对我们说,那天她和雷文聊的是什么已忘了,好像开始是亚洲十强赛。中国队对阿曼队,客场。当时他们看的是北京台,那主持人特别讨厌,好像比谁都能耐,说米卢的不是。师妹是米卢的崇拜者,就是听不得谁说米卢的坏话。所以在聊到这一节时,师妹骂了一句粗话。这样老孟躺在床上终于忍不住了,突然跳起来说,你们还让不让我睡觉。

师哥此话一出便把师妹推到了雷文一边。师妹眼泪一下便出来了。后来在雷文的示意下两个人走出了宿舍,在走廊里继续说话。雷文说,别理他,他最近心情不好。雷文便告诉了师妹招聘会上的事。雷文告诉师妹这事是有些恶毒的,这完全是变相提醒师妹老孟的年龄,一个年龄大得连工作都不好找的人,怎能成为终身依靠呢。当时师妹还在气头上,便说,有什么好生气的,现在招聘年龄都限制在三十五岁以下。男人过了三十五,如果在社会上还没找到自己的位置就等于废品,博士也一样。

雷文特别爱听师妹这话,不过脸上却不表现出来,还指责师妹不能这样说,这会伤老孟的自尊心。师妹是一个有口无心、大而化之的人,再加上在气头上,没有她不敢说的话。

没想到此话却被上厕所的老孟听到了。当时雷文和师妹在走廊的转角处,并没有发现老孟,而老孟却听到了俩人的对话。老孟听到师妹如此说,那个气呀就别提了。老孟气是气只能先闷着,无法申辩也不好反驳,因为老孟怕背一个偷听人家说悄悄话的罪名。

后来师妹再到老孟宿舍就说不清是找谁了。师妹那一阶段去老孟宿舍谁在和谁聊。师妹碰到老孟或雷文单独在的概率基本持平,碰到两人都在有三次,碰到两人都不在有两次。师妹碰到雷文时,两个人便侃足球,一对男女球迷侃得云山雾罩的,好不快活。碰到老孟时,老孟曾向师妹道过歉。师哥的道歉导致了师妹的反道歉。两个人搞得彬彬有礼的,反而有些生分了。

其实师妹向老孟道歉是真诚的,师妹说那天是我们俩不对,打扰你了,下次不了。师妹越真诚越客气老孟心中越不是滋味,师妹的真诚和客气只能证明她的心离师哥老孟远了。你想如果两个人好上了,还客气什么,该打打该骂骂的,动手动脚的事时有发生。

四

总有一个星期吧，老孟终于从招聘的失败中解脱出来。也就是说老孟终于找到了为自己年龄辩护的理论。一周多来，老孟心中窝了一团火，这团火不是针对那家公司的。老孟觉得那公司去不去都无所谓，关键是自己被雷文用软刀子捅了一刀。雷文从来没说年龄比老孟小十三岁就有优势，就优秀些。可是在招聘会上事实胜于雄辩，我雷文的年龄优势是明摆着的。老孟觉得胸口挨了一刀却说不出疼来。老孟一闭上眼便能看到雷文那得意洋洋的娃娃脸。关键是雷文在老孟心情不好的一周内一直很内敛，连看足球也不旁若无人地大喊大叫了。雷文越是这样老孟越觉得他是得了便宜还卖乖，更不用说这一周内师妹甄珠和雷文的关系逐渐密切了，这种密切的关系正向着老孟忧虑的方向发展。不过，老孟担忧的是他们关系太密切了，会影响自己和师妹今后的恋爱。老孟压根儿就没想到师妹会和雷文好。老孟认为师妹和雷文不可能好上，因为师妹比雷文大三岁。雷文肯定不愿找一个比自己大三岁的女朋友；师妹也不会找一个比自己小三岁的乳臭未干的毛孩子做男朋友。

为了使自己的年龄成为一种优势，或者说为了证明年龄大比年龄小更优越，老孟意外地在一本经济学书中找到了一套理论。老孟看到这套理论后心花怒放。老孟想你雷文不是学经济学的吗？我这一次用你的武器攻击你。

老孟看的那本书叫《经济与快乐》。书是好书，是一位华裔澳籍经济学家写的。这位经济学家言简意赅地说出了经济学的另外一个本质，那就是快乐。书中强调经济效益、经济政策怎么对人民更有利也就是为人民谋福利。福利是什么？福利就是快乐！如果只讲产量，不讲福利，人们就不会快乐。老孟看到这里便乐了，老孟觉得这经济学家把经济和快乐联系在一起挺有趣的。更让老孟快乐的是一段关于生命价格的论证。

这位经济学家在谈到人生价值时，说人的生命可以用金钱来衡量。老孟看到这里大吃一惊，觉得这个经济学家的确够有经济头脑的。书中还说人的生命越老越值钱，生命之价值随着年龄的增加而增加，到六十岁为顶点。

老孟读到这里大惑不解,在心中反驳。生命怎么用金钱来衡量呢?你的命值多少钱,我买了,然后杀之,你干吗?

经济学家仿佛听到了老孟心中的不服,说,世界上不允许也没有人进行杀人交易。非法雇人谋杀除外,这不是经济学研究的范围。因此我们不必去估计到底花去多少钱你愿意死这种意义下的生命价值。但是,我们可以估计到花多少钱去避免死这个意义下的生命价值。比方应花多少钱避免交通意外死亡,减少因疾病而导致死亡等——这些是我们在开支中必须面对的。而这些问题最后必须用金钱来衡量。对每一个人而言,你最多愿意花多少钱去买一家安全记录略高的航空公司去旅行,这种行为正是反映你本人对自己生命价值的估计。

老孟边看边想,觉得经济学书也挺有趣。而对一个纯经济学家,一个经济主义者,你必须用一个经济的脑子,否则无法跟上他的思路。

经济学家接下来算了一笔账。开始用数字证明。如果你最多只愿意花一百元,去避免万一出现的意外死亡,那就用 100 除以 0.01%,就等于 100 万元。也就是你对自己生命价值的估价。而在中国的航空公司其保险只卖 20 元,无论男女老幼其生命只值 20 万元。如果每一个航空公司让每一个人自由选择保险金额,那么每个人的生命价值就不一样了。如果把保险分为 20 元、40 元、60 元、80 元、100 元不等,这位经济学家通过调查发现,越年轻买保险越少,有些年轻人甚至不买保险,越是年老买保险越多。

经济学家在最后得出一个结论:生命的金钱价值是随着一个人年龄的增加而增加的,也就是说人越老越值钱。

这位经济学家在最后说,人越老越值钱,可能和老年人想得更周全、更稳重有关。对于年轻人来说万一出现的事故总是忽略不计的,所以不愿花更多的钱去预防万一。而老人却是把万一放在嘴边的,所以老人愿意花更多的钱去预防万一。

老孟看到这里不得不由衷地佩服这位经济学家了。关键是这个结论一扫老孟心中的阴影,使自己的大龄有了优势。年龄越大越值钱,也就是说我老孟的生命比你雷文的生命值钱。为此,老孟不由又骂了一阵那些有年龄界限的招聘单位,他妈的傻叉,你招一个大龄员工肯定比招一个小龄的员工值钱。如此多招几个大龄员工,固定资产不就大大增加了嘛。

老孟看到这里心情非常舒畅地把书放到了雷文枕边。这书是雷文的,他刚拿回来还没看呢。老孟先看了,老孟希望雷文尽快看这书。

关键是老孟只看到了书的一部分,他只看到了人的生命之金钱价值是随着年龄的增加而增加的。书中后一章又分析了人的生命之效用价值是随着年龄的减少而减少的。对于一个招聘单位来说,人家关心的是人的效用价值,这个人招进来如何能最大化地发挥其生命效用价值,而不是把人招进来保值。保值是个人的事,一个人发挥效用价值才是用人单位的事。一个人发挥的效用价值比一个人的保值价值高得多。这就像有人把钱存在银行里只挣利息,而有人拿钱去投资。虽然投资有风险,但投资所得肯定比存在银行里收益大得多。即使是将钱存在银行里,银行还是用此款拿来借给那些敢于冒险的投资人。从终极意义上来说钱最后还是用来投资了。

所以,在老孟和雷文关于年龄的论争中,最后老孟一败涂地。老孟真傻,他放着自己的优势法律专业不用,却和雷文论争什么经济学问题,不败下阵来才怪呢。

雷文占了上风,不知道暗地里没事偷着乐了多少回。据老孟说,雷文连睡觉说梦话都是这个内容。夜里老孟失眠,雷文便在梦中说,越老越值钱,越老越值钱……嘻嘻……只知其一,不知其二,只知其一,不知其二。

老孟听得清楚,快气疯了。后来老孟起身在雷文鼻子里挤了半袋牙膏才解气。

老孟为什么不总结一下那次买旧电视时胜利的经验呢。从这个意义上说,老孟对那部旧电视更有感情。因为那部旧电视记录了老孟曾有过的辉煌。同样,那部旧电视和成千上万台各种各样牌子的电视机一样,也记录了中国足球队的辉煌。

五

中国队对阿曼队,无论是平是赢中国队都会提前两轮"入世"。结果现在天下皆知,最后中国队将一比零的比分一直保持到终场。当终场的哨子吹响时,全中国都沸腾了,天安门广场人山人海。我们几个更是把师哥老孟的宿舍闹得底朝天。

这时,雷文提出上天安门,第一个响应的是师妹甄珠。这时老孟却表现得相当克制,他表示反对。后来想想老孟反对最大的原因是提此建议者是雷文。如果换一个人说不定老孟也跟着去了。那天老孟没去,雷文和师妹甄珠却真的去了。他们首先在校园内闹腾了一下,然后带着几百个更为年轻的学弟学妹搭着 TAXI 上了天安门。

雷文和师妹在天安门的人潮中欢呼。在欢呼中雷文那小子不知是一时激动还是早有预谋,在金水桥边热烈地吻了师妹。这个吻对师妹来说太突然了,师妹最开始简直没有反应过来。当被雷文紧紧拥抱着吻得透不过气来的师妹,终于感受到幸福之降临后,不知咋搞的哇的一下哭了。雷文当时慌了手脚,还以为师妹气哭了,连忙哄。可是越哄师妹哭得越凶,雷文急了搂着师妹大喊。

我向中国足球队保证,永远爱你!

师妹不哭了,定定地望着雷文,望着人山人海的广场,觉得自己是世界上最幸福的人。

师妹后来对师姐说,她当时脑子里一下就闪现出了二战胜利时,巴黎街头庆祝胜利中那位一身硝烟的士兵和那位美丽少女的著名之吻。

师姐柳条说,你们的吻肯定也会载入史册。师姐柳条还说,我已在电视上看到了你们的吻。看吧,你们的吻不久将在各个电视台轮番播出,会出现在各个报纸的头版头条,各个杂志的封面。

对于师姐的说法,师妹甄珠深信不疑,要不她不会三天内都不敢去老孟宿舍看电视,不敢去报刊亭买报刊。她一个人躲在图书馆法律文献室内一直不露面,害得雷文四处寻找。

师姐说她在电视上看到了雷文和师妹之吻,完全是添油加醋的无稽之谈。如果真是那样,老孟不会看不到。老孟那天晚上守候在电视机旁一直到雷文凌晨三点归来。如果老孟看到了雷文和师妹热吻的镜头,老孟不会在师妹和雷文都好了一月之久了才知晓。

这种事情往往当局者迷,雷文和师妹好了之后,没有任何人去告诉老孟,大家也不敢去告诉老孟,因为我们一直认为告诉老孟这个事实简直是太残酷了。

老孟发现雷文和师妹甄珠好上了是在一个月之后。那天中午老孟从图书馆回来,当他打开宿舍门时,见雷文和甄珠师妹站在屋子当中搂在一起热吻。老孟懵懵懂懂地站在门前发愣,两人却目中无人地当着老孟的面多吻了一会儿才分开。老孟眼睁睁看着两人吻完了,拿碗的拿碗,提温水瓶的提温水瓶,双双出门去打饭。在临出门时两人都没和老孟打个招呼,把老孟晾在那里。

老孟发现这个事后的第一个反应是来找我们。他跑得上气不接下气地上了我们五楼。当时,师兄王莞、师弟李雨和我正吃饭。师哥老孟来了很神秘地关上了门。老孟说,我发现了一个大秘密。我们三个便抬起头吃惊地望着他,等待他揭秘。

老孟说,师妹甄珠和雷文那小子有不正当男女关系。

此话一出,师弟李雨笑得把饭喷得老远。我和师兄互相望望也笑起来。老孟见李雨如此反应,就又重复了一句,说,真的,是我亲眼看到的。我们三个都哈哈大笑起来。

接下来老孟的表述更搞笑。他说,甄珠这种女人我是不能要了。无论她再怎么追我,我也不能答应她了。没想到她作风如此不正派,居然背着我和雷文偷情。这还了得,我还没和她好呢,她就这样,如果我真和她好了,将来结婚了,我岂不是要戴绿帽子?

老孟这番话极为严肃认真,我们三个哭笑不得。

师兄王莞说,既然这个师妹作风这么不正派,那就不值得你去爱,让她去害雷文去。

老孟说,对! 说过了扬长而去。

老孟走后,我们再也没吃下饭,笑得肚子疼。后来我们平静下来对这件事进行了讨论。原本我们都认为这件事不太好处理,对师哥老孟打击太大。老孟现在的师妹,未来的女朋友,将来的老婆眼睁睁被雷文抢走了,他如何服气,如何能咽得下这口气,如何能经受住这般打击。老孟自尊心太强,我们甚至还担心老孟不要因此弄出什么事来。现在看来担心都是多余的。一件我们认为最难处理的事结果以最简单的方式解决了。

我们由衷地佩服老孟,他真是大智若愚呀。

我们没想到的是老孟从我们处离开直接去女生宿舍找了师姐柳条。老孟将同样的话向师姐柳条说了。

这些话不知道通过什么渠道传到了雷文耳朵里。这导致了雷文和老孟的新一轮论争。不过,这次争论是间接的,论争的双方也没正面接触。因为这个话题如果正面论争就显得庸俗了。你想,如果两个大男人互相指着对方的鼻子说,她是我挑剩的,你捡的是破烂;另一个说,你没本事,是我抢的。这像什么话,和泼妇骂大街有什么两样。两人不当面说,都找我们阐述自己的观点。那些天,我们像电视里大专辩论赛的评委似的,听他们正反两方的观点。两个人的观点概括如下:

师哥老孟:甄珠是我挑剩下的,让雷文那厮去捡吧。

雷文:他老孟没本事,近水楼台他也没得月,甄珠让我挖走了,他活该。

我们的评议:都有道理。

师姐认为,你们都是大男人主义者,把我们女同胞当什么了。男人都不是什么好东西,为什么不说我们甄珠师妹挑了他们。师姐指着我们说,还有你们几个,把这一切当成茶余饭后的谈资,还有一点师兄的样子吗?还有一点兄妹之情意吗?你们和那些市井村妇有什么两样?

我们本来想说又不是我们让他们来的,是他们自己要来的,可是面对有女权主义倾向的师姐,我们不敢还嘴。

这次论争的结果和以往没什么区别,不了了之。论争结束的时间是在师哥老孟认识了一位叫姚旋的小姐之后。

师哥老孟有了姚旋便不屑讨论甄珠师妹了,事实胜过雄辩。自从师哥老孟认识了姚旋小姐之后,老孟的嘴里就多了一句话:姚旋下周要来。

老孟时常会在看电视时告诉我们,因为那时候人多。老孟在宿舍挥舞着一再挥舞着一张粉红色的信笺,告诉我们姚旋可能到来的日子。老孟说到姚旋是有些炫耀的成分的。因为姚旋我们都见过,的确是个美女。而且这个美女还有些小资情调,放着电话不打,却用粉红色的信笺给老孟写信。

六

姚旋是谁？姚旋首先是老孟的女朋友。姚旋同时又是一个外企公司的业务主管。

姚旋来我们学校找一个叫王愿的女生玩儿，在舞厅跳舞时被师兄王莞发现了。师兄王莞和她们跳了一晚上的舞，然后还请她们去酒吧喝酒。去酒吧是由我和老孟作陪，没想到姚旋和老孟一见钟情。师兄王莞是情场老手了都没沾上边，为此他后悔那天让老孟出来泡吧。

老孟这一次撞了大运。他不仅收获了一位白领丽人，关键是还找到了工作。在姚旋这位业务主管的推荐下，老孟迅速和这家外企达成了口头协议，年薪十五万元而且每年递增。我曾小心地在私下问老孟，师哥，他们没嫌你的年龄？老孟大度地说，他们认为我这个年龄正是发挥作用的时候。谈到年龄老孟居然如此豁达，这在过去是没有的，简直是判若两人。

老孟悄悄对我说，这个公司不嫌他的年龄，姚旋也不嫌他的年龄，他比姚旋大了十三岁。

哦，我说。这大得不整整一轮嘛！

师兄说，他们公司的老总比太太大二十四呢，那是整整两轮。人家两轮都可以，我这一轮有什么不可以的。

我说，看样子这个公司干什么都没有年龄界限呀。

姚旋第一次来看老孟是开着车来的。不过，姚旋自己不开，有专门的驾驶员。那驾驶员穿的是工作服，很敬业。他不但给姚旋开车，还给姚旋提包。

师妹甄珠说，那驾驶员看起来精明能干，年轻，长得也帅，可惜只是一个驾驶员，否则配姚旋挺合适。师妹说这话有些指桑骂槐的意思，言外之意是说老孟和姚旋不配，鲜花插在牛粪上。不过，没有谁太在意。因为大家都被姚旋的隆重到来吸引了。

姚旋第一次来看老孟没有任何预兆，连老孟自己也不知道。当时我们几个正在老孟宿舍看意甲，有人在楼下拼命按喇叭。师哥还骂了一句，这是哪个傻叉，不知道在校园内禁止鸣号吗？这时老孟的电话就响了。王莞刚好在电话机旁顺手就拿起了听筒。

喂，谁？

一位小姐的声音便十分好听地在王莞耳边响起。

喂，你好，孟朝阳在吗？

王莞的声音一下就弱了，答，孟朝阳在，你请等。

王莞喊，老孟，快电中有话，是一位美女。

老孟说，扯淡，哪有美女找我。

王莞说，快点，你接不接，你不接我挂了。

老孟不情愿地挤过来拿起听筒。老孟只喂了一声就再不会说话了，有些激动。老孟说，我的确不知道是你在楼下按喇叭。你，你要上来……好吧，不过我宿舍有些乱。

老孟放下电话，大喊快帮我收拾一下房间，姚旋来了。王莞和我都见过姚旋，也吃了一惊。王莞盯着老孟问，姚旋难道专程来看你？

是呀，是呀！老孟不无骄傲地说。

王莞说，我操，你他妈的走桃花运了。

老孟说，别乱说，她主要是在为我找工作。

说着说着，姚旋就敲门了。我们几个连忙把电视关了，都站了起来。老孟打开门，姚旋像一道彩霞出现在门口，让人眼前一亮。

我们大家都张着嘴现陋相。

姚旋走进来使整个宿舍蓬荜生辉。姚旋见我们都站在那发愣，笑了，说你们在干啥？

王莞说，没干啥，我们又见面了。

姚旋说，我来看看朝阳。姚旋说着含情脉脉地望了老孟一眼。我们都被朝阳的称呼电了一下，全身都麻。我们平常只喊老孟，早忘了老孟的大名叫孟朝阳了。

这时，我们发现门前还有一个人。姚旋仿佛忘了他，轻描淡写地向大家介绍，这是我的司机，小苏。又对小苏说，你就别进来了，这屋里的不是博士就是硕士，没有你容身的地方。你还是回车上等我吧。小苏冲大家笑笑，说各位老师好。然后把包送给了姚旋，我是为你送包的。姚旋接过包向小苏点了点头,把门关上了。

我们望着姚旋,完全被她的风度镇住了。我们不由想起了老板的秘书梦欣。梦欣和她一样漂亮,可就没有她大气。也许年龄要小一点的原因,梦欣给我们的感觉是小女孩。姚旋就不同了,姚旋人家是外企的业务主管,这和一个律师事务所的合伙人秘书不能同日而语。最关键的是梦欣一直被我们老板以及他的弟子们特别是师姐之类的同龄女性压住的。而姚旋人家一直独当一面,手底下有几十个人,连司机都配了的。

姚旋那天在老孟宿舍没坐一会儿就走了,姚旋走之前柔声对老孟说,别忘了后天到公司去,我都给我们老总说好了。

老孟不好意思地说,不会忘的,不会的。

姚旋上下打量一下老孟说,这样吧,明天我来接你,我们一起上街给你买几套衣服。看你,堂堂一个名牌大学的法学博士,实在是邋遢。将来我可不准你这样不注重外表。

老孟低着头,羞着。像一个小学生似的。而我们几个心里像打碎了五味瓶,啥滋味都有。这老孟前世烧了什么高香,被姚旋女士看上了。真是傻人有傻福,傻博士有艳福。

姚旋那天短暂的访问,对于老孟来说意义深远,影响长久。常言说人生有两大喜事,一是金榜题名时,二是洞房花烛夜。金榜题名就不必说了,老孟是博士,相当于过去的状元了,而且已找到比较满意的工作。如今这洞房花烛夜也不远了。

姚旋的到来一扫老孟心中长久聚积的郁闷,过去的一切挫折都是无关紧要的,在和雷文的竞争中老孟可以长长地吁口气了。春风得意的老孟在那段日子明显地年轻了,连年龄小老孟十三岁的雷文也感觉不到了两人的年龄差距了。走在校园里的林阴道上老孟时常会一蹦三跳地去摘树叶,要不然就是骑着破自行车双手丢把,在往常这都是老孟深恶痛绝的。雷文明显地嫉妒老孟了,雷文说这是老孟老不正经,老孟听到了也不火,还很得意。

雷文和甄珠一次到我们宿舍玩儿,他们一不留神便暴露了心态。雷文说,他(指老孟)找一个美女回家做老婆能守得住吗? 讨老婆还是要找丑女,放心。雷文这酸溜溜的话有些吃不到葡萄说葡萄酸的意思。雷文的言外之意就是说我们师妹甄珠丑。

师妹当时就不干了,质问雷文你是不是嫌我丑?

雷文说,怎么会嫌你丑呢!你是我心中的美女。

师妹又问,是心中的美女,那是不是现实中的丑女?

雷文说,你不但是我心中的美女,也是现实中的美女。

师妹又问,既然你认为讨老婆还是讨丑女,那我又是美女,你是不是不准备娶我当老婆?

雷文这下知道了师妹的厉害。我们这个师妹我们都领教过,今后有雷文吃的苦头。在那段时间,雷文整天被师妹弄得焦头烂额。

七

老孟一走就一个星期没回来。一周后我们见到了另一个老孟,一身的名牌。足登耐克鞋,下身是 TIYE 牛仔裤,上身穿鳄鱼牌 T 恤,外套鳄鱼牌夹克。老孟回来显得贼年轻,贼清爽,剪了板寸头,一根杂毛也不见了。据老孟自己说焗了个油。脸也亮了,胡子刮得一丝不苟。过去老孟的胡子没刮净过。据老孟说,曾被姚旋硬按着做了个美容。

雷文第二天对我们说,老孟这次出去连底裤都换了。雷文说这我们信,因为只有雷文才能看到老孟穿的啥底裤。我们不由想起师弟为女朋友蓝娜买内衣的故事。师弟就是靠一套几百元的内衣让女朋友蓝娜晚上辗转反侧,坐卧不安。结果在一个月夜找到师弟,让师弟成就了好事。

那么老孟肯定也被姚旋"办了"。你想,老孟一周不归住在何处?在何处换得这身行头?具体地说在何处换得底裤?不可能在客厅换,也不可能在卫生间换,只能在卧室换。姚旋有一套公司给的住房,两室一厅。师哥要换底裤肯定在姚旋的卧室内换,也就是姚旋的闺房。在那间温馨的、充满了香水味和女人味的闺房,难道老孟只换了换衣服……不敢想象,不能想象。

何必想象呢,审问之。师兄王莞说。

于是,我们几个便把老孟师哥扣留在我们宿舍住一夜。那时候集体宿舍的灯已经熄灭,月光从窗口爬进来,几个人躺在能见度还可以的黑暗中,我们开始审问师哥,主审是师兄王莞,陪审员是我和师弟。

师兄问,老孟师哥这几天你哪去了?

老孟答,看书去了。然后坏坏地笑笑。

师弟说,你骗谁呀!这几天你根本不在学校,看什么书。

老孟在黑暗中又嘿嘿笑笑,说真的看书去了。沉了沉老孟又说,其实女人也是一本最精彩、最难读懂的书呀。

噢——老孟师哥一出此言,我们几个躺在床上吓得不敢出声了。老孟所说的看书就是去找女朋友姚旋。我们曾经听老板的好友宋总说过,"唱歌"就是在外头找小姐。老孟为了区分找小姐和找女朋友的不同,便又创造了"看书"一说。老孟那天晚上告诉了我们看书的过程。

老孟被姚旋接走后逛了一天的街。当晚霞消失的时候,老孟除底裤外已焕然一新了。第二天老孟顺利地通过了老总的面试。当晚姚旋请老孟吃饭,说是庆祝一下。庆祝地点在姚旋的居所。姚旋亲自下厨为老孟烧了几个小菜。

别说,那菜的味道真不错。

我们喊,别说那菜了,捡重要的说。

除了小菜外,还有一瓶红葡萄酒,还点了红蜡烛。

妈妈的,够小资的了。

后来,老孟应邀参观了一下房间。在姚旋的带领下老孟走进了姚旋的卧室。

老孟说,也不知咋的,俺一进她的卧室就昏了头,不知不觉就抱在了一起。

姚旋开始脱了自己的衣服。老孟觉得前奏太短,姚旋的行动太快了。我们知道老孟虽然在读博士时没有女朋友,但他在工作期间曾和一个女人长期同居过。老孟和人家同居又不和人家结婚,铆足了劲儿要考博。老孟考上博后便和人家分手了。

所以,老孟并不是一个没有性经验的人。老孟是一个相当理智的人,学法律的嘛。老孟见姚旋脱衣服便摇了摇头,拦住了她。老孟的冷静让姚旋大吃一惊。老孟轻轻将姚旋放平在床上,然后跪在床边为姚旋脱衣服。老孟一边脱姚旋的衣服一边念叨。

　　女人也是一本难读的书呀,有时候你以为自己读懂了,其实一点也不懂,有时候你以为读不懂,可忽然就会一目了然。

　　姚旋躺在床上,紧闭双眼,任凭老孟阅读。老孟又念叨。

　　我最不喜欢一目了然了。老孟解开了姚旋上衣的五颗扣子,说我打开了书的封面。老孟在姚旋的乳罩上抚摸了一下,说,这是书的扉页。老孟在翻开扉页时遇到了一些麻烦,因为老孟老土得怎么也找不到那新式乳罩的挂钩。

　　姚旋抬起手来想帮助老孟,却被老孟拒绝了。老孟抓住姚旋的手说,别动,我自己来。别忘了我是博士,我倒要看看还有什么书我啃不动,还有什么科研课题我攻克不了。老孟说,只要是文科类的,我自信有这种能力。

　　于是,姚旋便安静地躺在那里,像一本真正的书。

　　老孟把那新式乳罩研究了一会儿,终于在那乳沟处找到了暗藏的机关。老孟说,越是离自己近的,离眼睛越远,往往在鼻子底下的眼睛反而看不到。开先老孟在姚旋的背后摸了半天,后来又在姚旋胳肢窝搜索了一阵,姚旋怕痒都被老孟摸笑了。

　　老孟将那挂钩一打开,天地便豁然开朗了。老孟看到姚旋的双乳活蹦乱跳地在那里滚动,就像草原上正放牧的羊。

　　老孟说,这是书的两个基本点。

　　老孟将视线移向了姚旋的下边。老孟轻轻解开姚旋裤子上的三颗扣子和两个挂钩。老孟将姚旋的裤子脱掉了。

　　老孟说,我已翻开了封底。

　　老孟轻轻地抚摸了一下姚旋那白色的真丝镂花底裤,说,这是一张美丽的插图,在插图后面自然是书的中心思想。老孟一边说着一边将那插图翻了过去……

　　老孟说,我打开的只是一本书的装帧,如果要了解书的深刻内含必须深入细致地阅读。

　　可是,老孟在具体阅读时却出现了问题。由于老孟在翻开书的装帧时太理性,太注重精神的享受。结果精神和肉体产生了冲突,也就是说肉体不听精神的指挥了。肉体向精神提出了抗议,罢工了。这让老孟十分尴尬。老孟就像兴冲冲走进图书馆，打开一本书正要看，一摸却忘了带上眼镜。

老孟面对打开的姚旋，自作聪明地幽默一问。

对不起，我没带眼镜，无法深入细致地阅读。

当时，姚旋已被老孟撩拨得盛情难却了，听老孟这样说，就有些气急败坏，而且根本没理解老孟的幽默。姚旋说，你还没看够呀，还要戴上眼镜看，有病。没你这样看书的，要来快来吧！

姚旋一把把老孟拉上身，用手向下一摸，空的。姚旋一下就坐起来了，说你这种男人只是理论上的，没劲。研究任何课题都要理论结合实际。你这种只谈理论的男人，我无处把握你。

老孟不好意思地说，我太激动了，以前我不是这样的。

姚旋说，你是太理性了，连做爱都理性，不知干什么你充满激情。姚旋见老孟可怜巴巴的样子，态度缓和了些。说，算了，睡吧，这几天你太累了，我不逼你。

后来，老孟和姚旋还是成功了几次的，但都没满足姚旋。姚旋说你要好好补补身子才对。

那天晚上，老孟对我们说，无论从哪个方面讲，姚旋都是一个好女人。老孟说着爬起来从挂在床头的衣袋里摸出了一串钥匙。他哗啦啦地在黑暗中摇着钥匙说，这是姚旋房间的钥匙，她给了我一套。她说一切对我都不上锁，房门随时可以打开进入，书也随时可以打开看，更可以深入研究。

师兄王莞说，他们公司的白领丽人肯定特多，下次姚旋再来，你告诉她一声我们这光棍多着呢。让她带几个来。咱哥们儿都想办法弄一串钥匙保管保管。

师弟说，你可别只忙着自己看书，把兄弟们都忘了。

八

姚旋第二次来学校一直呆到晚上十一点。她和我们一起吃的晚饭，并且在学校舞厅跳了舞才走。临走时自然把老孟也带上了，我们送老孟上车挥手向他致意。说，去吧，去吧！就像送一个上刑场的人。因为老孟当时一步一回头地望着我们,一副无奈的样子。可见老孟是不想去的,但又没办法。姚旋说明天老总要请几个新招聘的中层吃饭,吃过饭说不定就签合同了。这样老孟就不得不去了。

姚旋这次来还是那个小苏司机开车。我们问姚旋怎么不亲自开车,姚旋说,公司有规定,无论是因公因私用车,公司中层干部外出必须让司机开车。姚旋说,这样做公司并不是怕用车,是怕中层干部出去了酒后开车。因为公司的中层干部应酬多,过去曾出过这方面的事故。

姚旋是在学校舞厅说这番话的。当时我请她跳了一曲,伴着轻音乐姚旋的这番话特别贴切自然。姚旋说这番话时我不由望了一眼正和本校一位女生跳舞的司机小苏。可以看出小苏的舞跳得很好。

后来姚旋出于礼貌请小苏跳了一曲。那一曲节奏十分快,是快四步,有点像迪斯科的劲头了。我和老孟站在圈外看他们跳舞。我问老孟,你怎么不请姚旋跳一曲? 老孟说不会跳。师兄王莞说不会跳抱在怀里晃,也不能便宜了别人。

王莞望着姚旋和司机小苏说,你看他们俩跳得多好,配合默契,就像一对似的。

我瞪了王莞一眼说,你瞎说什么。

王莞说,别忘了舞能生情的。

王莞这话是十分有道理的,他是舞林高手,有很多经验和体会。末了,王莞对老孟说,老孟哥,你要小心哟,那个小苏可是个小帅哥。

老孟不屑一顾地笑笑说,王莞你想哪去了,小苏只不过是一个司机。

是呀! 我也说,你王莞想得也太偏了。小苏只不过是一个司机,哪能和我们孟博士相提并论呢。

王莞说,这可不是我说,这是雷文说的。

老孟一听便骂,雷文那厮是妒火烧的,惟恐天下不乱,这种往我头上倒尿盆的事只有他能干得出来。

王莞说,雷文曾看到姚旋上车时和司机小苏打情骂俏。

老孟火了,说雷文完全是造谣生事,我迟早会收拾他。

王莞说你别嚷呀,人家嫉妒你,你还不让人家逞一下口舌之快。

老孟自负地摇头不语,然后向姚旋招招手。

姚旋放下小苏就来了。

老孟得意地扫了我们一眼。意思是说，看吧，我招手即来，挥手即去。

姚旋来了，小苏便知趣地退到一边休息。姚旋汗涔涔地问老孟，朝阳，叫我？老孟说，我看你太累了，喊你下来休息休息。姚旋笑笑说，这样疼老婆呀，那还不给老婆买瓶水。老孟点点头，连忙买水去了。

老孟本来买了四瓶水回来，想想不对头，又回去补买了一瓶给小苏。

大家边喝边出了舞厅，然后老孟上车便和姚旋走了。老孟临走时让小苏和姚旋把瓶子都留下来交给王莞，说每个瓶子押金五角钱呢。

王莞见老孟的车消失在校园里，顺手把瓶子扔进了垃圾箱。骂，你看这老孟的德性，每个瓶子押金五角钱呢！你老孟就少了那五角钱，丢人现眼，真是个傻博士。

老孟第二天就从姚旋处回来了，老孟回来脸一直灰着。我们问合同签了吗？老孟瞪了我们一眼，用河南家乡话骂了一句，签他娘的B。

在公司老总宴请的饭桌上，老孟的自尊心又受到了伤害。老孟和几个新招聘的和老总吃饭。席间，老总问老孟是哪人呀？

老孟答:河南人。

老总便独自笑了，笑过了说，我有一个段子。

几个人一听老总说段子了，都停下了筷子。老总说你们知道董存瑞炸雕堡的故事吧！

知道呀，大家都道。上小学时在课本上都念过了。

老总说，你们念的那是正史，我这里还有一个野史。老总说，当时董存瑞和班长一直冲到了敌人的暗堡桥下。这时总攻就要开始了，班长对董存瑞说，你在这等着，我去找个棍。董存瑞说好，你快去快回。结果班长一去不回返。这时，总攻终于开始了，董存瑞一急只有用手托起了炸药包。董存瑞在拉导火索时喊了一句话。这句话和书上写的不一样。老总顿了顿说，这句话说是:

千万别相信河南人呀！

轰，炸了。

老总说那班长就是一个河南人。

哈哈——大家都笑了。

老孟开先也和大家一起笑了,笑了一半老孟觉得不对味,那笑便凝固在脸上了。在大家的笑声中老孟一下便立了起来。老孟愤怒地对老总说,你既然不相信河南人,我在贵公司就不可能有发展。告辞了。

老孟说着拂袖而去。

身后,老总喊,孟朝阳,孟朝阳。却没喊回来。

老总有些下不了台,对在座的几个笑笑,说人家都说博士傻,真让我遇上了,一点幽默感都没有,大家开个玩笑嘛!

后来,老孟没去那个公司。这样老孟和姚旋的关系自然受到了影响。如果我们遇到老孟总要问一句,最近姚旋怎么样?老孟总是答,姚旋下周要来。

其实,姚旋后来还是来过一次的,但在学校没有露面,把老孟叫到校门口见面。在校门口两人站在那里说话,一些不法分子便围着他们转,问,要文凭吗?我们和老孟出校门时也遇到过这种事,每逢这时老孟就会停下脚步,虎着脸训人家。

我看你们是想进去了。在外面呆得不耐烦了是吧。

不法分子见老孟年龄大,怕碰到便衣了,便缩着脖子连忙撤退。这时,老孟会显得特别开心。老孟对我们说,娘那B,俺在学校苦读苦熬到博士,二十年寒窗才拿到一张文凭,这些不法分子一晚上就伪造出来了,才卖几百块钱,真让人生气。

我们也讨厌这些人,整天像个苍蝇似的围在校门口四处转,可是实在懒得理他们。老孟碰到了肯定要训斥他们的,特别是和姚旋正说话的时候。当时,老孟把脸一拉正要发飙,姚旋却说话了。

有这个学校的吗?

不法分子一听有戏,便说,哪个学校的都有。

姚旋问,本科生的有吗?

不法分子说,连博士生的都有。

老孟见姚旋和这些人搭话,把脸一虎说,你们知道我是干啥的?

不法分子见了老孟,心里没谱,想溜。

姚旋却嘻嘻笑了,说他就是博士。你们如果做得不像可骗不了我们,我们有真的对照。

　　不法分子一听就走了,有真的还找俺做假的干啥,分明是要我们。

　　姚旋便喊,别走呀! 多少钱一张?

　　不法分子还是走了。

　　老孟不高兴地问,你问他们这些干啥?

　　姚旋说,我想弄一张。

　　老孟说,那假文凭是一张废纸,一点用都没有。现在计算机联网了,一查就露馅。

　　姚旋说,又不是我要,我大学毕业都两年了。小苏托我帮他问问,他已和人事上说好了,弄一张假文凭堵其他员工的嘴,好升职。不能开一辈的车呀。

　　老孟望望不远处停着的车,小苏就在里面,老孟瞪了姚旋一眼说,你真糊涂,买假文凭是犯法的。

　　姚旋不高兴了,说,你别拿法律吓我,我知道你是法学博士。

　　老孟被姚旋噎了一下,半天没说出话。姚旋见老孟不说话,便说我还有事,下周再来。姚旋临上车时,勉强对老孟笑笑,走了。

九

　　我们有一阵子没见到姚旋了。大家都有点为师哥着急。每逢谈到这个问题,雷文便面露冷笑。这一点我们几个都批评过他,说你雷文没必要这样,看人家笑话也不是这样看的。雷文很无辜的样子,说,我只不过笑了笑,连句话都没说,你们都说我看笑话,下次我哭好了。

　　老孟说,你这是猫哭耗子假慈悲。雷文说,你看你老孟,啥时候把自己比做耗子了。你可是个大灰狼呀!

　　雷文此话一出连老孟也笑了。师弟李雨说,雷文你是说我们师哥是一个大色狼吧! 大家又笑。老孟笑得极为开朗,他好久没有这样开怀大笑了。男人嘛,被大家誉为大色狼是一种十分荣幸的事,否则说你是太监你试试。

　　姚旋一直没来,不过姚旋的信却不断地来,基本上两天一封,一周三封的样子。用的信笺就是那种粉红色的,还有香味。我们都说,老孟你真是艳福不浅呀,现在谁还写情书呀,很古典的。老孟说,那师弟李雨的女朋友不是整天让人送信吗? 还叠成小鸟。师弟一听这话脸就拉下来了,痛苦得直闭眼睛。师弟和女朋友蓝娜的事让人没法说。

这样,如果老孟再接到信,把那粉红的信笺在灯下抖着说姚旋下周要来,至少有两个人不敢吭声了。一个是师弟,他怕老孟说蓝娜;一个是雷文,他怕老孟说他看笑话。

这天中午,老孟收到了姚旋的来信,他习惯性地又说了句姚旋下周要来。当时宿舍里只有雷文一个人。雷文正看他那本《经济与快乐》的书。雷文看着看着便嘿地一声笑了。

这是雷文的老毛病了,无论在什么场合他总是要旁若无人地发出一些声音。比方他会在饭厅里愤怒地放屁,在阅览室焦急地擤鼻涕什么的。这些毛病基本上没给雷文人生带来什么损害,对生活也没产生影响。可是,这次雷文看着书轻轻一笑却给他带来了意想不到的后果。雷文的笑刚好和老孟的话重叠。本来这两个不搭界的事却神秘地链接在了一起,这使老孟误以为雷文又在嘲笑自己。老孟悻悻地将信塞进衣袋,长长地吁了一口气,很郁闷地出了门。

老孟来到了我们宿舍,说雷文那厮又嘲笑我了,我们几个正忙自己手中的事,对老孟的老生常谈失去了兴趣。师兄王莞说,姚旋不来算了。她不来你可以去呀! 反正你有她的钥匙。你突然出现在她面前给她一个惊喜,同时也检查一下她正忙什么。

王莞的话一下提醒了老孟,老孟有些激动地搓了搓手说,就是,我为什么不去呢? 她既然给了我钥匙就是允许我随时去的,就像回自己家一样。

老孟兴冲冲找姚旋去了。在姚旋住的小区下了车,老孟顺便到花店买了一束鲜花。这对老孟来说也是绝无仅有的,要是以往老孟肯定买水果之类的,吃进肚子里才是真的。

老孟手捧鲜花走在傍晚的阳光里。那时候太阳快落山了,斜阳将老孟的影子拉得很长很长。姚旋这个时候应当下班了,老孟想,万一有应酬之类的,我进去把花插上就走,等她回来了突然见一束鲜花开放在床头,肯定也会十分惊喜的。老孟想,或者把花瓣撒满一床……如果是这样她就不仅仅是惊喜了,肯定还会惊叹。大家都说我是老博士,傻博士,如果老博士愿意再浪漫一回,浪漫的也是博士水平。

老孟走在小区里,引得几个带孩子的保姆观望。老孟有些不好意思,望着自己长长的影子急走。老孟又有些后悔自己买这束鲜花了,显得极为矫情。都三十八岁的老男人了,还和十八岁的小男孩学。

老孟急匆匆进了姚旋的那一个单元,然后嘘了口气上二楼。在二楼门前老孟不由捋了捋头发,整理了一下衣领。本来老孟举手要敲门的,想了想又把举起的手放下了。老孟拿出了钥匙。

老孟打开门走了进去。老孟向厨房里望望,没有任何人烟。果然没回来,老孟叹了口气,不知是失望还是解脱。老孟提着的心又放下了。老孟走向卧室,老孟想拿钥匙开门,可是钥匙还没插进锁心门就开了。门没锁虚掩着的。老孟推开门顺手把灯就打开了。随着蓦然的亮光姚旋啊的一声从床上坐了起来。

谁? 姚旋惊恐地道。

老孟手捧鲜花转过身来微笑着答:我!

可是,当老孟转过身来的时候,他像被谁点了穴定在那里。老孟看到姚旋和小苏正忙着穿衣服,床上一派忙乱。老孟似乎听到自己体内"铮"的一声,有什么崩断了。

老孟冷笑着看看两人,一句话都没说,转身出了卧室。老孟走出了单元楼,一手捧着鲜花,一手拿着钥匙,在小区里乱转,像一个找不到家的人。

老孟走出小区之时,太阳已经下山。老孟已看不到了自己的影子。老孟想起小时候奶奶曾说,人都有影,如果看不见自己的影,就是掉魂了。老孟失魂落魄地走出了小区,刚好被一辆停在小区门前的 TAXI 接住了。师傅望望老孟喊,去哪呀,上车吧。

老孟上了 TAXI,师傅又问去哪呀。

老孟说,随便。

随便? 师傅愣了一下,望望老孟轻轻将车滑了出去。师傅把车开上街之前又问,你去哪呀?

老孟不耐烦地从身上掏出一沓钱拍在计价器上,说别问我去哪儿,我说随便就随便。老孟一手搂着鲜花，一手握着钥匙，静静地靠在那里，微闭双眼，任凭师傅把车开到任何一个地方。

师傅望望身边的男人，判断肯定是一个失恋者。反正不是歹徒，歹徒哪有捧着鲜花的。只要不是歹徒师傅就不怕了。师傅开着车上了三环。师傅的车速不快，就像遛弯儿一样。师傅在三环遛两圈，看看计价器又看看那沓钱，知道绰绰有余，然后又上了四环。

师傅在四环遛了一圈后已是十二点了。师傅看看表，又看看计价器，觉得今晚可以下班了，这才喊老孟。说我要下班了，你在哪儿下车？

老孟让师傅把车开到了学校的门口。

师傅收了钱，把剩下的塞给老孟。说，小伙子看开点，天涯何处无芳草。

老孟没听师傅啰嗦，下了车在校园里乱窜。老孟后来到了湖边，他奋力将鲜花和钥匙扔进了湖里，然后很粗鲁地骂了一句。

我日他娘。

十

老孟回到宿舍已经凌晨一点了。

老孟回到宿舍时雷文睡得正香。可是老孟却睡不着。老孟也没睡，和衣歪在床上也没抽烟也没喝酒。老孟想起了姚旋写给他的信。老孟把姚旋的所有来信都捣腾了出来，这其中还有几张姚旋的玉照。老孟把姚旋用图钉钉死在墙上，他看到图钉穿心而过像一枚明亮的扣子。钉死在墙上的姚旋在冲他微笑。老孟冲姚旋的照片呸了一下。

这时，雷文突然说话了。

姚旋下周要来……嘿嘿，姚旋下周要来。

老孟跳起来冲到雷文床边，见雷文正甜美地睡。雷文睡着了还不放过老孟，一脸的坏笑。老孟盯着雷文那白皙而又泛着红晕的脸，觉得这张脸是他一生中见到的最可恶、最丑陋的脸。这年轻的脸给自己太多的压力和重负。老孟望着这张脸，不得不承认雷文的年轻。年轻的雷文虽然现在没有自己值钱，但雷文迟早会值钱起来的，谁都会从年轻到年老。关键是雷文现在的生命效用价值比自己高,所以很多招聘单位都把年龄限定在三十五岁以下。

这时,雷文甜甜地咂了一下嘴,像是正品味老孟的痛苦。长期以来雷文一直把老孟的苦涩当成自己的甜点来品尝。老孟想起了和雷文在论争时所总结出的那套理论。

要消灭一个人的行为,首先要消灭他的理论;要消灭一个人的思想,就要消灭他的肉体。

老孟是唯物主义者,老孟认为无论年轻也罢,年老也罢,生命消失了什么都消灭了。无论是痛苦也好、幸福也好,没有了肉体,一切无从感受。你雷文比我年轻,生命的效用价值比我高,可是消灭了你的肉体,什么价值都没有了。用我生命的低效用价值换取你生命的高效用价值,我也是合算的。

老孟得意地笑了。他觉得自己最终还是战胜了雷文。你雷文再聪明也万万想不到我会用生命的低效用价值换取你生命的高效用价值吧!你是经济学博士,数学学得好,如果我们一命换一命,你算算我们谁划算。

这时,雷文又翻了个身,仿佛醒过来的样子。这让老孟十分吃惊。如果雷文醒来了,自己可能就没有机会进行这次生命的交换了。到了明天太阳出来的时候,雷文会笑嘻嘻地问姚旋怎么样啦?老孟觉得那时候自己无法回答。老孟不但无法面对雷文,也无法面对所有的同学。

老孟焦急地在宿舍里转了一圈。老孟觉得奇怪,宿舍里居然没有一件能一举致人死命的东西,从而完成自己和雷文生命效用的置换。最后,老孟将目光落在了那部笨重的旧电视机上。老孟迫不及待地冲到电视机旁,将电视机抱了起来。老孟抱着电视机走到雷文身边,将电视机费力地举到头顶,然后向雷文的头部砸去……

老孟将雷文的生命拿到手之后,他本来计划写一点什么的。可是,在剥夺雷文的生命之时,吵醒了隔壁的同学。有同学开始敲门。老孟听到敲门声有点忙乱,拿不准开不开门。这时敲门声变成了擂门声,并伴随喊声。

老孟、老孟,雷文、雷文……开门,开门!

喊声惊动了整个楼道的同学,有同学开始撞门。在门被撞开的一瞬间,老孟奔向了阳台,在同学们的惊呼中纵身跳下了楼。

老孟完成了和雷文生命的置换。

在我们后来整理老孟的遗物中,传阅了姚旋写给老孟的部分信件。在信中老孟和姚旋好像在论争一件事。姚旋在信中一直要求老孟把本科文凭寄去,借她用用。姚旋认为比着老孟的真文凭为小苏制造一个假文凭是完全可行的。那样即使电脑核查也不怕。实在不行就让小苏改名叫孟朝阳。这个世界上重名的人很多。

我们看了信互相望望,不由冷笑了。小苏的名字还没改为孟朝阳呢,却已顶替孟朝阳和姚旋干那事了。从姚旋的信中可以看出,老孟一直反对她为小苏制造假文凭。姚旋却一直给老孟施加压力,并且在信的末尾总是说,如果你同意,我下周就来。

所以,老孟在读完姚旋的来信时总是说,姚旋下周要来。

事发后姚旋的相片一直挂在老孟的床头,连刑警在勘察现场时都没注意。姚旋一脸的微笑,貌美如花,美丽如画。扫过一眼,完全以为是电影明星的招贴画。在照片的背后有一行小字。

赠给我亲爱的朝阳,永远爱你的姚旋。

后来我问师兄王莞,这些信件和照片如何处理?王莞说,这是师哥的私人东西,师哥走了应当物归原主,都还给姚旋吧。王莞又说,我已和她联系上了,姚旋下周要来。

CHAOZHENLU

曹征路

■曹征路　，男，现在深圳大学任教。著有短篇集《开端》，中篇集《只要你还在走》、《小鬼》等。中国作家协会会员。

想起一件往事

曹征路

1983年春天，参加南京《青春》笔会的几个年轻人写字写累了，忽然觉得不趁机游了江南，简直就是浪费生命，吃着饭就决定出走。这私奔出来的几个哥们儿是：湖北的张映泉、方方，山西的李锐，解放军的于劲和安徽的曹征路。

正是烟花三月，烟雨迷蒙，我们先泛舟太湖吃了船菜，后下扬州游镇江登北固楼，大声问天下英雄谁敌手，慨叹生子当如孙仲谋。一个个北望神州意游八荒念天地之悠悠都要把栏杆拍遍的样子。临下山才发现这当年刘备招亲的地方是一座尼姑庵，大殿上挂着一条横幅，写着：只生一个好。

当晚下榻在镇江的一家招待所，特冷，聊天时大家都拿被子裹住脚，只有我和李锐的争论还稍有热气。这一路上李锐都在和我争论，好像是说写小说就应该写那些讲不清楚的东西（今天看是指写小说要不要理性）。我抬杠说，讲不清就看不清，看不清怎么写得清呢？李锐哀叹道：这孩子完了,你完了! 那时正是主义方兴文本爆炸的前夕,可能是春江水暖鸭先知吧,写什么怎么写开始纠缠不清。那三位朋友本来是在一边观战的,可狡猾的李锐眼珠一转说,我看我们这一拨儿里就方方能写出来。于是形势逆转,方方一个深呼吸,顿时严肃起来,说曹征路,你那个问题在大学里早就没人关心了。而那两位也立马眼球突出,心中惴惴,做沉思科痛苦科难言科……

二十年过去了,几位的音容笑貌依然活泼。尽管他们都已成就斐然,可是最初的那个问题解决了吗? 小说究竟应该怎么写? 写烟消日出,还是写欸乃一声? 写主义写圈套还是写后后现代? 玩福克纳玩博尔赫斯还是玩约瑟夫·海勒? 城头旗变一日三新,但问题解决了吗? 如今自己也到大学里教书了,还真的钻了几年牛角尖,写了一本《新时期小说艺术流变》,小说该写什么? 怎么写?

其实,在几亿人口仍为温饱挣扎的国度里,在一个市场化程度还很低、现代文明空气还很稀薄的阅读环境中,你能"后"到哪儿去? 其实,谁又能垄断创造垄断真理呢? 只要天良未泯,激情犹在,求真爱美之心如一,血管里流淌出来的始终是血。今天我还是相信这个。我相信中国当代小说倘若能在世界文坛赢得一点尊敬,最终也还得靠这个。

回过头去看,八十年代的文学青春病并不令人赧颜,相反,自己脸上曾经长过的青春美丽痘还是挺让人怀念的。

请好人举手

曹征路

一

　　洪亮猜想大姑是在卸装的时候接奶奶电话的。因为奶奶在喊，你说什么啊，啊？我听不见啊。应该说是听不清。她那儿当然听不清，化装室里挤满了电视台和报社的记者，当然还少不了各种大款和大官。他们早就在那儿候着了，争着抢着把鲜花和请柬往大姑手上塞，大姑满眼都填满鲜花笑脸满耳朵都塞满掌声。洪亮敢保证大姑根本不记得他们谁是谁，可是大姑肯定会说：记得记得，当然当然，一定一定，我真的好感动……好感动哦。这时候她的经纪人过来了，那个色色的小胡子，把手机从别人头顶上递过来。大姑皱着眉说，不接不接，我不是说过了吗，我不接电话。可是小胡子挤过来趴在她耳朵上说，是你老娘。大姑这才把态度端正了一点，对大家说，不好意思啊，真的……不好意思！

　　奶奶没急事不会在半夜打电话的。平时这时候她早该上床了。可是大城市里夜生活这才刚刚开始。霓虹灯、热气球、模特表演，还有音乐喷泉。大城市是看不见星星的。地上的好东西太多，还看天上干吗呀？总之他们天天都在过年，那儿的人天天都在傻笑。大姑躲进厕所里，应该叫洗手间，对奶奶说，什么事啊妈？这么晚了还不睡？我正在演出呢。奶奶说，我倒是想睡，可我睡得着吗？你们一个一个都这么大了，还不让我省心！说着奶奶就抽泣起来。大姑急得直蹦，说妈你有话快说啊，我还在演出呢，急死我了。奶奶说，这一句话又说不清楚，你还是回来一趟吧……爸爸抢过电话说，洪梅，你别理她们，完完全全百分之百是胡闹，你放心吧家里没事。然后啪一下就把电话给挂上了。

洪亮猜大姑肯定又在跺脚。当然,如果她看见奶奶抽了爸爸一个大嘴巴,她更要从窗子里跳出来,坐上直升机,然后直接降落在凉台上。

其实这件事一点都不复杂,要叫洪亮来打这个电话,一句话就说清楚了。可惜他们总是无视洪亮的存在,好像他是个玩具熊,一挥手就滚到一边呆着去了。不就是想让大姑回来给小姑父换个单位吗,语言表达能力太差。

当然,如果还要交代背景的话,就要稍微费一点事。

大姑是洪亮家的台柱子。这样说并不因为大姑是个歌星是个名人,在哪方面她也是个台柱子。洪亮的意思是,他们家的生活从各方面讲,都离不开大姑。如果没有大姑,就没有家里的一切。也许今天为下岗发愁的就不是小姑父而是爸爸,妈妈的衬衫厂早就破产了,小姑也不可能穿着制服神气活现地去端人家的菜篮子,他们当然还住在西码头那间墙角长着白毛的公房里,洪亮更用不上联想天禧5010L。

可以说没有大姑洪亮也没有今天这么聪明,也许至今还跟他们班的王大孬一样,一天只知道流口水,再不然就骑到围墙上盯着女厕所发呆。

问题不在于大姑有没有能力办成这些芝麻破烂事,问题在于大姑有没有必要没完没了地插手地方上的破烂芝麻事。他们的分歧就在这儿。爸爸的看法是,大姑已经不容易了,不能什么事都依赖她。她自己的事还烦不过来呢,再给她增加负担就太没良心了。

奶奶当然也不愿意给大姑找麻烦,可她顶不住亲家母的眼睛水。小姑精得很,她自己不出面,她知道一开口就要挨骂,就让婆婆天天上门来淌眼睛水。一淌眼睛水就要讲到从前守寡的日子,一讲到守寡,奶奶就跟着淌眼睛水,然后就飞流直下三千尺一发不可收拾了。奶奶既答应了她就不能不办到,要是办不到奶奶就会觉得很没面子。面子从前并不重要,从前奶奶拉扯大姑小姑和爸爸,什么苦没吃过什么事没经过什么气没受过?可是现在不一样了,现在是个讲究精神文明的时代,面子就跟身上的衣服一样重要,没有面子还怎么出门?怎么上街?怎么和邻居大声打招呼?怎么跟老熟人叹息北京的复杂?

奶奶坐在地上,捶着柚木地板,拖长了声音哭:我都答应过了,我都答应过了呀。

爸爸急得团团转,一张脸就像干透的抹布,两只眼就跟小兔子一样。这时候绝对不能招惹他,他发起火来一巴掌能拍死你。妈妈垂着手站在门外,走又不敢走劝又不敢劝。她要是敢吭一声就更麻烦,奶奶非把她的事也揪出来。前年舅舅做生意做亏了,是大姑出面帮她承包了一家水泥厂。事情办成了妈妈还瞒着奶奶不讲,后来被戳穿了奶奶就觉得寒心。不是肥肉不巴皮,不是精肉不巴骨啊,我把心掏给你吃了都不管用!把爸爸骂得屁都不敢放一个。她骂的是爸爸,指的却是妈妈,这样家里的气氛就很奇怪。有一段日子吃饭只听见碗筷响,放下碗只听见电视响。洪亮猜想,为这个他们两个也少不了冷战。

其实小姑赌气也是莫名其妙。她认为家里人都瞧不起她,好像从小她就受着虐待,没文凭没本事都是家里给她造成的。她认为这不是烦不烦的问题,而是一碗水能不能端平的问题。手心是肉手背不是肉?为什么要亲一个疏一个?大姑现在的做法让她在婆家都抬不起头来。她说,你自己亲妹夫饭碗都不保了,却去帮一个八竿子打不着的小老板。

总而言之统而言之,家家都有一本难念的经,复杂得一塌糊涂。他们都是好人,他们对洪亮都不错,所以洪亮也就不好表态了。帮谁不帮谁,这可是个立场问题。他觉得,其实最该同情的还是大姑,做了好事还不讨好。这就叫一斗米交个恩人,一担米交个仇人,好人做不得啊。

唉,当个名人真难,当个名女人更难。

妈妈顺着墙根溜进房间里,关上门,靠在那儿想了一会儿,突然凶起来:洪亮你怎么还不睡觉?你作业做了吗?这么大人了睡觉还要我催?

洪亮不情愿地拉开被子,心想你就只能管我,有本事你到外屋喊一句试试。然而就在他脱裤子的那一刻,突然来了灵感。

他问:妈,小姑父在哪儿上班?

妈妈帮他拽下毛线衣,说,你问这个干吗?小孩子不要管大人的事。又叹气,说物资局从前是个最吃香的单位,现在也搞得人心惶惶了。

洪亮说,早讲啊。那,这事包在我身上了。

妈妈笑了,打他一巴掌:你能的!

洪亮坐起来说,我真能。我们班王大孬你知道吧?他爷爷什么事办不到？骗你我都是小狗。

妈妈说，那好啊，你去跟奶奶说吧。你能把奶奶哄睡下我有重奖。

于是洪亮就跑出去哄奶奶了。奶奶奶奶别哭了，哭伤了身子划不来。你一哭我就睡不着。不就是小姑父那点事吗？我能给你解决，你放心吧。

奶奶愣着，不哭了，可是泪还流个不停。

洪亮就趴在地上唱：老鸡带小鸡，走东又到西，老鸡叫个咕咕咕，小鸡唱个唧唧唧；老鸡骂小鸡，你这个坏东西，就是不听我的话，叫你向东偏向西……

其实奶奶好哄得很，一哄就笑了：哎哟小老子唉，你怎么不穿衣服就跑出来了？还是我孙子知道疼人。不管你能不能，奶奶知道你的心了。奶奶听你的！

洪亮躺在被窝里很兴奋，好长时间睡不着。他想应该怎么和王大孬讲他才有劲。又想到了梁菲菲，梁菲菲她爸爸就是物资局长，要是把梁菲菲拍上了那该多棒。要早知道这样他早就出手了。该出手时就出手哇，风风火火闯九州哇，咳儿呀，依儿呀，咳咳咳咳依儿呀！

二

现在来说说洪亮自己。老说大人的事太没劲。

其实洪亮自己就有许多烦人的事。首先是关于学校的。市一中是省重点，中考时洪亮差三分没进去。本来洪亮想，二中也不错，二中文艺体育厉害，这很对洪亮胃口，混几年混出个青春偶像也说不定。他把这想法给大姑透露过，大姑也说好啊好啊，我回去就帮你吊嗓子。可是大姑回来根本没教他唱歌，也没去二中，而是直接去了市委。然后家里连招呼都没跟他打一声，他就坐在一中的教室里了。他们总是这样的，从来没人把洪亮的想法当回事，好像洪亮不是一个人，只是一个物件，一只手提包，想往里头塞什么就塞什么，想把它扔哪儿就扔哪儿，大姑说，亮亮你要听话，想唱歌以后有的是机会，以后我保证教你。然后他就只好相信那个保证。然后，他连想都懒得再想了。他的理想破灭得如此简单这么容易，连个肥皂泡的光彩都没见到，洪亮自己都很惊讶。

其实一中有什么好？一中的本事就是死背书的本事，一进学校门就像进了山洞，让人觉得恐怖。整天就看见一群傻孩子瞪着死鱼眼睛，背单词背课文。他们的嘴巴一开一合，就像缺氧的池塘里浮到水面上来的小鱼。而作业，这些倒霉的作业更像老师放出来咬人的疯狗，撺得你撒尿的工夫都没有。

再有，就是让人无法忍受的歧视。洪亮是班上借读同学中的一个，属少数派，由于他们的到来，老师的讲台离黑板只剩一尺宽，如果老师是个胖子，那他写完字必须先退出来才能面对同学。这样同学们看他们这些人就跟看珍奇动物那样:你爸爸是什么官儿？你们家赞助了多少？哇，真厉害！其实人家不是在夸你，人家是在骂你。可怜那个王大夯听不出来，还吹他爷爷怎么样怎么样，结果当场他就得了个外号，叫王主任。王大夯身大力不亏，在班上所有可以排队的项目中都排倒数第一，很快就叫大伙挤到墙犄旮儿里去了。现在的王主任也就只能跟在洪亮的屁股后头，偶尔威风一下而已。他原本是要当蛊惑仔的，结果却当了蛊惑仔的跟屁虫。幸亏洪亮当时留了一个心眼，没有亮出底牌。直到初二，有一天班主任古老师把洪亮叫出去问话，大家才知道著名歌唱家洪梅是他的大姑。就这样，当时班上也恍然大悟似的发出一声惊呼:噢——

还有，就是班主任老古了。老古的眼镜很厚很圆，像个酒瓶底还是老掉牙的，老远看眼睛就像金鱼一样凸出来。老古从来不笑，整天就把眉锁起来，好像谁都欠他的。他说，我是教高中语文的，我一直是带毕业班的，动不动就说这是常——识性的问题！总之他当我们班主任是大材小用了。自从他知道洪亮的大姑以后，就时常会有意无意地问洪亮:你大姑又到哪儿去演出了？你大姑最近回不回来？这点最让人讨厌了，说他是个歌迷吧他连大姑是什么唱法都搞不清，说他不懂吧他又好像比谁都关心歌坛新闻，连李娜出家当尼姑他都知道。

这天学校在大操场开动员大会，校长让教职工和同学们都行动起来，动员老校友回校参加八十周年大庆。这么个破学校居然有八十年历史，比奶奶岁数都大，这倒让洪亮大吃一惊。在他看来这个学校就算操场还开阔一点，其他的一切都是窄窄的挤挤的小气巴巴的，如果它真有那么老也只能是个永远长不高的侏儒。开完会大家正在议论这个不可思议的侏儒,老古过来摸他的头说:洪亮你有什么想法? 洪亮说我没有什么想法。
老古说,你大姑回不回来? 洪亮把头一擡:我怎么知道? 心想就你这破学
校还想请大姑来呀? 你请得起吗? 不过他没吭,他懒得吭。这时梁菲菲
一惊一乍地跑过来说,哇! 洪亮你大姑也是我们校友耶,帅呆了耶。

　　这让洪亮再次大吃一惊:你听谁说的?

　　梁菲菲把手一拍,摆一个啪啦啪啦舞姿说:不告诉你。

　　他抬头看看老古,希望从他那儿得到证实。可老古的眉头又拧起来,
眼神已经离开了,从操场上方飞出去,好像追着一群鸽子,而那鸽子早就
飞上云端消失得无影无踪,只留下一丝并不好听的哨音。

　　然后全班都知道大姑是一中的校友了,而且是学校邀请的贵宾。这
样一来洪亮也成了班上的明星,大家说,洪亮你无论如何要把你大姑请回
来。洪亮学着老古的姿势,把眉头拧得很深刻,拖长了说,我大姑哪有时
间啊? 她下半年有好几个国家要出访,还要去新疆西藏慰问,你们想要就
来啊? 学校想要就来啊? 学校重要还是国家重要? 你以为啊?

　　其实洪亮心里也希望大姑能回来,洪亮都有半年没见大姑了。大姑
一回来,家里就热闹起来。大姑一回来,爸爸妈妈也就不会冷战。大姑一
回来,一切一切的问题都将得到解决。真正的蛊惑仔都是这么干的,心里
想的永远不要和嘴上说的一样。洪亮就带着这些想法回家去,所有烦人
的事都被踩在了脚下,过了街口,梁菲菲突然拦在前面说,洪亮,我跟你说
句话。梁菲菲的小胸脯一挺一挺,两只电眼一闪一闪,空气一下就变得黏
滑起来。

　　王大孬说,拿我当电灯泡啊?

　　梁菲菲说,你本来就是电灯泡,你以为你是谁啊?

　　王大孬只好一个人先走了,走时还拍拍洪亮肩膀,好像他很会做很慷
慨很酷毙,弄得洪亮有点飘飘然。梁菲菲是班上的文艺委员,一直是大姑
的崇拜者,模仿大姑《你的深情我不懂》绝对能上模仿秀。另外这妞儿还
看得过去,是班上的电眼小魔女排名第一。王大孬总想拍她拍不上,只能
大口大口咽唾沫。更重要的是,她爸爸就是物资局长,一级保护动物,洪
亮还能不认真对待吗?

　　小姑父的事洪亮原本是托王大孬的。王大孬的爷爷最疼王大孬了,

只要他到爷爷奶奶身上一趴一闹,两把老骨头就化了。可是这回居然没有闹得赢,他爷爷说,小孩子懂什么?你爷爷也要求人办事。他求的人就是梁菲菲的爸爸。

这样洪亮就觉得有点亏:逮不着菩萨乱磕头,磕了半天菩萨就在身边坐着。既然拐弯抹角求的是梁菲菲,那何必把人情送给王大孬?难道洪亮不想拍个婆子玩玩?难道洪亮不喜欢电眼小魔女?从前洪亮懒得理她是因为她老跟着吴小敏跑,现在情况变了难道洪亮不应该实事求是与时俱进?这样下课时洪亮故意把梁菲菲书包碰翻了。

替她捡书包的时候,洪亮找到了大姑的照片,说,你不是想找我大姑签名吗?怎么后来又不说了?梁菲菲眼球都要跳出来:说了你又不理,骄傲样子。洪亮压低声音说:你的事还不是一句话?只要你肯保密。

他看见梁菲菲点头了,她脸上的红血球像听见了下课铃声那样刷地冲了出来,又像做课间操那么整齐地排着队,咔咔咔咔布满了全身,连手臂都红了。然后,他们就开始递条子。梁菲菲生日那天,洪亮还特意去买了一只奶嘴送给她,樱花牌的。于是梁菲菲就趴在桌上幸福了整整一天。

洪亮瞧着梁菲菲说,你把我的事办得怎么样了?我小姑都急死了。

梁菲菲说,跟我爸都磨好几天了,他说要查一查。

洪亮说,那就快一点。

梁菲菲把嘴一噘,知道了。

洪亮说,猴子不上树,多敲……

打嘴!

洪亮只好打了两下嘴,又笑道:菲菲你要把这事办成了,我大姑回来别说给你题字,就是想和她合影也是一句话。

真的?不带耍赖?

骗你我都不是人!骗你我把两条前腿放下来在大操场爬三圈!

洪亮看见梁菲菲笑的时候是把手背挡在嘴上的,小鼻子揪成一朵玫瑰花,眼睫毛长长地搭下来,像极了卡通美女小鹿泉子第一次遭遇心上人,好卡哇依哦。于是这情景就一直伴随洪亮入梦。

三

喜讯是小姑送回来的。她一进门就给奶奶一个热吻,啪的一响。当时正在吃晚饭,奶奶一抖把稀饭都泼了。小姑说你们办好了也不给我打个招呼,搞得我都觉得不像是真的。

奶奶说你发什么神经啊?

小姑说,下岗啊!今天名单公布了,没有他。

然后一家人都傻掉了,你看我我看你,就好像他们是在看乒乓球比赛,那球跳来跳去总也落不下来。洪亮再也憋不住,把饭结结实实喷了一桌。

小姑拨拉洪亮的脑袋说,亮亮你有这个本事怎么不早讲?早讲那二斤酒鬼不就孝敬你爸了?害得我们到处找人,托科长求局长,局长再去找局长,谁愿意拍他马屁呀?我一见他那眼神就恶心!

奶奶训小姑说,什么乱七八糟的?你跟小孩子扯这些干吗?

小姑说,哎哟喂对不起对不起,我一高兴都忘了我们亮亮还没长成大人呢。不过话又说回来,咱亮亮不是比大人还管用吗?小姑搂着洪亮摇来摇去又在脸上啪地亲一口,大惊小怪说,亮亮个子都快赶上我了,哎哟都长小胡子了喂!

说得洪亮脸都烫起来。

奶奶笑,我早知道亮亮有出息,比你们几个都有出息。

妈妈在这时候是不说话的,只把手在他脸上摸摸,又把他褂子扯扯。可洪亮看得出来,妈妈的眼神柔和,放着光芒,眉毛是翘上去的,这就叫扬眉吐气。他明白妈妈的心情,她越是不说话越是能体现出她的满足和自尊,越说明她贤惠温柔。是洪亮给妈妈争了口气,让她在家里挺直了腰杆。

只有爸爸不吭声,阴着个脸,想说什么又说不出来,然后咽口唾沫回屋去。洪亮想,爸爸是无话可说。因为这事从一开始他就认为是不可能的,就是大姑回来也是办不到的。现在叫洪亮办成了,他不是很没面子?想到这一点,洪亮觉得自己肚子筋都要笑断了。

可是爸爸又回来了。他垮个脸说,你们不要这么夸他,这有什么可夸的?对小孩子有什么好处?他才多大?就学会这一套了!这件事到此为止,也不要在外面炫耀。还把洪亮膀子一扯,去去去,写作业去。

洪亮看看爸爸,想笑。不过他没吭,乖乖地回屋去。他觉着,爸爸已经可怜到这种程度了,说什么都没用。在这个世界上,什么都不要说,有本事就去做。还是把说话的机会留给别人吧。

果然,他一离开,爸爸就倒霉了。

奶奶说,你现在怎么弄成这个样子?这一家人个个都对不住你?你自己没本事也就算了,不帮人也就罢了,怎么连自家儿子都要妒忌?没出息样子!

妈妈说,人家现在是干部了,纪委了,了不起。这话要是我讲你们还不信。

小姑说,我都懒得讲了,他这张脸挂办公室里人家都嫌假冒伪劣。也不想想自己是怎么当上干部的。你回西码头还认不认得路哦?

我讲什么了?我怎么得罪你们啦?我是说对小孩子不好,我又没讲什么……

洪亮想象爸爸双手高举招架不住的狼狈样子,一个跟头从床上翻过去,两条腿连连发射万炮齐轰万箭齐发。红毛老怪的胸脯早已被激光连环炮打得烂棉絮一样,正在泥塘里绝望地挣扎,并且缓缓下沉。

洪亮打开电脑,一本正经敲上了刚刚从老古那里听来的一句话:

在这个世界上,想得到别人尊敬的办法只有一个,那就是打败他们,比他们更强——迈克尔·乔丹。

四

班上掀起了足球热,一到课外活动男的全都上场,疯踢。而且差不多每人带一个球。这情形就好比日本鬼子打到家门口,人人都在买枪买刀。洪亮没带球,是王大孬负责替他拿着。王大孬就这点好,一见洪亮有些犹豫,立马掏钱买了两个。这样王大孬放学就要背着三个足球回家,还有一个是梁菲菲的。

　　洪亮不买球也不是小气,主要是爸爸脸色难看,他不想跟爸爸为这点小事闹翻。像他爸爸这种人已经过时了,跟他多说一句都是浪费时间。

　　不买球也不是因为没钱,其实班上人人都有自己的小金库,是营养午餐的回扣。定十块的回扣是一块,学校得五毛个人得五毛,定五块的能拿两毛五。一般大家都定五块的,在学校要营养干吗?想营养回家营养去。而且没有菜反而吃得快,三下两下饭盒一扔就上球场去。这时梁菲菲就会娇喘吁吁在后头撵,等等我啊,真坏! 然后就会引来一串哄笑,然后洪亮就能把球踢得像一发炮弹。

　　说起来足球热的原因并不是人人都突然迷上了足球,而是省队在甲B联赛中出了问题。为了把我们的老对手红牛队挤出决赛圈,省队故意让一个弱队大比分超出,让他们连进十球。这个消息是高中同学从足球报上看到的,本省的报纸电视都没有讲。消息传来全校震动,一个个都死机了,半天启动不起来。

　　问题不在于踢了假球,问题在于为什么别人踢假球都没事我们踢假球就要受处罚,明摆着是他们上边有人,可是这样显而易见的道理居然说不通。问题还在于班长吴小敏摆出一副教训人的架势,说什么规则高于一切,那天为这个班上差点打起来。以吴小敏为首的一派仗着人多势众,把洪亮他们说成是一帮痞子,说痞子都不喜欢规则,后来就拉扯起来,好在洪亮有王大犇在身后站着,没吃什么大亏。可是吴小敏还是恶人先告状告到老古那里。

　　老古把洪亮叫到办公室,说你这个洪亮啊,不就输了一场球吗? 至于这么大动干戈吗? 洪亮说是他们先动手的。老古笑了,说他们我也要批评的,现在我问你,踢假球的事你怎么看? 洪亮说,白猫黑猫逮到老鼠就是好猫,只要为我们省争来奖杯,踢个把假球算个屁。老古又把眉头皱起来:哦? 你这样想的? 洪亮没吭,心想我偏这样想你能把我怎么样?

　　老古磨蹭半天说,要文斗不要武斗嘛,开个辩论会你看怎么样?

　　洪亮以为开辩论会就可以真理愈辩愈明的,其实这完全是一个阴谋。

　　辩论会只有一堂课,双方意见刚摆出来,还没分出胜负老古就出来总结了。他说他只谈个人意见,可他是班主任老师,他的个人意见不就比谁都大? 他们实际上是一伙的,只不过要找一个公开机会把洪亮镇压下去。

洪亮看看王大孬,王大孬连头都不敢抬。又看看梁菲菲,梁菲菲也不吱声。洪亮就气得发抖,只好把脚别在椅子腿上。洪亮偏不服这口气,为这个辩论会他都想了一晚上了,到了关键时刻他怎么能服输? 怎么能让吴小敏得逞?

洪亮跳起来说:如果省队这次是把日本队韩国队挤下去了,你们也这么想? 这下吴小敏傻眼了,脖子涨得比脸还粗,说这是两码事。

洪亮突然来了灵感,慢慢地一个字一个字地说,你们爱不爱家乡? 爱。你们爱不爱国? 爱。骗人! 你们连省队都不爱怎么爱国? 你敢说省队不是代表我们省? 你敢说他们将来不代表中国? 洪亮无比深沉,万分痛心,和这样一些不觉悟的人做同学他觉得自己的脸都丢尽了,他把脸扭成了一条老丝瓜。

而吴小敏他们就像被霜打过的烂白菜,一个个都蔫了,然后都看着老古。老古没想到这是个爱国不爱国的严重问题,把额头深刻了老半天才结结巴巴说这是偷换概念。还说他担心的就是这个,说你们还小,还不懂什么叫爱国主义。这下把大家搞炸了,吹口哨的拍桌子的把屋顶都掀翻了。

洪亮及时地背起书包说,不辩了,没意思,你们这些人打起仗来个个都是卖国贼。然后他就公鸡一样昂首阔步走出教室。他想,老古这样的人肯定就是个甫志高王连举。

梁菲菲追上了他说,你今天酷毙了。

洪亮说,少来这一套。

梁菲菲说,我才懒得想呢。想这个干吗呀? 没劲。

梁菲菲说,真的,你把老古都辩得一愣一愣的。

洪亮问,那你究竟是怎么想的? 在课堂上为什么不说?

不知为什么,洪亮忽然觉得很孤单很委屈很无奈,他的这些哥儿们姐儿们看起来够威够铁,关键时刻屁用不顶,全是熊包软蛋。他对着牛奶盒狠狠地临门一脚,猛然鼻子就酸了。他觉得自己忽然读懂了一首古诗:前无古人,后无来者,念天地之悠悠,独怆然而泣下。

梁菲菲在身后大声喊:管他谁对谁错,反正我站在你一边。

洪亮想,那你们为什么不站起来大声发言? 哪怕能举个手也好啊。

晚上,梁菲菲发来 E-mail 说:我的心其实你不懂。

后来王大孬也来了一封,写的是:明明白白我的心。

洪亮想,这还差不多。

五

十月末的一个晚上,正吃着饭,大姑突然回来了。叭叭叭叭,把洪亮的脸亲得像个花气球,全是口红。大姑说,哎哟喂想死我了。

大姑穿得很少,一条长裙,一件毛背心还不带袖子,全靠大披肩裹着,看得奶奶好心疼。可大姑怀里很暖和,软软的,香香的,是一种奇怪的香味道。洪亮傻傻的,大姑不撒手,他就一直让她搂着。那种脸上发烧的感觉真是很好。

妈妈在一边说,洪亮你多大了? 还老让大姑抱着啊?

大姑说没事没事,你要不在乎,我还要带他睡觉呢。我就喜欢我们洪亮。

妈妈说,那好啊,洪亮你就跟大姑走吧。可话一出口,她就哽住了。

洪亮这才不情愿地挣脱出来。

大姑没有孩子,洪亮从小就被大姑像儿子一样爱着宠着,要说带走大姑真能带他走。洪亮也愿意跟着大姑走,可那样一来妈妈怎么办? 奶奶怎么办? 想说爱你不容易呀,洪亮被那么多人爱着,伤了谁的心都不好。

大姑是回来参加一中校庆的。到底还是回来了。

爸爸说,你不是讲挤不出时间吗?

大姑说,没法子啊,你们那个市长大老许亲自飞到北京,死乞白赖地磨,说绑也要把我绑回来。

洪亮说,那个破学校有什么可庆的?

大姑笑道,洪亮我两个还是校友呢,好玩儿吧?

洪亮说,校友不校友的倒无所谓。不过你回来一趟也好,我还有好几笔人情债没还呢。他就说了几个必须签名的,还有一个必须合影的。

大姑把眉毛高高地挑起来说,洪亮你多大了? 都能玩儿这一套了?

洪亮还没答话呢,爸爸就发狠道:你看看,你们看看,还不让我管!

奶奶慌忙把爸爸一巴掌扉开,说这个事情要怪就怪我,用不着拿小孩子说话! 然后又把小姑父下岗的过程讲一遍,说要不是洪亮有这个同学,你不还得回来帮忙? 洪杏不是你亲妹子? 手心手背都是肉,我这个做娘的不能偏心眼。说着眼泪又哗哗地流下来。

爸爸把脸拉成一条苦瓜,说好好好我错了,我错了还不行吗?

大姑说,那这个事真得感谢人家。这样吧,合影是个小事,找机会我当面谢谢那个局长,妈你看这样行了吧?

奶奶说,那我就放心了。以后,我也不会再给你们找事了。我还能活几天?

大姑叫起来:妈,你这是说到哪儿去了? 一家人亲亲热热的比什么不好? 我在外面闯荡这么些年,就明白了一个理。以后要是能帮我还会帮,真到了帮不上的时候,什么都晚了。说着,眼睛也红了。

奶奶说,梅啊,是不是碰到什么难处了?

大姑说,没有,没有。我也就是那么随便一说! 你看看,气氛这么压抑。

说起来也确实奇怪,刚才大姑进门时那种热烈眨眼就不见了。一说这些事怎么一下子就沉重了? 洪亮想想,没说什么了不起的话啊? 他想不明白。

在旁边阴沉个脸走来走去的爸爸这时来劲了,问:你说是许市长亲自去请你的? 就为一中的校庆? 没说还有别的事?

大姑哼一声:当然不是。

爸爸使个眼色,想拉大姑到屋里去谈。可大姑看看奶奶,又犹豫了。

奶奶说,有什么话你们出去讲,用不着假马日鬼地装!

就在这时市长的电话到了,外面也响起了轿车的喇叭声。

大姑抓起电话立马笑了:哎呀大市长,都是乡里乡亲的这么客气干吗? 好吧好吧,恭敬不如从命。不过话说清楚,酒全归你代,你答应吗? 你答应了我就去……不嘛不嘛,不许你耍赖。

大姑匆匆走了,家里又冷清下来。这种冷清因为刚才的热烈就变得特别难熬,就好像从夏季突然跳到了寒冬。一家人谁也没有话要说的样子。妈妈收拾了碗筷,奶奶叹口气转身去睡觉,连电视连续剧都不看了。

　　然后，就是这一晚，洪亮听到了大姑一些秘密。秘密是从爸妈的墙缝里飘出来的。家里的装修都是用木板，做成衣柜又当墙又当橱，只要打开橱门声音就听得清清楚楚。有一回他还听到妈妈哎哟哎哟地叫唤，以为爸爸在打妈妈呢，后来才明白怎么回事。当然这个秘密他谁也没说，只跟梁菲菲交流过。梁菲菲说她早就知道了，还说他弱智，连这个都不懂。

　　但这次可不一样，他们说得含含糊糊断断续续。但洪亮还是听懂了，听懂了洪亮就觉得心里很痛。

　　在洪亮的记忆中，大姑父很少到家里来，来了也闷声不吭的。大姑父长得什么样他都记不清了，只是他一脸脏兮兮的胡子给人印象很深，一吃饭酒汁菜汤都挂在那上头，好像不这样就不叫艺术家。大姑父是拉大提琴的，可洪亮看不出他有什么音乐细胞，他那双手已经被麻将磨得没有感觉了。就这样一种人，他居然敢打大姑！

　　妈妈说，这种男人全世界少有，花着老婆的这种钱，还有脸提这提那。

　　爸爸说，你轻一点，什么这种钱？

　　妈妈不吭了，爸爸又低声说了老半天。那意思总是让妈妈不要嚼舌头，特别不能让奶奶知道，奶奶犯病了就不得了。

　　洪亮想，你们怎么就不为大姑想想呢？你们怎么这么自私呢？大姑为全家做了多少事？大姑容易吗？大姑表面上笑着，跳着，叫着，可谁知道她心里有多苦？你们知道吗？

　　这一晚，洪亮很悲哀。他第一次正视了自己的年龄，他承认自己身高不够，体重不够，力气当然也不够。如果足够洪亮就绝不允许有人欺负大姑。他要对那家伙招招手，来来来，然后一个玉环步鸳鸯腿，然后当胸一脚踏住，然后把他的脏胡子一根一根揪下来。然后叫他离婚，叫他写保证书，滚蛋，休了他！

　　然而这激动人心的一幕暂时还无法上演，想说爱你真的不容易呀。

六

　　八十周年校庆，学校说是放假一天。可是放假还必须到校，还要到路边夹道欢迎，有这么不讲理的吗？本来洪亮是大声表示抗议的，可大姑来了情况就不同了。洪亮一大早就换了校服,八点没到就站在校门口,对后面的同学说,你在我们班到得第二早。好像他就是这次活动的主持人。

洪亮洪亮,你不是说你不来的吗? 谁说我不来的? 我就那么随便一说。我是本党最有组织纪律性的党员了,意见归意见,行动上还要保持一致。把他们班同学搞得一愣一愣,一个个都像被大风刮弯的向日葵。

洪亮大声和每一个同学打招呼,就是不理吴小敏。他听到吴小敏在一边说他二赖子样儿,他也不理。今天不是吵架的日子。然后他大声发布北京歌坛的最新秘闻,谁谁跟电视台闹翻了,谁谁准备复出了,谁谁最近又有绯闻。这些消息有的是从小报上看来的,有的是听大姑讲的,有的早就在班上传过,但现在不同了,现在从他嘴里说出来无疑是最权威的,他一点都不怀疑。其实是真是假又有什么关系? 他要的是效果,这是个玩眼球的时代。他说,现在北京复杂得不得了,你们哪儿知道啊? 复杂得一塌糊涂,你以为啊? 王大孬在他身边深沉地说,就是就是,你们以为啊。于是所有的眼球都拉到了自己一边。梁菲菲几次想拉他到一边问话,他也顾不上理。

老古过来笑着说,洪亮你今天很活跃嘛。

他说,是吗?

老古说,这样就对了,集体活动嘛。

他说,意见归意见,行动归行动。

老古说,好,很好。老古今天也有些特别,脸刮得铁青,新吹了头发,还很难得地打了领带,那两只酒瓶底都显得更亮了。他说,你大姑可惜没回来。然后又把头抬起来去寻找天上的鸽子。今天的鸽子也很特别,老在校门口盘旋,好像也在等待贵宾到来。

梁菲菲在一边说,他大姑没回来他能那么兴吗? 兴头瓜脑的样子。

听了这话,洪亮一点都没恼,他对梁菲菲打了个 OK 的手势,笑了。

同学们噢——地欢呼起来。老古也摇头笑道,你这个小鬼呀。

然后有人就提议去看主席台,看看到底有没有著名歌唱家洪梅。洪亮把嘴撇撇,他不去。他心里有底,时间还早得很呢,大姑这时恐怕才刚刚起床。大姑要来也是坐着市长的轿车来。怎么可能像那些老头老太一样,一大早就赶到学校,在门口登记,领一个校友证套在脖子上? 那也太掉价了,那还不如不来。要来就要坐着轿车来,一坐下会议就开始,当然还要穿过这些拿小旗的队伍,耳朵里响着欢迎、欢迎,热烈欢迎——不然这些人练了半天给谁看的?

果然,去看的人很快就回来了,说,洪亮,你大姑的名字在第一排呢。洪亮又把嘴撇撇,没吭。大姑不在第一排还能在第几排?

洪亮抽空悄悄跟梁菲菲说了合影的事,他说你千万别透露出去,不然大姑应付不过来你可别怪我。梁菲菲在他膀子上掐了一下,没吱声,眼皮却猛然一抖,慢慢地红了。他嘴上说,别。心里也有种被电了的感觉,酥酥地,从脚麻到头,然后又集中在鼻尖那里。这就叫尖端放电。

这是洪亮最得意的时刻,这得意让洪亮体验到了成功,这成功又让洪亮进一步品尝到了甜蜜。

然而后来的事情却不那么让人太满意。

后来车队就来了,车队在欢迎欢迎声中缓缓开进学校,大姑坐在第几辆见都没见着。然后就整队入场,他们班是排在操场的顶右边,根本看不清大姑的模样,只能见到一个紫红色的披肩,这多少让大家有些失望。大家说,我们班要排在左边就好了。洪亮想,这不是左边右边的问题,关键是把大姑放在了最靠边的位置上。第一排有四五十个座位,为什么把大姑放在最边上?这也太那个了。

然后是校长介绍来宾和老校友。来宾都是这个书记那个市长,这也就算了,可大姑的名字在老校友中间也算靠后的,这就让洪亮忿忿不平,好像受了排挤,受了侮辱。他把脸涨得通红,在同学中来回看,想找个人说说,可谁也没有留心他,他们一个个把嘴张得像癞蛤蟆,听到一个名字就拍一次巴掌。如果有熟悉同学的家人,那更要兴奋一阵,说哇塞,你爸爸也是耶。后来连王大孬的爷爷也念到了,连梁菲菲的爸爸也念到了,大姑的名字还是没念到。洪亮气得差点跳起来,大姑不比他们有名吗?

校长说,八十年里母校为祖国培养了一批又一批栋梁之材,其中有地市厅级领导干部五十四名,有县团级领导干部一百三十名,有局级领导干部两百多名,还有正教授级的专家科学家二十多名,还有著名歌唱家一名……原来校长把大姑放在这介绍了。校长说,现在,我们请著名歌唱家洪梅小姐为全体校友先献一首歌好不好?

不好!不给他们唱。洪亮在心里喊。他们太欺负人了。

然而大姑还是站起来了,大姑抓着披肩,显得激动,激动得嗓子都有点沙哑。就是因为这沙哑,全场都静了,呼吸都停止了。她唱的是《小草》,人人都熟悉的。没有花香,没有树高,我是一棵无人知道的小草……他不明白大姑为什么会这样。后来,大姑挥动双臂,全场都跟着唱起,阳光啊,雨露啊,哺育了我……全场都发疯了。

唱完了,校长还哽着,半天都说不了话。校长说,我太激动了。可洪亮觉得校长在撒谎,校长真正得意的就是这些当官的,他把大姑请来就是为这些当官的"献歌"的。洪亮想,大姑真傻,她连这个都看不出来。

还有件事很奇怪:大家都在唱的时候,洪亮发现老古在哭。老古把酒瓶底摘下来一把一把地抹眼睛水。他也跟着唱两句,可嘴巴咧得不知有多难看。这个情况好多同学都注意到了,所以散会的时候大家就特别留心老古。看得老古有点不好意思,他尴尬地笑笑,又把脸仰起来去数鸽子。

老古说,我给大家布置一篇作文,不是课堂作文,你们什么时候写好什么时候交,不交也可以。作文题就叫《二十年后我回母校》。

大家噢了一声,散了。洪亮觉得好笑,这叫什么狗屁作文? 二十年后老鬼知道变成什么样子? 二十年后老鬼才回学校来。不过既然不交也可以,那倒也无所谓。这样的作业还是让吴小敏去交吧,这个马屁精就等着表扬呢。

七

晚饭都盛上桌了,大姑还没来。奶奶说算了不等了,大姑却像一朵彩云飘进来了。大姑说对不起对不起,不喝一杯他们不让走,等急了吧?

奶奶说,来了就好,快吃吧,一家人难得凑齐。奶奶说,跟你讲过多少次了,在外面不能露酒,只要一开头你后边就收不住。喝谁的不喝谁的都不好。

爸爸说,场面上应付,一点不喝也难。只要心里有数就行。奶奶说,她哪有数啊? 我养的闺女我还不知道吗?

大姑比小猫都乖,听他们教训一声不吭,只是嘿嘿笑。

小姑突然咯咯笑起来,说你今天被鬼抓了吧?

大姑夹菜的膀子就停在空中缩不回去了。她膀子上有几条红红的手印。她解释说,还不是你们许市长拉的,下手这么狠。

小姑说,趁机吃豆腐是真的。这帮人看着人五人六,其实都一个样。

洪亮想笑,可又有点不好意思,只有把汤喝得呼噜呼噜响。

奶奶把脸沉下来,说你这个嘴怎么这么臭?一家人难得聚一回,非得找点不痛快?吓得小姑把舌头吐出来。奶奶摸摸那膀子,心疼了半天,说你也是的,这么大冷的天,穿件长的也不至于招人眼。做女人难啊。说着又要抹眼泪。

大姑瞪着小姑说,这死丫头就是这样的,有本事你自己出去闯闯试试就知道了,别说吃豆腐,你什么都吃过了。

爸爸连连咳嗽,说好了好了,三个女人一台戏。扯这些干吗?

小姑知道犯错误了,推着小姑父敬酒:赔罪,赶快赔罪!

小姑父是个腼腆的人,站起来嘟囔了半天,一连喝了好几杯才把这事遮过去。事情是过去了,可气氛好像也凉了。其实小姑父吞吞吐吐是想感谢大姑的,可说出来却是别的意思,这一点连洪亮都看出来了。

大姑说,我明白你的意思。我没有照顾好家里,你也感谢不着我。上次是洪亮帮的忙。今天我本来是想当面谢谢你们局长的,他也是校友会的,可是他没有来。这样吧,要不咱们请他吃一次饭?

洪亮叫:好啊好啊,这样合影的事也解决了,省得我另外安排。

大姑笑,哎哟口气真不小,另外安排!说得大家全乐了。

洪亮说,本来就是嘛。

这顿饭吃了两个钟头,总的来说还不坏,该喝的喝了,该笑的笑了。因为大姑过年也回不来了,所以这顿饭就显得很重要。当然要不是洪亮的插话,可能气氛就差远了。

大姑真的很忙,演出任务一直排到了明年,连大姑父也很难见着她。大姑说,见不着还好一点,省得心烦。一句话把大家又说凉了。奶奶还大大地叹了一口气。但这还不是主要的。

奶奶睡下以后,洪亮偷听到了一个惊人的情况:

原来大姑这次回来是市政府想请她帮忙的。大姑从前给市里帮了不少忙,妈妈现在的那家裕安公司就是大姑拉来的。可这次不同,这次不是拉项目,也不是拉贷款,而是要把特区一个劳改犯转到白茅湖农场来,这样好就近照顾他。这个劳改犯从前是个局长,给我们市办了不少好事,家乡人民都没有机会感谢他。现在人家倒霉了,家乡能不管吗?这样的事不管,以后谁还为家乡办事呢?大姑说,这个人我也见过,大大的个子,挺讲义气。他们一说我就答应了,这个忙看来是一定要帮的。

爸爸问,他们要你怎么帮?

大姑说,找点关系呗。反正判也判过了,换个地方劳改也不是什么了不起的大事。

爸爸哼哼说,到了白茅湖,怕就没这么简单了。

大姑说,那又能怎么样?是劳改,是假释,还是保外就医我都不管,我的任务就是把他弄回来。

爸爸叫起来:你怎么这么糊涂呢?

大姑说,我一点不糊涂。人家既然开口了,我就不能不仗义。

爸爸说,这可是个原则性问题!

大姑笑起来:谁定的原则?你?

然后爸爸就噎住了,半天不吭气。洪亮闭着眼就能看到爸爸的那副窘样子:瞪着两只小眼,张着一张大嘴,就像打喷嚏老也打不出来。

停了一会儿,妈妈插话说,他大姑啊,你可要想好啊,这可不是个小事。

大姑说,这么跟你们说吧,如果有一天我倒霉了,你们也跟我讲原则?

妈妈说:那倒也是的。

大姑说,人情大似债,头顶锅儿卖,谁都难保没有倒霉的那一天。

爸爸急了,说,那是两回事!

大姑说,道理是一样的。

洪亮想想,道理确实是一样的。这就好像省队踢了假球,你胳膊向哪儿拐?自己人当然要帮自己人,1 + 1 = 2,1 − 1 = 0,不过这种道理跟爸爸这种人是讲不通的,他脑子早就坏了。

果然,大姑说:哥,你现在怎么都迁成这样了?这都什么年代了?早知这样,当初真不该让你到机关去。

爸爸说,好好好,我也不劝你了,随便你吧。有句话叫水满则溢月满则亏,你自己在外头自己要当心,不要上了人家圈套。

大姑问,你是不是听到什么话了?

爸爸说,这还用听吗? 像许市长这种搞法是迟早的事。

大姑说,不过老许这个人还是挺有魄力。再说人家又不是为自己,还不是为家乡出力?

说得好听! 等他退下来试试? 爸爸说,我们市这几个人,哪个不是快退休了才开始整的? 他的那一天我看也不远了。

……后来,洪亮的眼皮越来越沉,他们的声音却越说越远,好像在遥远的地方,在空中回响。洪亮觉得自己也飘起来了,像一只大鸟,张开翅膀,慢慢地滑翔。世界离他很近,又好像很远,有些事情他看得很清楚,有些事情却一闪而过。就跟梦境一样,他是努力想记住的,结果却什么也剩不下。

八

大姑这次回来,洪亮给班上八九个同学签了名,还安排梁菲菲和王大孬跟大姑单独合了影。梁菲菲一个人就拍了五六张,有搂着的,有挎着的,还有一张是在宾馆前面拍的,前面是月季花,后面是宾馆的飞檐、蓝天、湖水,漂亮得一塌糊涂。取照片时梁菲菲尖叫不停快活死了,差点要在大街上亲洪亮一口。

王大孬说,放学去吃麦当劳好不好? 我请客。

梁菲菲说,你就知道吃!

王大孬说,那去打游戏机。

梁菲菲说,没劲。

然后王大孬也没劲了,就看着洪亮发呆。洪亮也想不出题目来。大姑要走了,该热闹的热闹过了,一切又要回到从前的老样子。他忽然觉得生活失去了方向,就好像一部电影就那一点高潮好看,可高潮来了电影也该结束了。他觉得电视台那帮搞策划的真是无能,应该每天都有新节目才对,他们都是干什么吃的? 洪亮大叫:怎么还不放假啊?

然后到了学校就更没劲了。足球早就不热了,什么甲 A 甲 B,黑哨球迷,全都是炒作,骗人掏钱买报纸才是真的。然后,又是上课下课,听老师训话,还有什么事情可以让人兴奋呢?

老古又表扬吴小敏了。这次课外作文只有几个人交,所以老古有点失望。吴小敏这个马屁精他肯定是要表扬的。什么二十年后我回母校,百分之百是胡说八道。吴小敏从来就没有一句真话。他一会儿说自己是科学家,发明了纳米材料航天器;一会儿又说自己是乡村教师,在贫困山区为祖国培育花朵。既然二十年后都那么发达了,你到哪儿去找贫困山区? 既然你在贫困山区,你又怎么发明航天器?

老古说:吴小敏同学从小立志,心系祖国,很让我感动,不管他将来做什么,我们都应该有这种精神,同学们说对不对呀?

不——对! 洪亮脱口叫出来。

班上全都愣了,然后哄笑大堂。

老古的酒瓶底都气滑下来:洪亮,你想什么呢?

洪亮站起来,脸涨得通红,脖子也一点一点粗起来,好像青蛙在鼓气那样。

下课后老古把洪亮叫住,说你这个洪亮啊,你小脑袋瓜子到底在想什么啊? 你怎么老是跟吴小敏过不去?

洪亮说,我就是看不惯他,明摆着说鬼话。

老古咽着唾沫说,那你想怎么样呢?

洪亮脱口就说,改选! 班干部都是老师指定的,不公平。早就该改选了。

老古笑了,说:那好啊,你敢不敢竞选?

洪亮被问住了,这个问题他倒没有考虑过。

老古说:你们要是都敢参加竞选,我倒是高兴的。我们班也是该改选了。然后老古又把眉头皱起来,目光很深刻地投向远方。可远方什么也没有。

放学后,洪亮有点闷闷不乐,他不明白老古为什么会这样说。难道把吴小敏选下去老古会高兴吗? 不过,他明摆着是小看人。他的意思是,你洪亮就是来竞选也选不上。想明白了,洪亮就有种被歧视的感觉,就好像乔丹在黑人街打球,想上场可人家却不带他玩。

他跟王大孬梁菲菲说了这件事,然后骂道:什么了不起的? 狗屎!

王大孬听了很兴奋,说哇塞,你要能当班长就太棒了,我保证选你! 梁菲菲说了一句你选有屁用,王大孬愣了半天才瘪下去:你讲没用就没用喽。

梁菲菲说,当班干部最没劲了。讨厌。

洪亮忽然觉得梁菲菲很自私,你自己是文娱委员,却完全不考虑洪亮的感受,用得着时就甜言蜜语,用不着时看都不看一眼,还明明白白我的心呢。他瞟一眼说:王国栋同学的选票不是一票? 为什么他选我就没用?

梁菲菲傻了:你还真想当啊?

洪亮说,你能当我就不能当啊? 早就知道你在利用我!

梁菲菲看着洪亮,慢慢地眼眶里就有了一汪水。

王大孬说,算了算了,她又不是那个意思。她是以为你瞧不起班干部。

洪亮说,本来我是不想当的,可老古那样讲,我就偏要当。

梁菲菲跺着脚喊:想当你当就是了,人家还不是为你好吗?

王大孬也说,就是。

洪亮这才好过了一点,说,算了,我也不是故意的。又说,不过就你们两个选才两张选票,有什么用呢?

梁菲菲说,我可以帮你拉几个女同学。

王大孬想想也说,我也可以拉男同学。

梁菲菲说,你?

王大孬说,一张选票十块钱,我就不信他们不干。

这么一说,全都愣住了。可只一会儿,又全都笑了。洪亮说,就这么定了! 洪亮打开书包,数数,也有一百多块,全都塞给了王大孬。梁菲菲也想掏钱,被王大孬挡住了。他说,哪有让小姐掏钱的?

然后他们仔细分析了班上哪些人比较可靠哪些人可以团结,哪些人可以利用哪些人是绝对不能沾的,哪些人白给票都不能要。然后他们又做了分工,算算,过半数绝对没问题。这样他们又重新快活起来,王大孬说:真过瘾啊。梁菲菲说,就跟搞政变似的。

政变这个词,让他们刺激得一塌糊涂,说话嗓音都劈岔了。洪亮觉得浑身肌肉都在颤抖,在抽搐,像要从毛孔里弹射出去。而三人在一起密谋很显然有点神秘有点庄严有点视死如归。他们把手拍在一起,那种感觉就好像并肩前进的战友,迎着十二级台风,迎着鞭子一样抽打下来的暴风雨。

洪亮想,要是政变成功了,他首先就要让吴小敏尝尝味道,让他来给自己拍马屁,然后一点一点地修理他,让他知道马王爷几只眼。当然,他也要好好策划几个点子,让班上天天都在过节,让老古的酒瓶底天天都挂不住。那样,就真的很卡哇依哦了。要是搞不成呢?搞不成也没什么了不起。起码狠狠玩了一把,刺激了一把。啪啦啦啪啦啦,啪啦啪啦啪啦啦,过把瘾就死呗。

洪亮就带着这些想头回家去。天已经很黑了,月亮不明,星星却很多。洪亮胸脯挺得高,书包抡得圆,呼吸里都带着热浪。他觉得自己高大了很多,眼睛比天上的星星还要亮。

九

回到家洪亮大吃一惊,老古居然坐在家里!隔着玻璃窗,他看见爸爸正撅着屁股给老古递烟。那种笑,洪亮几百年都见不着一回。

还是上小学的时候,老师才有家访的事。后来也没有了,后来老师有事一般都是打电话。再不然就让同学带条子,叫你家长来一趟!然后家长就屁颠屁颠地跑来听老师训话。

然而现在老古居然来家访了。老古能告什么状呢?说他调皮捣蛋?还是不注意听课?还是刚刚密谋的政变?难道这么快就被老古嗅出气味了?这些念头,还有由这些念头引起来的其他一些念头,闪电一样在脑子里翻腾跳跃,就如同不小心按动了录像机的"快进",晃得他眼睛都睁不开了。他觉得汗水刷一下就钻出来,好像他穿的不是衣服,而是湿淋淋的海绵。

不过洪亮还是咬着牙推开门,他知道躲是躲不过去的。

有意思的是，老古见他进来，踩着弹簧一样跳起来，说洪亮回来啦。爸爸见老古站起来，也只好不情愿地跟着站起来，弄得大家都不自在，好像他们在欢迎一个重要人物。爸爸说，古老师你坐。老古这才拉着洪亮一起坐下。

爸爸说，小孩子你跟他客气干什么？一天到晚闷头闷脑，也不知想些什么。

老古笑起来，说现在的小孩子不简单啊，跟我们那时候不能比啊。别看他嘴上不说，其实心里特别有数。又扭头对洪亮眨眼，说，你放心，我不是来告状的，我是来会老同学的。

洪亮有些发呆。

这时大姑换衣服出来了，说洪亮你没想到吧？连我也没想到！

原来老古是大姑的同班同学。虚惊一场。

吃饭时，洪亮才搞明白，他两个从小学到初中都是同班，而且好像还有点那个，因为奶奶都很清楚。奶奶说，古老师那时候文文静静的，门门功课都好，不像我们家洪梅，一天到晚疯。大姑说，人家是高才生，我们想追追不上。老古慌忙站起来说，不是那样的，真不是那样的！大姑说怎么不是？你能考上我就考不上。老古涨红了脸说，可是那能说明什么呢？大家都笑起来。

他们讲了很多陈年旧事，还有从前的老邻居老同学。这些洪亮都不感兴趣，洪亮更想知道他两个从前是个什么关系。洪亮猜想大姑说想追他追不上肯定是拿他开心，以老古这副德性给大姑拎鞋他都不够。说老古想追大姑还是可能的，而且十有八九就是这样的。现在回想起来，老古每次问到大姑的那种神态确实有点意思：目光迷离飘忽，远远地投出去，像是追着一群鸽子。而鸽子永远是自由的快乐的可望不可即的，并且一去不再回头。

吃过饭他们要谈事情，就撵洪亮回屋去写作业。老古还特意跟他开玩笑说：洪亮你还欠我一篇作文呢。洪亮说，写就写，什么了不起的。

其实洪亮哪有心思写作文啊？他耳朵贴在门缝上，恨不能拉成驴耳那么长。听了半天他才听明白，老古吭哧吭哧绕了半天弯子，把脸都憋紫了，原来就是让大姑给他帮帮忙。其实也没什么大忙，也就是新来的校长对老古不大友好，什么把他排挤到初中部啊，什么分房子老是不给他分啊这些破烂事。后来大姑也烦了，说，你不要讲过程了，把你想办的事一二三四写清楚，我负责给你办到不就行了吗？大姑说，你们校长求我办的事多了去了，他敢不办。老古愣了好一会儿才反应过来，说好好好，好好好。

老古千恩万谢地回去了。大姑就来敲洪亮的门，说我来看看你写的什么作文。一看大姑笑死掉了：二十年后我回母校！哎哟喂一晚上你就写这几个字啊？洪亮说，老古在家坐着我头皮都发麻，哪还能写得出来？爸爸在外头吼：我看你是屁股作痒。大姑说，好了好了，我明天就要走了，你就放洪亮一晚上假，让他陪我回宾馆吧。爸爸这才不吭了。

大姑搂着洪亮顺着湖边慢慢走，洪亮偎在大姑怀里好温暖好感动。月亮弯着，白云游着，湖水又把它们分得重重叠叠，聚了又合合了又聚，一切的一切都好像在梦中。大姑要走了，一走又是半年一年，不知道什么时候才能再见。大姑每次回来都是这个事那个事，辛苦得不得了，这回连老古也掺和进来。洪亮觉得大姑真是活得好累好累。洪亮说，大姑你下次不要回来了。大姑惊讶地停下来，捧着洪亮的脸看了又看，说洪亮你真是长大了，知道疼人了。洪亮说，要不然你找个地方住下来，我天天陪着你。然后大姑就笑了，那你不上学啦？洪亮说，那个破学有什么上头？连老古都来找你麻烦。然后大姑就笑得直不起腰来，捶着洪亮的肩膀哎哟哎哟地叫：洪亮啊洪亮啊，你是不是吃醋了啊？洪亮说，才不是呢。

后来大姑说，好吧，我跟你说实话吧。你不要看你们古老师现在窝窝囊囊，从前他可是我们班的白马王子。那时候，他成绩又好人又潇洒，他有个甩头发的动作，还有个扶眼镜的动作，把多少女孩儿魂都勾跑了。

洪亮把嘴张着，这太不可思议了。他说，这么说他还真的追过你？

大姑说，是我追他！后来……大姑把头仰起来摇着，人啊，很难讲的。洪亮你还不懂啊。不过等你懂了什么也就晚了。

大姑说，洪亮，你要听古老师的话，起码他是个好人，他不会害你。

大姑说，洪亮你回去吧，听话。好好想想，二十年后你怎么回母校的？

这一晚，洪亮真的是在写作文了。他写道：

二十年后我肯定比现在高大，起码要比我爸爸高大。我肌肉很发达，像施瓦辛格那样，说不定还长着胸毛。我不喜欢穿西服，那太一本正经了,我穿的会比较休闲。当然,我非常重视鞋,鞋的品位上去了人的品位也上去了,这是小时候养成的习惯。我就穿着这样的品牌回母校去。我肯定不是教师,当然也不会是什么专家科学家,那太烦人了。我也不是什么歌唱家艺术家,这一点现在就可以看得出来。但我肯定是个成功的人,不然我回母校干吗?

写到这里,洪亮已经写不下去了。是啊,二十年后他回母校干吗呢?这太荒唐了。二十年后,他都三十好几了,差不多就是个小老头,这太滑稽了。

十

老古说话还算话,元旦放假前,他终于宣布了。他说,班干部也是该改选了。而且他还说,我希望每一个同学都有机会当一次班干部。这话明显是帮洪亮的。起码洪亮是这么分析的。现在他不帮洪亮还能帮谁呢?

然而洪亮的政变还是失败了。而且失败得无声无息,连一点浪花都没有。

是计划不周密吗?不是。事先他们把每个环节都想到了,怎么提名,怎么起哄,怎么推选唱票人。是准备不充分吗?不是。洪亮的口号是天天都像过节,他在演讲的时候就要推出一个新年郊游计划。是经费不到位吗?也不是。他们的竞选经费已经达到了四百多块。而且就在王大孬的书包里揣着,他们随时都可以兑现庄严的承诺。只不过这笔经费在使用上作了一些修改,不是直接发给个人的,发给个人不好,有点贿选的意思。他们是要把它用于新年郊游计划,说是赞助也行说是庆祝也行。这个话都已经透露出去了,总之万事俱备只待东风了。可是这在这个节骨眼上出了岔子。

王大孬没来,梁菲菲也没来。上午不来,下午也不来!

眼看班会就要开始了,洪亮把脖子都扭酸了,眼珠子都要掉下来了,他们就是不出现!什么叫愤怒?愤怒和气愤有什么差别?这就是。

后来,老古都有点奇怪了。他问:洪亮,你不是要报名竞选的吗?你怎么不发言？勇敢点嘛,你上来说几句,选上选不上都没有关系。

洪亮站起来了,他看见全班都在注意他,好像都在哧哧地发笑。他用力拉出书包,甩到肩上,他说:我才不想当班干呢,没意思。然后他就出来了。来到外面,冷风一吹,这才觉得鼻子酸了,热泪往外一喷!

晚上,吃过饭,洪亮就把自己关在屋里打电脑游戏,是新版的《魔戒》。正杀得天昏地暗,妈妈敲门喊:洪亮电话,好像是梁菲菲。洪亮早就和梁菲菲讲过的,不要往家里打电话,有事就发 E - mail。所以他说,我不在家。妈妈笑起来,不在家是哪个在说话? 梁菲菲的电话你也不接吗? 你也学会这一套了?

洪亮想,不在家就是不接,这还不懂吗? 梁菲菲的就更加不接了,这个小魔女,她毁了我的一生。

爸爸正在吃饭,随口说,这个梁菲菲的爸爸今天也进去了,还有那个什么王大孬的爷爷,都进去了。他交的朋友,都是这号人。

洪亮一愣,跳了起来。难怪他们今天没来!

妈妈说,是这样啊! 这样就更应该接了。妈妈砰砰地拍门。

洪亮站在门口,犹豫了半天才拉开门去听电话。可电话里只剩下嗡嗡的电流声。他撂下电话又一声不吭往回走。

妈妈在一边说,洪亮,你主动给人家打一个嘛,随便说两句也好。

爸爸说,不打也好,小孩子掺和这些事干吗?

妈妈说,小孩子才要打呢,人家小孩子有什么错? 不管怎么讲人家都帮过我们,这时候可别让人看扁了,说你狗眼。

妈妈不讲这话还好,一讲这话洪亮突然就火了:狗眼怎么啦? 我就是狗眼! 她爸进去了,她就没用了,没用的人我还交她干吗? 她有本事叫小姑父下岗啊! 说完洪亮把门轰隆一下摔上了。

妈妈在外头傻掉了,说,这孩子,这孩子,怎么……这么可怕?

<h2 style="text-align:center">十一</h2>

一直到放假,梁菲菲都没来上学,连期末考试都没参加。王大孬倒是来了,可他来不来,也就是那样,他反正是要挂红灯的。他跟洪亮说,他不

想念书了,后来他又说他要转学了。洪亮说,你没事吧?王大孬说,他能把老子怎么样?洪亮说,那我就放心了。

其实让洪亮放心不下的是梁菲菲。那天不接电话是因为在火头上,洪亮事后想想,也觉得不大妥当,毕竟竞选是个小事。所以他也给梁菲菲回过电话,可电话总是占线。后来他又发过 E-mail,E-mail 也发不出去。他这才有点懊悔了。毕竟,他跟梁菲菲要好过一场,就是分手,也要有个说拜拜的机会啊。每天放学,身边总是空的,再也没有欢蹦乱跳,再也没有莺歌燕语,于是洪亮心里也就空了。就像那首歌里唱的:你的空虚,总是因为失去;你的失去,总是因为空虚。

北风紧了,下过一点小雪,学校大操场那一圈老梧桐就秃完了,就像一只只伸出水面呼救的手掌,连最后的枯叶都扫进垃圾箱的时候,学校也就放假了。放假了也没见到梁菲菲。

从洪亮家到学校,要经过一个地方,高高的围墙只有一个小门,小门还是铁的,围墙上拉着铁丝网。这是市看守所。洪亮想,梁菲菲的爸爸是不是就关在这里头呢?她爸爸没有判刑,就应该关在这里头。所以放假以后他天天都到这一带来转悠。每天十点,都有一些人在看守所门口排队,手里拿着篮子,胳膊上夹着包裹。他想,梁菲菲也应该在这些人中间,她不会不来看她爸爸。

这样,洪亮就能看见梁菲菲了,他要对她说,对不起啊,那天真的是个误会,我真的不知道啊。一开始梁菲菲肯定不理他,泪光一闪就把头扭过去。可是不要紧的,只要他肯坚持,梁菲菲就肯定会回心转意。洪亮觉得,那一刻肯定会十分动人。他说,请你听我解释!她说,我不听我不听!然后洪亮就去拉她,只轻轻一拉,她就哇的一声扑在他怀里,捶他,咬他,骂他。而洪亮呢?只能坚强地挺住,面孔岩石一样坚硬,顶多流一点点泪。他会说:啪啦啦,啪啦啦,有我呢,放心吧。

然而,这一刻并没有出现。梁菲菲从这座城市里消失了。就像美丽的小人鱼变成了一个气泡。这个气泡再也不会回到人间。

然后,春节的前两天,家里突然接到一个电话。这个电话一下子就让洪亮理解了梁菲菲,让他明白梁菲菲再也不会回心转意。

这个电话把全家都击倒了,奶奶当天就住进了医院。

十二

大姑真的倒霉了。

其实大姑过完元旦就回到了省城,是从电视台的晚会现场直接带回来的,一点面子都没给她留。尽管她早就离开了省歌舞团,可是整她还是要从省里整起。因为一直支持大姑的那个人已经退休了,也倒霉了。

大姑住在郊区的一个宾馆里,比梁菲菲她爸爸待遇好多了,取的名字也好听,叫"双规"。电话就是从那里打出来的。打电话的人说,洪梅想见她的侄子,经过研究,同意了。冷得像块冰。

然后这块冰就像掉进油锅里,把家里炸翻了。爸爸在屋里打着圈子说,早讲过嘛,不听嘛,我讲的都等于放屁!奶奶只叫了一句梅啊——身子就矮下去,眼睛也翻白了。小姑从单位里跑回来,还没等发牢骚,一见这架势就傻了。比较起来,还是妈妈冷静一些,她说,现在什么都不要讲了,讲了也没用。然后就打了120,把奶奶送进医院。

他们是坐火车去的,早知道在郊区坐长途汽车还近一些。一路上妈妈就在叮嘱:见了大姑不要乱打听,不要乱叫乱喊,也不要哭。洪亮说,知道,知道,烦不烦啊? 他们是去慰问大姑的,当然不能让大姑伤心。可是洪亮注意到,一路上妈妈的眼角都是湿的。

大姑进来了,他们都站起来。大姑一把抱住洪亮就亲,眼睛、鼻子、耳朵、脖子,一点一点亲过去,亲得洪亮身上全是泪水,亲得洪亮心都碎了。洪亮答应过不哭的,可是这样一来再坚强的洪亮也忍不住了,他把哭声憋成一根游丝,一圈一圈地把大姑缠绕起来。

哭够了,大姑说,不哭了,洪亮你还好吧。

洪亮说,我还好,我好得很。可是话一出口,他立刻想到这学期的许多不够好的地方,许多的不顺利许多的不愉快。就是和大姑,前不久才说再见,还以为不知要多久才能见面,谁知这么快就见到了,而且是在这种鬼地方。

大姑说,你们古老师还好吧?

洪亮说,还好。

大姑眯起眼睛说,他会对你好的。又问,他现在还养不养鸽子?

洪亮说,不养。可是洪亮立马明白了,难怪老古的目光总是追着鸽子。

大姑说,他小时候最喜欢养鸽子,我们两个一起养,偷偷地养,那时候奶奶不让,可我们还是偷偷地养。那时候,在他家的阁楼上,看着鸽子飞得那么自由,心里不知道有多美,总想着也能像鸽子一样飞出去,飞得比鸽子还要高。

洪亮心想,你是飞出去了,可老古没有。

大姑说得很慢,一句一句的,好像每一句都有一个故事,每一句都是一首歌。后来大姑就笑了起来,眼角上堆满了皱纹,这让洪亮吃了一惊,大姑从前可不是这样的。

洪亮摸着那些皱纹说,大姑,你有鱼尾纹了。

大姑笑着说,像不像五线谱? 又说,大姑都三十六了,老了,飞不动了,也该歇歇了。洪亮想,大姑从前不是这样的啊! 在洪亮的印象里大姑好像永远是青春的活泼的,只有二十几岁样子。他又想,大姑三十六了,是本命年,难怪背时倒霉。要是早知道,他就会让大姑扎一条红腰带,可惜早不知道。

大姑对妈妈说,好了,你们回吧,能见上一面,我就满足了。

洪亮说,不,他抱紧大姑说,我不。可他的声音是破碎的软弱的。

大姑说,听话。要不,我给你唱首歌吧? 听好,这可能是最后一支歌了。

十三

大姑唱的是什么歌,洪亮完全没听见。他听不进去,他也不想听。他的心已经完全被抓破了,歌声就像一把刀子,慢慢地割慢慢地绞,心里的血也就像紫葡萄那样一颗一颗地一嘟噜一嘟噜地流出来。

洪亮想,大姑这次倒霉肯定是有原因的,大姑是被冤枉的,大姑今年背时。洪亮脸色铁青,心潮起伏。他仔细回想大姑说的每一句话,他觉得这里总会有一点什么线索。可是大姑并没有说什么,她只是问到了老古,还有,就是养鸽子。她说了她小时候的事,她小时候就想飞。老古也想飞,可是老古飞来飞去又飞回来了。这时,他好像明白了一点什么道理。

如果让洪亮的来选择,洪亮是选择做大姑呢?还是要做老古?答案是再明显不过了。哪怕大姑最后就是坐牢了,死了,也是值得的。

于是,洪亮的头脑开了天窗,大脑就像一锅沸腾的开水,有许多许多话要讲。他觉得他是可以完成老古布置的作文的——《二十年后我回母校》。二十年后洪亮是什么样子呢?二十年后他还没有大姑年纪大,他该怎么回母校呢?

洪亮那时不仅强壮有力,英俊潇洒,最主要的,他必须是一个大官,起码是省一级的。至少他很有钱,非常非常有钱,这个钱多到了足以让省长点头哈腰。这时候洪亮回母校就值得一回了。他会说,我们学校怎么还这么破烂啊?给你一个亿够不够啊?校长出来了,校长就是老古,老古说,多了用不了。他会说,把教师宿舍也改善一下嘛。这时一个教师出来表示感谢,仔细一看这个教师就是吴小敏,戴着一副望远镜那么厚的眼镜,他就笑起来。笑得吴小敏的腰一点一点弯下去。他就问老古:你看我和吴小敏比,哪个更有远见呢?老古的脸立马黄了,皱得像核桃仁,说这个这个这个……当然他还会问他的铁哥们儿王大孬梁菲菲。王大孬那时是个的士司机,连校友会都参加不上,只能远远看着,不提也罢。而梁菲菲却也成了一个铅华退尽的老妓女,谁都不好意思让她来。后来他就发火:她是我的老朋友旧情人,你们谁敢小看她?这时谁都不敢跟他顶嘴,只见满操场尘土飞扬,底下嗡嗡地响成一片。原来是一地的人都在磕头,求他放弃这个念头。他叫道,尔等这是要陷我于不忠不义啊?而他们却说:皇上圣明,臣罪当诛!

……

他们坐的是长途汽车,这种颠簸摇晃很适合于想象。现在这种车招手就停,他们就懒得赶火车了。洪亮正在思如泉涌想得带劲的时候,一睁眼猛然看见了一个小偷。这个小偷正好把手伸到前面一个旅客胳肢窝里,洪亮伸手一指:小偷!

一车人都在打瞌睡,听洪亮一叫,都醒过来。那个被偷的人摸摸口袋,掏出一个手机放进手提包里,没吱声。洪亮说,偷的就是你。妈妈拉住洪亮，叫他不要乱讲，说小孩子搞不清楚。那个小偷扭过头看了洪亮一眼，那种目光让洪亮打了个冷战，洪亮就不吭了。

车到了一个小镇，那小偷起身下车，又回头看了洪亮一眼。洪亮也瞪着他，心想你凶什么凶。

可是不知怎么搞的，车快开的时候，那个小偷又上来了，等车再次发动上了路，那小偷从怀里抽出一把西瓜刀，在护栏上一拍，啪！吓得售票员一声尖叫，钱掉了一地。

小偷说，妈的，这条线老子三年没跑了阿是啊？都不认得老子了阿是啊？

一车人都不吭，司机把车开得飞快。空气于是开始稀薄起来。

小偷看看地上的散钱，古怪地笑一下，然后把售票员扒拉开，踩着那些钱晃晃悠悠就过来了。小偷对洪亮说，你看见老子偷的？

洪亮站起来：我……我确实看见的。不信你问他们！

小偷问那个被偷的人：我偷你了？偷了没有？

那个人抖抖地站起来说，没有，没有。

小偷说，那我偷谁了？说！西瓜刀啪一下剁在椅子背上，声音就像老树劈开那样。然后小偷把刀咬在嘴里，封住洪亮的衣领，甩起一个大嘴巴。紧跟着又一个，又是一个……

洪亮颤抖着，眼前金星乱跳还想说他确实看见的，可是妈妈已经扑上来了。妈妈一把护住洪亮的脑袋。妈妈说，大爷大爷，小孩子不懂事，你饶了他吧。

小偷松了手，说我饶了他，谁饶我呢？

妈妈说，我包里有钱，你都拿去吧。他还是个孩子，他还是个孩子啊。

洪亮想说不，不。可他的声音是那么的渺小，在妈妈的怀里是那么的无能。

小偷把妈妈的提包翻了翻，又扔下了，手却伸到妈妈的裤腰里，在妈妈身上乱摸起来。妈妈浑身颤抖放声大哭，两手却死死搂住洪亮脑袋不放。

洪亮觉得气都透不出来，他想用脚去踢小偷。可是妈妈死死压住他，妈妈怎么都不撒手，任那个小偷在身上乱摸。

　　洪亮想,拼了,我跟你拼了。可不管洪亮怎么挣扎妈妈都不放。妈妈边哭边喊:他还是个孩子! 他还是个孩子啊……

　　不知什么时候,小偷已经下去了。又不知什么时候,车已经进了市区。人们开始说话了,妈妈却一直在哭。有人唉的叹了一口气。

　　那个被偷的人,掏出一张钞票,对妈妈说,对不起呀。

　　又有人说,是啊,是啊! 让你们受罪了!

　　连售票员都过来说,对不起啊,我刚才,真的是……吓傻掉了!

　　这时,洪亮却再也控制不住,哇的大声哭将起来。他不知道为什么刚才不哭,刚才他还显得像个男子汉,而这会儿却是这么没用。他一把屌掉了那个人的钱,眼泪不争气地喷了一脸一身,他想说,谁要你的臭钱啊?

　　大家都在摇头叹气,这孩子,这孩子……

　　那个人捡起钞票,把两手一摊说,好人做不得啊。

　　洪亮哭着,愤怒前所未有地从脑门上炸开来:你们究竟谁是好人? 谁是好人请你把手举起来!

　　没有人举手。

二〇〇二年二月二十八日于深圳

GUIZI

鬼 子，广西罗城人，一九八九年毕
业于西北大学中文系，同年曾考取了该
校的研究生，后因生计艰难而弃学，一
九九六年开始真正意义上的小说创作，
曾出版的作品集有：《被雨淋湿的河》、
《上午打瞌睡的女孩》、《遭遇深夜》、《艰
难的行走》、《幸福时光》、《谁开的门》、
《苏通之死》等，其中《被雨淋湿的河》曾
获第二届(1997—2000)鲁迅文学奖。

三点备忘

鬼 子

一、三年没有发表小说了，三年里虽然有过不少的新欢，但心里最爱的还是小说创作。小说创作对我具有绝对的诱惑，冷艳，无可抵挡。

二、我把《瓦城上空的麦田》、《上午打瞌睡的女孩》、《被雨淋湿的河》看成是我瓦城三部曲。我的小说，写的都是瓦城，但这三部，与众不同。

三、《麦田》的创作，对我来说是一次心灵的较量，是悲悯情怀在我心中的另一种残酷的扫荡。别人读了如何，我不知道，我自己，却在心灵的深处真的有种痛楚，一种久久的苦痛。小说有很多做法，但如果真的希望小说不死，希望仍有读者，那就依然需要设法让人感动，让人受到震撼。震撼靠什么？靠的就是对故事的创造和利用细节对情感的穿透。我以为这是小说吸引人的最基本的东西。你用不着担心你的故事是真的还是假的，就好比我们每天都在做梦，梦中的事有几件是真的？可我们时常被梦中的事情吓得一身冷汗，这是真实的，可见真假的故事对作家来说，有时并不是最重要的，重要的是，你是否有能力让你的故事像你的梦一样，与你同在，而且充满真诚。

瓦城上空的麦田

鬼 子

我六岁多快七岁那年，母亲被别的男人偷走了。当时我不知道，我只知道我们家的床上怎么突然间空了一个人。我问父亲，我妈呢？我妈怎么空空的了？父亲没有回答。父亲只是朝我拉着那张老脸，像是拉扯着一块抹布。父亲那年已经是一个老头了。我母亲不老。我母亲比我父亲小好多好多，而且长得好看。我们三人走在一起的时候，很多人都在背后指点着我的父亲，说他应该是我的爷爷。但我没见过我的爷爷。我母亲也没见过我的爷爷。我不知道我的父亲为什么不去找回我的母亲。我只是发现，父亲时常一个人坐在那里，呆呆地想着什么，一边想一边狠狠地咬着牙，空空地啃着什么，啃得很苦很苦的样子。

过了没有多久，好像是下了一场连天的大雨，雨一停，太阳出来了，阳光刚刚照在我们家的门槛上，有人就跑了过来，站在我们家的阳光里，然后对我说，你也七岁了，你跟我们一起到学校去报名去读书吧。我跟着他们去了，我交了钱，我领到了书，我还上了两天课。第三天，我正在教室里歪头写着我的作业，父亲突然闯进来把我拉走。老师当时就站在我的旁边。那是一位女老师，长得跟我妈一样好看，胸脯也是那种高高的像两座摇摇晃晃的山。她对我父亲说，你这是干吗？我父亲说不读了，我儿子他不读你们的书了。说着把我的课本统统塞到老师的山头上。女老师吓得往后一退，但她拖住了我父亲的胳膊。她说你不能这样，你不能不给你的儿子读书，你没有这个权利。父亲没有跟她多嘴，他把胳膊往外一抡，就把女老师抢到了一边。父亲拉着我，直直往学校门外走去，一边走，一边在嘴里骂着那位老师，什么权利？你他妈才没有权利！我听不懂他们说的权利是什么。我就像一只小鸡,被父亲紧紧地提在手里,两条小腿好像随时都要离开地面。

父亲告诉我,我们不读书了,我们到城里去!

我说城里在哪里?

父亲说,到了你就知道了。

我提着两条细细的小腿,就这样跟在父亲的身后,走呀走呀,一直走到天黑,我们才走到了瓦城,从此开始了捡垃圾的生活。

我曾以为,我的母亲也在瓦城,我以为父亲把我带到城里,不只是为了捡垃圾,同时要捡回我的母亲。但父亲提都没有提起过。直到四年前的冬天,他病倒在了床上,我才从他的嘴里知道,我的母亲其实不在瓦城。我不知道父亲得了什么病,父亲也不知道,因为我们不上医院。父亲只是觉得呼吸越来越困难了,他觉得胸膛里的空气越来越稀,越来越少,越来越不够用了,就好像桶里的米一样,一天比一天少了,眼见着就要见底,眼见着就要吃没了,只等哪一天一场大风忽然吹来,那米桶就会把屁股翻起来,然后随着大风呜呜地叫着,然后朝另外一个世界飘去。我父亲说,真要翻就翻吧,他不怕。父亲怕的是,他翻了我怎么办?我那年才十一岁。他因此把我叫到床前,让我坐在他的床边,让我挨他近一点,再近一点。他说他不能大声说话了,如果大声说话,也许只能说完两句,也许两句都不能说完就断气了。我说那你就慢慢说吧,你别大声。我说你小声一点我能听见。

父亲说,我可能要死了,你知道吗?

我说我知道。

父亲说,我有一句话要留给你,你一定要放在心里,你要给我牢牢地记住。

我说只要好记,我会记住的,你说吧。

他说不,不管好记不好记,你都要给我牢牢地记住。

我说好的,那我一定牢牢地记住,你说吧。

父亲没有马上告诉我,而是把话绕到了远处,绕到死后他看不到的地方。

他说,你能不能先告诉我,我死了你怎么办?

我说回家。

我说你死了我马上就回家去。

那时候我还不太喜欢瓦城,我知道瓦城好,但我觉得瓦城是别人的瓦城,不是我的。我们住的房子在瓦城并不叫房子,而是一种乱搭乱住的棚子,我们干的活在瓦城也是最脏的活。我不喜欢。我还是喜欢我的村子。村里有山有水,有田有地,什么都有,爱怎么玩就怎么玩,可是在瓦城,哪里都是别人玩的地方,哪个好玩的地方我们都进不去,我们只能在远处两眼傻傻地看着。父亲却因为我的回答伤心起来,他突然忘了胸膛里的空气已经不多,他的声音突然大了起来,大得叫人感到恐慌。

他说不! 我死后你千万千万不要离开瓦城,你知道吗?

父亲要留给我的,其实就是这么一句。父亲的两眼跟着就流下了泪来。

他说你知道我为什么把你带到瓦城来吗?

我说知道,你是带我找妈妈来的。

父亲的声音就又大了起来,他说不! 我们不找她,她也不在瓦城。她跟一个男人私奔了,他们去的是另一个城市,那个城市叫米城。

我说米城在哪?

父亲说米城在米城,等你长大了你就知道了。

我说,那我们来瓦城干什么?

父亲说,我是为了让你有一天能成为瓦城的人。

我说现在我们不是瓦城人吗?

父亲说不是。

父亲说,只要你自己不离开瓦城,只要你永远在瓦城住下去,总有一天你会成为瓦城人的你知道吗? 他说,你别小看你现在只是一个捡垃圾的小孩,你要知道,捡垃圾也是能够发大财的,等到你有了钱了,你就在瓦城买一套房子,那时候,你就是真正的瓦城人了,你知道吗?

我没有做声。我不知道那一天会是哪一天。

父亲说你听到我的话了吗?

我说听到了。

他说你不能光是听到,你要给我牢牢地记住你知道吗?

我没有做声。

父亲忽然又急了起来。他说你记住了没有?

我说,你就是为了这个不让我读书的吗?

父亲说对。他说我们村里有那么多读书的人,你看他们有哪一个成了城里人呢?没有!一个也没有。为什么?你知道为什么吗?

我不知道为什么。我那时才十一岁,我怎么知道呢?我没有回答。

父亲也没有回答。

父亲只是说,只要你不离开瓦城,我们村上的任何一个人,不管他们读过什么书,只要他们还住在村上,他们就永远也比不上你,你知道吗?

看见我还是没有回答,父亲便问,你知道是谁把你妈偷走的吗?

我说我不知道。我没有见过那个男人。

父亲说,我告诉你吧,偷走你妈的那个男人,就是一个捡垃圾的,可他有钱啊,他是捡垃圾捡成了有钱人的,你妈一看到他手里有钱,脚就软了,就跟着他走了,就不要我们了。

我恍然地呵了一声,好像蒙在眼睛上的一层什么突然被撕开了,突然间什么都清楚了。

而父亲的眼睛却一直在流泪。

想起母亲被别的男人偷走,父亲的眼泪总是堵不住。

他说你能向我保证你永远都不离开瓦城吗?

我于是答应他,我说好的,我向你保证。

父亲的眼泪这才慢慢地停在了眼角。

我父亲后来没死,后来又好好地活了下去,活了一年又一年,而且再没有生过那样的病。

说实话,如果不是因为前不久遇着了李四,我父亲如今还会活得好好的,而且还会一直地活下去,一直活到我在瓦城买下房子的那一天。

都是因为李四!

李四不是捡垃圾的。

李四和我父亲一样,也是山里的一个老头,但他们的山比我们的山还要偏远。李四的几个孩子,也没有一个是捡垃圾的,他们都是瓦城真正的市民,他们都念过很多的书,他们是念书念成了瓦城人的。这一点,我父亲不能与李四相比,我也不能和李四的孩子们相比。我父亲遇见李四的那一天,是李四的生日,李四是为了过生日从山里跑到瓦城来的。那一天他整整六十。李四对我说,人的生命走完了六十,就相当于走完了一个大圆圈,往下走,那是另一个圆圈的开始,也就是第二个圆圈,而这第二个圆圈是谁也走不完的,谁都是走完一天算一天,走完一年算一年,谁也说不准哪一天咣当一声就走不动了。他因此很看重走满六十岁的那一天,他希望他的孩子们都能回到他的身边来,一家人热热闹闹地杀它几只鸡,喝它几杯酒,然后再点放几笼鞭炮。但天亮的时候,他便怀疑了,怀疑他的孩子们也许不会回来,也许,他们已经把他的生日给忘了,因为他们已经好几年没有回家给他过生日了,往年的这一天,他总是摇摇头便原谅了他们,但那天,他愤怒了!

当时他坐在门槛上。

天亮起来他就一直地坐在门槛上。

他老伴也坐在门槛上。俩人都默默地坐着,谁也没有吭声。

太阳快要起来的时候,他忍不住了,他问了一声你说,他们今天会回来吗?

他的老伴当时正一动不动地望着远处,望着远处的一朵白云。李四说,那是一朵湿漉漉的白云,那种白云在瓦城是永远看不到的。那种白云好像在慢慢地飘,又好像总是一动不动。他老伴经常看着那种湿漉漉的白云发呆。她没有回过头来。

她说我怎么知道呢? 不回来就又是忙呗。

李四说他不喜欢她这么回答。哪一年她总是这一句,好像她已经习惯了,她无所谓了,她好像已经不再期盼着他们的回来。

李四说,忙就可以不回来给老子过生日了?

他老伴没有回话。

他说那我养他们干什么?

李四说着就愤怒地站了起来。

他老伴这才回过头,然后仰望着,就像仰望着屋头上的太阳。

李四告诉她,今天是老子的六十岁生日你知道吗? 老子六十岁的生日他们都可以不回来,你说! 你说我养他们干什么?

说着,他猛地一脚,踢开了老伴的双腿。

他说早知道这样,当初生他们的时候,我还不如一个一个地抽掉你屁股下的床板,我让他们从这里,从你的大腿那,一个一个地掉到床底去!

那里当然不是床底,那里只是一块很大的青石板。

他老伴知道他确实愤怒了,她看了看脚下的青石板,然后把腿拢上。

李四却不让,他一脚又踢开了。

他说生他们的时候,我们忙不忙? 我们也因为忙就不要他们,就把他们统统地丢到床底,你说,你说他们还会有今天吗?

李四说着转身就跨进了屋里,然后扛出了一坛黑米酒。

那是他每年为自己的生日亲手酿制的一坛黑米酒,他说他整整陈了一年了。

他告诉他的老伴,今天这个生日,老子不在家里过了。

他老伴一下就吓慌了,她从门槛上慢慢地站起来。

她说你要去哪儿?

李四说,老子到他们城里去! 我要看看他们是不是把老子的生日给忘了?

他老伴一下急了,她说他们要是真的忘了呢,他们忘了今天是你的生日你怎么办?

李四原来没有想到这一点,他被问住了。他想是呀,他们要是真的忘了今天是老子的生日,老子怎么办?

于是,他想起了身份证。

他随即对她吼起来:我的身份证呢? 把我的身份证给我找来,快点!

他老伴却愣了,她说你要身份证干什么?

李四说,没有身份证我晚上住哪儿?

他老伴的脑子一下就糊涂了。她心里可能想,你不是去找孩子们的吗? 你不住在他们家里你还能住哪儿呢? 李四告诉她,他们要是忘了今天是老子的生日,我就不住在他们的家里,我不住,我为什么要住? 他老伴说,那你还去干什么呢? 李四说,我不去他们怎么知道今天是我的生日呢? 他老伴说那就对了呀,你去了你告诉了他们今天是你的生日,他们还能不给你做生日吗？他们给你做了生日，你还要什么身份证，还找什么地方住呢？

李四说我为什么要告诉他们呢？他们要是忘了今天是老子的生日，我为什么还要告诉他们呢？老子拿着身份证，哪一个旅馆不可以住一个晚上呢？老子有这坛黑米酒陪着，我可以喝它一个通宵我怕什么呢？

他老伴觉得不对头，她说那你就别去了，你还去干什么呢？

说着把手伸过来，要把酒坛给他拿下来。

李四却不给，他狠狠地打掉了她的手。

他说快去，快点给我找来，快点！

他老伴只好转身哆哆嗦嗦地走进了屋里。

李四说，那天她是真的被他给吓慌了，她找到身份证走出来的时候，他看到她的手在不停地打抖。他知道，那是她的心在发慌，是她的心在暗暗地打抖。但李四没有替她想这些，李四觉得她的手一抖一抖的，他看了心里难受。他指着她的手就骂了起来。

他说你这是怎么啦？你有病啦你？

他老伴没有回答。她把身份证递给他，让他快点拿走。

李四却不接。他让她把手停下来。

他说你到底怎么啦？你怕是不是？你怕什么？老子到城里过生日，我有什么不对吗？你以为我去找死呀？你怕什么呢？

她的手却越抖越厉害，那身份证在她手里抖着抖着，差点就要掉到地上。

李四也更加愤怒了，他说你换一只手行不行，你这样抖来抖去的，是存心让我难受呀？

他老伴没有给他换手，而是把身份证塞进了他的手中。就在这时，李四看到她的眼里拉下了两滴长长的泪水。那两滴长长的泪水，就像两条长长的绳子，李四说后来一直挂在他的心中。李四说，如果在往时，他的心会被牵住的。但那天不行。他的心那天比石头还硬。他收起身份证就转身走了，他丢下她孤零零地站着。他想象不出，她那两滴泪水后来流到什么时候才会停下。但他知道，她会一直那么站着，可怜兮兮地看着他的背影，一直看到没有了人影，然后收下身子，孤零零地坐在门槛上，然后伤心地哭起来。他知道她的哭声不会太大,她会把那种声音默默地压在心底。她是哭给自己听的,她会一边哭一边不停地数落着她的那些孩子,数落他们千不该万不该,不该忘了他们父亲的生日。

他想,她会那样唠唠叨叨地哭下去,一直哭到他在瓦城下车的时候。

李四在瓦城下车的时候,瓦城的太阳已经没有了。

一路上,李四都在想,他想他们一定是忘了,一定是真的忘了的,但他总是希望有一个孩子还能记住,哪怕这个孩子是因为看到了他的到来才忽然想起的,他想这也没有关系,只要能想起来就可以原谅他,原谅他确实是因为太忙,确实是真的走不开,所以才没有回家给他做生日。

可这一个孩子是哪一个呢? 他怎么也想不出。

他站在瓦城的街头上,望着满街下班的人群,心里乱糟糟的。

李四一共三个孩子,一个女的两个男的,一个叫李香,一个叫李瓦,还有一个叫李城。

李城是他的小儿子,一直还一个人过着,还一直没有找到对象。如果先上李城那里,弄不好门是锁着的,弄不好等到后半夜都见不到他的人影。他想不行,他不能先上李城家。他得找一个屋里有人的,那就是李香了。李四的三个孩子里,就李香是一家三口,他的孙女艳艳都快高中毕业了,这时候的艳艳肯定已经放学回来了,但是她爸爸妈妈呢? 他们要是不在家,艳艳会知道今天是她爷爷的生日吗? 她不会知道的。她不会知道。算了吧,看来还是先上李瓦家。李瓦是李香的弟弟,李城的哥哥。结了婚,但还一直过着两个人的生活。在李四的三个孩子里,李四知道李瓦是混得最好的。李四想,李瓦可能不在家,但他的老婆谢晓不应该不在,她应该下班后就回家给李瓦做饭,要不还算什么好女人?

就这样,李四敲开了李瓦家的房门。

李瓦不在家。谢晓告诉李四,一下班李瓦就跑到瓦城酒店订桌去了。那当然不是为了他的父亲李四,而是为了他们的局长。谢晓说,那餐饭李瓦早就跟局长说好了,可局长一直没有给他时间,便一直拖着,一直拖到了那一天。谢晓是回来拿酒的。她手里提着四瓶茅台酒。

谢晓说爸,你来得正好,你也一起去吧。

李四却不去。

他说他请他的局长吃饭,我去干什么? 我不去!

谢晓不知道怎么办? 她掏出手机告诉李瓦,她说爸来了,你爸来了。李四坐在沙发上,但他听到了李瓦在手机里的声音,李瓦说,他来干什么? 谢晓说我不知道。李瓦说那就让他一起来吧。谢晓说我说了,他说他不去。

我不去! 李四又说道。

谢晓说,你听到了没有? 他说他不去。那就随便他,李瓦说,那你问问他,他想吃什么,你到楼下的小炒店,给他炒两个,你让他们送上去。谢晓放下手机问,爸,你喜欢吃什么? 李四说不吃。他说你们吃你们的去吧,我不吃。我歇一下就走,我去你们大姐家。就这一句,谢晓的神色轻松了,她说那就随便你。她说,那我走了,他们在等我呢。李四说走吧走吧。她便下楼去了。谢晓下楼没有走远,李四就抓起了桌面上的一只茶杯,狠狠地摔在了地面上,摔得满屋都是。

李香一家三口正在吃饭,一看见李四进来,几乎都同时地放下了手中的碗筷。最先尖叫的是艳艳,她说哇是爷爷,爷爷来了! 然后是李香,她说爸,什么时候到的? 跟着接话的是李香的丈夫刘大奇,他说是刚下的车吧? 怎么这么晚呢?

刘大奇的手很长,远远的就伸了过来,把他肩上的酒坛端走了。

李四心里说光热情有什么鸟用呢,老子想听到的不是这些。

他因此一屁股重重地坐在沙发上。

他说不! 我是从李瓦那里过来的。

李香的嘴里于是呵了一声,把手停在了冰箱上。

她说那你要不要再吃点? 冰箱里有菜。

李四说不用。他说你们吃你们的,你们不用管我。

刘大奇说,那就让爸歇着吧。他说爸,那你看电视吧。喜欢看什么? 我来帮你调。刘大奇拿起遥控器,就被艳艳抢走了。她说爷爷,我来帮你调,你说,你想看什么? 李四说,你给我,我会调。李四不想调,他坐在那里就像一只被干烧的铁锅,就差没有冒火了。他胡乱地调调调,调出了一个唱歌的女人,然后,把遥控器丢在了沙发上。

吃完饭,李香一家三口都出去了。

李香下岗后借钱买了一辆桑塔纳,在忙着跑出租,她恨不得三天内就把借款统统还上。

她说爸,哪天我拉你在城里逛一逛!

李四说不逛,逛街有什么意思,我又不是来逛街的。

李香笑了笑,就出门去了。

李香没有听出父亲的话藏着话。

刘大奇说他夜里值班,也出门去了。

他说爸,明天晚上我陪你好好喝两杯。

李四说喝什么喝? 你会喝酒吗?

最后走的是艳艳,说是去补习英语,准备高考。随着房门咣一声关上,屋里转眼孤零零地只剩了李四一人。李四坐了一会,也愤怒了,他摇摇头,又骂了一句:

我操你们的妈!

骂完,他抓起身边的遥控器,往地上狠狠一砸,砸得粉碎。

他让电视里的大嘴女人继续哇哇哇地唱着,他懒得把她关掉。

李城正牵着一个女孩的小手,在马路上散步。看见父亲的时候忽地一愣,把女孩拉住了。他告诉她,这是我爸。那女孩随即深深地鞠了一躬。她的腰很细,鞠得很深,李四等了好久,才看到了她那浮起的脸面。李四觉得还长得不错。他看了看李城手里的那只小手,心里忽然就有了一点好受。

他说你们要去哪?

李城说没去哪,吃完饭,随便走走。转身要领父亲回家,李四却把李城拦住了。他顺势在李城的胸膛上拍了拍。

他说去吧去吧,散你们的步去吧。不用管我。

李城当真就停住了,他笑了笑,说,真的? 那我们走了?

李四说走吧走吧。一边说一边把手挥过了头顶。

李城牵着那个女孩的小手,真的就走了,走了好远,才被李四喊了回来。

他说你先给我开门呀,你不开门我怎么进!

李城这才笑笑地跑了回来。李四心里便暗暗地骂,他说这兔崽子,有一个女孩牵着,就把给老子开门的事给忘了? 晚上老子要训训你。可他哪里想到,李城却不让他留下,门一开,李城就把他缠住了。

李城说爸,晚上你准备住哪儿? 不会住在我这吧?

李四一听什么话? 他说你什么意思?

李城说你能不能帮个忙,先住我哥我姐他们那,你看我这,就这么一张床。

李四说一张床怎么啦? 你睡你的,我睡我的,我们一人睡一头。

李城的那张脸,一下就皱成了一团。他说爸,你刚才没看到呀?

看到什么? 李四愣了半天才明白了过来,他说好好好,我不住,我不住,我歇一下就走。

李城这才笑笑地出去了。

这一次李四没有砸东西,也不骂,他只觉得全身真的像被抽走了什么筋,抽得他一身软耷耷的,他一点力气都没有。他喝了半杯李城剩在桌上的茶水,紧紧地抱着那坛酒,然后慢慢地往外走来。

我父亲就是随后遇着李四的,那是在大街上。按往常,我和我的父亲,我们每天都遇到许多不幸的人,但没有几个被我们放在心上的,我们总是泛泛地看两眼,转身就走了,捡我们的垃圾去了。用我父亲的话说,真放在了心上了,又能怎样呢? 你同情他,谁同情你? 我父亲的意思是,可怜的人多着呢,你同情得过来吗?

但他偏偏碰上了李四。

李四来到大街上的时候,到处已经灯火辉煌,但李四的心情却黑灯瞎火的。他扛着那坛黑米酒,两脚软耷耷地走着。他想,看来得真的找一家旅店住下了,住下了再好好地想一想,想一想这几个孩子到底都怎么啦,怎么就把老子的生日给忘了?

于是,他掏出了身份证。

然而就在这时,他发现他的手竟然也在颤抖。

他忽然就想起了早上的老伴来。他想这是怎么啦?他不知道为什么。他咬着牙,想让手上的身份证停下来,他希望它不再颤抖,可他越是使劲,身份证就越是抖得厉害。他不由骂了一句,你他妈的今天怎么啦?一边骂一边把酒坛换过去,把身份证换到另一只手上。但那手也一样地颤抖。好像颤抖的原因不是因为他的手,而是因为那张身份证。李四说怪了,怪了,他妈的怪了! 他说这身份证他妈的到底是怎么回事? 怎么这么操蛋呢,他有点不肯相信,他把酒放在了地上,把身份证丢在酒坛的上边。他想他的手可能是怎么麻木了,手一麻木,就常常不太听话,他于是来来去去地甩动着。

但一点用处都没有,甩完了手,那身份证还是一样地颤抖。

我猜想,那一定是他的心在发虚,那是他的心里没底,他对他进城的事情感到了恐慌。接着他便想,他要是这样拿着身份证走进人家旅馆去,人家会说他是有病的。他知道旅馆里都是一些漂亮的小女孩,他会把她们吓坏的。

于是他把肩上的酒坛再次地放下来。他想先找一个地方喝它两口酒。他想喝下两口酒,他的手也许就好了,也许就不抖了。他四下看了看,最后他看到了一个地方,那是不远处的一块绿地,绿地里有两三张水泥桌,其中有一张正好空着。

他捧着黑米酒,走了过去。

因为是心太急,因为手还在暗暗地发抖,他把酒坛捧到嘴边,一股酒水就猛地扑了出来,满满地灌了他一嘴,还灌到了他的脸上,弄得他满胸都是。呛得他不停地咳着。

就在这时,他听到了一串嘲笑声。

那人就是我的父亲。

我父亲就坐在不远的另一张桌子边。

他是捡垃圾捡累了坐在那里的。

我当时不在,我到别的地方玩去了。我晚上一般不再捡垃圾。

李四知道我父亲在笑他,他把嘴边的酒擦了擦,就朝我父亲看了过来。他知道我父亲是捡垃圾的,他说因为我父亲的手里拿着一把长长的钳子。李四自己也笑了，他朝我父亲招过了手去。让我父亲过来跟他一起喝酒。我父亲肯定明白他的意思，但我父亲坐着不动，他只是对着他笑着。父亲的那种笑其实是一种傻笑，但李四说，你父亲的笑特别地礼貌，他就捧着酒，朝我父亲走来。

喝酒吗？他问我父亲，陪我喝几口，怎么样？

他拍拍那坛黑米酒，这可是深山的黑米酒，不信你闻闻？

他哪里知道，我父亲其实是个酒鬼，别说是他的黑米酒，就是一般的水酒，只要有酒味，只要能闻到，走在大街上他都会悄悄地放慢他的脚步。

而李四却说，你父亲真是一个好人，他闻都不闻就点头答应了。

你父亲真他妈好！好人！

李四随即把酒坛推到了我父亲的面前，他叫我父亲喝！

我父亲却没有端起，他说换个地方吧，这怎么喝呢？

李四说好，那我到旅馆开个房，我们到旅馆好好喝去。

我父亲说不用，开什么房呀？你要是不嫌弃，到我那里去，我们慢慢喝，怎么样？

李四问都不问你家在哪，他抱着酒坛就站了起来。

路上，李四告诉我的父亲，说那天是他六十岁的生日，我父亲马上停了下来，他说真的？李四说当然真的。我父亲马上往街边一家熟食店走去，掏钱给李四买了一块长长的红烧肉，回家后又替李四切成了方方正正的六十个小块，整整齐齐地摞在一个菜盘里，摆在李四的面前，然后请李四下筷。

你先来，今天是你的生日，你先来！我父亲对他说。

看着那切得整整齐齐的六十个方块红烧肉，李四说，他的眼泪哗地就流了下来，他想他的那几个孩子，怎么连一个捡垃圾的老头都不如呢？

我想象不出，那六十个方块的红烧肉，我父亲切成什么模样。那天晚上我回来很晚，我走进住棚的时候，他们早就喝醉了。他们就扑在桌边，在响亮地打着呼噜。那六十个方块的红烧肉，早就被他们吃得精光，桌上只剩了一个空空的盘子，两个空空的酒碗，还有就是那个黑黑的酒坛。

我当时不知道那就是李四，我以为也是一个捡垃圾的，很多捡垃圾的老头，都爱找我父亲喝酒。我把他们两个一一地弄到了床上，给他们放下了蚊帐,便找别的朋友搭铺去了。我们家的那个住棚里只有一张床,那张床睡不下三个人。我不走也得走。

但我没有想到,那一走,就再也见不到我的父亲了。

那天夜里,我也喝了半碗黑米酒才离开了住棚。

那确实是一坛好酒,很香,香得我受不了,我捧起来摇了摇,我发现至少还有半坛。我先倒了一点在碗里尝了尝,接着又连连倒了三次。那酒喝进去的时候,一点都不像别的那些水酒,一点都不辣,一点也不烧,喝完了你的咽喉还是舒舒服服的,走在路上的时候,你才慢慢感到脸上有点温热,那种温热是一种全身都很舒服的温热,就像小时候把脸贴在母亲的大腿上,那是一辈子都忘不掉的一种感觉。我真想不明白,李四的孩子们,怎么就忘了那种黑米酒的滋味呢?

就因为那半碗的黑米酒,我在朋友的住棚里一直睡到了第二天的中午,醒来后,我首先想到的还是那坛黑米酒。我想我父亲他们就是醒来了,也是喝不完的。我拉着那位朋友就一起往回赶。我那位朋友叫做溜子。我想让溜子也尝一尝那种黑米酒的美味。

然而,那坛黑米酒已经被他们喝光了。

我带着溜子走进住棚里的时候,住棚里一个人也没有,只闻到一股香喷喷的酒味。我没想到他们已经喝光。我指着摆在桌上的酒坛对溜子说,闻一闻,你先闻一闻,你闻闻这味道怎么样?溜子的鼻子早就吸得满屋都是嗖嗖嗖的响声,他笑着脸,嘴巴往一旁的耳朵歪着,说他妈的这味道真的不错。说着把酒坛搂进了怀里,摇也不摇,就高高地捧了起来,嘴巴大大地在酒坛下张开着。我知道他那是禁不住了,我知道他想先喝两口再说。我没有阻拦他。我站到旁边用手护着那个酒坛,怕他一不小心砸了。

我说慢点,你慢一点,你不要着急。

谁知溜子的大嘴等了半天,只接到了一滴、两滴、三滴,第四滴一直挂在坛边,拍了两拍才肯落下。

溜子没有做声,他把嘴里的三滴酒细细地品了品,然后把酒坛塞进我的怀里。

我摇了摇，酒坛里，声音确实空空的。

我当时有点难堪，我觉得有点对不起溜子。

我突然将酒坛愤怒地举过了头顶，然后狠狠一砸，把酒坛砸得粉碎。

也许，就在那酒坛落地时候，我父亲在大街上出事了。

我父亲他喝醉了酒，李四也喝醉了酒，他们两个老头正在大街上摇摇晃晃地走着，突然，他们站在街道中央让车的时候，父亲伸手抓住了一根从眼前飞过的木头。那是一辆装满了木头的大卡车。父亲的嘴上好像还骂了一句什么，但李四没有听到，他刚要拉住我的父亲，那木头已经把我父亲拉走了，我父亲往前跟跄了几步，最后狠狠地摔在了一个花坛的边边上，把脑袋的一半给摔飞了……

李四说，是我父亲拉着他上街去的。

天亮的时候，他本来要赶早回家，他抱起酒坛的时候，发现剩下的酒还挺多的。他叫我父亲找两个空瓶来，他说坛里的酒给你留着吧，我把酒坛拿回去。我父亲却抓来了两个大饭碗，咣咣地放在了桌面上，他说找什么找，喝！喝完了你把酒坛拿回去。李四说不行，我待会还得回家呢。我父亲笑了笑，一眨眼就两个大碗灌满了。李四没办法，只好笑了笑，俩人又喝了起来。喝完我父亲告诉他，回去干什么？找你那几个兔崽子去，我帮你！他说你既然来了，你就不能不让他们知道昨天是你的生日，走！我跟你一起找他们去。李四说他不想去，他觉得生日都过了，再找还有什么意义呢？无非是他们给你补一餐，那又怎么样？他说他要的不是这些。不是。一点都不是。他告诉我父亲，有些东西是永远也补不回来的。他说算了。我父亲说不能算了，怎么能就这样算了呢？他说该要的东西，你就必须要回来，不要你就永远也得不到。

我父亲拉着他，就到了大街上。

李四说，都是因为他。

他说，你父亲的死，我是有责任的。如果我不邀他陪我喝酒，他怎么会出事呢？

但我父亲倒在地上的时候，李四却没有想到我父亲已经死了。他说坛里剩下的酒，他们是平分喝掉的，两个人的醉，也是一模一样的。我父亲倒地的时候,他身上的酒恍恍惚惚醒了些,但没有完全醒来。他说在他的一生中,不知见过多少死人,但没有见过像我父亲那样死的,脑壳有一半都飞走了,飞到了远远的一边去。我父亲倒地的时候,他以为我父亲还活着,他扑过去就抱住了我的父亲,他不停地呼喊着救人呀,救人呀!一直喊到来了警察。

警察一来就把他拉走了,但他还不停地往我父亲扑回来,他让警察们帮他把我父亲快点送到医院去抢救。他说医院在哪里?你们快点帮我呀,快点帮我送到医院去,你们听到了没有!

我知道那些赶来的都是交警,是专门管理交通事故的。那些人见过的死人多着啦,什么样的死他们都看到过,他们对我父亲那块飞出去的脑壳,没有太多的惊讶。他们只用粉笔在脑壳的外边画了一个大圆圈,然后就留着了,还有一个大圆圈,是把我父亲圈起来。李四便大声地喊叫着,画什么画,你们画这些干什么?你们快点帮我送他去医院呀!他在他们的手里拼命地挣扎着。

他们告诉他,人都死了,还送什么医院。

李四还是不信我父亲已经死了。他说他们乱说。他拼命地扑腾着,叫喊着。

一个警察气愤了,把李四拉到我父亲的脑壳边。

他说你看到没有,这是他的脑壳,他脑壳都飞出来了,你看到没有?

李四说我知道这是他的脑壳呀,可你看到他流血了吗?他一滴血都没有流呀,你看到没有?

李四也拖着那个警察,拖到我父亲的旁边。

那警察这才突然愣了一下,他也弄不清我父亲为什么没流出一滴血。这是李四对我说的,他说他可能一辈子都弄不清楚,我父亲为什么没流一滴血。可事实上我到我父亲倒地的街面上看过,我父亲的血流了好大的一滩。我不知道李四为什么看不到我父亲的血。可能是酒多了,眼睛红了,什么都看不清了。

李四身上的酒气一下就被交警们闻出了。

那交警马上抓住了他,你们刚才喝了多少酒?

李四猛一把将那警察压倒在地,让那警察的脑袋紧紧地靠在我父亲的嘴边。

他说你问问他吧,你问问他,我们喝了多少酒?

李四自己都不敢相信,他哪来的那么大的力气。但随后倒地的,便是他李四,几个警察呼啦啦上来,就把他给放倒了。

李四说,那天他是真的喝多了,醒来后,才恐慌得全身都在不住地打抖。他原先想回家的念头是一点都没有了。醒来后便到处地奔跑着找我。是交警让他找我的。交警问他,他家里还有什么人。李四说有一个儿子。交警说,那你帮我们把他找来吧,快点。李四便到处地奔跑着。他当然找不着我。那天我不再捡垃圾。为了给溜子一个交代,我在街边的小店买了六瓶瓦城啤,喝完我们就玩别的去了。

李四为了找我,说是跑得全身是汗,他的脑子里一直记着他们的一句话,他们说,让你去找人你可不能溜了,你要是不回来,我要找你的!这话当然是一个交警对他说的。他还真是怕警察等他等久了,他怕警察等急了,他跑着跑着,很快就又跑回到警察们的身边。警察们说没找着人你回来干什么?再去。他就又跑了回去。跑回跑去了几躺之后,他决定不再跑了,他对警察说,我不找了。他说我都跑遍了你们瓦城了,我哪里都找不着他。

直到这时,一个警察才问他,他儿子干什么的?

李四说,捡垃圾的。

警察一听,脸上的表情马上就换了。

他问李四,那他是干什么的,也是捡垃圾的?

李四说对,也是捡垃圾的。

李四还告诉他们,说我们都不是瓦城的人,我们是从山里跑到瓦城捡垃圾来的。

警察接着便问道,你呢?你也不是瓦城的吧?

李四摇着头,说不是。他说我也是山里的。

那警察于是张大了嘴巴,空空地呵了一声,他说我还以为他儿子是哪单位的呢,一个捡垃圾的你怎么找?弄不好十天半月都找不着,你信不信?

李四说那我怎么办呢?

警察说,你说你怎么办吧?

李四不知道怎么办。他说你说我怎么办呢?

警察说,你还能怎么办呢? 你不是他的朋友吗? 你帮他送到火葬场去吧。

李四当时有点迟疑,他说我帮他送可以吗?

警察说,怎么不可以呢? 他儿子你又找不着,你当然可以帮他送去呀。

李四想了想,说,好的,那我就帮他送去吧。

警察说好的,那就这样,那我给你写个证明吧,否则人家也不帮你火化的。

可李四没有想到的是,那警察给他证明的时候,竟把我父亲的名字写成他李四的名字了。警察问什么名字? 李四以为是在问自己,随口说李四,木子李的李,一二三四的四。那警察跟着还重复了一遍,说好,木子李的李,一二三四的四。就这样,那证明上的名字就成了李四了。其实,他在写证明的时候,应该问问身份证的。李四说,他没问,所以他就没有给他,他要是问,他会给他的,因为我父亲的身份证一直就在他的身上。他是因为在住棚里等不到我,才跑回来从我父亲的身上拿走了身份证的,他拿着我父亲的身份证到处去问人,他说你们认识这个人吗? 你们认识吗? 他是捡垃圾的,我想找他儿子,他的儿子你们认识吗? 那警察不问的理由,可能是李四告诉过他们,说我和我的父亲不是他们瓦城的人,说我们是山里来捡垃圾的。当然,也许不是。不是又是什么呢? 我无法知道。

那警察把写好的证明,放在一个信封里,还用订书机在信封口钉了一颗钉子,然后递给李四,让李四跟着一辆车子,把我父亲送到了火葬场。那封信李四不敢打开,不敢打开的原因就是警察在信封口钉上了那颗钉子。到了火葬场,他就按照火葬场的规矩,把那封信交到了一个窗户里。窗户里坐着一个光头的男人,那光头低着头忙着,忙完头也不抬,只对窗外的李四说,明天来吧,明天中午十一点。

李四一下就愣住了,他听不明白。他说明天中午还来干什么? 明天我没有时间了,明天我要回家去,我的家在很远很远的深山里。

那光头这才竖起了脑袋来,他嘴巴张得开开的,好像窗外的李四是他没有见过的怪物。

光头说，你的意思是什么？你是说，告别仪式呀这些，你不给他搞了？你想马上给他火化，你想把他的骨灰马上拿走？

李四连连地点点头，他说对对对，我想把他的骨灰马上拿走。

那光头当时觉得有点奇怪，就又问了一大堆什么有没有单位，什么有没有家属的问题。李四也觉得光头有点奇怪，他想你是警察吗，你问这些干什么？但他还是回答了他。说完那光头倒同情起来了，他说那好，那我帮你去问问，我让他们给你加个班，好不好？最后让李四交了一些钱，给李四放了一段音乐，说是给我的父亲放的，然后让李四等着。

拿到骨灰的时候，天已经黑了。

送我父亲去的车子，早就走了。李四只好顺着来路，往城里匆匆地走着。

李四说，他本来要把我父亲的骨灰拿到我的住棚里，等着我回来的，他打算等我一个晚上，如果天亮了我还不回来，他就把我父亲的骨灰放在桌子上，然后压一张纸条，简单说明一下我父亲撞车的经过，然后，就回他的山里去。可是，他回到城里的时候，却突然想起了一个问题，他想，如果他手里捧着的骨灰盒不是我的父亲，而是他李四呢？弄不好他李四到现在都还丢尸在那个可怜的停尸房里，他想他的那些孩子，他们会知道吗？李四于是感到一种从来没有过的凄凉，感到一种从来没有过的悲伤，他一边走，一边禁不住对着我父亲的骨灰盒默默地叨念起来，他说胡老头呀胡老头，你死了还有人帮你收尸，你死了还有人帮你去火化，如果是我李四呢？谁来帮我收尸呢？谁来送我去火化？

想着想着，李四突然愤怒了。

他说我操你们的妈！

我操你妈李香！

我操你妈李瓦！

我操你妈李城！

我辛辛苦苦一辈子，我养你们干什么？我把你们一个一个地养大，一个一个地送进了瓦城来，我让你们都成为了瓦城人，可你们呢？你们把老子的生日都给忘了,我操你们的妈!

街上的行人都被他的骂声给吓住了,都以为可能是个疯子,也可能是个被抛弃的老人,都远远地就给他闪开了。

但李四不管这些,他望都不望他们。

骂过以后,他突然在大街上站住了。

他突然觉得,他不能这样便宜了他们。他不能这样便宜了他的李香,他不能这样便宜了他的李瓦,也不能这样便宜了他的李城。他想,他得给他们一点厉害看看,就像他们小时不听话的时候,他将他们的裤子脱下来,用竹鞭狠狠地抽在他们的屁股上,或者瞪着眼猛地给他们一个耳光,一个响亮的耳光,让他们痛哭一顿,让他们在痛哭中想一想都错在哪啦?想一想父亲为什么这样打他?想一想以后再也不能这样,否则,父亲还会脱下他们的裤子,还会抽打他们的屁股,还会给他们响亮的耳光!

老子得让他们痛哭一场!就是不痛哭,也要让他们的脑子愣一愣,让他们在心里疼一疼,让他们想一想,我们到底都怎么啦?我们对得起我们的父亲吗?

他捧着骨灰盒,转身就朝李香家走去。

他想李香你是大姐,你有什么理由记不住你父亲的生日呢?我知道你和你的丈夫你们都下岗了,我知道你借了钱买了车,你想尽快地把欠债还上,可这就有理由把你父亲的生日给忘了吗?你看人家胡老头,人家是捡垃圾的人家的日子难道比你更好吗?可你知道人家是怎么一个好人吗?人家一听说是你父亲的六十大寿,人家从自己身上掏钱给你父亲买了一块长长的红烧肉,还给你父亲切成了六十个方方正正的小方块,人家是一个捡垃圾的啊,你难道一个捡垃圾的老头都不如吗?

李香的家正好没人,在楼下就可以看到,她家的窗户都是黑乎乎的。他想这样好,这样等到他们回来的时候,还没进门,他们就看到了。

他不让李香的邻居看到他,他悄悄地摸上楼去,他悄悄地摸下楼来。他把我父亲的骨灰盒悄悄地放在李香家的门前,然后把他自己的身份证放在了我父亲的骨灰盒上。

他在楼下的不远处等着,等一个陌生人的经过。后来他拦住了一个二十来岁模样的大女孩。他对她说,你帮我一个忙好吗?女孩说什么忙你说,他说你能不能帮我转告李香家,说放在他们家门前的那个骨灰盒,是他们爸爸的骨灰盒,是一个捡垃圾的老头帮她送来的,你告诉她,是她的爸爸临死前吩咐我把他的骨灰送来的。那女孩好像被吓得身子缩了缩,远远地就朝李香家的方向看去,眼光里顿时有点怕怕的。她问李四,你是说,李香他们爸爸死了? 李四说对,你就告诉她,你说他们的爸爸死了,是一个捡垃圾的老头帮他们送去火化的,火化前本来要告诉他们的,但他们的爸爸死前吩咐了,说他恨他们,他只能让他们看到他的骨灰,火化前他不让他们看到他。

李四说完就走了。

他想那女孩肯定会帮他告诉李香的。他想她会的。

那天晚上,我回到住棚里不是太晚,大约是九点多不到十点的时候。

远远的,我就看到有一个人坐在住棚的门前。灯光从住棚里照出来,投在他的脊背上,脸当然是看不清的,但我还是看出他不是我的父亲。一直走到了他的面前,我才发现原来是昨夜跟我父亲喝醉酒的那个老头。当时我还不知道他叫做李四。

李四一直地坐着,我都走到了跟前了,他还一直地坐着,只是眼睛定定地看着我,然后问道:

你是胡来城吗?

胡来城是我的名字,这是我到瓦城捡垃圾后,一个捡垃圾的老头帮我改的。我的名字原来叫胡红一,我不知道是什么意思,反正听起来一点意思也没有,但胡来城不错,我没读过书我都能够读出很多理想的东西来。

我说对,我是胡来城。

他的两条腿便顺势往前一曲,跪在了我的面前,把我吓了一跳。

随后,他便告诉了我父亲的死,以及没有交给我骨灰的经过。

你说我还能有什么办法呢? 我只是觉得他这种做法太过于荒唐了,我说你那几个孩子他们不就忘了你的生日吗,哪里用得着这样收拾他们呢? 你也太毒了一点了。但细细看过他那一脸的愤怒和痛苦,你又觉得他那样闹一闹他们,也是有一点点合理的。我不想对他说得太多,一个十六不到只有十五岁的毛头小子跟一个六十岁的老头,有一些话是永远说不到一块的,我担心的只是,他那几个孩子真把我父亲的骨灰当成是他死了,那我怎么办呢?但李四告诉我不会。

他说他那几个孩子绝对不会。

你以为我那几个孩子他们是饭桶吗?他说,我告诉你,他们一点不饭桶,他们比你,比我,比谁都聪明,他们才不会以为他们的父亲是真的死了,不会一见骨灰就以为是真的。

我当时还觉得奇怪,我说那你的目的是什么呢?

他说我只是为了吓唬吓唬他们,我相信他们看到骨灰盒的时候,肯定会想到那是我给他们闹的,但他们随后就会想起,他们的父亲为什么要这样?他们的父亲昨天是干什么来了?我相信他们想着想着,就会有人想起了昨天是他们父亲的生日了。

他说,他们肯定会想起的。

我对他的这种心情表示理解,但我对他想象的结果表示怀疑。他却一口咬定你用不着怀疑。他嘴里不停地告诉我,他那几个孩子聪明得很,他那几个孩子很聪明。他说你想想吧,他们要是不聪明,他们要是跟其他的山里人一个样,他们能一个一个走进瓦城吗?他们基本上都是国家的干部呀,你以为他们的脑子饭桶吗?

经他这么再三地说来说去,我又多多少少的有了一点相信。

他说你放心吧,明天早上我还你父亲的骨灰盒。

但那天晚上,我还是怎么也睡不着,我的脑子里翻来覆去的,几乎都是父亲被车撞死在大街上的情景。就因为我没有在场,就因为我没有看到,所以父亲被车撞的惨状便显得各种各样的,每一种惨状都把我吓得半死。李四也睡不着,我发现他的身子在床上动来动去的,怎么也睡不安宁。但我们谁都没有开口。我们的嘴巴和我们的心一样地难受。

天快亮的时候,我却迷迷糊糊地睡着了。等到我醒来的时候,我看见李四早已坐在住棚的门前,不知在看着什么,也不知他在想着什么。我看到的是他的背影。

李四的背影像一块石头,一动不动。

我问他什么时候了?

他说中午了。他的脸却没有回过来看我。

我说，我父亲的骨灰呢，拿回来了吗？

这时他才回过了头来。他说我在等你呢，你醒了？

我说废话，我没醒我在跟你说梦话吗？

他说我在等你呐，我们一起去拿呗。

我说你什么意思？骨灰是你放在那里的，你应该自己拿回来给我，你凭什么要我跟你去？没等他回话，我又说，去吧去吧，你去拿回来给我吧，我不会跟你去的。话没说完，我往后一倒，又躺了下去。

但他没有去。他悄悄地走到我的床边，竟走得一点没有声响。我被他突然出现的影子吓了一跳。我歪歪地睁着眼睛看着他。我没有说话。而他，有点像是一个走不动路的老人，或者说，有点像一头善良的老牛，不幸跌进了一个路边的坑坑里，那坑坑虽然不是很大，也不是很深，但怎么也起不来，在乞求着我的帮忙。

他说，我要是愿意见到他们，我一个人早就去了。可我不想再见到他们，也不想让他们再见到我。走吧，你跟我一起去拿吧，待会我也不上去，我告诉你哪是她的家，你上去拿，我在下边等着你，等你拿到了，我也不回你这里了，我回我的山里去。

他说他的心十分难受。

看着他的那种眼神，我真的看到了他的心在难受。我好像还看到了他的心在流血的样子。我的心不知不觉地也就软下了。

我随即翻身下床，我不再多嘴。

我说好的，那走吧。

走了没有多远，他突然站住了。他朝我回过头来，呆呆地看着我的脸。

我说怎么，不走了？

他说你还没洗脸呢。

我说洗什么脸呢，不洗，走吧。

他还是站着不走。他说去吧，你先回去洗个脸吧。

我笑了。我说你看到我那里有洗脸的东西吗？毛巾、脸盆，有吗？

他说那你就用水擦一擦吧。我们去拿你父亲的骨灰你知道吗？别让他看到你这样的脸。

我说反正他又看不到。

他说他能看到的。

他说人一死就什么都能看到了,你知道吗?

我心里暗暗一笑,我说你这是什么歪理?

他说我这不是歪理。人一死真的什么都能看到。他能看到你,也能看到我,他能看到我的心,也能看到你的心,真的,他现在就等着我们去拿他回来。

听他这么一说,一股凉飕飕的东西,便恍恍惚惚地在我的脑后飘起。我转身回到水龙头的下边,往肮脏的脸上一捧又一捧地泼着水,泼了一次又一次,然后是拼命地搓,搓得一脸热乎乎的。最后,我把脑袋塞到水龙头的下边,也狠狠地洗了一次。

路上,我告诉李四,我以前也是天天早上洗脸的,后来,我妈被别的男人偷走了,我跟着父亲到了瓦城,我就再也不洗了。

李四说为什么? 他觉得奇怪。

我说我也说不清楚,反正天亮起来,父亲就把我拉走了,让我跟他捡垃圾去了。我父亲说等出汗的时候抹一抹,就什么都干净了。

他不禁暗暗一笑,嘴里轻轻说了一句,你爸爸是一个老混蛋。

他说你明天可以不洗,但今天不洗不行,今天不洗,你爸爸不会认你的。

然而那天中午,我没有拿到我父亲的骨灰。

李香家的房门紧紧地关着。我在李香家的门前没有看到任何的盒子,我跑到李香家的楼下,顺着院子的围墙找了一圈,也没有看到任何像是装骨灰的盒子。最后,我拦住了一个过来的人,我说李香家都哪去了?那人的嗓门粗得吓人,他说你找他们家干什么? 你是他们家亲戚吗? 我说不是。他的眼睛便翻了翻,说走了,天一亮就回山里去了。我一愣,不由惊诧起来,我说他们回山里干什么? 那人的声音就更大了。他说她父亲死了! 她和她的弟弟几个,他们一家人全都回山里给他们父亲奔丧去了。你有什么事吗? 有事你十天半个月以后才来吧。

那人说完往前边走去,好像有什么急事。

我站在那里愣了一下，随后，一转身就急急地离开了。

李四看见我两手空空的，远远地就迎了上来。

他说怎么啦？他们不给你是不是？

我当时已经生气了。

我说你已经死了，他们拿着我父亲的骨灰，回山里给你奔丧去了。

李四的脸色忽然就难看了起来，嘴巴张得大大的，像是要死的样子。他忽然转过脸，朝远处的什么地方远远地看着，那地方就是他们家的方向。

我问他怎么办？

他没有回答我。

我又问了一句，怎么办？

他好像还是没有听到。

我于是大声地吼了起来，我愤怒了。

我说怎么办，你快说呀！

他吓了一跳，这才转过了脸来。但他摇摇头，收着身子，蹲在了墙脚下。他双手紧紧地抱着头，嘴里不断地呢喃着：他们怎么这么笨呢？怎么这么笨？

听那声音，好像快要哭了。

但我没有同情他。我感觉着全身都是火，我把许多想到的气话，统统朝他的脑壳上砸了下去。我说你不是说他们不会当真吗？你不是说你那几个孩子不是饭桶吗？你不是说他们都是聪明人他们一点都不愚蠢吗？他们怎么就把我父亲的骨灰当作了你死了？

突然，李四从地上站起来，大声地吼了一字：好！

他说这正好让他们好好地哭几天！让他们尝尝父亲要是真的死了，那滋味是一种什么样的滋味。他要让他们好好地想一想，想一想是否对得起他们的父亲。

我说，那我父亲的骨灰怎么办？

他说你放心，我给你保证，等他们哭够了，我保证还给你。

他不停地摇着我的肩膀，他让我相信他。

不相信又能怎么样？

你只能相信他。

后来我们才知道,李四的三个孩子,还有他的女婿、他的儿媳妇,以及他的孙女艳艳,他们六个人,从后半夜一直哭到了天亮,他们除了哭还是哭,没有人对父亲的死有过一点点的怀疑。最先回到门前的是艳艳,她马上就拨响了妈妈李香的呼机,李香跟着就拨响了丈夫刘大奇的值班电话,刘大奇再把电话拨到李瓦的家里,李瓦一听,马上开车跑到李城的楼下,把李城拉到了姐姐的家中。

从瓦城回到山里的路挺长的,他们捧着我父亲的骨灰,一路地哭个不停。听那司机说,他们的哭声,把他弄得手也软了,脚也软了,有几次踩刹车都踩不灵了,差点把车开到了山脚下。

最惨的当然不是他们,而是他们的母亲,这一点谁都可以想象。他们的母亲就坐在门槛上看着他们的回来。她被他们给吓住了。她指着李瓦手里的骨灰盒,问他这是什么? 你们干吗哭成这样?

李瓦卟的一声,就跪在了母亲的脚下。

他说妈,这是我爸。

后边的五个人,也卟咚卟咚地跪在了门槛下,哭声哇哇地烂成一片。

你爸他怎么啦? 你们干吗都跪着? 老太婆顿时惊叫了起来。

李瓦说,我爸,他死了。

老太婆忽然就全身颤抖了起来,她想摸一摸我父亲的骨灰盒,她的手还没有落到上边,她的身子歪倒了。等到她醒来的时候,便哭诉着,牙齿都咬崩了。

她一个一个地敲问着:

你知道你爸到你们城里干什么吗?

你知道吗?

还有你,他跟你说了吗?

直到这时,他们还是无人想起,想起那天原来是他们父亲的生日,他们只是愣愣地看着老人家,不敢点头,也不敢摇头。

他是到你们城里过生日去的,你们知道吗!

老太婆的牙齿咬得格格地响。

跪在地上的六个人,这时突然停止了哭声了。

静静的,每个人的咽喉都像被人掐住了。

老人的哭声却无法停止,她一边哭,一边不停地责骂着:

你们爸是怎么死的?

你们给他做了生日吗?

是你们把他给气死的吧?

谁?

是谁把他给气死的?

她越哭越恨,越恨越伤心。她一个脑袋一个脑袋地点过去,一个脑袋一个脑袋地点过来。

你们为什么把他的生日给忘了呢?

为什么?

你们给我说呀!

没有一个开口。谁都想不起自己是怎么把父亲的生日给忘了的。他们只知道哭,好像只有哭才能证明对不起死去的父亲。于是又开始哭了起来,而且谁也不肯先停下。

说呀!

你们为什么忘了呢?

老太婆不停地骂着。

你们为什么不说话?

你们把你们爸的生日都给忘了,你们还活着干什么?

你们也都死去吧!

你们死了就自己找你们爸爸说去,你们不用跟我说,跟我说一点用都没有。

去呀,你们也都死去呀!

你们为什么不去死呢?

你们给我这么跪着干什么?

是我叫你们忘了他的生日吗?

你们给我跪着干什么呢?你们跪着干什么?……

当天晚上,老太婆就断气了。他们让她吃东西,她不吃;他们让她到床上歇一歇，她也不去；她连坐都不坐，哭完了，骂完了，她用一个布袋装了一些米，提在手里，往门外走去。孩子们都慌了，都不知道母亲要去干什么？都紧紧地跟在她的身后说，妈，你要去哪儿？你别去。他们跟在她的身边想扶她，她把他们的手一一地打掉。

她摇摇晃晃地往前走。

她说你们不要管我，我也不要你们管。你们爸是到城里找你们去的，你们都让他死了，你们还管我干什么，你们谁都不要管我。我不要你们管。

但孩子们还是紧紧地跟在她的身后。他们都想不出她要去哪里，都担心她脚下一空，会一头栽下路边的深沟里。

天上的月亮很亮，亮得只剩下了孤独地挂在夜空，像是动也不动。

老太婆走的不是大路，她走的是路边的那些田坎，那些细细的窄窄的田坎。一边走，一边把抓在手里的米撒些出去，一边撒，一边喊着李四的名字。

她说李四呀李四，你快回来吧，你不回来我怎么办呢？你不会丢下我一个老太婆不管吧，你不会这么狠心的，你快回来吧！她说你看到我在喊你吗？你听到我在喊你吗，听到了你就回来吧，你在月亮里听到了你就从月亮里回来吧……你要是在城里听到你就从城里回来……你在树林里听到了你就从树林里回来吧……你要是在河水里听到你就在河水里回来……我看见月亮了，月亮现在就在我的头上，我看见她冷冰冰的，那里不是你住的地方，你快点从月亮里回来吧……瓦城我也看到了，我看到瓦城也不是你住的地方，你也从瓦城回来吧……回来吧……

她一路走，一路喊，一路撒；一路撒，一路走，一路喊；走过了一块田又一块田，走过了一块地又一块地，她把米袋里的米撒完了，就把米袋递给身边的孩子，去，给我再拿一点来，我要给你们爸喊魂，我要把你们爸丢在你们城里的魂喊回来。头一次给的是谢晓，谢晓急急地就接过母亲的空布袋，急急地往家里跑，然后急急地给母亲装了一点跑回来，像是生怕耽误了母亲喊魂的时间，父亲的魂就真的回不来了。第二次给的还是谢晓，谢晓急急地又跑回去，装了一点米又急急地跑回来。第三次，她的目光还是落在谢晓的脸上，这一次，谢晓装满了整整一大袋，装得沉甸甸的，她怕第四次喊的还是她，回来的时候，她没有把米袋递给她，她说妈，我帮你拿。老太婆不用，她把米袋接了过来，但她没有想到米袋那么重，米袋一沉，竟把她的身子给拉了下去，吓得孩子们的心都从喉头飞了出来，惊慌失措地扑上去，一边扶住母亲的腰一边接住米袋不让落地。都说妈，你放手吧，我们帮你拿。老太婆却死也不肯放手。她像驱赶苍蝇一样，驱赶着他们，她让他们去去去，都给我一边去，我要给你们爸喊魂，我要把你们爸的魂从你们的城里喊回来，他是到你们那里被你们给弄丢了的，我要把他喊回来。

老太婆接着又摇摇晃晃地往前喊过去。

老太婆的喊叫一声高，一声低，一声长，一声短，最后又顺着走去的田坎往回喊来，回到门槛前的时候，她的声音突然没有了，她张着一张大嘴巴，愣愣地站着，也不进门。孩子们等了一会，以为母亲有话要说，都愣愣地等着。谁知，老人的咽喉里突然滚出一声怪响，一股血从嘴里喷了出来，她就这样倒在了门槛上。

父亲如果不死，母亲怎么会死呢？

在随后守灵的日子里，李四的孩子们，真是不知如何痛苦才是。

他们先是一个接一个地忏悔着自己的不是。这个说，其实进门的时候，他们就发现了父亲的愤怒了，父亲把他们家的一只杯子给砸烂了，绝对是他砸烂的，如果不是有意砸烂，父亲会清理干净的，可父亲没有收拾，就愤怒地到大姐家去了。当大姐的随即把话接了过去，她说父亲是到他们家里去了，而且父亲也愤怒了，父亲把他们家的电视机也一直地打开着，声音很大，轰轰轰的，遥控器也砸烂在了地上，但他们没有放在心上，他们想，父亲愤怒后一定是到老三李城那里去了。李城说父亲倒是没有砸烂他家的任何东西，没有，但李城也能在脑子里找到了对不起父亲的地方，他说自己应该让父亲留下的，因为他的女朋友，后来并没有住在他那里，他的女朋友说那天晚上她没有情绪。李城没有办法，李城说没有情绪就没有情绪，那你就回你家里去吧。她就回她的家里去了。李城说，他要是把父亲留在他那里，父亲是不会出事的，父亲不出事，母亲怎么会出事呢？

所以他说，他是最最该死的！于是将脑门狠狠地撞在了墙上，撞得咚咚咚的乱响。

他们就都劝他，说你用不着这么想，该死的不光是你，我们都该死，谁叫我们都把父亲的生日给忘了呢？

这时，艳艳说话了。

艳艳觉得，平时你们不都以为我是个有问题的女孩吗？没想到，你们的问题比我大多了，你们都弄出了两条人命了。

艳艳的嘴有点毒。她说，我觉得你们应该一个一个地说一遍，说你们是怎么把爷爷的生日给忘了的。

艳艳的话是谁都听到了，但谁都没有做声。

艳艳又说了，她把手横过去，直直地指着她的母亲，她说妈，从你开始吧，你是老大，你说，你是怎么把爷爷的生日给忘了的？

李香看着女儿，不知如何开口，也不敢愤怒。

坐在姐姐对面的李城却忽然开口了。

他说姐，你还记得前年吗？

大家的眼光便乱窜了起来，看看李香又看看李城，看看李城，又看看李香。

李城说，我说真心话吧，前年我是真的记起了父亲的生日的，不信你们问姐，姐，是吧？我是为父亲的生日专门跑到姐家去的。我说姐，后天是爸爸的生日，我们要不要回去一趟。姐，你当时怎么说，你还记得吗？

李香暗暗地有点紧张。她说我说了什么啦？我好像没有说什么。

李城说，你说了，你说回什么回，不回！你有时间你回吧，我没有时间。你当时就是这么说。

李香的眼睛突然爆开了一样，她说你瞎编，我怎么会这么说呢？我绝对不会那么说。

李城说，姐，你当时就是这么说的。

李香说，那后来你回来了吗？你怎么不回来呢？

李城说，这就得怪你了，说真话，我是因为你不回来，我才不回的，我干吗一个人回来呀？

李香说，那你可以找李瓦呀，你跟李瓦两人一起回来不行吗？

李瓦的脸色也暗暗地紧张了起来。

李城说，我去找过他，但没有找到。后来我就想，怎么就我一个想到父亲的生日呢？你们怎么没有想到呢？如果想到了，为什么没有听到谁说呢？我想了想，后来不知怎么，就懒得往下想了。去年，我说真话，我是一点都没想起，真的，今年就不用说了。

李瓦把话接了过去。他说我有一年也是想到过要回来的，我还跟朋友说好了要开他的车回来呢，朋友都答应了，说你开吧，我给你留着。后来不知碰着了一个什么事，就给忘了。这事我好像跟姐说过呢。

李香说，你什么时候跟我说过呢？你没有跟我说到过，你们今天是怎么啦，怎么什么事情都说跟我说过呀？

李瓦说，要末我就是跟老三说过的，反正我跟谁说过，我绝对跟谁说过的。

李城说，你这是瞎说，你没跟我说过，你绝对没有跟我说过。

说来说去，说去说来，好像还是弄不清楚父亲的生日是怎么给忘了的。后来，就都把原因归结为太忙了，实在是太忙了，整天都在忙，忙得人的脑子都热烘烘的，像被火烧着了一样。可不忙行吗？不忙怎么活下去呢？你不忙，别人忙呀，别人就会当着你的面，把所有的好东西，一样一样地抢走，最后会把你碗里的饭也抢走，你说你不忙你怎么办？

这时，艳艳又说话了。

她说其实呀，你们也用不着光在自己的身上找原因，我觉得爷爷本人也是有问题的，爷爷太过分了，不就一个生日吗？城里人又不是什么神仙，干吗非要记住你的生日呢？

艳艳的话好像还没有说完，一个巴掌飞了过来，把她的脸给打歪了。

那是她父亲的巴掌，打得很重。

那一个巴掌之后，屋里突然静了下来，所有的嘴巴都闭上了，什么自己的不是，什么别人的不是，都不再议论了，能做的，只是默默地守灵。当然，在后来的几天里，他们还是决定了几件事。他们决定，回家后马上拿父母的相片去放大，然后各家摆在屋里，每家都给父母做个灵堂，一直到做完七七。七七就是七个七天的意思，就是每一个七天都要给父母的在天之灵举行一次送行的仪式，好让父母在另一个世界里得到安生。此外，还决定每年清明节都要回到山里来,回来给父母烧香,回来给父母扫坟,就是天上下着刀子也不能免掉;还有,就是把房子卖了,不卖留着干什么?卖房的钱,全都交给李城,就当是父母留给他的结婚钱。

离开山里的那一天,天刚亮,买房的人就把钱拿来了。那是一摞不薄的钱,买房的人问,给谁?你们谁给点一点。老三李城走上去,说,点什么点,给我吧。他拿过钱,就直直地往门外走去,然后对着远处的山头,大声地喊叫着:

爸!

妈!

我是老三李城。

我会尽快找一个女的结婚的,你们放心吧!

在等待去拿骨灰的那些天里,我没有去捡过一天的垃圾。李四也觉得我没有必要再去。那些天的饭菜,也都是他给买的。我没让他买,也没说不让他买,反正他买回来了,我就照吃不误。我为什么不吃呢?要不是因为他,我父亲怎么会死呢?吃完了我便躺到床上睡觉,我脑子想的几乎都是死去的父亲。我真的为死去的父亲感到伤心。我不停地催着李四,让他快点带我回他的山里,我想早一天把我父亲的骨灰拿到。我不敢让他一个人回去,我怕他一个人走了,不把我的父亲带回来,我怎么办呢?我到哪里去找他去呢?我还不时地警告他,我说你不能一个人偷偷地回去你知道吗?你一定要带我跟你一起回去。李四总是告诉我,你放心吧。我怎么能不还你父亲的骨灰呢?我要是不还你,你说我的心里就好受吗?我又不是坏人,你看我像坏人吗?但我总是有点不太相信他。我总是担心他会一个人什么时候偷偷地跑了。睡觉的时候,我总是让他睡在里边,以为那样他夜里就跑不掉了,其实这样的想法是很天真的。那些夜里,我虽然时常因为父亲的死而睡不着,可一旦睡下,都是睡得很死的,李四要是想溜,早就溜掉了,但他没有溜。夜里,他几乎没有离开过我的住棚半步。

李四这一点还是挺不错的。

我敢说,这一点城里人很少能做到。

那样的情景一直熬了十天。

临走的前一天,李四让我带着他,到商店里去走了一圈。

他说,他要给他的老伴买点吃的东西。

他没想到他的老伴已经死了。

我当然也没有想到。

我问他买什么吃的呢?

他说有一种很好吃很好吃的东西,但他忘了名字了,只知道有点像是他们山里的米糕,但山里的米糕做得没有那么软,也没有那么好吃,吃的时候有点软软的还有点粉粉的,反正是十分地好吃。他问我哪里有卖?听他那么一说,我知道那肯定是云片糕。云片糕很便宜,在城里根本算不得好吃的东西。我说那种东西有什么好吃呢,一点都不好吃。我给他推荐了很多好吃的,尤其是巧克力,他却坚决不买。

他说他就买云片糕。

他说,你说不好吃那是你的嘴巴,我老伴的嘴巴她觉得好吃,那就是天下最好吃的,你知道吗?

接着,他便比划着他老伴吃云糕时的那种模样,说她总是很端正很端正地坐在门槛上,一小片一小片地把云片糕掰下来,然后一只手轻轻地提着放进嘴里,一只手在下巴的下边接着,那是以防万一,万一有云片糕的碎片从嘴边跌落,她好把它们接住,然后把它们慢慢地放进嘴里。她总是吃得很香,吃得一脸甜甜的,一点都不着急,好像一个永远长不大的小女孩。

我心里便暗暗地笑他。

路上,我曾想象过李四那老伴的模样,我想我一定要好好地看一看,看一看她拿到云片糕时的模样,是不是真的像个永远长不大的小女孩。一个小女孩与一个老太婆,那是一个天和一个地呀,她怎么爱吃云片糕,也不可能吃出一个小女孩的模样来。

你知道,我的这种想象早就提前落空。

就连李四家的那栋房屋,我都看不到是什么模样了。

那一天从清早起,买主就请来了一帮人,把李四的那栋房子给拆了。

我们看到的时候,房子已经没有了,拆下来的东西乱七八糟地丢得到处都是,就像一堆垃圾。在我的眼里,那就是垃圾。

当时的天,是准备黑下来的那个时候。

前来拆房子的人,有的已经走了,收工了,回家喝酒去了;有的正扛着拆下的木头,走在李四家门前的路上。

李四远远地就站住了。

我也站住了,我站在李四的身后。

我说怎么啦?走呀,不走啦?

李四半天没有说话。

那些人也不说话,他们也远远地就站住了。

接着,有人把话问了过来,说:是四叔吗?

李四没有回答。

李四愣愣地看着他那已经没有了的房子。

那时的李四其实是被那样的情景吓傻了。

有人再一次把话问了过来,说:四叔,是你吗?

李四还是没有回答。

突然有人慌了起来,以为是遇着了鬼了,哐地就将肩上的木头丢在了地上。

木头落地的声音很响,那声音把其他人也都吓慌了,跟随着,木头落地的声响和四散奔逃的脚步声,响成一片,像是天塌。

回来!我是李四!你们跑什么跑!

李四突然朝着他们吼道。

那些人的身上都像是牵了绳子,李四那么一喊,就把他们都牵住了。

说真话,从那天晚上开始,我是真真地同情起了李四了。在那之前,我觉得他其实没有那么大的可怜,不就一个生日吗?做也过,不做也过,干吗弄得那么严重呢?我觉得他闹得太过了。可那天晚上,我觉得这个老人的命,还真是他妈的比我还苦,比我还惨!我失去的只是我的父亲,而他呢?他的老伴没有了,他的房子没有了,他,一个六十岁的老头,也在他孩子们的心目中死去了,往下,他该怎么办呢?

当天晚上,李四打着火把,带我去拿我父亲的骨灰盒,他刚要揭开坟墓,被我喊住了。

我说算了,不挖了,就让我父亲埋在这里吧。

我想,我父亲他不死也死了,我拿着他的骨灰回瓦城又能怎样呢? 还不如就这么留着,让他躺在这个静悄悄的深山沟里。我想,或许这还是老天爷的一种安排呢? 如果哪一天我能了却他的心愿,我真的成了瓦城的人了,我真的能在瓦城买了我的房子,我再看看有没有别的什么办法吧,比如能不能把他迁进瓦城的公墓什么的。如果没有,就永远让他躺在这里吧。

李四没有多想,他只是对我说,随你的便,你自己想好。

我说那就随我的便吧,我想好了。

他说,反正这事你以后不能后悔,后悔了也不能怪我。

我说,我不会怪你的,我也不再会后悔。我说你放心吧。

然后,我们来到他老伴的坟前。

他把买回的云片糕,一片一片地掰下来,一片一片地摆放在他老伴坟前的石板上。

就在这时,我禁不住问他,我说你怎么办呢?

他说,我还能怎么办呢? 你说,你说我还能怎么办?

一个六十岁的老头子竟然这样回答一个毛头小子的问话,你可以想象,他的心是多么地难过,多么地凄凉,他已经不知道自己怎么办了,你说,你不同情他,你同情谁呢? 我简直觉得,如果全世界只有一个人需要你去同情,那个人可能就是他李四。

我说,你不会想到死吧?

他没有回话。

我说你千万不要想到死你知道吗?

他还是没有回话。

我说,你跟我回到瓦城去吧,我带你去找你的那些孩子。

他说,你说他们还会认我吗?

我明白他的意思,他是担心他们会不会因此而恨他,而不认他。我说怎么可能呢? 你是他们的父亲,他们是你的孩子,他们怎么敢不认你呢? 我说别的事情我可以帮你作证。

他说,他们要是不认我,我怎么办?

我当时觉得,这个老头怎么有那么多的顾虑呢? 我觉得只要他回到瓦城,只要他站在了他们的眼前,他甚至不用开口,他们都会知道,这就是他们的父亲。他们怎么会不认他呢? 于是我安慰他,我说在你回到他们的身边之前,你就跟我住在一起吧,反正我也没有了父亲了,你就当作是我的父亲好了。你可以一直住到他们认你的那一天。

我说,我父亲的身份证不是还在你的身上吗? 他说是的,还在。说着要掏出来还给我。我说不用,我说你先拿着吧,在城里,没有身份证有时还挺麻烦的,一不小心,就会碰着喜欢盘问的警察,他们的手总是伸得长长的,然后问你,有身份证吗? 拿来看看。

我说你就拿着我父亲的身份证顶用吧,反正你的身份证已经没有了。

他的身份证已经被他的孩子们烧掉了,连同烧纸,一起烧在了我父亲的坟前。

他看着我父亲愣了好久,他说那我拿你父亲的身份证也没用呀,谁不一眼就看出来了。

我不由愣了一下。相貌的问题确实是个问题。我便拿过父亲的身份证看一看,说实话,在这之前,我还真的没有看过几次父亲的身份证,这一看,我吃了一惊。因为我父亲在身份证上的人头,也不太像我的父亲。当然,也不像李四。

于是我把身份证递给了李四,我让他好好地看一看。

李四也觉得怪了。他说真的不是太像你的父亲,为什么呢?

他说那有人怀疑过这不是你的父亲吗?

我说怀疑多了,但我父亲的名字是对的,这上边的地址也是对的。还有一点,就是这脸上的颧骨,还是很像的。李四便摸了摸自己的颧骨,我顺眼看了看,发现他的颧骨,也是我父亲的那种颧骨,不是太像,也不是一点不像。他说那我的名字不一样呀。我说这就简单了,有人问你,你就说你是我的父亲,你只要记住我父亲的名字,记住这身份证上的地址就行了。

他的手便深情地落在我的肩头上。我看到他的嘴巴动了动,他好像有话要说,最后却什么也说不出来,他的眼睛眨了眨,好像在暗暗地流泪。

　　回瓦城的那天早上,山里的露水挺重的,走了没有几步,脚上的裤子就湿透了。

　　走到一个半山腰的时候,他突然停下来,指着不远处的一块地,他说,那是我家的。

　　我说你家都没有了,你哪里还有地呢,你的孩子们不是把地都卖了吗。

　　他说没有。他说他们卖掉的只是地里的东西,不是地。地是不能卖的。我没死,那地就还是我的,我要是死了,那地就回到国家的手里,谁也不能卖。

　　他忽然眼光默默地望着我。

　　他说,要不你回你的瓦城去吧,我不去了。

　　我说为什么?

　　他说我还有地,我怕什么呢?

　　我说你已经没有了房子了你知道吗?

　　他说那要什么紧呢? 盖一个茅棚,我就可以住下了。

　　我说算了吧你,你今天盖了茅棚,明天后天,你的那些孩子他们总有一天会知道你还活着的,到时,他们还得把你弄到城里去的。你已经六十了,你一个人在山里能呆多久呢?

　　他便不再说话。

　　但他还是朝他的那块地走去。

　　我悄悄地跟在他的身后。

　　他是朝地里的那个稻草人走去的。那个稻草人歪歪的,眼看就要倒地了。

　　我看到他扶起稻草人的时候,眼里悄悄地竟流下了泪来,好像他扶的不是什么稻草人,而是他那永远离开了人间的老伴,或者那稻草人就是他自己。

　　他让我帮他,帮他把稻草人往地里插深一点,插牢一点,他希望它别再倒下。

　　他说这里风大,你使劲点,免得我们一走,风一来,又倒了。

插好后他又试了几下,扯了扯稻草人的手,然后朝我点点头,算是放心了。临离开时,他又整了整稻草人身上的衣服,他的动作很细,从稻草人的衣领开始,慢慢地往下顺,先是衣袖,然后是胸襟,然后是衣摆,然后,是裤子,我看到他的手几乎没有放过一个地方,一点一点都做得十分体贴;完了,才去整理那稻草人头上的帽子,完完全全地把稻草人当成了一个人了。最后,他把稻草人手里拿着的那个白色的塑料袋,也重新系了一遍。

我指着那个塑料袋问他,挂这个干什么呢?

李四只对我笑了笑,没说。

我想了想,觉得那塑料袋也不可能有什么特别的意思,也许只是随便挂挂,就没有追问。

从地里出来,走到路上的时候,我的脑子突然被什么挂住了,我马上回过头去。这一次,我终于明白了李四为什么掉下眼泪。那个稻草人,除了头上的帽子是李四的帽子,那稻草人身上穿的衣服,那稻草人脚上穿的裤子,全都是他老伴的。我看着看着,竟像是突然看到了他的老伴了,她就站在我们的面前。

按理说,让李四回到他的孩子身边,不是一件太难的事,至少比捡垃圾要容易一些。你没捡过垃圾你当然不懂,但你可以想象一下,捡垃圾确实不是一件容易的事情,首先是臭。垃圾臭,捡完垃圾你一身的臭,但这些都是你自己愿意的,你怪不了谁。我说的不容易还不是这个,我是说,捡的时候你得在垃圾里不停地翻,你得不停地找,你得把你的眼睛睁得大大的,你一点都不能迷糊,你要是迷糊了,你就会除了一身的臭气,你什么也没有得到。

然而事实上,李四的事情,简直难透了。

刚刚回到瓦城的大街上,我们就碰着了他的孙女艳艳。

那是我头一次看到艳艳,我先是看到了李四的那张照片,然后才看到艳艳的。李四的那张照片,比锅盖还大,他被装在一个很好看的镜框里,被艳艳抱在胸前,正从街对面的一家照相馆里出来。

我一下就愣住了,我想那照片怎么这么像李四呢?

我忽然叫李四等一等,我说你先在这里等等,你先别走。然后,我横过街面,直奔李四的照片追去,然后把她拦住。

我问小姐,你这抱的是谁?

我真的用了小姐二字,别以为我是捡垃圾的,讨女孩喜欢的一些字我还是会说的。

她扫了我一眼,说,你认识他吗?

我说,我可能认识。

我本来想说,我应该认识。或者直接说,我认识。但我给我留了一点余地。

她便告诉我,这是我的爷爷,他死了,你知道吗?

家里死了人的人都这样,他们好像都担心别人不知道他们家里有人死了。

我心里一下就咬定了,我知道那照片上的人头就是李四,捧着李四的这个女孩,就是李四的孙女。我因此高兴了起来,我马上对她摇摇头,我说你看看那是谁?

我朝着站在街对面的李四指了过去。

李四的目光一直地跟着我,他早就看到了他的艳艳了,他们的目光这时碰在了一起。

艳艳哇的一声就尖叫了起来,但她马上就把嘴巴挡住了,她说真的好像我爷爷耶,怎么这么像呢?

我说不,不是像,而是真的,那就是你的爷爷,你爷爷他没死,他活得好好的。

我一边说一边迫不及待地朝街对面的李四招手,我让他过来。我想只要李四过来,只要他们把话对上,往下就什么都不用多说了。

可是,街对面的李四突然转身走了,而且走得很急,就像是小偷逃脱追踪的样子。我大喊了一声跑过去,哎,你干吗?你到哪儿去?

李四没有回头。李四的身影转眼就在前边消失了,被乱糟糟的人群吃掉了。

我一看急了,我丢下艳艳就朝李四追去。

但那李四不知怎么溜的,怎么找都没有看到他的影子,等到我回头想对艳艳说些什么的时候,艳艳也早就走了,艳艳不在原来的地方了,她回家去了。我在大街上又胡乱地找了一下李四,还是没有找到。我的心里当时真是恨死了李四了!

我心里想:

这老头,

你他妈的,

老子不理你了!

我差点在大街上自己给自己几个巴掌,然后发誓不再理他,我发誓他现在就是死在了大街上,老子也不理他。在走回住棚的路上,我一身都是愤怒。

一进门,我就把自己摔在了床上,可我刚刚躺下,突然有人敲门。

我说谁呀?

外边没有回话,但敲门声却没有停止。

我把门打开一看,他妈的,门口站着的就是那个讨厌的李四!

当时的天,已经黑下来了。

我说你他妈的李四,你还来找我干什么? 你已经没戏了,你完蛋了,你知道吗? 你错过了一次最好的机会,你知道没有? 可他怎么说? 他说,他是怕他的艳艳会被他吓疯在大街上。我说疯你妈,她年龄比我都大,她怎么会被吓疯呢? 他说她是女的你是男的,他说在她的心里,她爷爷,我,李四,已经死了,你知道吗? 我说我当然知道你死了呀,可你只要一过去,你和她,你们两人只要一说话,她就知道你真的就是她的爷爷,你真的没死,你知道吗? 他说,问题是,我还没有跟她说话她就被我吓疯了,我怎么办?

他说他幸亏没有过去,他要是过去了,她艳艳肯定被他吓疯了的。

他一口咬定,他是为了他的艳艳。

真拿他没有办法。

我说好,那你现在怎么办吧? 没有等到他回话,我又把话拦了过去,我说你不用再跟我说怎么办,我不管你怎么办了,反正你的事从此与我无关了,你不用再跟我说什么,你说了我也不听。

他愣了半天,最后问道,你真的不帮我了?

我说我帮你干什么? 我不帮了。

他暗暗地叹了一口气,然后说,那我明早就回我的山里。

我说回吧回吧,明早天一亮你就回你的山里去吧。

他说那我今晚怎么办呢? 我在你这里住一个晚上可以吗?

我说住吧住吧,反正明早天亮你就走了,今晚爱住你就住吧。

他于是爬到了床上,一声不吭地躺下了。

也不知怎么搞的,第二天凌晨,天还黑麻麻的我就醒来了。

我是怕他真的溜回了他的山里。

我看到他还躺在我的身旁,于是把他推了起来。他睁开眼睛一看,说天还没亮呢,我天亮再走吧。我说走什么走,你要是真的走了,以后你再来找我,我就真的不帮你了。

他说你什么意思?

我说我告诉你,你不要走。

他说不走我怎么办?

我说我给你想办法吧。

他说你有什么办法呢?

我说我现在还没有,我现在要睡觉。

说完,我一头睡了下去,一直睡到了中午才醒来。

我的办法还是从艳艳身上下手。

李四也表示同意。但他说,只能让艳艳告诉她的爸爸妈妈和她的叔叔们,让他们到这里来找他,他不想先去找他们。我明白他的心思,这是一个有关脸面的问题。不管怎么说,事情已经闹大了,事情的最初应该说是他那些孩子的过错,而事情的后来,则是他李四的不对了,这一点,李四心里是清楚的。我表示可以理解。我对他说,先这么办吧,不行了再想别的办法。人只要活着,办法总是会有的,我父亲活着的时候时常对我这样说。我父亲说,只要你永远记住了这句话,你就总有一天会成为瓦城人的。这个道理放在李四的身上,我觉得也是适合的。

我相信李四能回到他那些孩子的身边。

于是,每天中午的放学时间,我都跑到艳艳的学校门前,等着艳艳放学出来。

我告诉艳艳,你爷爷真的还活着,你的爷爷现在就住在我家里。

可艳艳就是不肯理我。

头一天她急急地走着,我跟她说了不到两句,她就拔腿飞跑了起来。

我当然不敢追,也不能追,我要是追上去,她要是告诉街边的人,说我是流氓,我就是不被打死,也有可能遍体鳞伤,以后捡垃圾都将成为问题。

第二天,我告诉她,你叫你家里的人先去看一看吧,看一看你们就知道那是不是你的爷爷了,可是,我话没说完,她拔腿又一次跑了。

第三天,我刚要上去,她身边的三四个男孩呼地一下,把她围住了,他们的眼睛全都火一样往我的身上燃烧着,他们的手和他们的脚,都在做着一种随时出击的样子,张牙舞爪的。我哪里还敢靠近呢? 我不敢。我只有远远地看着她走远。

第四天和第三天一样。我知道这样下去肯定不行了。于是,我把第五天的方法改了,我让李四把事情的经过简单地写在了一张纸上,然后装在一个信封里,我拿去交给艳艳他们学校的门卫,让他帮我转交给艳艳。

那天我躲在暗处,我看见那门卫把信封交到了艳艳的手里,我看到她把那张纸抽出来看了看,又把它放回了信封里,她四处张望了一下,她可能想看看我在什么地方,但她没有发现我。她把信封装进了书包里,就慢慢地回家去了。

回来后我告诉李四,我说这两天你就在家里呆着吧,我相信他们会来的。至少有一点,我想他们会想到他们的父亲还活着,那就是李四的笔迹。

我问李四,他们应该熟悉你写的字吧。

李四说怎么能不熟悉呢?

我说那就好办了,那你就等着吧。

我说等他们把你接走的时候,你告诉他们,你说我有一个要求。

他说什么事你说。

我说你让他们给我一点钱,算是对我的辛苦和良心一点小小的回报。

他说这应该不成问题吧。

我说这很难说,到时你说了,可能就不成问题,你要是不说,不就成了问题吗?

他说你这脑子里怎么想得这么复杂呀,你不是没有读过书吗?

我说读过一点,读了差不多三天。

他说三天算什么呢,三天算个鸟!

李四就这样等着,每天都在住棚附近等着,我吩咐他不要走远。我担心他们来了看不到他。但我不能等,我得出去捡我的垃圾。

第三天中午,我出门没有多久,他们来了。

一共来了七个人,除了李四的几个孩子和他的女婿儿媳孙女,还有一个警察。

他们是坐着那个警察的车子来的,那警察是李瓦的好朋友。

那是一辆警用的面包车,面包车的头顶上装着那种可以叫唤的红灯,可以一路走一路叫一路放射着红色的光芒。李四说,那辆车远远过来的时候,他的心听得都碎了。

李四当时正在住棚不远处的路边,整理一堆我弄回来的垃圾,那是一堆转眼就可以换钱的垃圾,是我从很多很多的垃圾里捡回来的。我让李四把它们分类,哪天拉到各种不同的收购站去。

李四说,他以为那车子是路过的,没想到不是,那车子突然停了下来,把他吓了一跳。

车子一停,他就看到了他们,看到他的那些孩子还有那个警察。

但他没有站起来,他就那么坐着。他只是抬起胳膊往脸上擦了擦,他想擦掉脸上的汗水,可他没有想到,他的胳膊很脏,抹过之后,他才发现胳膊上都是脏兮兮的汗水。

那警察本来走在后边,可他闪了几闪,就抢到了前头,站到了李四的面前。

李四当时想,他来干什么?他又不是我的孩子。

那警察却先说话了,他朝李四长长地伸着手,他说把你的身份证拿我看一看。

李四当然知道他的意思,但他不想理他,他觉得他的话没头没尾的,他把目光投到了孩子们的脸上。

他的嘴巴却紧紧地关闭着,他不想开口,他想听听是谁最先叫他爸爸。

孩子们就散开在警察的身旁,都在愣愣地看着他,没有人说话。

终于,李四发现李瓦的嘴巴连连地动了动,但是没有声音,他想他妈的,这小子什么时候得了结巴了,叫一声爸爸这么难?

李瓦的话终于出口了。

李瓦说,你,你听到没有,把你的身份证拿出来。

李四猛地瞪了李瓦一眼,但他还是没有做声,他把目光转到了李香他们的脸上。

那警察又说话了。这一次,他蹲下了身子,蹲在李四的面前,声音很低,也很平和。

他说大爷,你有身份证吗? 让我看一看吧。

李四的心里一下舒服多了,这一舒服,李四忽然糊涂了。

李四手也不擦,就从身上掏出了身份证。

那警察接过身份证的时候,那种神态谁都可以想象,高兴得就像抓到了坏人了。他一看到那上边的人名,就知道不用再说什么了,他两根手指紧紧一夹,就把身份证高高地举过了他的头顶。李瓦他们没有看到那身份证上的人头,那人头刚好夹在警察的手指里,那是他有意夹的,他觉得,让李瓦他们看到那上边的名字就什么都不用再说了。

那是我父亲的名字。我父亲叫胡来。

李瓦他们全都看到了胡来这个名字,而且看得一清二楚。

那警察把我父亲的身份证狠狠一摔,摔在了李四的脚下。

然后,他起身走了。

李四想这人怎么这样呢? 他看了看脚下的身份证,伸手刚要捡起,突然,有人把垃圾狠狠地踢到了他的身上。

是他的李瓦。

李瓦指着他的父亲,狠狠地警告道:

老头,好好捡你的垃圾吧!

就这一声警告,李四的心头突然一阵绞痛,像是被刀深深地插了进去。他想愤怒地站起来,他想给他一个耳光,可他竟然站不起来。他只有一双愤怒的眼睛,狠狠地盯着他,但他的眼睛盯不了多久,就被闭上了,因为他的另外两个孩子,他的女婿,他的儿媳,还有他的孙女,他们都愤怒地把垃圾踢到了他的身上,踢得垃圾满天地飞舞,他睁不开眼睛,也张不开嘴巴,最后,一屁股倒在了地上。

随着那些满天飞舞的垃圾,李四听到的尽是恶毒的咒骂。

他们说:想过好日子是不是? 做你的狗梦去吧!

他们说:死去吧老头! 别以为长得像我们父亲,就可以冒充我们的父亲了! 死去吧!

刘大奇还上来给了他一脚,狠狠踢在他的大腿上。

他说你儿子呢? 你儿子哪儿去了?

李四心想我儿子不都站在你旁边吗? 你说我儿子哪儿去了?

刘大奇说,你告诉他,要是再敢骚扰我的艳艳,当心敲烂他的脑袋!

说完,一个一个愤怒地扬长而去。

看着他们走去的背影,李四好久才从垃圾堆里坐了起来。

随后,他放声大哭。

我从外边回来的时候,李四还在乱糟糟的垃圾里坐着,我看到他两眼血红。

他说他永远都不会原谅他们,他们把那么多的垃圾都踢到了他的身上,他永远都不会原谅他们。总有一天,他要让他们统统跪在他的面前,他说总有一天。好像他恨的不是他的孩子,而是几个趁火打劫的恶人。

但我告诉他,我最恨的却是他,是他李四。

我说你应该对他们说话呀,你怎么能一句话也不说呢?

他说,他们都认不出我是他们的父亲,我对他们说什么呢?

他说他说不出。

我说有什么说不出呢? 你首先得让他们听出你的声音呀,你可以叫他们的小名,你可以说出他们很多很多的事情。你不说他们怎么能认出你来呢? 你在他们的脑子里你已经死了,你知道吗?

李四却因此愤怒了起来。

他说死了怎么啦? 我就是烧成了灰,他们也应该认得出来! 我是他们的父亲,他们是我养大的,他们有什么理由认不出我来?

我说你他妈的做梦,你还没烧成灰呢,他们都认不出你了,你要是真的烧成灰,你说还有谁能认出你呢?

他却一口咬定,他们没有理由认不出我来。你说他们有什么理由?

事情都成了这样了,他还找理由? 真他妈的有点可恨!

我说你这老头你怎么这么犟呢,你要是这么犟你就永远回不到他们的身边,你相信吗?

李四没有给我回答,他只说,反正他们认不出我来,我回到他们身边又有什么用呢?

他说只要他们认不出他来,他就永远也不认他们。

我死也不认。他说。

他就是犟!

他说他们只要往我身上闻一闻,他们都能闻出我是他们的父亲来。他说他们根本就用不着看什么身份证。看身份证干什么? 那身份证是什么东西? 就因为身份证上的名字不是我的,我就不是他们的父亲了? 荒唐! 荒他妈的唐!

这话说得还算有点道理,可道理这东西有时就是不能成为道理。用我父亲的话说,垃圾堆里的道理多着了,那都是被城里的人们扔掉的,都变成了垃圾了。

其实,早在艳艳扛着遗像回家的那天晚上,李瓦他们就一致认为,可能有人想冒充他们的父亲了。那天,他们为了艳艳在大街上的奇遇,作了整整一个晚上的分析,最后的结论是:肯定有人在想冒充! 这年月,他们说什么荒唐的事情都有可能发生,不是连市委副书记都有人敢冒充了吗? 而且还在市政府的办公楼里开会作报告,风光了整整半个年头。都觉得应该提防呀,应该小心,千万千万不能上当,千万千万不能被人当成传说的笑话。

惟独没有人想一想,他们的父亲是不是真的还活着。

　　所以,看到艳艳拿回那封信时,也没人细心地看一看那信上的笔迹,哪怕怀疑一下也是好的,那是他们父亲的亲亲的笔迹呀,他们竟然视而不见,或许他们有人在脑子里想到过,但他们的心里就是不肯相信,他们只是相信:冒充他们父亲的人,终于来了!

　　他们觉得不可思议,一个捡垃圾的老头胆子怎么这么大呢?

　　李瓦当即就把电话打到了那个警察的手机上。他问他有空吗? 什么时候有空,有空帮我们收拾两个捡垃圾的混蛋,他妈的,一个捡垃圾的老头竟敢要冒充我的父亲,对,他说他还活着,他说他在哪里哪里正在捡垃圾度日,真他妈的此地无银。

　　捡垃圾是我和李四在信里留下的疏忽,我们真的不该写,也许那样他们就不会一眼把我们给看低了。不过,当时我和李四也是想到过的,我们最后觉得,还是说真话吧,说真话也许更好些,谁想到真话反而把李四的事情给砸了。

　　李四的那些孩子,他们为什么会这样呢?

　　李四想不明白。

　　我也想不明白。

　　我和李四曾经想过,是不是跟他们的职业有关呢? 是不是他们的职业把他们的脑子弄成了那样? 其实不是的。除了艳艳是读书的,李香是开出租车的,李香的丈夫李香的弟弟还有李香的弟媳,他们都是干什么的,我好像一直没有提到过,其实不提反而好,免得有人产生误解。我告诉李四,我在瓦城捡了快十年的垃圾了,我可是什么人都见过,他们都差不多,真的差不多。

　　可话说回来,如果我们是李瓦,如果我们是李香,我们又会怎么样呢? 我们也会怀疑吗?

　　会的,我们可能也会怀疑的。

　　但这话我没有告诉李四。

　　瓦城的很多事情,他也许到死都弄不清楚。

　　我也弄不清楚。

　　从此,我和李四,两人像两根木头,经常呆呆地站着,你望望我,我望望你,我说怎么办呢？他也说,怎么办呢？都不知道怎么办。每天晚上,我们好像都在想呀想呀,想看看还有没有什么办法,但什么办法也没有。那些天里,李四也跟着我上街捡垃圾去了。那是他自愿的。我说不用,我说只要住棚里还有吃的,你就每天都睡着吧,只要你能睡出什么办法来,那就好办了。我心里想,他不可能一直地跟我往下住,他还得想办法回到他的孩子们身边去。可他觉得老是那么睡呀睡呀,可能睡死了都睡不出办法来,就跟着我上街去了。

在大街上,李四只要看到他的孩子,就会急急地往前走去,他想让他们看到他,他希望他们在看到他的时候,突然找回到他们心里的印象。毕竟,他是他们的父亲呀,他不信他们真的一点都没有了印象。他不信。

但是,一点用处都没有。

除了几个白眼,或者几句咒骂,没有得到更多的东西。

我说,首要的问题可能还是沟通的问题,你还是想办法跟他们说说话吧,你别光是那么愣愣地看着他们。光是愣愣地看着他们是不行的,绝对不行。

可他还是那一句,他说只要他们认不出他来,他就永远不会对他们开口。

我对他们开口干什么呢？他说。

有一天晚上,深更半夜了,他睡不着,他把我推醒。

他说,你能陪我去一个地方吗？

我说去哪儿？你一个人去吧,我要睡觉。

可他还是拉着我,他说去吧,陪我去一下。

他说他不能一个人去,他怕出事。

我只好迷迷糊糊地跟着他去了,但他却没有告诉我要去什么地方,直到走到了,他停下了脚步,他才悄悄地告诉我,他想听听他那李城的房里睡着几个人。

我当时没有听懂。我觉得这老头怎么这么奇怪。

我说睡一个人又怎么样,睡两个人又怎么样？

他说睡一个人那就是他的老三李城一人。

　　我说那睡两个人呢？

　　他说睡两个那就不光是他老三李城了，另一个肯定是他李城的女朋友。

　　我说那又怎么样呢？

　　他便不再看我，他说你不懂，我说了你也不懂。

　　我说我有什么不懂的呢？你说吧！

　　他还是不说，他说待会告诉你吧，待会告诉你，你先给我听听，听听是一个还是两个？

　　李城住的是一楼，楼下的路灯全是黑的。李四拉着我悄悄地摸到李城的窗下，我们听了好久，才听到了睡的不光是李城，还有一个是个女的，毫无疑问，那就是李城的女朋友了。但那女的声音一点都不好听，有点像是猫叫。而李四心里却是甜丝丝的，我当时还想多听一点什么，他却把我拉走了。

　　他说行了，不要再听了。

　　往回的路上他告诉我，他心里最牵挂的只有这个老三了。他说他李城快三十了，他的房里如果晚上总是睡着一个人，那他以后就难了。我说难不难是他的事，他们连你都不认了，你还管他干什么呢？他就说，这你就又不懂了，再怎么说，他总是我的孩子吧，我心里不挂念他，谁挂念他呢，妈妈没有了，他的哥哥和他的姐姐，他们这样没心没肺的，他们还会想着他吗？

　　这老头真他妈的不可理解。

　　人心其实都是不可理解的，但人心都是肉长的，就连李瓦他们也是这样。李瓦他们的心也不是那种完全的木头，真的不是。在他们的心里，他们的母亲死了，他们的父亲他们也以为死了，他们真的很伤心，他们真的感到他们是有错的，他们不知道如何才能弥补他们的过失。每天晚上，吃饭的时候，他们都会在桌上多放两个饭碗，多放两双筷子，喝酒的时候，还给父亲也满满地倒上一杯。每一家的电视机旁，都放着父母的照片，都镶在那种很高档的镜框里，照片的前边，就是父母的灵位。进门的时候，都会首先走到父母的面前，默默地看一看；出门的时候，也是首先走到父母的面前,默默地站一会,然后才转身出门,然后,轻轻地把门关上,而且关门的声音都比以前小了,像是声音大了会吵着了父母,他们总是把门轻轻地带上,可能是轻轻地带上了,那门还是响,他们就在锁头那里抹上一点腊,在门的活页上滴上几滴油,让门的声音慢慢地小下去,最后几乎是没有了响声。这些都是后来我和李四亲眼看到的,而且是李四自己发现的,他先是怀疑他们的门,怎么都不像以前会发出梆梆的响声了,毕竟,李四是有经验的,他把门上的活页,一个一个地看了,还用手去摸,摸得手指上都是油。头一次,他是在李城家里看到的,他当时看着手上的油,泪水就下来了。我不知道他的心里当时是怎么想的,我没问他,我只是对他的这种说法表示有点怀疑,我说你凭什么以为这活页的油,就是为了不让门的声音太大,而不让门声响得太大,又是为了不惊动他们的爸爸妈妈,为了让他们好好安息呢?

但李四说,你不用怀疑。

他说我知道。

有一件事,我倒是完完全全地相信,那是艳艳当面告诉我的。

她说,她母亲每天深夜开车回来,临睡前,都会走到她爷爷和奶奶的面前,然后默默地说着:

爸,

妈,

我累了,

我要睡了,

我要关灯了,

你们也好好歇着吧!

说完了默默地鞠上一躬,然后再把灯慢慢地关上。

她说她妈妈几乎每天晚上都要这样,而每一次都让她十分的感动。

我当时只闪过一点点的怀疑,我说真的吗?

她说当然是真的。

我便在脑子里把她母亲那种默默的样子默默地想象了一遍,并在嘴里默默地念道:爸,妈,我累了,我要睡了,我要关灯了,你们也好好歇着吧! 就这么刚一念完,我还来不及在想象中把灯慢慢地关上,我的眼睛忽然一热，我悄悄地被感动了，我差点要落下泪来。

艳艳和我曾有过一次亲密的接触，当然，我说的这种亲密不是你们说的那种亲密，而是她在我的屁股上狠狠地踢了一脚，在我的大腿上踢了一脚，一共踢了我两脚。

是她自己找到我的，因为我和李四，我们俩偷偷地打开了他们家的房门。

那是李四忽然想到的一个绝招。有一天，我回家的时候，看见他蹲在住棚的门前等我。他说他的钥匙丢了，我当即就告诉他，丢了也可以进啊，你用不着这么等着。我让他把身份证拿出来，我用我父亲的身份证轻轻一插，就把锁头打开了。

他一看，两眼就惊奇地大了起来，他拿过身份证不停地看着，摸着，他没想到那身份证竟然还有那么大的用处。

突然，他喊了一声，有了！

我问他什么有了，他竟不说，只拉着我，让我跟着他走。我没想到他要拉我去干什么，直到我们悄悄地摸到了艳艳家的门前，我还不知道他要干什么。我不知道那就是艳艳他们的家。在那之前，我没有去过。直到他用我父亲的身份证打开了艳艳家的房门，一眼看到了电视机旁的他和他老伴的遗像，我才大吃了一惊。我这时才发现，李四胆子真大。他要是在路上把这个想法告诉我，我会死死地拉住他，我不会让他去做这样的事情。倒不是怕他捅烂了我父亲的身份证，不是。我是怕他这种小偷的做法，要是被人发现了，问题可就大了，如果屋里有人，如果打开房门的时候突然碰着了邻居出来，结果真是不堪想象。

然而，我们进了一家又一家，而且往返进出了好几次，我们从来都没有碰到过哪家有人，我们在楼道上倒是碰到过几次楼里的邻居，但没有人把我们放在眼里，我们在开门的时候也碰着有人上楼下楼，但没有人怀疑我们是坏人，就连一丝怀疑的眼光也没有。其实他们咳嗽一声都能把我们吓得半死，但他们好像见了我们，反而把嘴巴闭上了，闭得紧紧的。

有一天，李四还为此专门问我，他说瓦城人怎么这样呢？

我说全靠他们这样，要不你早就完蛋了，你早就被当作坏人抓了好几次了。

他点点头,他说这倒是。

我问他你当时胆子怎么这么大呢?

他说没什么胆子,我只是想,那是我孩子的家,我怎么不能进呢?

别的,他说他没有多想。

每一次,我跟着李四走进李瓦他们的家里,李四都不让我乱走乱动,他就让我在他的身边站着。他说你别动他们的东西,你什么都别动。我跑到厕所,也就是你们说的洗手间,我要撒泡尿,李四都不让,我的东西都掏出来了,我已经站好了架势,他还跑过来一把狠狠地揪住我的东西,硬是塞回了我的裤子里。他怕我的尿会留下异味,会让他们产生怀疑。

我说我的尿有那么臭吗?

他说臭死了,不跟你住在一起我还不知道呢,你的尿简直是臭死了,好像整个瓦城的垃圾都在你的尿里,你的尿里全他妈的都是瓦城的垃圾。

为了李四,我只好憋着。

李四的目的十分简单。一进门,他就走到他们的遗像前,先是给他的老伴默默地说上一句什么,然后拿起他的遗像,狠狠地摔到地上,把他的遗像摔得粉碎,然后找出一些能让他们想起他的东西,丢在被他砸烂的遗像旁边,比如,他从山里给他们拿来的一些竹器;比如,他们给他穿过的一件什么衣服。有一天,我们在李香的家里,他竟把厨房里的切菜板也扛了过来,丢在碎玻璃的边上。我看着纳闷,我说你这是干什么? 他指着菜板边上的铁箍说,这是我帮他们箍上的,我要不箍,这菜板早就没有了。

在李瓦的家里,我们又看到了我们写的那封信,我想把它撕了,他却叫我放手;他让我给他,然后他在李瓦家的书房里,找到了以前他给李瓦写的信,他把两样东西放在一起,放在那些碎玻璃的上边。

他想唤醒他们的记忆。

然后,我们回到住棚里等着。

我们等着他的动静,我们以为他们会悄悄地出现在住棚的门前,然后悄悄地把住棚的门推开,然后……然而没有,什么动静也没有。

李四不肯相信。他说我们再去,我不相信他们真的这么麻木!

　　就这样，我们又反反复复地进出在他们的家中，每一次重去，我们都看到李四的遗像又换了一张新的，李四就再一次摔烂在地上，再一次地重复着把那些能让他们想起他的物件，一一地摆在碎玻璃的上边。

　　那样的过程其实是李四很痛苦的过程，有时我看到他很愤怒，愤怒得两眼血红；有时，我则看到他默默地流着老泪，一滴滴，一串串，落在那些物件的上边。

　　然而，李瓦他们都把这些当作什么了呢？他们当然不会视而不见，但他们只是感到恐慌，感到一种从来没有过的恐慌。看着摔碎在地上的镜框，看着碎玻璃上的那些物件，他们只是在暗暗地发抖，他们被吓慌了，他们都以为，是父亲在发怒了，是他们的父亲回来显灵了。李瓦不敢告诉李香，李香也不敢问问李城，李城当然也不敢跟李瓦吱声，都以为父亲怪罪的只是自己，都再一次地在心里默默地骂着自己，骂自己真他妈的该死，骂自己那天晚上为什么不问问父亲后来住在了哪里，如果问一问，如果找一找，即使头一天晚上没有找到，但第二天也许还是能找着的。父亲不死，母亲怎么会死呢？肯定是父亲怪罪来了，所以，他们都默默地承受着，谁都没有吱声。

　　这是艳艳告诉我的，因为艳艳猜到了是我们干的。

　　但她没有告诉他们家的大人。

　　那天我正在街边捡我的垃圾，我没想到艳艳会突然出现在我的身旁，一脚狠狠地踹在我的屁股上，把我踹倒在了垃圾桶旁。

　　我回头一看抽身就想逃跑，我怕她还有同学跟上，我怕他们揍我。

　　但我被她喊住了。

　　她说别跑，跑了明天还得找你。

　　我看了看四下没有别人，就站住了。

　　她说，你和你爸爸，你们是怎么进的我们家？

　　我当然不能告诉她，我装着我没有听懂。我说我不知道你说什么。

　　她说你别装，你再装我也知道是你们进的。

　　我说你凭什么，你有证据吗？

　　她说我不要任何证据，你也不用慌，我只要你给我保证，以后不能再进了,知道吗?

说着,她打开那瓶拿在手里的矿泉水,递到我的手里。

我没想到会有那样的好事。你别看那只是半瓶的矿泉水,而且是她喝剩的,在那之前,有谁给我喝过吗?没有。我们整天在大街上来来往往地捡我们的垃圾,从我们身边走过的人,有大的也有小的,有男的也有女的,有是官的也有不是官的,有有钱的也有没有钱的,有谁给我喝过半口水呢?有人的手里拿着剩下的矿泉水比那还要多,可他们总是当着你的面,直直地丢进了垃圾桶里。

看着那半瓶矿泉水,我是真的有点感动,当然,我不至于感动得两手发抖,我只是忽然觉得她长得真是有点漂亮。其实她长得很一般。我对她笑了笑,我说了一声谢谢。她随后把我叫到一旁的台阶边坐下。我不坐。我怎么能跟她坐在一起呢?我在她的面前站着。然后她告诉我,说她的爸爸妈妈,她的叔叔他们,是如何如何的愚蠢,只有她猜到是我们干的。

你知道我怎么猜到你们吗?她问。

我说我不知道。

她说因为你们没有拿走任何一样东西。我说不拿东西就能证明是我们干的吗?她说当然啦,因为你们有更大的阴谋,你们想让我们觉得我爷爷还活着,你们还是想让你的爸爸能成为我的爷爷。

我说那其实就是你的爷爷。

她说你别再这么说,你再这么说,我就报警去了。

我说那你去呀,你报警去呀。

她说你以为我不敢吗?我刚才就是要报警去的,可我看到你,我就不想去了。

我说为什么?是因为觉得我们可怜吗,不会吧?我让她别这么说,你要是这么说,我会觉得全身发冷的。

她便生气地站了起来,她说你别不相信人好吗,我真的是看见你可怜才停下的。我觉得你们这些捡垃圾的还真的不容易。整天跟这些垃圾在一起,又臭又脏,能挣几个钱呢?

我说挣不了几个,一般般吧。

她说这我知道,捡垃圾如果能捡出好日子,你们也就不打我爷爷的主意了。对吗?

我说对什么对,不对! 那真的就是你的爷爷。

她一脚就狠狠地飞在了我的大腿上,把我飞得远远的。

我有点吃不透艳艳这个女孩。她是真的可怜我们吗?

过了好几个晚上,我才把艳艳的发觉告诉了李四。李四听后脑袋突然一沉,掉到了大腿根上。好久才抬起了头来。他说完了,完了,他们怎么这么麻木呢? 他们不是都读过书吗? 他们怎么就相信那是我显的灵呢? 我人都还活得好好的,我显什么灵呢? 我就是死了,我也是显不了灵的呀,我怎么显呢? 我一个山里的老头子,我都不相信那些东西,他们怎么反倒相信了? 你们都读过什么书呀? 你们有的还是国家的干部呢! 你们到底干的国家什么部!

我一声不吭。

就是那天晚上,深更半夜的时候,他突然从床上悄悄地爬了起来,灯也不开,就悄悄地往外走去。我以为他是撒尿去的,但他一出门就回头把门掩上了。我心里忽然一沉,心想这老头会不会去寻短见呀? 我不敢多想,也不敢把他喊住。我悄悄地就跟在了他的身后,跟着他慢慢地走着。

最后,他爬上了一段高高的城墙。

那是一段古老的城墙,人们把那里叫做古南门。

我想他爬到那上边干什么呢? 他要是头朝下往下一栽,那也是必死无疑的。

我于是大声地喊道:李大叔,你要干什么?

我的声音把他吓了一跳,他在城墙上朝我回过了头来。但他没有做声。

我急急地朝他爬去。

他说你来干什么呢?

我说那你呢? 你来干什么?

他说我睡不着,我想到这里来坐坐。

我说这么远的地方有什么好坐的呢? 你不会有什么想不开吧?

他说不,我只是想到这里坐一坐。

我不肯相信。我说你不用骗我。

他说我骗你干什么呢?

然后,他把目光抛往远处的天边,好像要在前边的黑暗里寻找什么。

然后,他告诉我,这里他已经不知坐过多少次了,前前后后,都二十年了。头一次,是送他的李香进城的那一天。那一天你知道我上来干什么吗?他问我。

我摇摇头,我说我不知道。

他说,我当时只是觉得这个地方好,我想找一个高一点的地方坐一坐,我想好好地看一看瓦城。因为瓦城是我心里一直向往的地方,我早就发誓要让我的三个孩子,一个一个地都成为瓦城的人。那时他们还小。

我忽然就感到异常的惊奇,我说那你跟我父亲一样。

他便定定地看了我一下,他的头接着摇了摇,他说不一样。他说你父亲怎么跟我一样呢?不一样。我和他完全不一样。

我知道他的意思。他的意思是我的父亲不如他,我不能随乱地拿我的父亲与他相比。

他接着便转过了头去,继续看着远处的黑暗。

他说,那天我就坐在这里,那时太阳已经下山了,但天上的白云还在,还在东一朵西一朵地飘着,我就看着那些白云,我想啊想啊,突然,我眼里的一朵白云变成了一块麦田,我发现那块麦田是从远远的山里飘过来的,飘呀飘呀,就飘到瓦城来了。

你知道我的意思吗?他问我。

我觉得这种想法蛮有意思的,我觉得有点像梦。但我不知道他说的意思是什么意思。

我摇摇头,我的意思是我不知道。

他说,我当时的感觉是那一块麦田就是我的李香。

我当时有点想乐,我不由轻轻一笑。

他说你别笑,真的。你现在还小你还不知道,在每一个当父母的心中,他们的任何一个孩子,其实都是他们心中的一块麦田,等你大了,等你结了婚,等你有了小孩,你就什么都知道了。从那以后,不管是送来我的李瓦,还是送来我的李城,只要他们有人又进入了瓦城,送到后我都会爬到这里来,我总是像现在这样坐着,然后看一看天空,看一看天边的白云,我会觉得我心中的又一块麦田,在飘呀飘呀,从山里又远远地飘到了瓦城来了。那种感觉你可以想象,那真是太幸福,太幸福了。李城是最后一个到瓦城来的,那一天,我还拿来了一瓶酒,我坐在这里慢慢地喝着,我喝一口,想一想;想一想,又喝一口。我觉得在我们那个山里,我是永远没人敢比的。我这么跟你说吧,在我们山里,只有我李四,我能让自己的孩子一个一个地全都成为了瓦城的人。我在我们那里,是最能干的,也是最被别人羡慕的,因为别人的孩子,别人的麦田,他们都在山里呆着,永远在山里呆着,就我李四,就我李四的孩子,就我李四的麦田,全都一块一块地飞到了瓦城来了。你说,谁能跟我比呢?

没有,

绝对没有!

李四说得有点激动,说着说着,就流了一脸的泪水。

从古南门回来,我的脑子里也经常飘荡着李四的那些麦田,我想象着,如何把那些麦田,一块一块地拖下来,然后铺垫在李四的脚下,铺展在李四的身边,让李四轻轻地抚摸着它们,让李四在上边任意地走来走去,累了,他还可以躺在上边呼呼地睡着他的大觉,一直睡到月亮升起的时候,才被那些麦田慢慢地托起,托起,然后在夜风中晃来晃去,晃去晃来……

但我不知如何帮他。

李四好像也没了捡垃圾的劲头了,整天蔫蔫的,像一块一直等不到雨天的麦田,让人越来越可怜他。我安慰他,我说实在不行,实在回不到他们的身边,你就真的当我的父亲好了,我们一起捡垃圾过我们的日子吧。

他却总是摇着头。

很坚决地摇着。

他说不,我再等他们几天,我看看他们在七七那天做些什么,我看他们还能不能让我看到希望,如果没有了希望,我还是回我的山里去吧。只要回到我的山里,只要我不死,总会有一天,会有人把话传到他们的耳朵里的,到时,他们会回到山里去的,到时,他们会自己跪在我的面前的,我让他们一个一个地跪,我让他们给我跪成一排。

我没有做声,从他的声音里,我觉得有点阴森森的,我觉得身子有点发冷。

于是,我们便数着日子,等着第七个七天的到来。

那一天,他早早地就把我推醒了。

他让我帮他去侦察,看他们各家都有些什么动静,然后回去告诉他。

我急急地就跑到了他们各家的楼下,但我看不到他们与往常有什么不一样的动静,该上班的他们还是一样去上班;该跑车的,还是一样去跑车;该上学的,也还是一样去上学。中午的时候,他们该回家的还是一样地回家,接着,该上班的还是转身就上班去了;该跑车的,还是一样去跑车;该上学的,也还是一样去上学,一个下午就这样也过去了。我在他们经过的路口,注视着他们。我看不到什么值得跑回去告诉李四的东西。

我心想,完了,这李四看来要彻底地失望了。我想,我该不该把他挽留下来呢? 怎么挽留? 留下来又能怎么办呢? 就这么让他跟我一起捡垃圾,一直捡到死去? 就这么几个问题,让我整整犯难了一天,有的问题,在阴暗的地方想不开,我就跑到强烈的阳光下,我让太阳拼命地晒在我的头顶上,我希望太阳晒着晒着,突然间就把我的脑袋晒出了一点什么想法来,可太阳把我都晒昏了,我还是想不出该怎么办。我想还是再等一等吧,我希望能等出一个李四希望得到的结果来。

李四要等待的是一个什么结果呢?

李四没有告诉我。我问过他,他说到时看情况吧,看情况了再说。

他说,他也有点吃不准,吃不准会不会还有希望。

临黄昏时,我才突然发现了他们的活动。

我先是发现了李瓦夫妇,他们都换了衣服,然后站在街边拦住了一辆出租车。门还没有打开,李瓦就朝里边的司机喊道:

去瓦城酒店。

看着往前开走的车子,我也飞腿朝瓦城酒店狂奔而去。

到了瓦城酒店我才发现,李城早就来了,李香一家也来了。还有一些我不认识的人,肯定都是他们的朋友。他们在瓦城酒店的一楼餐厅里,摆了大大的一桌酒菜。

　　我转身就往回跑去，我要回去告诉住棚里的李四。跑没多远，我便拦住了一辆的士，我怕等我跑着回到了住棚，再和李四跑回来的时候，他们早就离开了酒店。那是我有生以来头一次坐的出租车，也是目前惟一的一次。我让出租车先拉我回到住棚的门前，然后拉着李四，飞一样回到了瓦城酒店的大门前。

　　我告诉李四，他们肯定是在这里吃饭。

　　李四说对，他们今天是应该吃饭，跟他们在一起吃的，还应该有他们的母亲，还有我。等吃完了这一餐了，他们的母亲，还有我，就算是跟他们永远地离别了。

　　我说永远离别的是他们的母亲，不是你，你还活着，你还要回到他们的身边。

　　他说对呀，我就是要回到他们的身边，我没说我死呀，我那说的是道理。

　　他突然就急了起来。

　　我说那我们怎么办？我们也进去跟他们坐在一起吗？不可能吧？

　　他便不再理我，他四处地乱窜着，最后，窜到了一楼餐厅外边的一面玻璃墙下蹲着。

　　从那里，可以清清楚楚地看到酒桌上的他们。

　　那是一面高高的玻璃墙，从顶上几乎一直地装到地面上。李四拉着我在他的身后坐着，他不让我靠在他的身边，不让我与他并排。但我还是从玻璃的反光里，看到他的胸前举着了一张小小的照片。那是他老伴的照片。是他在翻李瓦家的书房时翻到的，被他偷偷地收在了身上。

　　我知道他的意思，但我说，你这样没有用的，你还是进去吧，这可是一次最好的机会了，你进去一个一个地叫他们的小名，你告诉他们，你是他们的父亲，你手里拿着的是他们的母亲。你让他们好好地看一看。他们要是再不相信，你就一个一个地说出他们身上的印记，然后让他们一个一个地脱下他们的裤子。我话没说完，就被打住了。

　　他说你怎么老这么下流呢？你不能光想着这些下流的手段。

他说完狠狠地白了我一眼。

我说那你就进去跟他们说说话吧,你一说话,他们会听出你的声音的。

他摇着头,他说他不进去。

他说我进去干什么呢? 我只让他们看到我,我让他们看到我难受,这就够了。

因为我是他们的父亲! 他说。

我说好好好,你是他们的父亲,那你就这么蹲着吧,你看他们难受不难受。

一转身,我也蹲到一边去了。

酒桌上的人都吃得挺开心的,该喝的还是一口就把杯里的酒喝掉了,该吃的,还是一嘴塞得满满的,吃得眼睛一翻一翻的,几乎都是白眼,看他们的吃相,你一点都看不出来,他们的爸爸死了,他们的妈妈也死了,这一餐,是给他们的父母送行的。

玻璃墙外的李四默默地蹲着,默默地看着,默默地在胸着举着老伴的照片。

从玻璃的反光里,我看到李四的眼泪在默默地流着,在默默地往下滴答着,慢慢地,他好像有点受不了了,他的身子好像在暗暗地颤抖,他晃了晃身子,最后把脑门重重地顶在玻璃墙上,但他手里的照片没有放下,他的眼泪还在慢慢地往下流着,他的眼光穿过泪水,还在充满希望地盯着酒桌上的孩子们。

那样的情景,我都受不了了,但我不敢过去惊动他。我的眼睛眨了眨,我也禁不住流下了泪来。

终于,李四被他们看到了。

最先看到的是艳艳,她两眼忽然一惊,随后把手长长地横到桌面上,她让他们把手里的酒杯和饭碗停下。她让他们快看,快看一看玻璃墙外边的李四。

就这样,所有的眼光都朝玻璃墙外的李四投来。

他们可能没有看到李四胸前的那一张照片,因为那张照片太小了。但李四脸上的泪水呢? 李四的脸那么大,他们是应该看到的。

但没有!

李四的泪水只是李四自己的泪水。双方的眼睛对视了没有多久,李瓦就招手把一个饭店里的保安叫到了面前。从李瓦那动来动去的嘴巴上,我能猜得出,他跟保安说了些什么。

他一定说,去!去帮我把外边的那个老头轰走,那是一个捡垃圾的老头,他趴在那里影响我们吃饭你知道吗?一边说,一边朝玻璃墙外的李四胡乱地指着。那保安不住地点着头,然后对着玻璃,直线朝我们走来。一边走,一边朝着我们不停地扬手,嘴巴也跟着不停地说话,那意思是让我们走开走开,捡你们的垃圾去,这是饭店知道吗?饭店里没有你们要捡的垃圾,到别处去吧,走走走! 人家里边要吃饭你们知道吗?他肯定是这么说的,不这么说他会怎么说呢?

我怕保安。我怕保安远过于害怕警察。他们根本不跟你讲什么道理,他们的道理是,你们这些人不能随便乱跑到我们这里来。

我一看不好,马上过来拉了李四一把。

李四却不理我,他把我的手打掉了。

我说再不走待会就要挨打。

他还是不理我。他依旧那么蹲着,手里的老伴一直地贴在胸前。

那保安不停地敲打着李四脑门上的玻璃,让李四走开走开。

李四却不怕。

李四没有把脑门从玻璃墙上挪开。

那保安的眼睛突然就愤怒了,他接连比划了几下之后,转身就往外扑来。

一看保安那怒气冲冲的样子,我的两条腿早已惯性地往远处飞去,但我还是紧紧地拖住了李四,我使出了全身的力气,把他从玻璃墙下拖得飞了起来。

我说走吧,不走就他妈的遭殃了!

李四的身子沉沉的,他拼命地与我对抗着,我都把他拖出了好远了,他还倾着身子往回扑着,想回到那块玻璃墙下。

全靠艳艳飞快地跑了出来,才把那个怒气冲冲的保安给拦住了。

艳艳的手里提着一个不小的食品袋,袋里装有不少随意倒进来的吃的东西,有鱼,有肉,还有虾子等等,都是一些我从来没有吃过的东西。她把那些递到李四的手里,一边推着李四快走,一边回头叫那个保安回你的酒店去,你不要管。

然后,我听到艳艳对李四说了一声大爷,她说你别哭,你用不着难过。李四推回手里的袋子,但艳艳不让,艳艳让他拿着。

她说你拿着吧,你真的很像我的爷爷,你要不是捡垃圾的,我也许会认你做我的爷爷的,你相信吗?

说着,她还从身上掏出了一些钱来,硬是塞进了李四的手里。

李四当时只剩了哭,只剩了流泪,他的嘴巴哆嗦着,就是听不到一句话。

也许从艳艳的身上他感觉到了一点点什么温暖,回来后,竟不再提要回山里的事了。他整天只是默默地坐着,泪水也是要掉不掉的。我不知道为什么。我没有问他,也不该问他,否则就等于要把他赶走。我也不再问他往下怎么办,有关他的话题,我一句都不提。

默默地,又过了好几天。

但不知怎么,我的心里总像结着一块疙瘩,我觉得他这么住下去总不是办法,毕竟,他是李瓦他们的父亲,而不是我的父亲。我想我还得帮他。我决定硬着头皮,找他的孩子们谈一谈。我想让他们到我的住棚里坐一坐。我想只要坐一坐,只要谈一谈,李四就会眨眼间又是他们的父亲了。李四要的不就是他们给他先开口吗?

出门之前,我换了一身好点的衣服,我还在大街上剪了一下头发,我让我变得干净一点,我不能让他们觉得我一身臭烘烘的,那样他们不会理我,也不会听我说话。

走过派出所门前的时候,正好碰着了李瓦。他正跟那一个警察朋友聊着什么,聊得满嘴笑哈哈的。于是我站住了。我想,我先跟李瓦谈一谈吧。但我没有朝他们走上去。我说过我怕警察。我这不是说我恨他们,不是。我只是怕。我在一棵树下等着,等李瓦走开了,我再追上去。

但李瓦却先看到了我了。

他朝我招招手,让我过去。

我没有过去。我也没有走开。

他便拉着那个警察，两人一起朝我走来。

他们两人的脚步声挺重的，也挺响的，一步步的就像是一脚脚踏在我的心坎上，让你感到有一种要震要裂的感觉。真的。

李瓦一上来就问我：你和你的父亲，最近还有什么新的想法？

我知道他的意思，但我告诉他，我不知道你说的什么意思。

我说，那真的就是你的父亲，我今天就是想找你好好地谈一谈。

李瓦的嘴里突然就嘿嘿了两声，回头对那警察说，听到没有，他还想找我谈一谈哩，他说那老头就是我的父亲。

我说真的，那真的就是你的父亲，不信你去跟他聊一聊你就知道了。

他叭的一声，一个巴掌狠狠地打在了我的脸上，把我的脸都打歪了。

我揉了揉，我把脸又扭了回来。我的泪水已经出来了，但我的嘴巴没有停下。

我说真的，你去跟他聊一聊你就相信了。那真的就是你的父亲。他叫李四。

李瓦叭的一声，又一掌打在了我的脸上，我突然感到嘴里一阵温热，我知道我的嘴里出血了，我努努嘴，我想把血吐出来，但我的双手忽然被那警察扭住了，他往后一拉，就把我铐在了身后的小树上。那树很小，摇摇晃晃的，让你想靠都靠不住。李瓦也不让我靠，他猛然一脚就踢在我的小腿肚上。我脚下一失，身子从树上滑了下来，一屁股重重地坐在了地上。

李瓦慢慢地蹲下来，蹲在了我的面前，然后问，告诉我，那老头是谁的父亲？

我告诉他，我说那老头真的不是我的父亲。我说我的父亲已经死了，你们拿回山里埋掉的那个老头，那就是我的父亲。

李瓦说，我不听你说这个，我现在只问你，我需要你直接地给我回答，你告诉我，那老头是谁的父亲？

我说真的是你的父亲，他真的就叫做李四。

他呼地就站了起来，猛地一脚就踢在我的大腿间，踢在我的东西上，让我感到彻骨的酸疼，但我不敢大声尖叫，你越是大声尖叫，他就会越加地踢你,我只是咬着牙,我夹紧了腿,我拿屁股在地面上胡乱地搓着。

接着,李瓦又蹲了下来,像是要慢慢地看着我那疼痛的样子,好久,才又问道:

说!那是谁的父亲?

我说不是我的。

他说,我是在问你,那是谁的父亲?

我摇摇头,我那是痛得实在太难受,但我还是说,那真的是你的父亲。

这一次,他慢慢地站了起来,然后拿眼去看一旁的警察,好像不想再理我了,可是,谁知他忽然地就转过了身来,一脚狠狠地踢在了我小腿前的骨头上,这个地方只有皮只有骨头,只有筋,一点肉都没有,整根骨头都像被他的皮鞋踢断了一样,我疼得简直不知如何才是,往时要是伤着这个地方,我会在地上不停地跳,不停地转圈,会不停地搓来搓去,可这次,我只剩了胡乱地晃着腿,只剩了不停地歪着嘴巴。

李瓦却没有完,他随后又慢慢地蹲了下来,歪着头,嘴里慢慢地问道:

我再问你,那老头是谁的父亲?

这一次,我的嘴巴突然软了,因为我的心在不住地颤抖,我觉得李四是他的父亲他都不要,我却为了李四忍受着他的折磨,我值得吗?何况,我的手在树后边铐着,我的屁股在地上坐着,我的整个人都在他的皮鞋前摆着,我的嘴巴还能硬到哪里去呢?

我于是说,我的,我的。

我说那老头是我的父亲。

李瓦这才满足地呵了一声,然后笑了笑,然后在我的脸上轻轻地拍了拍,然后慢慢地站了起来,然后,站到一旁烧烟去了。

这一次,是那警察上来了。他一边接过李瓦给他的香烟,一边在我面前蹲下了身子。

他说,你不就是想让你的父亲不再捡垃圾吗?你不就是想让你的父亲生活得好一点吗?从这点上说,你还是一个挺孝顺的孩子的,你真的很孝顺,我们很多人都比不了你呢,但你不能在大街上看到有人捧着一幅像你父亲的像,你就想到要让你的父亲去冒充别人的父亲呀。我告诉你,我现在就可以这么铐着你,把你送到医院去,然后给你抽血,然后给你做亲子鉴定,到时候,你就等着坐牢吧,你相信吗?

我相信,我给他不停地点着头,我说我相信。

其实,我是怕坐牢。别人怕不怕坐牢我不知道,我觉得我这种捡垃圾的,我还是怕的好,我要是一不小心进了监狱,我还怎么成为瓦城人呢?我父亲的理想我怎么实现?

谁都可以想象,回到住棚后我是如何愤怒的。我把李四狠狠地骂了一顿,然后捡起我的东西转身走了。我自己离开了我的住棚。我不管他了。我想我一个捡垃圾的,我不能管他那么多,我管他那么多干什么呢!我说你这个老头,你也死去吧!你不是想回到你那些孩子的身边去吗?做你的梦去吧!没人要你这顽固的老头。就为了一个烂生日,你弄得我爸爸死了,弄得你老婆也死了,眼下就只剩了你孤零零的一个人,你的孩子也不要你了,你说你还活着干什么呢?你也死去吧!

他埋着头,没有做声。

我说你这个老头你怎么就那么顽固呢?你的孩子们他们不认你,他们是有理由的,因为你已经死了,何况你的死是你自己弄出来的,你怪不了他们。他们当然有他们的不对,可你是他们的父亲呀!你怎么就不能原谅他们呢?有一句话,说是大人不记小人过,你没听过吗?我一个捡垃圾的我都听说过,你怎么没听说过呢?你怎么光是知道指责他们,你怎么就不知道也指责指责你自己呢?

在我看来,只要他肯把那张父亲的脸皮撕下来,他的孩子们会原谅他的。毕竟,他是他们的父亲呀!

他却埋着头,还是没有给我回话。

我说我在瓦城捡了快十年的垃圾了,我还没有捡到过像你这样麻烦的。

就这一句,他竟说话了。

他说你什么意思?他的两只眼睛有点恨恨地瞪着我。

他说你说我是垃圾?

我当时不知道我是这个意思。我真的不知道。

我说我没说你是垃圾,我只是觉得你有点让人讨厌了。

可他却一口咬住了。他说你就是说了,你说你捡了十年的垃圾了可你没捡到过像我这么麻烦的,你就是把我当成了垃圾了。

我一下竟不知道如何给他回话了,我说你他妈的李四,你就是垃圾,你的孩子们他们都不要你了,他们把你扔掉了,你说你不是垃圾你是什么?

我话没说完,他突然一个巴掌打在了我的脸上。打得我一脸火辣辣的。说实话,我当时真的想给他还手,但我后来忍住了,我没有把手举起来。我愣愣地站了一下,我摸了摸被打得火辣辣的脸,我说好,好!你不是垃圾,是我说错了,你的孩子们他们没有扔掉你,他们还在等着,等着你回到他们的身边,你自己想办法吧,你要是想不出办法你就死在这里,反正这个住棚我也不要了,我要去米城找我的母亲,我不会回来了。

当天,我真的就去了米城,我真的想乘机找找我母亲的消息。

我无法想象,后来的李四是怎么过的。

住棚里的米已经不多,我猜想,那天晚上的李四,可能是灯也不开饭也不煮,他就那么黑乎乎地躺着,一直躺到了第二天的早上。天一亮,他就赶到了瓦城的汽车站,然后在售票的窗口来回地转着圈,他手里可能紧紧地攥着一些钱,但不会太多,也许刚够买一张回到县里的车票,也许不够。他迟疑着,是回去呢,还是继续留下,留下努力回到孩子们的身边?最后,他望了望车站上空的白云,也许他真的看到了白云了,于是他把钱收进了口袋,转身又回到了我的住棚里。

我猜想,后来的李四,肯定是一个一个地出现在了李香李瓦李城他们家的门前,然后一家一家地敲打着他们的房门。他只是默默地敲打着,他绝对不会做声,在他来说,他要敲打的也不是他们的家门,而是他们的良心。他等着他们出来,然后,两眼愣愣地看着他们。

反正,他不说话。

可他们呢?李香李瓦李城,他们认出了那是他们的父亲吗?

没有。

肯定没有。

否则,就不会出现后边的结果了。在他们的眼里,李四还是那个捡垃圾的老头,而不是他们的父亲。他们对他的敲门感到讨厌,感到愤怒,他们总是梆的一声就把门关上,关门之前,或者给他一点吃的,或者给他一点钱,然后告诉他,我们这是可怜你,你知道吗?因为你长得确实很像我们死去的父亲,但你不能太过分,你不能老是这么缠着我们你知道吗,你不能这么缠着,你老这么缠着,你就太不懂事了。

去吧,捡你的垃圾去吧!

然后,把李四推到了楼道上。

有一次,说是李四的敲门声把李城给气疯了,他提着一把炒菜铲,差点就要劈在李四的额门上。李城说,你不会真的想找死吧?你要是真的想找死,你就一直地往上走,你可以爬到楼顶上然后狠狠地往下摔。知道怎么摔吗?头朝下,知道吧,别脚朝下,脚朝下有时死不了。这是李城的邻居后来传说的,他们说,那个捡垃圾的老头果真就顺着往上爬,一直爬到了那高高的楼顶上,好在他没有往下跳,他只是在上边默默地坐着,坐得整一栋楼的人一个个都心惊肉跳的,尤其是李城,简直吓得半死。那后,李城就再也不敢吓他了,他总是乖乖给他递上一点吃的,然后让他走走走,走吧你。

从楼顶下来的李四,后来说是再也不要那些吃的了,他把那些吃的全都丢在了楼脚的垃圾桶里。这一点,看到的人都觉得不可理解。

出事的那一天有很多的说法,但我知道,很多都是不真实的,都是对李四的嘲笑或谩骂。我相信的只是有关馒头的那一个。

时间说是已经中午,那个捡垃圾的老头也就是他们说我的父亲其实是李四,说他正从大街边的一家馒头铺经过,那是一家瓦城很有名的馒头铺,瓦城人喜欢称它为老馒头,李四看着老馒头里的大馒头,他想他应该吃两个,他以为他身上还有钱,他张嘴对老馒头的小老板叫道,给我拿两个。

可是,他掏了好久,才掏出了一个馒头的钱。

他的脸色于是有点难堪,他把声音也低低地压住了。

他说我先买一个吧,我先买一个。

他拿了一个就悻悻地走了。说是那个馒头,他后来没有吃,而是把它扔掉了。谁也不知为什么,只说他一直地拿着,一直地看着,最后就把它抛到了空中。

　　也许,就是扔掉馒头之后他来到了李香的家门前。他想用我父亲的身份证再一次把李香的房门打开。他想进去找些吃的?他想进去好好地躺一躺?毕竟,他是他们的父亲呀!他累了,他不想再走了,他不想再这样下去了。

　　然而,他却怎么也进不去。

　　我父亲的身份证早已软苒苒的,怎么捅,也捅不开李香的房门了。李四不禁为此伤心起来,他绝望地摇摇头,恨恨地把我父亲的身份证丢进了楼道上的垃圾桶。丢出之前,他也许闭了一下眼睛,然后软软地坐在了楼道上,然后,呜呜地哭了起来,哭得颤悠悠的。

　　随后,他出现在了瓦城人民法院的大门里。

　　在他想来,他已经是走投无路了,这里,是他最后的选择。

　　法院大门的一旁有一个接待室,那是专门接待告状的。

　　李四直直地朝接待室走去。

　　接待室里有很多人,几个法警正在不停地忙碌着,但他们几乎都看到了进来的李四,有人给他点点头,让他先找个地方坐着。

　　李四却不坐。他就那么站着。

　　他说我要告我的三个孩子!他们一个叫李香一个叫李瓦,还有一个叫李城。

　　他的声音很急,他的声音很躁,他的声音把他们全都震住了。都朝他愣愣地看了过来。

　　这时,有一个脑袋从旁边的门里探了出来。那个脑袋认识李四,他就是李瓦的那个警察朋友,叫李四拿出身份证的是他,用手铐把我铐在树下的也是他。他怎么无处不在呢?无处不在的警察当然是好警察了,但这天他来这里干什么?李四还没有把话说完,他就指着李四大声地喊道:

　　你们别听他的,这老头是一个捡垃圾的老头,他想冒充李瓦他们的父亲,李瓦是我的朋友,我见过李瓦的父亲,李瓦的父亲已经死了,李瓦的父亲长得跟他有些相似。

　　李四突然就愤怒了,他指着那警察也骂道:

　　他胡说!我知道他跟我的李瓦相好,他胡说!

那警察没有理他,他冲上来就推着他,他让他往外走。他告诉他走走走,这里不是你进的地方,这里是给那些有冤的人进来的,你走吧,你想讹诈你到哪个垃圾桶边讹诈你们那些捡垃圾的去吧。走走走,不走我就把你关起来。

李四的任何抗拒都显得力不从心。

就这样,李四被那警察推拉着,一步一步地退出了法院的大门,一步一步地被推到了法院门前的大街上。

一场无可避免的后果,就这样随后发生了。

李瓦和他的姐姐李香,俩人正在大街边说着什么。也许他们是无意中出现在那里的,他们不可能是有意,但他们被那警察一眼就看到了。那警察忽然就大叫了一声李瓦,然后给李瓦招招手,像是抓住了一个什么坏人,他提着李四就直直地走到了他们的面前。

他说李瓦,你知道这老头跑进去干什么了? 他到里边告你们去了,他说,他是你们的父亲。

李瓦笑了笑便朝李四凑过了脸去。

他说老头,你是不是疯了?

肯定是疯了! 一旁的李香随口说道。

就在这时,李四的两个巴掌突然闪电一样,叭叭地打在了他们的脸上。

打完,李四转身慢慢地往前走去。

李四的巴掌很重,打得李香满嘴哇哇地乱叫,她想上去拖回李四,却被弟弟拉住了。他不让。那个警察也被李瓦拉住了。

他说不要去管他,让他疯去吧。他肯定是疯了的。

李瓦的话李四听到了,李四听到后李四不走了。

他突然笑笑地回过头来。

他笑笑地看着他们。

然后,脑袋一闪,撞向一辆飞奔而过的大卡车……

听说,李四的血,洒了一地。

李四的死,我是在米城的晚报上看到的。瓦城的事情怎么跑到米城的晚报上,我不知道。那张米城晚报就丢在街边的一个垃圾桶旁。我一看就愣住了,我的心咚咚地乱跳,好像要跳出我的胸膛,我没有多想就跑到了米城的汽车站,连夜赶回在瓦城的路上。

米城的晚报说,有一个捡垃圾的老头,有一天,在大街上看到一个女孩怀里捧着一张她刚刚去世的爷爷的遗像,他发现那张遗像跟他长得几乎一样,于是就异想天开,想冒充那女孩的爷爷,想从此过上一种不再捡垃圾的生活,但是,女孩的家人们一次又一次地粉碎了他的痴心妄想,最后,那个捡垃圾的老头竟因此而发疯了,他傻傻地笑着在大街上撞死在了他们的面前。

这样的故事,在瓦城不会新鲜太久,三五天我就能在垃圾堆里捡到一个,不同的只是故事的真假。可谁能告诉他们故事的真假呢?你告诉给谁呢?谁相信你呢?我能够做的,就是赶快回到瓦城,回到瓦城去认领李四的骨灰。

我不领,他李四就会永远地没有人领。

火葬场的外边太阳挺大的,但火葬场的里边,却让人感到阵阵地发冷。

窗户里的那个人,还是李四原来跟我说过的那个光头。

我说,前两天有人送来了一个老头,叫做李四,记得吗?光头摇了摇,说没有。我于是发现说错了,我改口说,是一个叫胡来的老头,叫胡来,记得吗?光头还是摇了摇,说没有。我只好给他拿出了那张晚报,我让他看看那上边的文章,他这才呵了一声,然后问,你是他什么人?我一时不知如何回答。

光头说,是你的父亲吗?

我只好点点头。我怕他不给我认领。

光头的嘴里便毫不留情地骂了起来,他说你知道一个人能死几回吗?一个人只死一回你知道吗,可你怎么连父亲的死都不管呢?我说我不在家,我说我是看了报纸才知道的。光头就说,你不在家你到哪儿去了,你不是捡垃圾的吗?我说我是捡垃圾的,但我到别的城市去了,我去了一趟米城。光头便觉得奇怪,觉得不可思议,觉得一个捡垃圾的,你到米城干什么呢。我没有回答他。我说,我父亲现在在哪儿?他说你先交钱吧,我们不能白白帮你火化你知道吗？我说行，我交钱。他就带我走了，交完钱，他们才把李四的骨灰盒交到了我的手上。

走出火葬场的时候，我却突然走不动了。

我的脚突然一软，我跪倒在了如火的阳光下。

看着手上的骨灰盒，我的嘴里禁不住默默地问道：

李四……李四大叔，如果我不离开你，你说，你会死吗？

………

我把李四送回山里的那一天，一出门，天就下起了雨来，我曾犹豫了一下，但我后来想，也许那样的雨，就是为了李四而下的，就直直地往车站走去了。从瓦城到瓦县，雨没有停过，雨一路地下着；从瓦县到瓦镇，雨还是没有停过，雨还是一路地下着。从瓦镇开始，车就没有了路了，就要开始走路了，老天爷这才忽然地睁开了眼睛，把雨悄悄地收了起来。但我却不走了。山里的路都是石板路，并没有太多那种想象的泥泞，但我走到李四的山里，天也黑了。我住哪呢？我还不如住在镇上。

住在瓦镇的那天晚上，我做了一个梦，我梦见李四从后边忽然揪住了我的衣领，他说，我死了，你知道吗？我说我知道。他说你知道了你就应该替我报仇你知道吗？我说你不是自己死的吗？你报什么仇呢？他说不，我是冤死的我当然有仇，你一定要替我收拾他们。我说算了吧，他们都是你的孩子你的骨肉，你用不着这么歹毒。他说不，你要是不替我报仇，我就死不瞑目。我不答应，他就一直地拉扯着我的衣领，说一句拉一下，拉一下说一句，拉得我全身像散架似的，感到一阵阵的冰凉。我只好说好好好，我怎么帮你，你说吧，我看我能不能帮你。他的手这才慢慢地给我放下。他说你当然能帮我，你肯定能帮。你不是有个理想要成为瓦城的人吗？我说是，我说这是我的理想，也是我父亲的理想。他说那你就要努力，你要尽快在瓦城买下一套你的房子，然后，你就去追求我的孙女艳艳，你先是跟她恋爱，然后你跟她结婚，然后，等他们的爸爸妈妈和她的叔叔都老的时候，你就像他们对待我一样对待他们……但他没有说完，我就跑开了，我嘴里说不不不，我不！我不是说我不喜欢他的艳艳，不是，我是觉得他的这种想法太他妈的小心眼，太他妈的庸俗了，瓦城的垃圾堆里，每天都扔有很多这样的故事。我觉得没什么意思。然后，我就醒来了。

醒后我还摸了摸后边的衣领，我感觉着有种异常的冰凉。

本来，我想把李四放进他老伴的坟墓里，让他与他的老伴永远地生活在一起的，但我后来放弃了，我想他的老伴不一定就喜欢他，因为他临出门的时候，她曾劝过他，他要是不到城里去，她是不会死的，但他不听，我想她不会原谅他的。

最后，我把李四和我父亲放在了一起。

我想，这两个老头，他们不都渴望他们的孩子成为瓦城人吗？一个早就实现了，另一个还远远地看不到边，让他们两人在一起交流交流，也许是挺有意思的，至少我父亲的经验可以弥补李四的某种失落，而李四的经验又让我的父亲对我表示深深的歉疚。埋好后，我给他们俩人深深地鞠了三躬，我说你们好好聊吧，我走了，我还得回我的瓦城去。

路过李四那块地的时候，我停了一下，我想起了地里的稻草人。

然而，那稻草人早已经倒在了地上。我觉得不对呀，当时我插得挺深的，怎么就倒下了呢？我把稻草人扶了起来，重新插好，而且插得深深的，然后，我学着李四当时的样子，先是整了整李四的那顶帽子，然后从他老伴的衣领那里慢慢地整理下来，然后到胸襟，然后到衣摆，一点一点，细细地没有放过，就连那稻草人手中的那一个白色的塑料袋，我也给重新系好。但就是这个塑料袋，我才刚刚系好，它忽然就飞走了。是一阵风把它忽然吹走的。它先是跟着风动了动，忽然就从稻草人的手里飞走了，就像一个白色的精灵。

我想我明明是系好了的呀，它怎么就飞走了呢？

我的目光愣愣地追随着它，我有点发呆。

忽然，我好像发现了一点什么，我看到它飘去的前方，就是瓦城的方向。

于是，我大声地喊了过去，我说慢点，你等等我！

然后，我拔腿朝我的瓦城飞奔。

XIONGZHONG

熊棕

■ **熊 棕**,男,1969 年出生。1989 年毕业于岳阳师专,1992 年开始写小说。现在湖南教育报刊社供职。

夜街上的三轮车

熊　棕

他朝屋后的猪圈冲过去,看到在低矮的窗子底下,妈妈微微仰头,像个酒鬼般贪婪地捧着一只肮脏的棕色玻璃瓶凑往嘴边。

昨天晚上,爸爸又是一夜未归,对他本人来说这肯定是件快乐的事情,对张可喜来说这无疑是件痛苦的事情。被猫脸闹钟亢奋的猫腔叫醒后,张可喜锁着眉头睁开了眼睛。借助窗外透进来的熹微,他侧过身子看着对面的床铺。这是爸爸张培根的床,床上的被子依然像报废的机器蜷曲在床头,冷冰冰的毫无生气。

听爸爸说,昨天是那个女人的生日。傍晚的时候,爸爸到学校门口等他一块过去吃饭,他没理睬,歪着头气冲冲走远了。那个女人,以前他一直叫她菊秋姨。差不多半年了,张可喜没少到菊秋姨处吃晚饭。菊秋姨租住在庙前南街,屋门口一天到晚摆放着鞭炮香火和纸钱。半下午的时候,买香火的渐渐绝迹了,菊秋姨有充足的时间给他们父子俩做晚饭。每天傍晚放学后,他就赶到菊秋姨家,他的爸爸或早或迟总会与他在那里会合。吃过晚饭后,他从爸爸手里接过三轮车驶上街面,菊秋姨总要放下饭碗,跟到走廊上细声细气叮嘱说:"你要稳当点,早去早回。"

真恶心啊,早知道她会成为爸爸的……情妇,一口饭他也不会吃她的。

院子里响起了爸爸的脚步声。张可喜坐起来,爸爸已经推开门站在床头了。爸爸进了门就黑着脸埋怨他说:"你昨天怎么不去?她哭了大半天,饭一口也没咽下。"张培根接着说,"谁也不在她身边,她的两个孩子不在,你也不在,她一直拿你当儿子疼的,她过生日你为什么就不愿露一面?"

张可喜有些幸灾乐祸地说:"我去干什么? 我又不是她什么人。"

"别说这种没良心的话,"张培根骂道,"她白疼你了,她给你吃的饭还不如喂条狗。"

张可喜边穿衣下床,边想起以前听说的关于菊秋姨的一些事情。说起来,菊秋姨也是个苦命人。她是个离了婚的女人,本来有自己的孩子,有儿子,也有女儿,可是现在一个也不属于她。她的前夫因为盗窃耕牛被判刑两年,菊秋姨在家里既当爹又当妈,既男耕又女织,好不容易等丈夫出了狱,没料到丈夫在狱中关坏了脾气,装回一肚子怨气,动不动就凶神恶煞似的朝菊秋姨挥拳头。菊秋姨常常被他揍得鼻青脸肿。在忍无可忍之下,菊秋姨喊出了离婚的口号。离婚? 盗牛贼竟然答应了她,只是一双儿女一个也不给她,而且以后也不准她来探望。盗牛贼说得到做得到,每次她去看孩子,他就还和以前一样动手揍她,见一次,揍一次。现在她再也不敢去看望儿女了。

张可喜抓紧时间去洗漱,张培根跟在儿子身后说:"今天我要回家一趟。"

张可喜正站在走廊上刷牙,他抬起头,含着一嘴白色泡沫说:"你还记得要回家看看?"

张培根不满地说:"你别学你妈,你别阴阳怪气的。"

"你什么时候返回?"张可喜含混着声音问。

"不知道,"张培根说,"也许两三天,也许一个星期。"

"你多呆一些日子吧,多给家里做点事。"张可喜恳求说,"就算你不来了,我也能自己供自己念书。"

"我知道的,"张培根声音变得苍老,他说,"总有一天你会不需要我的。"

张培根说至少要在家里住两三天,可是当天夜里他就返回县城了。这天晚上,当张可喜咣咣啷啷推着空车子进了院子后,他发现他们租住的那间屋子亮着灯光,门也大敞着。他以为是自己出发前忘了关门关灯,进门之后,他才发现屋子里有人。张培根坐在一张小矮凳上,正埋头抽着烟,脚下扔了好几个烟屁股,看来他回来已不是一时半会了。他抬起头来,张可喜看到了他脸上的变化,他的左脸颊上多了两条长长的血痕。

"你怎么回来了?"张可喜惊异地问道,"你的脸被什么划破了?"

张培根没有回答他,垂下眼皮继续抽烟。

张可喜审视着爸爸脸上的伤痕,那是被人用手抓破的痕迹,而爸爸躲躲闪闪的眼光更让他明白了些什么。"你们吵架了是不是?"

爸爸垂着头不做声。"你们吵架了!"张可喜突然提高了声调,气愤地指责爸爸说,"你打了我妈妈,你太过分了! 这么久不回去,回去了就打我妈,你为什么要这样?"

"我没有打她。"张培根偏着头,让儿子更清楚地看到他脸上的伤痕,"你都看见了,是她动了手,我没有动她一根手指头。"

"我不相信,"张可喜大声说,"你肯定打了她,你不打她她是不会动手的。"

"你为什么不相信?"张培根伤心地说,"你又不是不清楚,在我们家,一直是谁骑在谁的头上的。"

"别在我面前说我妈妈的坏话,"张可喜气愤地说,"我知道,你现在什么坏话都说得出口。"

"我没有说她的坏话,"张培根摇摇头说,"我是实事求是。"

"就算是她打了你,可是她为什么会这样?"张可喜咄咄逼人地说,"你在这里都干了些什么? 你这个骗子!"

爸爸站起来,狠狠地瞪了他一眼,甩上门出去了。

星期六一大早,张可喜坐上回乡的汽车。汽车在山路上颠簸了三个多小时,在一个小站他下了车。张可喜沿着羊肠小道孤独地朝山里边走去,又走了一个多小时,他到家了。家里静悄悄地,门上挂着锁。回家的路上,他看到田里活动着不少光着腿的人和牛,他知道妈妈一定在自家的田里劳动。

他转身正准备往田里去,妈妈和小妹在前面的山坡下进入了他的视野。她们很快走近了,两人都挽着裤腿,光着脚丫,衣服上溅满了泥点。妈妈边开门锁,边含着歉意说:"今天下禾种,将你关在外面了。"

时候已经不早了,太阳当了顶,许多屋顶冒起了炊烟。妈妈进屋之后手脚麻利地生火做饭,张可喜坐在灶下帮着添柴加火,小妹则抓紧时间伏在桌上做起了作业。小妹一直是爱学习的,并不是装模作样给谁看。正因为如此,村里与小妹一般大的女孩纷纷辍学回家,有的还跟着大人一块出远门打工了,张可喜家里却尊重小妹的意愿,让她留在了学校。

以前张可喜每次回家,妈妈都是很高兴的,有说有笑,冷暖饥饱反反复复询问。这一次她却没心情关心这些。

"除了踩三轮车,你爸还干了别的什么?"她在腾腾蒸气掩面时问道。

"别的什么?没有啊。"张可喜低声嘟囔着回答。

"晚上不是你在蹬车吗?他干什么去了?"妈妈紧追不舍,"他是不是和你住在一起?"

"当然跟我住在一起,"他冷静地说,"不和我住一起,他住哪里?"

妈妈停下手里的活儿,牢牢地盯着他说:"我不相信,你给我说实话。"

张可喜的脸颊刷地红了,好在灶里的柴火正热烈地燃烧,在妈妈的眼里,他红彤彤的脸膛也许只是柴火映照的结果。

他还没想好怎么回答妈妈的话,她又提高嗓门催促说:"说呀,你为什么不说话?你回答我。"

张可喜坚持说:"我不是已经说了吗?你还要我怎么说?"

"你这个畜生!"妈妈气得嘴唇直哆嗦,"你这样跟我说话!"

张可喜垂着头害怕得不敢做声了。妈妈知道他夜夜都在蹬车拉客,以前她从来没有反对过,此刻这事也遭受她的指责。她说:"我是让你去读书的,不是要你去蹬车拉客的,你这么疼他,怕他累死了?这么好的孝心,为什么不给我点儿?"

张可喜忍不住抬起头又顶撞说:"白天拉了一整天,晚上总得休息。你不是总嫌他做事不如人吗?人家挑两百斤,他只能挑一百斤,你就在后面嘀嘀咕咕骂他是痨病鬼……"

妈妈咆哮了,她大声嚷道:"他不是拉不动,他是精力多得没处使,你生怕累了他,他正好有力气往野女人床上爬。"

张可喜听得目瞪口呆。妈妈的话虽然说得粗俗,反映的却是事实,好像她亲眼目睹了一样。

然后妈妈咬牙切齿地说:"他竟然说要离婚,无缘无故的他怎么会提出离婚?"

张可喜狠狠地吃了一惊,爸爸想离婚?他回来一趟是为了要跟妈妈离婚?张可喜想不到他竟会动这样的念头。他茫然无措地看着妈妈。顷刻间,妈妈的哭泣声已经在屋子里蔓延,哭声中,她仍然在喋喋不休地责骂着张可喜:"把你养大有什么用,你竟然也来骗我,你和他一起合伙来对付我……"

小妹哭哭啼啼地搂着妈妈,往外推拥着,央求说:"妈,你别哭了,到屋里歇歇去好不好?"

妈妈顺从地被小妹推着往另一屋走,嘴里说着小妹:"你哭什么?你现在哭什么?叫你哭的日子还没到。"

张可喜回到县城的住处时,已经晚饭时分了,他呆在家里,坐等爸爸送三轮车回来。天渐渐黑透了,仍然不见爸爸的踪影,他决定到菊秋姨的住处去找。

菊秋姨见到他立刻眉开眼笑。她每次见了他都是那样高兴。她笑盈盈地问他吃过饭了没有,为什么不到这儿来吃。菊秋姨的笑脸让他想起妈妈的哭。吃过中饭他往县城赶时,妈妈竟说要跟着他一块来。她说:"我不知道去县城怎么走,要是我去过的话,我早就找到你们住的地方了。"

张可喜坚决地把她顶了回去,他用一个城里人的口吻说:"你去干什么?小妹一个人在家怎么办?想看看县城以后我来接你去。"

面对菊秋姨的笑容,妈妈流泪的面庞又出现在眼前。张可喜不愿在这里久呆,只是问她爸爸到哪去了。菊秋姨说:"吃过饭,他踩着三轮车又出去了。"

张可喜转身就往外走。菊秋姨连忙挽留说:"你别急着走,我做点东西给你吃。"

张可喜头也不回地说:"我已经吃过饭了。"

菊秋姨追出来说:"你回去学习,不要去找他,我已经叫他早点回家了。"

张可喜没想去找爸爸。三轮车是活的,到哪儿能找到他?他慢吞吞地往回走,一路上,无数的三轮车从他身边驶过,有的空车还在他面前放慢速度,蹬车人看看他,见他没有反应,复又加速驶远了。什么也不用说,车上无人时观察路人的反应,车上有人时只管埋头蹬车,这些蹬车人就像他自己。前年,他从乡中学考入县一中时,他爸爸苦于无力负担,是他的初中老师替他爸爸想到了踩三轮车这个办法,于是他爸爸跟着儿子进了城。一开始,张可喜晚上并不出来踩三轮车,可是一个晚上,他爸爸载着一个客人在电影院后面下坡时连人带车翻倒在地,除赔了客人好几十元不说,他爸爸的左脚踝也崴伤了,走路一瘸一拐,好些天不能出门踩车赚钱。于是在那些天里,张可喜白天上课,晚上接过了爸爸的车。从那时到现在,他的许多个夜晚就是这样从车轮下驶过的。骑上三轮车,他浑身是力,没有三轮车的夜晚,他竟有不知如何度过的感觉。

现在他就不知道如何打发今晚富余的时光。他在路上默默前行,不久就回到屋子里。他强迫自己静下心来温习功课。屋里没有书桌,床头有只木制衣箱,权且拿来做书桌使用。衣箱矮了点,没有相配的凳子,他搬来两块红砖,叠起来,再垫上一张纸,就算是凳子了。

门外传来三轮车吭啷吭啷的声响,是他家的三轮车回来了,张可喜还以为今晚它不会回这边呢。

张培根来看看儿子是否回来了。屋里亮着的灯光让他放了心。推门进来,看到儿子几乎是蹲在地上的矮小背影,张培根关切地说:"这里不是学习的地方,我看你最好还是住到学校去。"

时间还不太晚,往常这个时候,连张可喜也不会考虑收工回家。张培根准备再去拉几趟客,他正要转身离去时,张可喜突然站了起来,冲他嚷道:"你又要到哪里去?"

张培根收住脚,小心地说:"我只是来看看你回来了没有。"

"我知道你要到哪里去,"张可喜仍然大声说,"你只想着要去陪她。"

张培根问道:"你怎么了?谁惹你生气了?"

张可喜说:"我刚刚从家里回来,你问过我家里的情况没有?"

"我不也是前两天才回了家的吗?"张培根勉强笑着说。

"我知道你回家了,可你知道现在正是下禾种的时候吗?犁田翻地,这些事都是谁在替你做,你心里有没有数?"张可喜责问道。

张培根辩解说:"前些天回去我原本是想帮家里做点事,可你妈妈缠着我吵,我在家里根本没法呆下去。"

"别颠倒黑白了,是她要跟你吵?"张可喜突然说不下去了。他咬着嘴唇,泪水在眼睛里直转悠。

张培根明白儿子什么都知道了。"你已经知道了? 好,反正你迟早是要知道的。"张培根说,"没错,我是向她提出了离婚,我认为现在我们应该离婚了。"

"你为什么要这样做? 为什么?"张可喜委屈的眼泪扑簌簌成串掉下来。

张培根也开始激动了,他脸上红潮涌动,双手乱舞,唾沫横飞地说:"我们早就应该离婚了。你都看在眼里的,这些年我过的是什么日子,她骂起我来有多狠毒,你长了耳朵,是能听见的。在她眼里,我不过是头可以任她训斥的牲口。还有更主要的——现在你已这么大了,说给你听你也能理解——我们像什么夫妻? 根本不像。我们名义上是夫妻,事实上已不再是夫妻了。自从生下你妹妹后,我们就再没有睡在一起了,她带着你妹妹睡,我带着你睡,这些你都是知道的……"

张可喜使劲摇晃着脑袋:"你不要脸,流氓,你不要跟我说这些。"

"大人的事不用你管,既然你要管,我就要把这些说清楚。"张培根继续说,"我还要告诉你,我们这种情况,法律也允许我们离婚,就算要打官司我也能赢。"

张可喜死死盯着爸爸,幡然醒悟:"你早就想离婚了,我明白了,是那个老妖精让你这样的,是她逼你回去离婚的。"

"你是说菊秋姨吗?"张培根茫然了好一会儿才明白过来儿子指的是谁,他生气了,他的脸顷刻间因气愤而铁青,然而他又强忍着没让自己如雷般暴跳起来,他只是把眼珠瞪得圆圆地说:"说出这样难听的话,都是从你妈那里学来的,她那张嘴除了吃饭就知道骂人,没想到连你也学会了。"

"反正你不能跟我妈离婚,"张可喜坚定地说,"你要离婚我就回家,我再也不念书了!"

"你不要威胁我,"张培根气愤地说,"我辛辛苦苦养着你,养着这个家,供你们吃,供你们穿,还要供你们念书,你们考虑过我没有? 你们有谁考虑过我?"

"我没有让你养，"张可喜说，"我自己养自己。我早就知道别人是靠不住的，凡事都得靠自己。你回家去吧，我不靠你养。"

张培根盯着自己的儿子，细细地审视着，粗气直喷到这张唇上泛起茸茸小胡子的脸上。"你回去吧，我再也不管你了。"张培根说。他掉转身体气呼呼跨出了屋子。

张培根照常吃住在菊秋姨处，张可喜没有办法阻止他。争吵后最初的几天，他连三轮车也不送回住处了，张可喜只得去菊秋姨那里取。前几天张可喜还忍着，后来的一天，在菊秋姨的屋子里，父子俩差点又吵了起来，是菊秋姨劝住了他们。她首先制止了张培根的发怒，然后对张可喜说：

"你爸也是为你好，他一直就不想让你踩三轮车，想让你安心念书……"

他看也不看她一眼，推着车子转身就走。他不想听见她的声音，他对她那副假惺惺的面容充满怨恨。

骑在三轮车上，张可喜后悔自己没有一开始就阻止他们，如果火苗刚起时就浇灭，也就燃不成今天的熊熊大火。现在要想阻止，恐怕势单力薄。在孤单无助的时候，他想到了宁愿愿，也许她能帮助自己。

宁愿愿是他们班上最漂亮最洋气的女同学，有人说她是"班花"，更有甚者推举她为"校花"，反正如张可喜这般的乡下"草"平日与她是不搭界的。可是有天晚上，张可喜在街上碰见了她。

那天晚上，在"太阳能"歌舞厅的大门外，张可喜的三轮车与众多的三轮车混杂在一块，突然之间就看见同班同学宁愿愿了，包括她在内，两男两女，四人勾肩搭背出现在舞厅大门明亮的灯光下。他们中的另一位女孩正要迈上离他们最近的那辆三轮车，被宁愿愿拉住了。她撇下他们，一辆车一辆车挨着找过来。张可喜坐在车上，罩在车篷的阴影里，见她走拢了，赶紧把头埋下，但肩膀仍然被她摇动了。他抬起头正撞上了她灿烂的笑容：

"祥子，你为什么躲着不见我?"

"祥子?"张可喜不好意思地嘟囔说,"我怎么叫祥子?"

"有什么不好? 祥子是名人,叫你祥子是抬举你。"宁愿愿嘻嘻笑着对同伴说,"我们坐他的车走。"

女同伴小跑着过来,认真地看了张可喜一眼,回头问宁愿愿:"你认识他? 他是谁?"

"你别问。"宁愿愿说。

"我知道了。"女同伴嘻嘻笑着,趴在宁愿愿耳边说了句什么,宁愿愿伸手要去拧她,她格格笑着往车厢后跑。

女同伴说:"我肚子饿了,我要吃东西。"

"我赞成,走,我们吃宵夜去。"矮个子男伴欢快地弓着身子像只蛤蟆蹦进了车厢。

"我不能跟你们去,明天我还得上学。"宁愿愿道。

"上学?"矮个子男伴哈哈笑道,"你别吓唬我了,我一听见这两个字全身就起鸡皮疙瘩。"

张可喜没有起步,他在等着宁愿愿还有什么话要说。另一位男伴从小窗口里伸出长手臂捅了捅他的脊背。"喂,你行不行?"他说,"不行的话我们换别的车。"

张可喜回头看了一眼,脚下使着力让车轮转动起来。他把他们运到了车站路。在通往火车站的这条道路的两旁,沿街矮小的建筑一律灯火通明,五颜六色的塑料桌椅占领了半个街面。张可喜刚放慢速度,就有一位身着鲜红上衣的女子迎了上来。

"几位去我们店吧,我们店口味好。"女子站在车厢口恭迎。

车上的人一个接一个跳下来,宁愿愿绕到车前问张可喜:"你饿不饿,要不要一起吃点东西。"

"我不吃,"张可喜摇摇头,有意无意地说,"我该回去睡觉了,明天还得上学。"

他的话让矮个子听到了,他走上前来,狠狠地踢了三轮车前轮一脚,差点把张可喜震下车来。"他妈的,你嘴痒是不是?"他鼓着眼珠火冒三丈地说,"你又让我起了一身的鸡皮疙瘩。"

张可喜飞快地跳下车,当胸推了他一掌,矮个子倒退三尺。"他妈的!"他站稳脚跟,又恶狠狠地骂了一句,"你想找死?"

高个子见状也从后面围了上来,张可喜眼看就要腹背受敌,这时宁愿愿亮着嗓子喝了一声:"你们干什么?"她忽然几大步跨进了三轮车厢,她在里面坐好后,又把头探出来,好像故意让同伴难受,她朝车下几个人说:"我不跟你们吃宵夜了,我明天还得上学。"

"下来,你下来。"几位同伴说。他们似乎还没反应过来。

张可喜跨上车座,已经将车踩动了。他强劲的腿力使三轮车飞一般奔驰起来,由于顾不上择路,路上的坑坑洼洼使三轮车颠簸不已。宁愿愿在后车厢"格格"地笑起来。

拐了一个大弯,张可喜放慢了速度。"他们是谁?"张可喜喘了一大口气,然后问道,"他们……"

"你管得着吗?"宁愿愿打断了他的话。

于是,接下来的路途上,除了宁愿愿指挥路线的声音外,两人不再交谈。不久,宁愿愿的家到了,宁愿愿下了车,回头指着来时的路指指点点。"记得这条路吗?"她说,"那个交警岗亭,那排玉兰树,这扇铁门,记住了吗?"

"如果有事需要帮忙,尽管来找我好了。"她接着说,然后推开铁门进了院子。

张可喜决定找宁愿愿帮忙。星期天的上午,他来到宁愿愿家,欲搬宁愿愿出马,一块到菊秋姨家去。他想好了,现在他们父子俩已经谈不拢了,要想找到突破口,必须从菊秋姨身上入手。他从交警岗亭拐了弯,数着玉兰树走,来到那扇铁门前。

一个中年女人替他开了门,他问这位腰间系着围裙的阿姨:"宁愿愿在家吗?"

宁愿愿在家,不过他来得早了点,宁愿愿还蜷缩在被子里睡觉。

张可喜坐在客厅宽松的沙发上等着,听见阿姨进卧室通报宁愿愿了。宁愿愿蓬松着头发的脑袋在卧室门口露了一下,随即又不见了。也许她是不想蓬头垢面地出现在张可喜面前。

大约一刻钟后,宁愿愿洗漱完毕、穿着整齐地正式露面了。她在张可喜的对面坐下来,问道:"你有什么事要我帮你?"

张可喜惊异地说:"你怎么知道我有事请你帮忙?"

宁愿愿笑着说:"没有事你会上我家来吗? 何况这么大早你就来了。"

这时,阿姨给她端来了牛奶、蛋糕和香蕉,分量只够一个人的。宁愿愿吩咐阿姨再来一份,张可喜连忙说他已经吃过了。张可喜听她说话的语气,不像是女儿跟母亲说话。

他悄声问道:"她不是你妈妈。"

"我妈不住这里,"宁愿愿嚼着蛋糕回答他,"她是我家的保姆。"

"你要我帮你什么?"宁愿愿看着他再次问道。

"是这样的,我想请你去见一个人。"张可喜试探着问,"你愿不愿意跟我去。"

"一个什么样的人?"宁愿愿好奇地睁大了眼睛。

"是这样的⋯⋯"张可喜摸摸脑袋说。

又过了一刻钟,宁愿愿吃完了早餐,张可喜好歹也吞吞吐吐把来意道了个明白。宁愿愿双脚缩在沙发里,乐得像个电动娃娃。她从茶几上一个长方体纸盒扯出面巾纸,擦了擦嘴巴,然后把纸巾扔在香蕉皮上。

"我愿意跟你去,"宁愿愿两眼放光说,"我很想见见那个第三者。"

"看见那个人吗?"到了庙前南街,张可喜指着菊秋姨对宁愿愿说。

"我看见了。"宁愿愿点点头。

"现在,你可以过去了,不要怕,就照我的意思跟她说。"张可喜说。

"你呢? 你不过去了?"宁愿愿盯着他问。

"我就不过去了,"张可喜说,"我相信你能把事情办好。"

宁愿愿想了想,然后点头同意:"也行,你站在这里等我。但是照不照你的话说,我现在还不能肯定。"

"为什么?"

"因为我还没有跟她交手。"宁愿愿朝他歪歪脑袋说,"我听到的只是你的一面之词。"

"你不相信我说的?"

宁愿愿没有回答他,只是问道:"你叫他什么?"

"算了吧,你就不要跟她讲文明礼貌了。"张可喜说。

宁愿愿笑了笑，挺了挺胸，朝张可喜指点的摊位走去。她走近菊秋姨，在离她只有几步远的地方站住，菊秋姨的注意力立刻移到了她身上，不过她的眼睛盯住宁愿愿，却没有停止手里的针线活儿。

菊秋姨微笑着问这个漂亮的女孩："你想要点什么？"

"我什么也不要。"宁愿愿扫视着摊位上一把把香、一扎扎针线、一挂挂鞭炮以及一支支红烛，不屑地说："我会买这种东西？"

"哦。"菊秋姨点点头，仍然微笑看着她。

"张可喜的爸爸在吗？"宁愿愿突然问道。

"他不在，他出去了。"菊秋姨收起笑容，疑惑地问，"你是谁？你要找他？"

"我不找他。"宁愿愿说，语气开始有点来势汹汹了，"我只想问问你，他是张可喜的爸爸，而你不是张可喜的妈妈，你们为什么会住在一起？"

菊秋姨的脸立刻红了，她尴尬地望着这个仿佛从天而降的女孩，有些不知所措，她小心地再次问道："你是谁？"

"我是谁？"宁愿愿迟疑了片刻，然后大大方方地说，"我是张可喜的女朋友。"

"可喜的女朋友？他有女朋友了？"菊秋姨惊奇地张大了嘴，上上下下打量着眼前这个时髦的女孩子。宁愿愿以镇定自若的神情回应她的惊奇。

"进屋里坐吧。"菊秋姨站起身说。

"你缠着张可喜爸爸干什么？"宁愿愿又开始咄咄逼人了，"他是有家有室的人，你知不知道？"

"我没有缠着他，是他自己愿意住在这里的。"菊秋姨规规矩矩地站着，小心翼翼回答说。

"你为什么让他住？是不是想图他的钱财？"宁愿愿继续发问。

"图他的钱财？"菊秋姨脸上掠过一丝不易察觉的苦笑，她反问道，"他一个卖苦力的，能有什么钱财？如果有钱财，他就用不着卖苦力了。"

"别强词夺理，"宁愿愿喝断她的话，"卖苦力得的钱也是钱。"

"我没有见过他的钱，"菊秋姨说，"连饭钱也是他愿意给就给，不愿给我也不会向他讨。"

宁愿愿看着她,有些犹豫了。"那你……图他什么?"她的话变得有些不顺畅了。

然后,她像是什么都明白了,她说:"我知道了,你是真心爱他,是不是? 只有真心相爱的人才不计较那些身外之物。"

菊秋姨显然被她的话蒙住了,有些吃惊地望着她。

"是不是? 你是不是爱他?"宁愿愿追问着。

菊秋姨咧开嘴不好意思地笑了。

"是就是,这有什么难说的? 你们中年人就是这么虚伪。"宁愿愿不满地白了她一眼。

宁愿愿的眼睛盯住了菊秋姨手上的鞋垫,这只鞋垫一直被她握在手上,刚才宁愿愿只顾审问她,没有特别留神注意,现在被它精美流畅的花纹吸引住了。

"这是给谁做的?"宁愿愿问。

"可喜的爸爸,"这次菊秋姨很大方地回答了她,"可喜脚下垫的也是我做的鞋垫。"

"哦,是这样。"宁愿愿点点头。然后她为难地对自己说,"我不知道该怎么办了。"

"什么?"菊秋姨显然没有听懂她的话。

"怎么样?"张可喜轻声问她。

"对不起,我没有照你的话说。"宁愿愿说。

"怎么回事? 她不愿意离开我爸爸?"张可喜着急地问。

"他们是真心相爱的,"宁愿愿说,"我不会拆散他们的,我不愿做那种缺德的事情。"

"你怎么搞的? 你被她蒙骗了。"张可喜失望地说,"你连一个乡下妇女都对付不了。"

"我不是对付不了她,"宁愿愿纠正说,"我是不愿意说。为什么要拆散相爱的人? 我永远不会做这种缺德事。"

"你说得轻巧,我家里还有妈妈呢,我妈怎么办?"张可喜说,"换了你是我,恐怕要以泪洗面了。"

"恰恰相反。"宁愿愿胸有成竹地笑了起来,"你还不知道吧,在我读初三的时候,我父母已经离婚了。是我主张他们离婚的。与其见了面就吵得不可开交,不如离了的好。离婚不见得就是坏事。他们说离婚对孩子不利,我看也不全对。我现在这样子不也很好? 整天吵吵闹闹就有利于孩子了?"

她的话让张可喜听傻了,他张着嘴只知呆呆地看着她,一个音也发不出来。这时,宁愿愿的眼睛忽然盯在了他的鞋上,这是一双有着宽宽胶边的运动鞋,本色似乎是蓝色,现在看上去只能说是灰白色了。她叫他把鞋子从脚上脱下。

"脱下你的鞋子看看。"宁愿愿带着几分命令的口吻说。

"做什么?"张可喜感到莫名其妙。

"脱下来。"宁愿愿用厚厚的松糕鞋底踢了他的脚一下,再次命令说。

"你要干什么?"张可喜警告说,"我的脚除了臭不可闻,没有什么好看的。"

宁愿愿笑了,她再次踢了他一下说:"少废话,快点脱。"

张可喜迟疑地脱下左脚上的鞋,宁愿愿低头审视鞋子里面,她看见鞋子里躺着一只花鞋垫,颜色和花样她不陌生。

"你马上就有新鞋垫用了,"宁愿愿说,"你爸爸也有。"

张可喜明白她话里的意思。"一双小小的鞋垫也想收买我?"张可喜不屑地说,"我不稀罕。"

"你错了,"宁愿愿笑着说,"这不是收买,鞋垫只做给最亲的人。"

"我不会再用她的鞋垫的。"张可喜不为所动。

"算了吧,大人的事你不要管。"宁愿愿玉臂一挥说,"天要下雨,娘要嫁人,由他们去吧。"

张培根"审问"着儿子。

"那个女孩子是谁?"张培根问。

"谁是谁?"张可喜装糊涂。

"菊秋姨说,有个女孩去找她了。"张培根说,"她说,是你让她去的。"

"是我让她去的,怎么样?"张可喜话里带着挑衅的味道说。

"她说她是你的女朋友,你现在就有女朋友了?"张培根问。

张可喜愣怔了片刻,突然恼怒地说:"谁说她是我的女朋友? 她是什么人,我又是什么人? 我配得上人家?"

"我只是问问你,你不要发脾气。"张培根小心地说,"你动不动就发脾气——我的意思是,你现在还在读书,不能谈朋友。"

"你不要管我。"张可喜仍然语气很粗地说,"你管管你自己。"

他们父子俩又吵起来了。现在他们要么不说话,要么就争吵。这是早上张培根来取三轮车时发生的争吵,到了傍晚,张可喜回家取车时,三轮车不在院里,爸爸还没有把它送回来。他坐在屋里等了一会儿,仍然不见三轮车的声音在院子里响起,怀着一腔怒火,他朝菊秋姨家走去。

他看见自己的三轮车停在菊秋姨的家门口,他用自己掌握的那片钥匙解开车锁,金属相撞的声音惊动了屋里的人。张培根走出来,直朝儿子招手。张可喜不理他,推着三轮车就要走。

"可喜,你别走,你过来一下。"张培根说。

"你不要叫我。"张可喜说。

"你别生气,"张培根走近他说,"出了点事,菊秋姨被人打了。"

张可喜吃了一惊,他看着爸爸,听爸爸气愤地告诉他说:"她回原来住的地方看孩子,又被那个畜生打了——你去看看她吧。"

张可喜迟疑了片刻,然后朝屋里走去。屋里除菊秋姨外,还有另外几个女人,张可喜认识这几张面孔,她们是菊秋姨的邻居,跟菊秋姨一样在这条街上租住着一间小屋,经营着某种小生意。此刻她们围在菊秋姨的旁边,正七嘴八舌地安慰着她。菊秋姨坐在一张椅子上,披散着头发,脸颊上赫然印着五根手指印,眼角还残留着深深的泪痕。见张可喜走进来,菊秋姨头一低,又呜呜咽咽哭了起来。

菊秋姨的哭声响起时,张可喜转身出来了。张培根跟在儿子的身后,张可喜跨上三轮车之前,对他爸爸说,:"她是自找的。明明知道会挨打,她还老是往那里跑干什么?"

"你不能那样说。做父母的,谁不疼自己的孩子?"张培根说,"该责怪的不是她,只能说那个畜生太无情无义了。"

"她不能不离婚? 离了婚,既害了自己,也害了别人。"张可喜说。

"你这么说毫无道理。她为什么要离婚？她是受不了他的殴打才离婚的。怎么能怪她呢？"张培根瞪着眼替菊秋姨辩解。

张培根接着将身子挪进了车厢。张可喜奇怪地问他去哪里，张培根的脸从小窗口露出来说："你慢慢踩，我跟你说说。"

"菊秋姨很少去看自己的孩子了，她知道从前的那个家里去不得，每次看孩子她就直接去学校，免得被那个畜生撞见。今天她也是去了学校，但是她只见着了读二年级的儿子，大的是个女孩，读六年级，她不在学校里。小弟弟告诉妈妈，姐姐没读书了，你菊秋姨这才急着去了从前那个村里——女儿也不在村里。听从前的邻居说，小女孩上山放牛去了。她不止是放着家里的一头牛，村里还有几户人家的牛也由她放着。菊秋姨听了邻居的话，当时就哭了。她流着泪到山上去。还没有寻着女儿，半路上就被闻讯正往家里赶的那个畜生拦住了——往下就不用我说了，你都看见了的。"

张培根说到这里，让儿子把车停下来，他下了车，又对儿子说："你以后还是来这边吃饭吧，她天天能见你一面，兴许就不会那么想自己的孩子了。"

"我不会来的，我有妈妈，我妈妈好好地呆在自己家里。"张可喜说。

"你又这样说，你来看看她有什么关系？我又没让你不认你妈了。"张培根说。

"你不要说了，我不会来的，请你以后每天还是把车送过去。"张可喜说。他将三轮车踩动了。

张培根突然用激动的语气朝儿子喊了一嗓子："你不来算了，我一定要帮菊秋姨要回一个孩子！"

过了两天，张可喜放学后走进院子，看见三轮车已先他一步回来了，房门也开着，爸爸在里面，另外还有一个十来岁的小姑娘。爸爸说她是菊秋姨的女儿。

"红艳，快叫哥哥。"张培根对小姑娘说。

小姑娘圆睁着怯生生的眼睛，不敢开口叫张可喜一声。

张可喜奇怪地问："她怎么到这里来了？"

"是我带来的，"张培根轻描淡写地说，"我找到她家屋后的山上，看见一个小姑娘跟五六头牛在一起,不用问就知道她是红艳。我问她想不想见妈妈,她不住地点头,我就把她带来了。"

"你说得轻巧,"张可喜着急地说,"他们找不到人怎么办? 他们会去派出所报案的。你闯祸了。"

"胡说!"张培根瞪着眼说,"我是带她来见妈妈,又没有卖给别人。"

"谁是她的监护人? 她爸爸。你把她带到这里来经过她爸爸同意没有? 没有。没有经过允许就把她带走,不是拐骗是什么?"张可喜说。

"我不听你胡说八道,读了几年书,就会吓唬我了?"张培根鼓着眼说。然后他看一眼门外又说:

"我担心他们会寻到菊秋姨那里,菊秋姨一个人怎么能对付他们? 我得赶紧过去了。"

爸爸走了后,张可喜看着红艳,红艳也紧张地看着他。张可喜突然说:"你爸是个盗牛贼、王八蛋。"

张可喜接着说:"你妈也不是什么好东西,她是个害人精……"

红艳睁着恐惧的双眼,嘴巴撇了撇,"哇"地一声哭了起来。

他把红艳抱上了三轮车,送她到了宁愿愿家。红艳头发披散着,额头上的乱发垂下来,几乎把眼睛遮住了;脚上穿着双破布鞋,小脚指露在外面;裤腿上密布着泥点,像夜里的星星布满天空。宁愿愿打量着她,眉头不禁皱了起来,她说:

"这是谁家的小女孩? 长得倒是漂亮,就是太脏了。"

"她在山上放牛,是我爸爸带她来的。"张可喜说,"现在她家里人找来了,我想暂时把她寄存在你这里。"

宁愿愿睁大了眼睛说:"是你爸爸拐骗来的? 你爸爸竟敢拐骗别人家的小孩?"

"不是,她是那个女人的小孩。"张可喜说。

宁愿愿恍然大悟:"我明白了,她是你爸爸的女朋友的女儿,是不是? 为什么不让她见妈妈?"

"她家里人找来了,我得赶紧过去帮我爸爸一把,以后再跟你说。"张可喜说。

张可喜匆匆赶往菊秋姨家,她家门口已经围着一大帮人。人声嘈杂,剑拔弩张。那群陌生的面孔里,一个头上没有一根头发、光脑袋闪闪发亮的中年男人张牙舞爪,唾沫四溅,叫嚷得最凶。张可喜认定他就是那个"盗牛贼"。盗牛贼气势汹汹地说:

"你别跟我狡辩了,我难道不了解你? 你就是有一千张嘴,也休想骗得了我。快把红艳交出来!"

"在我这里又怎么样? 红艳是我的女儿,我要把她留在这里。"菊秋姨说。

"你这个婊子!"盗牛贼嚷道,"你自己要离婚,自己不要小孩的,现在后悔了? 你想要就要,不想要就不要? 天下没这么便宜的事!"

"我实在受不了才跟他离婚的,要是不离婚,我早就被他打死了,今天哪里还会有人站在这里。"菊秋姨朝旁人哭诉着,"不是我不要小孩,是他不肯给我。两个孩子都是我一个人辛辛苦苦带大的,哪里会舍得丢下,可是他一个也不肯给我……"

"少跟我啰嗦,还不快把人交出来! 再不交出来别怪我不客气。"盗牛贼捏着拳头挥动着。

"你打死我吧,反正迟早会被你打死。"菊秋姨嚷了一声,低头就朝盗牛贼撞去。

盗牛盗果真不讲客气,他左手抓住菊秋姨的头发,提起她的脑袋,右手扬起来,"啪,啪",在她脸上熟练地扇了两巴掌。

张培根站在菊秋姨的旁边,一直插不上话,眼睁睁看着她挨了两巴掌,气血立刻冲上了他的头。他吼了一声,冲上前扳住盗牛贼抓菊秋姨头发的手,盗牛贼的帮手们马上围住了他,抢先将拳头抡在他的身上。

张可喜看到这一幕,一言不发地挤进人群,从后面突然袭击,拦腰抱住一个朝爸爸挥拳头的人,使劲朝地上一掼,就把那人压在身下,那人背拱脚踢,像一条扔在岸上的鱼昂头翘尾直扑腾,张可喜不敢松懈,按了他的头,又按他的脚,总算没能让他翻身。但是他顾得了这一个,顾不了另一个。别人也突然袭击他了,而且手里操着犬牙交错的半截砖头。砖头拍在他的头上,他立刻眼前一黑,虽然身子还僵直着,但四脚已松软无力,地上的人稍稍一挣扎,就把他掀倒了。他身子蜷缩成一团,双手抱住了头。

"你们打我的儿子,我要宰了你们这群王八蛋!"眼见儿子倒在地上,张培根带着哭腔嚎叫一声,双手握拳乱舞,众人纷纷给他让道。他冲进屋门,重新出来时,两眼血红,手里握着一把菜刀。

空气静止了,人们的呼吸也屏住了。正在这时,一辆警车呼啸着驶过来,在人群外急遽刹住。原来,有人见这里闹哄哄聚集了这么多人,赶紧拨打了110,警车很快就赶到了。两个警察跳下车,首先进入他们视线的就是醒目地立在门边、双手紧握菜刀的张培根。

"你干什么?把刀放下!"其中一个警察厉声喝道。

张培根握刀的手垂下来,"哐当"一声,菜刀从手里滑落,掉在水泥地面上。张可喜还躺在地上,他奔向儿子,跪在地上,把儿子的上半身搂在怀里。

"可喜,可喜。"张培根唤着儿子,哭了起来,眼泪掉在儿子的身上。

"谁打了他?"警察走过来问。

"就是他们。"街坊邻居们这时才有胆量说话了。他们指着盗牛贼一伙七嘴八舌地说,"他们来了这么多人,就是想来打架的。"

"不是这样的。"盗牛贼迎着警察威严的目光,不慌不忙地辩解说,"他们拐骗了我的女儿,我是来找他们要人的。"

警察仔细地打量了他一番,然后又扫视着众人说:"事情还越来越复杂了!打群架又扯出了拐骗儿童⋯⋯你们都跟我去派出所一趟,说清楚到底是怎么回事。"

张培根跪在地上没动,警察催促说:"快站起来。"

张培根着急地说:"我儿子怎么办?他还没醒过来。"

听了他的话,躺在他怀里的张可喜慢慢坐起来,脑袋低垂着,双手仍然捂在头上。

看到张可喜自己坐起来了,盗牛贼连忙对警察说:"他没事了。"

"你别想就这么完了。"张培根站起来,脸对脸跟他说,"我儿子得去医院做检查。"

"你没事吧?"一个警察稍稍弯腰问张可喜,未等张可喜张口,他就直了腰对面前的人说,"他没事。你们先跟我去派出所,去医院的事过后再说。"

"你为什么不肯上医院?"在他们租住的小屋里,张培根走来走去埋怨着儿子,"警察让我们把红艳还给盗牛贼,我们就还给他了;警察让他带你上医院检查,你却不肯去,你为什么不去?"

"我没事,用不着去医院。"张可喜说。

"那么厚的一块砖头拍在头上,怎么会没事? 脑袋又不是铁打的。"张培根皱着眉头说,"外面看不出什么,很可能就有内伤,说不定还脑震荡了,现在没事,说不定以后就有事了。"

"你能不能少啰嗦几句?"张可喜不耐烦地说,"我说了没事就没事。"

张培根看着儿子,忽然又高兴起来,脸上露出了笑容说:"不过警察听了我们反映的情况后说,菊秋姨完全可以把红艳夺过来,只是要通过法律途径,再不能那样蛮干了。"

"又不是你的女儿,你怎么那么高兴?"张可喜给他泼着冷水。

张培根愣了片刻,然后说:"我是替菊秋姨高兴。"

"你难道不高兴?"张可喜说,"新女人有了,又有了新女儿。"

"你不能这么说话,"张培根不满地说,"你说话越来越刻薄了,越来越像你妈,跟你说话越来越费力了。"

"我们分家吧,"张可喜突然说,"我们已经成了你的眼中钉、肉中刺,反正迟早要分家的,迟分家不如早分家。"

"分家?"张培根被儿子的话惊呆了,他死死盯着儿子,直到儿子的目光受不了他的逼视而低垂下去。他断然说道,"不行,我们父子之间谈什么分家。"

"不分家也可以。"张可喜说,"只要你不跟我妈离婚。"

听了他的话,张培根立刻发不出声了。等待了片刻,张可喜见爸爸不做声,于是接着说:

"别婆婆妈妈了,还是把家分了吧,反正也没有什么家产,分起来也简单……别的什么也不要,我只要这辆三轮车。"

张培根鼓着眼珠看着儿子:"你要三轮车? 你抢了我的饭碗,从今往后你来养我?"

张可喜不动声色地说:"你可以租我的车,反正白天车子我不用。"

张培根憋不住笑了,他说:"你倒是有出息了,知道剥削自己的老子了。"

"我一分钱都不会用你的。"张可喜不为爸爸的笑容所动,他仍然认真地说,"你交给我多少钱,我会一分不少交给妈妈。你忘记了,我可没忘记,家里还有两个人要养活。"

"好吧,我同意三轮车归你,我也愿意租你的车用。"张培根说,"不过,我要求晚上也把三轮车租下了。"

"现在不谈这个问题,晚上归不归你用,等下学期开学了再说。"张可喜大大咧咧地说。

农忙时节到了,张可喜要请假回家帮妈妈"双抢"。他并没有要求爸爸一块回来尽责任,但是他前脚到家,爸爸后脚也进了门。爸爸和妈妈见了面,像是两个陌生人,一句话也不说。整整两天过去了,他们还是没有搭过一句腔。直到第三天晚上,张可喜与小妹在屋外乘凉,屋里忽然爆发出激烈的争吵声,他才知道爸爸妈妈互不搭理并不是无话可说,而是在积蓄能量。他们不是好好地一句一句说,而是互相在吼叫。爸爸的声音还注意有所收敛,妈妈则尖着嗓子,简直是发怒的老虎要撕咬人。

第二天,在忙碌的田间,在炎炎烈日下,两人又吵起来了。张可喜和小妹止不住他们,拿他们一点办法也没有。小妹呜呜哭起来也没用。妈妈从田里走上田埂,远远地指着爸爸骂:"你这个畜生,流氓,如果我不死,你是不会甘心的。我今天就成全你!"

她转身就往家走。张可喜三两步跨上田埂,赶紧追上去,问她去哪里。妈妈回过头来连他一块骂:"别跟着我,养大你有什么用,老畜生天天和你在一起你也看不住。"

田里劳作的人都直了腰看着他们。张可喜恼火地说:"你闹够了没有?丢人现眼。"

妈妈说:"我是丢人现眼,我死了就不给你们丢人现眼了。"

张可喜不敢再说什么了,只是不紧不慢地跟着她。

他们一前一后进了屋,妈妈坐在前后屋之间的门槛上,伸直泥泞的双腿,随手在地上拾了把扇子慢慢地摇。现在,她似乎已经冷静下来了,不再骂张可喜了,她看着张可喜说:"你妈成了没人要的女人了,你妈在村里人面前抬不起头了。以后别人老是会在我背后指指戳戳,想起这些我心口就痛,夜里痛得我都睡不着觉……"

张可喜说:"别说这些了,你们不要吵来吵去了。"

"我不吵了,我懒得跟他吵了。"妈妈喃喃地说,她向张可喜伸出手,"你累不累? 你坐下来,坐在我旁边歇歇。"

张可喜站在房中间没有动。妈妈说:"你不肯坐下来,就不要站在我面前,田里那么多事,我走了,你也跟着走,那么多活儿留给谁干?"

张可喜见妈妈这么冷静,不像她刚才话里说的那样,要死给爸爸看,心里稍稍有些心安,但嘴里仍然不满地说:"我并不想回来,我想早早把事情干完,可是你们不让我安心做事。"

妈妈轻轻地挥挥扇,像是要赶他走。她说:"我累了,我要安静地歇一会儿,你快去做你的事,别在这里烦我。"

张可喜盯着她看了一会儿,然后一步一回头出了门,在阳光底下走了不到几步,在屋子的拐角处,他突然又折身往回走。妈妈已经不在门槛上了,他立刻慌了神,每间房子找一找,都不见她的身影。他朝屋后的猪圈冲过去,看到在低矮的窗子底下,妈妈微微仰头,像个酒鬼般贪婪地捧着一只肮脏的棕色玻璃瓶凑往嘴边。他挥手将瓶子打落在地,瓶子碎了,一股呛人的气味弥漫开来。猪们受了惊吓,哇哇叫着挤作一团。张可喜死死抱着妈妈,颤抖着声音问:"你喝了没有? 你有没有喝下去?"

妈妈无力地靠在他怀里,眯缝着眼看着他,嘴里咕哝着交待说:"你可得带好小妹呀,她还小,以后就全靠你了。"

张可喜弯腰背起她,脚步趔趄着赶紧往外跑,他跑出了村子,跑上了田头,腿一软再也跑不动了。他跪在地上夹着哭腔大声叫喊:"快来人啦,我妈她喝了农药!"他把妈妈搂在怀里,坐在地上放声大哭起来。

田里听到喊声的人都跑过来了。有人飞快地跑回村子背来了竹床。他们把妈妈抬到竹床上,然后四个男人每人抬着竹床的一角,在通往乡里的村路上奔跑起来。其他人紧紧跟在后面,随时准备替换。一路上,奔跑的队伍不断扩大。经过自己家的田头时,张可喜看见爸爸和小妹站在未割的麦子中间,脚下像是生了根,呆呆地后仰着头看着奔跑的人群。队伍中有人高喊了一声:"张培根,你还傻站着干什么? 你老婆喝了农药了。"

张培根这才如梦方醒,他扔下镰刀,牵着小妹的手,撒腿朝奔跑的队伍追赶过来。

乡卫生院到了,一帮人大喊大叫:"医生,快救命啊!"

村里的人见没有出人命,都回头田头继续劳作去了,医院里只剩下张可喜一家人。到了中午,医院里静悄悄的,只有知了在窗外的树枝上不知疲倦地叫。张可喜的堂兄突然匆匆跑进来,擦着满头的大汗,气喘吁吁地说:"叔叔你快躲起来,张可喜舅舅家的人找你麻烦来了。"说着他拉起张培根的手跑出了病房。

不一会儿,张可喜的几个舅舅率他的表兄弟们气势汹汹地闯入病房。大舅奔到妈妈面前,叫了声妈妈的名字,泪水就落了下来。妈妈睁开眼睛看看他的兄弟,很快又将眼睛闭上了,闭着的双目里也涌出了泪水,泪水顺着眼角流进了脖子里。大舅用又黑又粗的光膀子擦一把泪,环顾病房,大声问:"张培根在哪里? 你们给我找出来!"一帮人领命而去。

不久他们就扭着爸爸返回地坪里。大舅扬手给爸爸一个响亮的耳光,转身抓起一根木棒厉声喝道:"你给我跪下!"

张可喜扑上去推了一把舅舅,涨红着脸大声说:"这是我们家的事,不用你管。"

大舅像是不认识他似的,盯着他看了半天,然后指着他说:"可喜外甥,从小到大我没碰过你一手指头,今天你要是是非不分,大舅我连你一块打。"

张可喜嘴唇剧烈地翕动着,猛然哭了起来,边哭边嚷着说:"你们打吧,你们把他打死吧,妈妈没死,你们把爸爸打死算了,反正今天不死人你们不会收场。"

大舅举着木棒的手在空中僵硬着,迟迟不肯落下。但嘴里仍然恶狠狠地说:"他逼出了人命,打死他也是他自找的,他罪有应得!"

医生们都出来了,他们好言相劝,请大家都冷静点,不要再闹出别的什么事来。大舅瞪着牛犊子一般站在面前的张可喜,把木棒狠狠地扔在地上。

　　大舅领着一帮人走了。爸爸被他们遗弃在地坪里，张可喜搀扶起他时，看见他眼里泪光闪闪。

　　"双抢"结束后，大舅又来了他们家。这次他们只来了三个人。大舅说：

　　"张培根啊，我一直以为你是个老实人，跟你说说话，你半天也放不出一个响屁，没想到你居然会嫌弃糟糠之妻，会下毒手杀人！"

　　张培根辩解说："我什么时候杀人了？"

　　大舅眼一瞪说："你没杀人？逼人走上绝路与亲手杀死人有何区别？要不是我妹妹命大，她早已成了冤死鬼了，今天就不会有人坐在这里。"

　　坐在张可喜旁边的妈妈听了这话，伤心地抽抽嗒嗒起来。张可喜连忙把她扶进屋里。

　　大舅目送妈妈进了屋，继续对张培根说："她这次没有死成，其实也是救了你的命，她要是死了，你的命也保不了……既然她命大，阎王老子不收，我们也不准备拿你怎么样。但是你必须给我立下保证，保证从今以后好好待她，好好地跟她过日子，不能再把她往死路上逼。"

　　张培根垂着头老老实实听着。大舅又问："你为什么要离婚，是不是在城里养了小了？"

　　张培根抬起头，眼里掠过一丝慌乱，他摇头否认说："哪有这种事，我连自己都养不活。"

　　大舅嘴一撇说："我也不相信你有那种能耐……但是有一点我还是想不通，你为什么要跟我妹妹离婚？都说城里人喜欢离婚，有的扯了结婚证，连喜事还没来得及办，就把结婚证换成了离婚证……你张培根一个从没有过余钱剩米的人，只不过进城踩了几天三轮车，供城里人使唤来使唤去，就也可以学着城里人的语气喊离婚了？"

　　大舅说累了，端起旁边桌上的茶杯喝口茶，又将茶杯重重放下。他又问："说吧，以后你准备怎么办，还进不进城了？"

　　张培根嘟囔着说："我不进城，可喜和小妹怎么办？他们两个还得读书。"

　　大舅说："我不管，你想其他办法，反正你不能进城了，你不会做人，只能规规矩矩呆在家里让人管起来。"

大舅将眼睛盯在了可喜身上。屋里人的眼光都跟着移过来了。

张可喜知道该他说话了。他们都在眼巴巴等着他说话。他知道自己该怎么说,可是爸爸看着自己时那副满脸祈求的样子,又让他难于启齿。反复犹豫之后,他终于说话了:"爸爸,你听大舅的话,留在家里吧。"

张培根眼里希望的火焰黯然而退,他盯着儿子,激动地说:"可喜,你和小妹还得读书,我呆在家里,天天在地里刨也刨不出你们的学费来。"

张可喜说:"反正只一年了,我不要你负担,我自己能挺过去。"

张培根说:"一年以后呢? 如今上大学,得用钱来堆,你考上了大学就得一大笔费用,钱从哪儿来? 地里长得出?"

张可喜平静地反问道:"你知道我一定考得上?"

听到他这样说,张培根呆呆地看着他,张着嘴久久说不出话。

高三的新学期是从八月一日开始的。头一天,张可喜和张吉祥从村里走出来,张培根送着儿子,半道上,他让张吉祥先走一步,他还有几句话要交代儿子。他对儿子说:"可喜,如果你还有良心的话,有时间就去看看菊秋姨,她像疼亲生儿子一样疼过你。"张培根说着,眼泪抑制不住冒了出来,从粗糙黝黑的面颊上爬过,如两条小溪流过干涸的河床。

爸爸哭了,张可喜心里也不好受,他理解地对爸爸说:"哭什么呢? 你不要哭,我知道你心里难受,可是不这样又有什么办法呢?"

张培根还在哭着,张可喜已转身跑了。他追上张吉祥时,眼圈也红了。张吉祥看着他,奇怪地说:"舍不得走啊,还哭?"

这次进城,张可喜把租住的屋子和三轮车全交给了张吉祥,自己卷起铺盖去了学校。他要做寄宿生,在高中阶段最后一年里,向高考发起冲击。他在集体宿舍里铺好了自己的床,开始了有规律的生活。

开学的第一天,郑老师公布了上学期期末考试成绩,张可喜位居中游偏下。他又有退步,但下课后郑老师并没有找他谈话。以前每次考试后他都要找张可喜谈的,因为进校时他是班里的尖子,他的每一次退步都牵动着老师的心,现在似乎没有必要多谈了,在他前面已经排着不少比他强的学生,郑老师不会在他身上花费更多的心思。

晚上,张可喜进教室自习,发现教室里坐得满满当当的,和白天一样,一个也不少。他这才知道,家住县城的同学晚上也是来学校复习的。他们都在用功,也许这就是别人在进步,而他在退步的原因。宁愿愿也在,他看她坐在教室里,微微有些吃惊。宁愿愿也看着他,然后转过脸去面对书本了。他也埋首于书本中,可是过了许久也没翻动一页。他发现自己进入不了书本了,他的注意力神游在恬静的学习氛围之外。

郑老师进来巡查时,他正端端正正地面对黑板。郑老师看看他,又看看黑板,然后问他:"张可喜,黑板上写着什么呀?"黑板上空荡荡的,什么也没有。张可喜缓过神来,慌忙垂下了头。

郑老师走到他的课桌前说:"我看你是人在魂不在,该不是梦游去了吧。"

他的话使沉闷的教室里响起快乐的哄笑声。

郑老师在教室里巡视一番后就离开了。张可喜也起身走出了教室。下楼梯的时候,他听到后面有比他更急促的脚步声,等他下到一楼,才知道是宁愿愿跟在后面。两人互相看了一眼,而后不声不响地走进了操场。

"你生气了?"宁愿愿问,"刚才在教室里,他们笑你的时候为什么不生气?"

"我该怎么办?"张可喜反问说。

"你该站起来跟他们说,别张开嘴巴蠢笑了;跟老师说,别侮辱别人了……该你说话的时候,你却一句话也不说。"宁愿愿有些激动地埋怨说。

"别说这些了,"张可喜说,"我走出教室不是因为生气,我出来走走,是想考虑自己以后该怎么办。原来我想着在最后一年赶上去,现在我怀疑自己已经赶不上去了,别人都在我前面,别人都在用功,我怎么赶得上去? 你说我能赶上去吗?"

"我不知道,"宁愿愿摇着头实话实说,"读书的事,我是最没有感觉的,我说不清楚。"

"我该怎么办?"张可喜继续碾着脚底下的石子说,"要是赶不上,不如现在就回家算了。"

"回家干什么? 你没试,怎么知道赶不上?"宁愿愿说。

"现在想踩三轮车也没有车了。"张可喜又自言自语般说。

"你的车呢?"宁愿愿奇怪地问。

"卖了。"

"你爸爸呢？他也不踩车了？"

"不踩了，他现在老老实实呆在家里。"张可喜说。

"那位阿姨呢？你爸爸把她甩了？"宁愿愿睁大了眼睛。

张可喜知道她说的是菊秋姨，他说："不能那么说，我爸又不是她丈夫。我爸必须在家陪我妈，他如果跟我妈离婚，我妈就会没命了。"

"吓唬谁呀？"宁愿愿白了他一眼说："如今这个世界，谁少不了谁呀？"

"我心里没有一点底。"张可喜仰面向着教学楼，他的脸被灯光映红了。他看着那片灯光仿佛自言自语般喃喃地说，"我不知道我爸会不会重新跑出来，如果他跑出来，就会要了我妈的命。"

张可喜的担心其实是一种预感，有血缘关系的人，或者其他关系比较亲近的人，通常都有这种预感。他的预感很快得到了证实，这一天上午，他正在教室里听课，看到有个留着平头的圆脑袋在窗外探来探去。全班同学，还有上课的老师都看到了，只有张可喜认识他，他是张可喜的堂兄。张可喜看到他在窗外探头探脑，心就开始怦怦乱跳起来。

张可喜跑出教室，连声问堂兄："你怎么来了？是不是家里出事了？"

"你怎么知道的？"堂兄一边擦着脸上的汗珠，一边奇怪地反问他。

"快说吧，到底出了什么事？"张可喜慌忙催促说。

"你爸跑了……"堂兄说。

"我妈呢？我妈怎么了？"张可喜颤抖着追问。

"你妈……"堂兄语气谨慎地说，"你妈她又喝了药……死了。"

张可喜脸上陡然变色，他上牙紧紧咬着下嘴唇，像是要把吼叫声关闭在口腔里。他盯着堂兄，身子猛然朝前一冲，直朝楼下跑去。堂兄赶忙追过去。两人飞跃着窜下楼梯，在校园里一前一后奔跑起来。堂兄追不上他，只得在后面大喊大叫："张可喜你站住，我的话还没说完，如果你不听我的话，还会出第二条人命……"

张可喜听到了他的话，他把脚收住了，气哼哼地等着堂兄。

堂兄跑近了，气喘吁吁地说："他们，你的舅舅们，正在到处找你爸，他们要以命抵命……你能不能找到你爸？你让他赶快跑，跑得越远越好。"

　　张可喜恶狠狠地说:"让他们找他吧,让他们把他打死吧。"

　　堂兄耐心地说:"张可喜,你不要说糊涂话,你妈是自己走了绝路,又不是你爸往她嘴里灌的药,你爸错再大,也不至于要判他的死刑……你舅舅们的厉害,你我已经见识过了,一旦找到了你爸,他们完全下得了手,他们真的会把他打死的。你已经没有妈妈了,你还想没有爸爸吗?"

　　张可喜听了他的话,不再跑了,他一言不发,直朝校门外走去。堂兄知道他是要去找爸爸了,就不再说什么,只是紧紧地跟在他后面。他们走完了一条笔直的街道,穿过了两条弯曲的巷子,来到了庙前街。张可喜看见了菊秋姨的香烛摊,可是菊秋姨并没守在旁边。他走进她的家门,看见爸爸果然在里面,正在和菊秋姨面对面说着什么。

　　张培根发现屋子里猛然一暗,一个人影遮住了光线,像是谁在夜里用手捂住了灯泡。他看清是自己的儿子走进来了,脸上不由黯然失色。儿子盯着他,没有走过去,可是眼里的泪水像洪水一样汹涌而下,濡湿了他的脸颊,流进了他的脖子,把他眼里的人影淹没了。张培根忙嗫嚅着解释说:

　　"我答应了菊秋姨的,我要帮她要回红艳,这件事一天不做好,我心里就一天不踏实……"

　　门外又走进了张可喜的堂兄。张培根看见侄子突然出现,心里立刻就慌了。他是昨天夜里趁黑跑出来的,张可喜的妈妈早晨起来不见了他,同时发现他换洗的衣服也不见了,知道他终于还是跑了,于是就喝下了农药。张培根不知道他的妻子已经死了,现在他的侄子出现在门边,他就知道妻子肯定没命了。

　　儿子冲过来,撞进他的怀里,把他撞倒在地。儿子搂着他的腰,两只手在他背上不停地捶打着。张培根喃喃地说:"我怎么知道?我怎么知道她会这样?"

　　"你知道的!"张可喜仰着眼泪纵横的脸指责说:"你知道我妈会那样做的,是你害死了她。"

　　菊秋姨吓得不敢近前,张可喜的堂兄走过来,欲把他们扯起来。堂兄说:"张可喜,这些话不要说了,你得让你爸赶快走,你也得回去了,你是孝子,家里都在等着你。"然后他又对张培根说:

"叔叔你赶快走,张可喜的舅舅到处在找你,他们发狠说抓到你后,要把你圆的揍成扁的,活的揍成死的。"

"让他们来吧,我哪里也不去。"张培根坐在地上说。

张可喜的堂兄拉扯着张培根,继续劝说着:"叔叔,你得走,他们不是说着玩的,让他们找到了,张可喜就会既没妈,又没爸了⋯⋯"

听了他的话,张可喜垂着头,又呜呜地哭了。

堂兄放下张培根,又来扯张可喜,他说:"你别哭了,快站起来,天气这么热,我们得回去了,要哭你回去再哭。"

张可喜听话地站起来,他要回家去了,要去见他死去的妈了。他流着泪走到门边,然后又回过头来,对仍然坐在地上不动弹的他的爸爸说:

"你还不起来? 还不赶快走? 装硬汉给谁看? 你真的想让他们打死算了?"

张可喜随堂兄回到家里。妈妈平躺在竹床上,身上穿着寿衣,脸上蒙着白毛巾。张可喜跪倒在妈妈面前。他们已经做过处理了,张可喜闻不到农药味,只闻到了一股刺鼻的花露水味。婶婶们把他扯起,帮他穿好孝服,戴好孝帽,又在孝服外披了块麻袋布。张可喜知道这就是披麻戴孝了。他披麻戴孝完毕,又回到妈妈身边跪下了。他们都围着他,等着看他哭妈妈。张可喜垂头跪着,没有流泪,更没有哭出声。

小妹见哥哥回来了,倒是呜呜咽咽又哭起来。张可喜还是没有哭。他们都奇怪地看着他,奇怪他竟然没有哭,没有掉一滴眼泪。只有堂兄了解他,堂兄对围观的亲戚朋友说:

"回来的路上,张可喜哭个没完,他的眼泪都流尽了。"

突然人群一阵骚动,他的大舅走过来了,他问张可喜:"可喜外甥,张培根那个畜生呢? 他在哪里?"

张可喜的堂兄抢先回答说:"他不知道。我反复问了他,他说他不知道。"

"没问你话。"大舅斥道。然后他继续问张可喜:

"可喜外甥,只有你可能知道他在哪里,你快告诉我。"

"我不知道。"张可喜垂着头低声说,"我没有看见他。"

　　大舅弯下腰盯着他,不相信地说:"你怎么会不知道? 在城里时,你们两个一直在一起,只有你才知道他会去哪里。再说你是他惟一的儿子,他要去哪里,不告诉别人,也会告诉你。"

　　"我不知道他在哪里,"张可喜坚持说,"我也不想知道。我再也不要看见他了。我没有妈妈,也没有爸爸了……"

　　张可喜说到这里,突然"哇"地一声大哭起来。他终于在众目睽睽之下哭了,他趴在地上,哭得山崩地裂,身子一抖一抖的。

　　因为天气太热,也因为家境不好,妈妈第二天就被抬到后山上埋葬了。起先,舅舅们还不想把妈妈埋了,他们恶狠狠地对村子里的人说:"不能便宜了那个畜生。"

　　舅舅们是要等到张培根抓回来后才肯送死者上山的。他们要把他摁倒在灵柩前,最好是剁下他的头来祭奠死者。但是他们不知张培根的去向,从张可喜嘴里根本掏不出他的蛛丝马迹,何时能把张培根抓回来,他们心里实在没底。他们想等,但死者等不得。最后只能依众人的意思,护送死者去了宁静的天国。

　　妈妈死了,爸爸走了,这个家一夜之间就没了家长。到了晚上,屋子里亮起了昏黄的灯光,张可喜兄妹面前摆着婶婶们做的饭菜,他们没有动一筷子,相对而坐,他们又压抑着声音呜咽起来。

　　"别哭了,你们俩吃点东西。"婶婶们抹着眼泪劝说着。

　　叔叔伯伯们也没走,他们要处理一些善后事情。明天,张可喜该回城里的学校了,家里只剩下小妹一个人。他们谈到了小妹的安置问题,他们说不能让小妹一个人住在家里。

　　"住到我家去吧,反正我只有一个儿子,添个女儿正好。"张可喜的叔叔说。然后他问小妹:

　　"小妹,你住到叔叔家去好不好?"

　　小妹睁着一双泪眼,不知该怎么说。张可喜替她说道:"我同意她住到叔叔家去,只是她的书还得念下去,生活费我会按月送回来的。"

　　"生活费? 你哪来的生活费?"屋子里的人都盯着他,"你自己也是学生,自己还得靠别人养。"

　　"你们别管,反正我得让小妹把书念下去,就是我自己不念了,也得让她念下去。"张可喜说。

　　第二天因为家里还有一些事情要安排,张可喜下午才动身回学校。车到县城时,天已经黑了,他没有立即去学校,而是来到菊秋姨家。菊秋姨不在,他爸爸也不在。房东认识张可喜,他对张可喜说:"王菊秋走了,跟着你爸爸走了。"

　　张可喜希望这样,他们离开了这里,舅舅们就找不到了。可是房里空荡荡真的没人了,他心里又难受了,他用嘶哑的嗓子问:"他们去哪里? 还回不回来?"

　　"我不知道。"房东摇着头说。"他们没跟我说这些,我不知道他们还会不会回来。"

　　张可喜走出这间以前经常来的屋子,然后来到另一个十分熟悉的地方。他曾经租住在这里,现在屋里住着张吉祥。屋里亮着灯,张吉祥躺在床上,手枕着头,腿架着腿,望着天花板,上面那条腿一跷一跷地直摇晃。张可喜走进来叫他一声,他连忙翻身爬起来,问他这两天到哪里去了。

　　"昨天这时候,有个漂亮的女孩来找你,她说她知道你不住这里,这几天你回去了,还没有回学校,她来看看你是不是到这里来了。你回去干什么?"张吉祥说。

　　宁愿愿? 张可喜眼里一亮,她怎么知道我以前住在这里? 张可喜心里升起一片火光,可是很快又黯淡了。他平静地问:"她还说了什么?"

　　"没说什么,见你不在这里,她就走了。"张吉祥嘻嘻笑着说,"她是谁? 长得那么漂亮,是不是你的女朋友?"

　　张可喜没有理会他的问题,而是问道:"时间还这么早,不出去踩三轮车,怎么躺在床上了?"

　　张吉祥说:"早什么呀? 蹬了一整天,累死我了。"他接着埋怨说:

　　"街上已经有了不少电动三轮车了,你费着力踩着车在前面走,后面的电动车嗵嗵地就超到你前面去了。人家都是使的电动车,你们却叫我踩这种破人力车。"

　　张可喜冷冷地说:"你是不是不想要了? 不要了就还给我。"然后他伸过手去;

"把车钥匙给我。"

张吉祥惊异地看着他,接着又笑嘻嘻地说:"你当真了?我是跟你说着玩的。"

"把钥匙给我。"张可喜重复说,"反正闲着也是闲着,白天你来使,晚上归我用。"

张吉祥拊掌笑着说:"这办法好,晚上归你骑……只是这车已归我了,你赚的钱得付我租金。"

张可喜白了他一眼说:"你先把买车的钱付清。"他从张吉祥手里拿了车钥匙出了门。张吉祥追到门边叮嘱说:"你别把车给我弄坏了,我还得靠它赚电动车呢。"

张可喜没再理会他,他弯腰打开三轮车锁,推着三轮车出了院门。一条黑乎乎的煤渣路从菜地中央通过,他跨上三轮车,将腰立直了,又猛然将身子弓下去。三轮车驶上煤渣路,转眼融进了无边无际的夜色。

LINYUEZHONG

林苑中

■ **林苑中**，男，本名张华，1974 年 10 月出生。南京师范大学中文系毕业。现任教于江苏扬州教育学院（高邮校区）。大学时代开始写诗和小说。2000 年起陆续在《山花》《收获》《芙蓉》《钟山》以及《今天》等刊物发表小说。另有作品入选《70 后诗人诗选》《2000 中国诗年选》《诗选刊》和《小说选刊》《中华文学选刊》等多种选本。为"七十年代后出生"诗人、小说家之一。

铁 皮 鼠

林苑中

不紧不忙。
在远处另外一个人
在深挖下去。
只看见兄弟的汗在闪光。
他在继续，
他还在继续。

——《颓丧》

　　她下床的响动很轻微，尽管如此我还是被席梦思柔软的弹力弄醒了，我睁开了眼睛。室内的光线很暗，她团在东南角那儿。然后我听见一阵清脆的声音，尿水声在痰盂光滑的瓷壁上显得集中而又漫漶。我不得不再次合上眼睛，我不想让她知道我没有睡深下去。要知道，这些日子她为我的失眠想尽了办法。读故事催眠，中药调理和心理暗示，还有一些民间的偏方都一一地试过了，效果却差强人意。前几天我在看一本关于气功方面的书，我试图用气功来调理自己，很显然我哪一根任脉里被什么物质淤塞住了，然而我总是定不下心来。脑子里总是一团乱麻，纷纷纭纭使我几乎对生活丧失了信心。我睡前读一节书的习惯也被抛却了，我感到我和若英的睡前温存也变得有点机械了，胳膊大腿像是交叉在一起的废铁。然而这一切都没有难住若英，她还是那样，尤其在对待我的问题上她固执得有点可爱，日常生活中的其他事情就不必说了，譬如烧饭洗衣什么的，依赖于她的贤惠，勤劳，还有天生的一种母性的力量使得这一切都很流畅,像流水一样,只是到了晚上的时光,水流便淤积在了闸口。今天晚上若英还试图读一段故事帮我催眠,她那么认真地读着,灯光照着露出一节的耳朵,白白的,仿佛山岩上的木耳。她的脸明显的有点瘦削了,读着的时候,她的脸颊和着嘴唇的运动,那么细致不凡。当时我感到自己的体内某一深处涌上了一股难以名状的东西,像一股潮水那样呛住了我的嗓子,其实每当若英把她的那只柔嫩的手伸到我干瘪的胸脯上的时候,我总是差一点就要哭出声来。我多少次假设如果我的生活中没有若英,那真是难以想象。我或许就会像那个铁皮鼠一样,早就松下了发条。说到铁皮鼠,那还是我昨天傍晚时分,和若英沿着富达小区的马路散步的时候在路边的地摊上买的。当时买的人很多,据那个黑脸的徐州人介绍说,这是最新的玩具产品,在各地都很畅销。重要的是价廉物美,这一点无疑对我来说是很重要的,如果很贵的话我不可能去买的,我正是听见那个徐州人嘴里不停地说着五块钱一个五块钱一个才决定去买回一个的。徐州人不停地吆喝着,他的脚下正是那些小铁皮鼠。铁皮鼠显得机灵可爱,聚集在大家的脚边。有人嘴里念叨着一些诸如豆豆,或者甜甜之类的名字,然后躬腰抓上手一只,那显然是一些孩子的名字。我也弯下身去,我相信旁边的人一定也以为我这个老头是疼爱孙子或者孙女了。事实上,我是为自己买的。我就是喜欢它在黄昏的地面上的那机灵样。

若英站起身来,她全身的剪影在依稀的黑暗中显得那么美,她凹凸有致,全身的线条还有一种活泼泼的韧劲,总之她美极了,在黑色中的衬影还有点性感。如果眼前的黑暗中永远一片空白,黑糊糊的没有一个人影,我同样也不敢相信。若英走了过来,她轻轻地坐上了床,然后在我的身边躺了下来。她的发丝很柔软,上面还沾有淡淡的洗发水的香味,它们散乱在枕头上,其中一绺横落在我的臂弯上,我能感觉到那里传送出来的一阵清凉。我依然没有动,我要让她相信这个时候我已经进入了梦乡。我甚至试图用模糊不清的语调念着她的名字,若英若英,她肯定以为我在说梦话了。事实上我这样做旨在安慰她,这可是个好兆头,她昨天还说好长时间听不见我的梦话了,很显然在我们以往的生活中,我的梦话已经成为夜晚生活的一部分了。有的时候她就是根据我有没有说梦话来判断我是真的还是假的睡着了,这个问题困扰着我们的生活由来已久。我承认我的失眠是因为我的焦虑而起的,在每天上床前到深夜两点之间,那么一段漫长的时光里我始终被纷乱的思绪所搅扰,一刻也不安宁。它衍生出各种各样的可能性,其中不乏真实而无聊的东西。我继续又嗫嚅了一句,我自己都无法辨清,这声音更加含混,夹杂着自己浓重的鼻音。我似乎看见若英在枕头上露出了欣慰的笑容,渐渐的,我听见若英的鼾声,这鼾声愈来愈均匀,愈来愈细柔,显然,她已放下心来,墙上的电子石英钟秒针的跑动声盖过了若英的呼吸,我稍稍勾一勾眼睛就能看到钟面上的液晶显示。已经两点钟了。通常我都是在两点钟之后疲惫而入梦的,那种感觉好像两点钟后你人消失了一样。

十五年前和若英的那张照片还挂在那边的墙上,这是我几十年来熟知无比的事物之一。我可以回忆起其中任何一个细节,譬如镜框上的色彩,尺寸,还有钉子旁边那一个芝麻粒大的斑点。她抿住嘴,似乎像想控制住嘴里的笑声,她的眼角里闪着一丝机敏,她的鼻梁很高挺,鼻翼两侧的面部平坦而又细腻,整个脸上的表情似乎刚刚从一阵喜悦中平静下来。照片是在汇嘉路上的一家叫罗马的照相馆拍的,十五年前这家照相馆的照相术很精湛,很多人都来拍照。那时候透过照相馆的玻璃窗看见里面的底厅人影憧憧,人们试穿着各种各样的衣服,像一个舞台。几年前,这家老字号照相馆迁到了府城路上,我似乎看见过这个乔迁启事。后来在原来的位置上竖起了一栋写字楼,似乎还不到几年,这一切又荡然无存了,再次呈现出一片废墟。昨天我们不知不觉中散步到那儿,我们站在路牙上,回忆十五年前的情形,我和若英总被彼此的回忆打断。十五年前的那个夏天,我和若英走进了照相馆的大门,事实上通往那道有点巴罗克风格的大门的道路并不平坦,我们遭遇了很多人的非议,甚至责骂。为此我的一双儿女嚷着要和我断绝关系。他们反对我和若英的特殊结合,这种特殊性并不是在摄影师让我们坐在那条红凳上开始的,而是从我和若英的第一次见面就开始了。我至今还记得,摄影师短暂的诧异之色,不过很快就机敏地掩饰过去了,我听见他对若英说,那位女同志你将头往这边靠一点,紧一点,哎,笑一笑。好啦。那天我仿佛又回到了二十岁,和若英一样大,看见幸福猛地一闪。事实上当时的我已经四十三岁了。当时的若英看上去比她的年龄还要小,她梳着个童发头,样子看上去顶多十七八岁。很显然她有点激动,她告诉我那是她第一次照相,她脸上的活泼的色彩,还有衣领口的脖子一阵绯红,令人难以忘怀。

我们站在路牙上,天刚下过雨,空气里有一股浓烈的鱼腥味。若英站在我的身边,我的手一直被她揣在手心里,搅拌机在我们的脚边不远,机壳上的凹陷里储存着雨水,雨水底部可以看到一丝淡红的锈色,很显然工地已经好几天没有开工了,天气的炎热和时而忽至的暴雨影响了它的进程。一个民工正在搅拌机和一堆红砖的空当间的窝棚里睡觉,只看见他的一截脚露在了外面,上面还有些许黑色的泥污。知了在浓郁的树影里叫着,人们正在不远处的站台下等车,知了和人们一样不知疲倦。

我们每天的散步没有方向性,总是兴之所至。路途也不论远近,只要我感到腿累了,总能以一辆公交车为终点。这一点若英总能看得出来,即使我的脸色和嘴上不表示什么,她总能看得出来,她好像是我体力的一部分,她甚至总能使我来到一个站台边上,有时候歇在途中,她马上就给我鼓劲。我知道她现在对这个城市的了解远远超过了我,她知道在哪儿有什么车,几路车,在什么地方可以转到哪路车,往什么地方去应该乘哪路车,说她对此了如指掌一点也不为过。而现在我的脑海里连几个熟知的站牌都在摇摇欲坠,当然这令我沮丧不已。现在的局面是我慢慢地衰老,而她正蓬勃向上。一个向上,一个向下,这两种方向的截然不同和交错是我真正的烦恼,但是我也知道我对此无可奈何。我的焦虑是不是由此而产生的呢? 若英翻了一个身,她将身体向那边侧了过去。随后不久,我又胡思乱想了一通,我甚至感到了头痛,好在伴着自己的谴责然后就睡着了,我大概是想不动了。

每天的早晨几乎差不多,阳光从那边的窗户上折射过来照在那个玻璃杯上,玻璃杯里还残存着水,那是我昨天晚上临上床前服用药片用的。我的心脏这些天出现了房颤,前两天我去过医院了,医生告诉我要注意控制自己的情绪,不能大喜大悲,起起落落,说心脏已经玩不起这个游戏了。医生跟我的岁数差不多,或许比我大一点也有可能,他的脸上已经有老年斑了,我似乎还没有这个迹象。这让我有点乐观。医生边在处方上写字边说,房事要禁止,至少要少了。医生的表情有点滑稽,他好像知道我在这个年龄还乐于房事一样,其实早已力不从心了。事实上我感觉到他的话里还有一些调侃的玩笑成分,他递过处方的时候嘴角还笑着,似乎老年人彼此心照不宣的那样。空气里的光线愈来愈满,愈来愈亮,不用看钟我已经知道现在差不多快十点钟了。

若英在厨房里忙着呢,厨房里传来器皿的声音,那么细微而柔和,我感到一阵嘴干。我开始靠在床上等若英将牛奶送过来,这几乎是一种习惯了。在那小段等待的时间里我总是回味着一些梦,有的时候能够回味半天,碰到这种时候还算幸运,还能够记起梦中的情形。其实更多的时候是脑海里只有一丝半缕,模糊不堪,譬如昨天早上就是这样,我依稀记得梦中出现小婵和她妈妈,小婵是我的女儿,事实上她已经年近三十了,可是我的梦中模模糊糊的是小婵小时候的样子,她妈妈挽着她的手站在一棵香樟树下。小婵不停地哭着,我还梦见了池塘,水绿汪汪的,上面漂满了浮萍。浮萍簇拥着我妹妹的尸体,我妹妹要在的话她也该四十好几了。她比我小十七岁,事实上她出生在我的三伯父家,她和我的兄妹的关系其中隐含着我们家族的一段鲜为人知的历史。这要从我的父亲说起。我的父亲出生于一九二一年七月二十三日,有点历史知识的人都知道这一天是什么日子。他在襁褓里的时候就感受到了家庭中的革命气息,奇怪的是后来我的父亲并没走上革命道路,他在家排行老五,曾经是南京国立大学学生,早早就受到了当时新思潮运动的影响,有点叛逆,如果当时他的叛逆表现在上街游行和演讲集会上,那无可争议,那个时候大部分人都是这么干的。事情发生在一九四三年的一个夏夜。他疯狂地爱上了我三伯父后续的小老婆,那女人姓李单字菜。我曾经见过她的相片,虽然早已泛黄,但仍可以看出她的妖艳和妩媚,与旧上海月份牌上的女郎不相上下。三伯父后来死于一场痨病,后来他们的韵事在我们的家庭里几乎是一个公开的秘密,甚至一些亲戚邻居都已风闻。尽管那个时候我的父亲已经结婚了,并且已经生下了我。我母亲是那种忍气吞声的标准的家庭妇女,她几乎任着我父亲的性子。而菜后来不明失踪,我也曾经问过我的父亲,他含糊其词,或者王顾左右而言他。根据我的推测大概是在将近一九六〇年的时候,那是三伯父死于痨病不久,菜给三伯父留下了一个女孩,事实上谁都知道,包括我三伯父本人,假使他在的话,那是我父亲的骨肉。

菜的失踪其实和一个来自扬州戏班子里的一个戏子有关。虽都是旧事，我的妹妹其实一点也不知道。我妹妹遗传了她妈妈菜的骨相，十八岁的时候她看上去就像菜一样。我父亲感到了一丝慰藉，这填补了我母亲和菜不在身边的遗憾。我母亲是在伯父死后的第二年秋天仙逝的。我现在都有点记不住她的样子了，我对我母亲一直充满同情，她自到我们家来后几乎一直默默无闻。后来妹妹死了，我父亲也没有活几天就跟着去了。妹妹的死是在"文化大革命"的时候，她是在一次大抄家回来的路上失足落水而死的。其实我很怀疑，我到那个池塘去看过，那是在罗城大学的校园里，水面并不很宽，但是有一定的深度。尽管妹妹回家要途经此地，但关键的是妹妹没有必要弯进去。也就是说那里的环境不足以导致她无意中的落水。妹妹的死几乎是一个谜，究竟是怎么死的只有她自己知道。

　　若英将牛奶端过来了，白白的液体在我眼前荡漾着，她穿着一件纯棉睡衣，睡衣看上去很旧了，包裹着她饱满的身体。刚才折射在杯子上的光线现在射到了她的身上，可以看见睡衣上的细小花纹里面她光光的腿影。脚上拖着的拖鞋里露出了她的脚趾，她的脚踝还是那么性感。若英向我笑了笑，点了点下巴。我专注于她下巴的轮廓，看着时光一天一天地收缩它的弧度。我记得她婚后的下巴是稍稍有点丰腴，而现在已然尖削。若英将那只银柄汤匙在杯子里搅了搅，以示要我从一片恍惚中回来。我向她笑了笑，但是我知道我笑得有点惨淡，还有点勉强。我不知道我该怎么去做，在以前我从来不会意识到笑会在我的生活中是一个难题，它如花朵一样自由，收放自如。笑像是一个正常运转的齿轮忽然间涩住了，其实它是我的生活的一个象征性表情。我已经想不起来具体的时日，空气中的干结和冰封，但是我很清楚它来自一个夏天的夜晚。哪年哪月哪日显然已经并不重要，重要的是那个夜晚。我记得我们像往常一样洗浴后上了床，一点征兆和迹象也没有，我当时还十分的兴致勃勃，房间里只亮着一盏小灯，灯光隐隐约约，可以看见若英柔嫩弹性的身体。若英在席子上摊开了身体，很长时间我没有反应，我一下子不知所措，脸色通红，我想是这样，像害羞的孩子。若英还帮了我，仍然没有用。躺下后，一直睡不着。大概失眠就从此开始的。记得那天我翻来覆去，犹如一块热锅上的烙饼。我的心情糟糕至极，夜里若英一直蜷缩在一边，像一块孤立的岩石。

　　若英用汤匙敲了敲杯沿,她经常这样,汤匙在杯沿上的声音清脆悦耳,这几乎是早晨的晨曲。白色的液体在里面晃动着,嗨,小老头,想什么呢? 若英经常这样,她的语音里还夹杂着远郊乡下的口音。她喜欢这样称呼我,事实上,我已经年过半百,名副其实老头。但是若英的语调里却包含着另一层意思,我想它包括甜美,戏谑,和对我的依赖。想什么呢? 若英歪过头,她的脸上显得恬静,事实上她知道我这个时候常为梦境困扰,因此她故意摆出一副明知故问的表情,像是使我明白她并没有对生活丧失信心,她依然是那么天真,烂漫,她还是十五年前的那个初次进城的乡下姑娘,对生活的热爱和憧憬并没有离开她。那个时候,若英比现在要瘦小点,但很机灵,我清晰地记得她第一次站在厂门口的情形,她穿着尽管平常,甚至红绿搭配不太合适,但是门口一站她显得很耀眼。她说她第一次进城,第一次看见这么多的楼,这么多的人。直到她坐在我的厂长办公室里她还是那么惊奇,喋喋不休,她说她已经十八岁了。她急切地报给我她的年龄,意思是我已经满足了你们的条件。就这样,她成了新招的十个印刷工中的一个。我当时负责好几个厂,事务繁多,几乎很少拢家边,我对李芸和小婵母女是有愧的。那个时候忙忙碌碌,现在想来也依稀记得一些,像梦里一样。李芸死于一九八九年的冬天,她死于心肌梗塞,还有脑溢血。孩子们说是被我气死的,我也无法狡辩,也没有理由狡辩,李芸是一个不错的女人,如果她不死,其实我还会待在她的身边。即使我和若英当时好了已经有一年多一点了,那个时候我是没有奢望能跟若英在一起过下半辈子的。我和若英八八年吧,其实我当时忙得都已经忘记了八五年罗城第二印刷厂门口那个害羞的乡下姑娘了。那个时候人正忙,当然跟现在的情形是无法比的,也没有可比性。那时候我已经在总部上班,印刷厂的事务被一个姓赖的管了。好像是夏天,我去印刷厂看看,好像缘于一本书,这本书是谁写的记不清楚了,在我们厂里印的。我当时很感兴趣,其实我在印刷厂期间就在车间读过不少书。一天下午我来到印刷厂,印刷厂里机器轰隆隆的,那轰鸣声是我再熟悉不过的声音了。有几个人在机床跟前忙碌着,若英是忽然间站到我的面前的,当时我一下子还想不出来她是谁。若英的变化很大,一点也没有厂门口的那种小巧的样子了,她用胳膊弯拭了拭头上的汗,问我还认不认识她。我看了半天,没有想出来,后来若英还模仿过我当时摇头的样子,惹得我禁不住开怀大笑。若英告诉我她的名字时还是三年前的那天在厂门口的神情,当然这么一提醒我就想起来了。若英当时的样子让人不由自主地心跳,她穿着一件白色的衬衫,膀弯上套着藏蓝色护袖,护袖已经潮湿了,很显然那是她一次又一次揩的汗。白衬衫已经完全湿透了,可以看见她的乳罩还有没有罩着的肉。她比三年前那天下午的那个姑娘要丰满多了,她的声音也比以前丰润了,她跟我说了好长时间的话,眼神里充满了感激之情。她的脸本来就很标致,只是现在红是红白是白的更加好看了,总之我第一次看见有女人味的若英是在那个下午,她像是生在印刷厂的厂房光线里。后来我去的次数莫名的多了起来,和若英的关系是慢慢地变得微妙起来的。那一层微妙关系是很有意思的,我去那儿的借口多是找点东西看看,事实上早已神不守舍。那个时候我已经是四十来岁了吧,而若英二十还不到,几乎和我女儿小婵差不多大。若英第一次给我的时候,她说仅仅是为了报答我。其实当时我还是吓坏了,尽管自己不能自持,我吓坏的原因是我和若英仅仅是一次肉体关系,里面没有我想象的爱意,当然也没有若英想象的爱意。这显然有悖于我的初衷,事实上,我和若英在机房的时候是感受到恋爱的甜美的,那种感觉仿佛使我又回到了妙龄时代。而若英的话一下子击溃了它。我当时看着她汗津津的身体竟然不知所措,我感到自己玷污了她,同时也玷污了自己。以后我就很少去了,我不想将自己和若英的关系沦到赤裸裸的交易的境地,好像那天下午我收下那个瘦小的乡下姑娘就是为了有一天在机房的值班室里那张龌龊的床铺上睡了她。尽管如此,我和若英隐秘的性事还是传了开来,纸总是包不住火的。我开始隐隐地为她担心起来,她的生活刚刚开始,这样对她显然不太公平。事情是慢慢地平息的,时间长了,深仇大恨都会淡忘,若英的生活轨道仿佛正常了。而我不得不为此付出了代价,小婵不理我,整月整月地不跟我说话,李芸那会还没有去呢,但是已经病在床上了。小鸣这时候也将近十五岁了。小鸣是一九七五年出生,几乎比小婵小五岁。说到小鸣他几乎是我从李芸肚子里抠出来的。开始的时候,我看李芸的身子弱,当年生小婵的时候受了不少罪,大出血,脚先出来难产,后来费了不少周折剖了腹,那个时候还没有这么兴剖腹产。现在动不动,两个阵子不来就来一刀。那个时候剖腹就算是比较危急的情况了。李芸大概是伤了元气身子骨就差了。起初的时候，我也没有想过再要一个，有个可爱的小婵，天下万个孩儿都不换的小家伙就够了。我也知足了，可是李芸一直心里盘算，并且咬着牙说，说什么也得生个带把子的，李芸心高气远，开始的时候完全是她的心愿，后来慢慢地好像是我的心愿了，日子久了，才知道自己心里终究一丝不甘。后来果真就生了下来，那就是小鸣。按照她的话说她是争了一口气了，下去见老太爷也不会直不起腰来了。总之我开始精心地服侍李芸一直到她冬天病逝。李芸去世那天晚上的话一直在我的耳朵里回旋着，她是在医院里死的。我后来将那些话告诉若英，若英开始不敢相信，然后就哭了。她和李芸没有见过面，双方都是听说过对方，仅此而已。若英当时伏在我的膝盖上像一只猫一样，我记不清是哪一天了，我们竟然谈得那么久远，那么深情。那天我几乎眼睛都潮了。李芸死后第二年春上，若英就跟我吃住在一起了，之后我们很快就领了结婚证，还去了照相馆。小婵跟小鸣姐弟俩到现在都没有原谅我，他们认为妈妈尸骨未寒爸爸就另有新欢的事实，他们无法接受。事实上他们不知道这正是他们妈妈的选择。李芸临死前就这么说的，她要我答应照顾好一对儿女，若英进门后不能亏待孩子。其实我哪能呢，自己的骨肉疼都来不及的，再说若英也不是那种人。我至今都无法明白李芸为什么那么肯定若英必将进门的事实，她死死地拽住我的手要我答应。我只得含泪点头。可是她不知道今天的结果，我不得不另外觅屋居住，以前的房子给他们姐弟俩了。我现在居住在一条小巷里，这条小巷离我们家本来的宅院不远，我可以经常散步去那儿玩玩，那里已经改成了市政府招待所了。招待所天天人来人往，我经常从那里经过的时候看见里面觥筹交错，吆喝声声，总会唤起我童年的记忆，眼前的人和景总是让我置身在幻境之中，我仿佛看见我的父母，我的妹妹，还有那个叫菜的女人。每每从那返回我总是心上怅然，心中的悲痛像一块块冰，我不止想到了李芸，我的儿女，还忆起我们的家族史，总之我想得很多很多，它们交错在一起，*丝丝缕缕*。若英后来干脆不让我去那儿了，她觉得人应该向前走，不要坠进过去的泥沼中。若英几乎慢慢地掌握住了我的日常起居，她在很多细微的方面体现出了她惊人的耐力。她总是那么一贯的机灵，细致入微深得我心。

　　若英起初的时候有过两三个对象,那是别人帮她介绍的。那段时间正是我回避的时候,我的心思当时放在李芸的身上,她病得那么厉害,使我无法分心,厂子里还有一烂摊子事。若英谈对象我也耳闻了,说实话我当然希望她找个好人家,我这样的想法当然缘于她那天在机房里和值班室里所说的那番话。后来我还问了若英当时她怎么会说什么报答呀之类的话呢,若英对此似乎保持缄默,她当时也不相信自己献出自己年轻的肉体究竟是出于什么目的。她当时仅仅是嘴上脱口而出的一句话。你难道还为一句话耿耿于怀吗? 我现在不是实实在在地属于你了。然后她便会想办法逗我笑起来,事实上我只是责怪她破坏了当时的爱意,那属于两个人的爱意。我很怀念那种感觉,那天晚上值班室内点着蚊香,窗户外面虫子叫得很欢,屋子里静静的,只有那张床轻微的有节奏的声音。像一种寂寞的弹奏,我很怀念那晚的气息,纯纯的,软软的。不仅如此,我还很怀念若英那天晚上汗津津的身体,她那么完美,酣畅,弯曲在床上。有时候我会情不自禁地跟她说这些,若英总是面若桃花,其实若英羞涩的时候更加可爱。若英谈对象的时候,我还经常想起她的脸,这使我痛苦万分。好在那个时候我忙得很,闲暇的时候毕竟有限,总之我不愿意去回忆那段时光,我在内心里将另一个我封闭了起来,只是我的耳朵里经常回荡着若英生活的消息。若英的第一个对象是棉麻厂的工人,姓圣,这是个比较少见的姓氏。他们两人谈了一阵,后来就不谈了,后来若英说过,那个姓圣的是一个不错的人,她是指那个人的用情专一,他事实上已经和一个姑娘谈了一年半载了,感情很好,可是对方的父母就是不同意这门亲事,嫌人家穷。有个好姑娘的人家都这样,嫌贫爱富。那个时候也的确如此,男女好上了,父母是第一道关口。这一关过不了,下面的关就甭谈了。姓圣的工人技术再好,再技术标兵,再生产先进个人也没能挽回那个姑娘父母的心。后来这对情侣双双投河自杀,以死殉情了。当时我也听说了南门闸一对溺水的男女,说是至死都紧紧地抱在一起掰都掰不开。那时候也不知道他就是和若英谈了两三天恋爱的那个工人。若英那天说,她和姓圣的谈了两三天恋爱的内容就是逛了逛马路,听他不停地讲他的爱情故事,若英说她自己都被感动哭了。在现在看来,当时姓圣的就想找个人倾诉倾诉而已,而不是找一个真正的对象。姓圣的被打捞上来的时候,很多人去南门水闸看热闹。若英说她自己没有去,在自己的宿舍里大哭了一场,就是感动。一对人为爱去死,钱呀什么的算什么东西呢,这是她有感而发。因为当时有人说若英靠上我就是为了我的两个钱,其实那大嚼舌头的人想多了也想错了。若英第二个对象是人民医院里的,给他们牵线搭桥的还是那个热心人,热心人做姑娘的时候是她们村里一个庄上的,几乎看着若英长大的。这个人嫁到城里。若英进城后,开始也没有遇到她,她们是在偶然中相遇的,好像是在菜市场,从说话的口音听出来的。然后两人就攀谈了起来,时间大概就在我们的事情沸沸扬扬的之后吧,后来两个人就亲近了起来。若英是盛情难却下答应和医院的人见面的,见面的地点是新华书店的门口,约定男方手里拿着一份报纸,而若英则围着一条花格围巾。那时候是初冬了,其时若英已经听说了李芸病重的消息,她本不打算赴约,可是那位老乡摆出一副做媒不成誓不罢休的架势。如果和人民医院的那个不成的话,她还将给她介绍另外一个,反正好的手上存货多。就这样,若英去了,男方比她整整提前了一刻钟,他站在风里,手里的报纸卷成了一个筒,他们见面的情形和八十年代的电影场景如出一辙。小伙子长相非常好,皮肤白个儿高模子正。若英说她第一眼差一点就动了心了。我当时问她就怎么黄了呢? 她说那个小伙子有狐臭,站在远处第一眼不错,可是越来越近,味儿越来越重,开始的时候若英还以为是他擦了香水儿。男的是麻醉师,还挺健谈,边走边讲一些医院里的故事给她听,若英说她那天从那麻醉师说话的口气上得来的印象是,麻醉是一项伟大的事业,人类的神经中枢就控制在他们的手里,似乎只要他们愿意谁谁就会浑身无觉,不痛不痒不哭不闹。若英只得随声附和着,当时还在不得已情形下进入了电影院。当时人们将进电影院几乎看成一种恋爱的十有八成的标志,因此这给麻醉师造成了一个印象:他一个麻醉师配一个来自乡下的姑娘绰绰有余。他们当时正好路过那儿,似乎是顺理成章,而在若英看来几乎是设计好的,包括他的说话口气,逛马路的路线等等。麻醉师从头至尾显得十分有信心,这让若英不太舒服,这是一个男人膨胀得不知所以的信心。电影是一个流行的片子,很感人,若英在黑暗的电影院座椅上禁不住流下了泪,这一点上她从不掩饰自己,稍稍感人的东西就能打动她。好在一走出电影院看见阳光满地的时候,那种感动就消失了。她感到自己莫名的一阵轻松感,或许是因为电影里的悲情没有发生在自己身上的缘故吧。如果不是麻醉师显然预设好的路线中两人来到了医院门口的话,若英和我的相见至少是遥遥无期的,迷茫难测的。那天,麻醉师打算让她参观一下他的办公室和他的宿舍,而若英对此一点兴趣也没有,只是她不愿意破坏对方的兴致,在整个过程中她始终是小心翼翼,一点也没有暴露自己对对方的厌烦情绪,只是他身上的那种古怪的味道使她难以忍受。我看见若英穿着一件红色的滑雪衫,还有花格围巾,她的身旁便是那个小伙子,在和我的视线一接触的刹那,若英便低下头去,很显然她知道我为什么走在医院的甬道上。而我对她为何来医院则一无所知,我还妄加猜测了一番。我当时正去锅炉房冲水,手里拎着红壳水瓶。有那么短暂的一瞬好像一根木头一样愣在那里,这个形容还是后来出自若英的嘴,我也乐于承认这点。当时我冲完水回来一直都没有缓过神来,我显然被忽然而至的事实怔住了。若英说她后来,也就是和麻醉师约会的第二天还打算去看看李芸,可是又有顾虑就放弃了这个念头。若英短暂的两次恋爱都是以失败告终,她的那位老乡真是古道热肠,在她搬进我这儿来的前一天里她还要若英去约会,毫无疑问她又为她物色了一个。

我开始端起杯子喝牛奶,若英过来坐在床沿上用手摸了摸我的脸,我的脸显得很粗糙,她的手是那么的细腻柔滑。她几乎看着我的喉结像一个开关上下跳动着,她的眼神里含着笑意。喝完牛奶后我开始刷牙,洗脸,然后上街溜达。一天的生活从早晨的时光里就可以窥见它的单一,机械。只是在街上我可能才会遭遇各种各样的可能性,譬如遇见一个熟人,街头卖艺,乞丐,街头游行,市政府门前喧闹的人群等等。铁皮鼠的偶然出现在我们的生活中也是各种可能性中的一个。现在这些可能性铸就的事物已经很多了,多半是我兴致所至的产物,除了铁皮鼠外,还有一只鹦鹉,现已经死去数月,还有一盆宝石花,一盆水仙,一幅板桥先生的字画,尽管是复制的赝品,但是我仍然喜爱,事实上在我的眼里那些东西没有真假之分,只有刹那间喜欢上与否这层区别。喜爱所及的领域不仅仅有可指可触的实物,其实还包括有动作行为,譬如若英每天给我搁在漱嘴缸上的牙刷,上面挤好了牙膏,譬如若英和我行房事时的害羞的情形,若英委屈流泪的样子等等,只要你细微地观察,身边的事实总会使你怦然心动的。若英仿佛又返回到了她的忙碌中,这些天来她的裁剪技术得到了一些用户的承认,若英是去年才开始学的,而且是跟书上自学的,就像有人照着食谱炒菜一样。事实上就是因为说起我的一个朋友老伴去世后照搬菜谱的事情启发了她。若英说光靠我的退休金显然是不行的,企业现在流行搞买断,一点点钱就将人打发了。若英似乎对此毫无怨言,她也乐于离厂回家,按照她的话说她已经厌倦了那些机器的轰鸣声。她说她应该学会一门手艺,为此她筹划了很长时间,总是想不出哪样适合自己,搞缝纫几乎是她的一个灵感,我清楚地记得那天她从床上霍地坐了起来,说了一声有了。缝纫裁剪于她不是件难事,再说占地面积不大,低成本稳收入。于是她就偷偷买了裁剪方面的书。若英用她的聪明很快就学会了这门技术,她开始的时候还裁剪大人的服装,后来全部改做儿童的了。愈来愈多的人对她的裁剪技术赞不绝口。现在每天午饭后就有很多人纷至沓来,靠近卧室的房间里挂满了五颜六色的布匹,和成品小衣褂。从那些各式各样的小衣小裤上你才能真正地感觉到世界一天一个样,才能嗅到生的气息。我已经熟识了那把黑头大剪在桌面上哨啮而进的声音了,它让我相信生活一直在持续,就像那把剪刀一直不停地剪下去。声音是那么清脆,若英的背影看上去是那么专注,她坐在高脚凳上,白皙的脚踝部位支在木凳的横木背后,性感而诱人。她的臀部依然很浑圆,若英告诉我她家族的女人大都是这样的屁股,其言下之意是这样的女人能生育。而现在我对这个话题则格外小心翼翼,因为稍不注意就会伤害到若英,其实若英和我都无法忘怀那个惨淡的下午,一想起来就钻心地痛。那是一九九二年,若英执意要一个孩子,她说有了孩子的女人才是完整的,这也不知道是谁的理论。在这件事上我见到若英异常固执的一面,这给我的印象异常深刻。或许当时我的态度是显得无所谓了点,记得若英总是默不作声,与我较着劲儿。我二十七岁时当上了父亲,小婵使我感受到了做父亲的快乐。那种幸福感是永远忘不了的。后来小鸣的出生使我心惊胆战,至今想来仍心有余悸,与其说小鸣是他妈妈李芸执意生育的结果,还不如说是医生在手术刀的帮助下从李芸的子宫里抠出来的。我想若英提出要一个孩子时我表现出来的其实不是无所谓,而是一种莫名的玄虚和恐慌。当然最后我答应了若英,我不想若英在我的房间里成为虚无,没有笑声,没有呼吸,没有交谈,没有热烈的温存,这些我无法忍受。孩子很顺利地着了温床,在里面孜孜地生长着。这年我已年近半百,从没有想过我在这个年岁上成为一个老爸爸。其实自从小婵他们姐弟俩搬离后,我的心中就多了一片荒漠。高脚凳是我从原来的房子里带出来的物件之一,那上面曾经坐过小婵,小鸣,一看到它我就会想起他们天真的笑声,和在房间里嬉戏的情形。事实上,我经常对着这张高脚凳想象着一个突如其来而又在预料中的声音,喊我一声爸爸。我经常被自己的想象所打动,暗暗地流下激动的眼泪,其实我比若英更需要一个孩子。我们讨论着为孩子起名,想象着孩子出生后的情形,若英比我更加热衷于对往后生活的想象。她几乎陶醉了,手抚摸着自己的肚皮的样子令我无法忘怀,那个时候在我们的意识里,孩子几乎像树上的果实一样显得垂手可得。一天下午,就是我们不愿意回顾的那个惨淡的下午,我和若英走进了妇产医院,她将开始又一次的例行检查。其实这个时候已经在围保期了,可是检查的结果是胎心停止了,孩子在若英的肚子里被判了死刑。尽管如检验报告书上所呈示的,那仅仅是一块 25×25 厘米的肉团,我们还是吓坏了,若英当时差一点昏厥过去,她右手支撑住了那个冰冷的桌角,她的目光显得呆滞了。我也不知所措,我记得检查的那位女医生看上去年过四十的样子,她显然见惯不惊,只是轻描淡写地看了看脸色苍白的若英,也异常轻描淡写地说,你还年轻,可以再要一个,不迟的,现在就要赶紧打掉,否则影响下次的怀孕。医院里的走廊显得很昏暗,我被另一个医生阻拦在一道蓝色布窗外,布帘上污迹斑斑。然后我听见里面若英痛苦的尖叫声。又过了一阵若英才踉踉跄跄地过来了,她几乎连掀开布帘的力气都没有了。她伏在我的肩上,我们坐在医院底厅的那长椅上不知过了多长时间,像一辈子似的长。若英才缓缓地说,我们回去吧。按照医生的要求,刮过宫后必须一年之后才能要孩子。在这个一年间,若英几乎是修复着自己,若英在这一年中的变化也最显著,她原来的十分的快乐就因此减削了七分,事实上我也感觉到她的另外三分快乐也是显得有些勉强。一年几乎是在苦熬,三百六十五天使我几乎过完了整个一生。第二年春上我们又有了孩子,若英也仿佛回到了生活之中,鲜活活的阳光把若英照得就像画中洁白而又红晕处处的圣母。一天早晨起来,若英走过客厅进入卧室,然后欣喜无比地对我说,我那个停了。我大大地吁了一口气,然后像一张松了弦的弓软在床上。我们不得不比以前更加小心地呵护,明显地减少了房事,一个月大概只有一次,而且都是采用后臀位。据说这是孕期惟一可靠的性爱方式,我们不想因为那片刻的欢乐,换来无尽的痛苦。我们小心翼翼地生活着。为了迎接若英肚子里的第二个孩子,我们再次为之起名,我为若英买了新的平底布鞋,我还不惜变化花样布置房间,总之在一切细节上营造一种新的氛围,我不愿意那个下午的惨淡日光渗透进来,也不愿意若英那天的苍白无力渗透进来。我们就像第一次要做父亲做母亲那样,那样的心态,那样的快乐。应该说我在那几个月里煞费了苦心。但无论如何,我感到了欣慰,若英仿佛回到了生活之中,鲜活活的阳光把若英照得就像画中洁白而又红晕处处的圣母一样。这就够了。我们开始静静地等待,孩子在里面像豆粒成长着,在这期间,若英的老母亲上来过一两回,她的父亲在若英三四岁的时候死于一场意外,具体究竟何因,若英自己也搞不清楚,她也不想搞清楚,她父亲在她的眼里只是一个模糊的影子而已。她的老母亲第一次来挎着一个竹篾篮子,篮子里装满了鸡蛋,第二次带来了两只老母鸡,无疑这一切都是用来滋补若英身子的。事实上若英家里对我并没有多少异议,相反倒认为若英找到一个当官的已经是天大的福气了。事实上,我算什么官呢,也就是当过几年厂长。在我的内心我从没有为此炫耀过,其实我的家族才是我有时候的冥想中感到骄傲的成分。然而这有什么用呢? 它只存在我的回忆和想象中。就像我们静静等待第二个孩子坠入我们家中的这段时光只能保留在我的脑海里一样,我只有在独自一人的时候去遐想,去品嚼。我们成了医院的常客,我们有时候还会在医院鲜花夹杂的甬道上碰见那个麻醉师,麻醉师的表情看上去总是非常古怪,事实上我知道他也许觉得这不可思议,若英把胳膊套在我的胳膊弯里,第二次遇见的时候那个麻醉师总要绕道行走,似乎我们给他的难堪玷污了他的声誉一样,显然他太过于自以为是,我对这样的人物历来很反感。我想我从单位上早早地下来,其实也包括这一点,现如今自以为是的人愈来愈多了。围保期检查过后,第二个孩子给我们带来了不少快乐,尽管那还仅仅是一个小小的肉团,但我们感觉到这种快乐是实实在在的,没有玄虚的成分,因为围保期检查得很顺利,我们似乎看着若英的肚皮稍稍地弓了一点起来。这段时间我们几乎没有了房事,每次我要的时候,若英总是摆摆肩膀,她说医生交代了,不行。医生的话切切实实地成了她的挡箭牌,盾总是抵御住了矛。孩子在肚里三个月的时候,异常娇嫩,稍不留神就会溜掉。我不让若英做任何事,我几乎承担了一切,尽管如此,不幸的事情还是发生了,若英至今仍为她那一跤懊悔不已。她认为自己在这件事情上不可原谅,医生请我们不要再费心动骨的了,一切都是枉然的,若英那一跤摔得不轻,再加上刮过宫的事实,就再次流了产,医生当时为若英做了详尽的检查后得出结论的,医生认为若英不宜再怀孩子,有了也会掉的,这是那医生的原话,冷冰冰的,显得那么毋庸置疑。她当时差一点为此自杀,她老是不停地说着要是待在床上就好了,待在床上就好了。她的意思是当时如果不下床的话,她的脚就不会踩空,不会踩空就不会摔倒在地,不会摔倒在地就不会流产,不会流产就不存在那句冷冰冰的判决。这可是一个真正的噩梦啊。好在那段时光已经熬了过去,我一看见若英现在的样子,就一点也不愿去回首往事,我甚至有一段时间都不敢看她曾经呆坐过的床沿,仿佛一看就看到了若英失魂落魄的样子。剪刀剪布的声音显得很好听,那里面蕴含了某种难以言传的东西,我想她找到了其中的乐趣。那些小衣小裤无一不投射出若英的智慧,她可以说想尽了法子使衣服的款式和式样新潮,又吻合孩子的童心。她裁剪术显得出人意外,不时有令人感到眼前一亮的那种精彩。下午的时候就会有很多陌生人坐满我家的客厅,甚至有的人还坐进了卧房里,他们无一不是为了孩子的衣服而来。他们夸奖着她的手艺,我相信全城的人都来订过若英做的衣服。我也有理由相信若英是全城童装界首屈一指的裁缝,一年四季她都忙碌个不停,像一架机器开始了良性的运转。与她整天呆坐喃喃自语相比,我当然愿意看见她像一个真正的裁缝那样,比划着尺寸,用彩色粉笔紧挨着尺子滑来滑去。有时候若英会产生一些幻觉,她嘴里念叨着孩子的名字,小冕、小泉。小冕和小泉分别是我们,我和若英的两个未出世的孩子,他们应该相差一岁。她念叨着这件给小泉这一件给小冕,我曾经一度以为若英因为孩子的事不仅仅伤了子宫,还伤了脑子。若英跟我说过,她的确被自己的想象迷惑了,他们仿佛真的存在那样,在她的腿膝间环绕。好在这些不算太正常的情况多发生在晚上,坐在客厅和房间里的陌生人都走了之后,再说她的念叨比较短暂,就像一个人说漏了嘴后的那种情形。若英伤了脑子自然就变成了无稽之谈,若英好端端的使我更加对她怜爱不已。若英的自杀发生在秋天,由于季节的原因,童装的需求逐渐下降,夏天那阵风火劲过去了,这影响了若英的事业心,她感到了一种失意。事实上,这个情况很快就改观了,可是若英还以为自己的想象力和创造力衰竭了。可以说那不过是一个季节换季的间歇而已。她在一天傍晚,用裁剪刀给自己的腕上来了一刀,幸亏她对人的血管组织缺乏了解,她的腕动脉没有切开,但是尽管如此她还是流了不少的血。血将那块长长的铺板染红了,其中一块白色的布匹染成了红色。我那时候正好从外面回来,我记不清楚自己是去散步还是有什么事情。我吓坏了,赶紧送她到医院,她的脸像一张白纸,那几乎是那天傍晚屋内惟一的光亮。我记得若英嗫嚅着说,你看,我没有一点用处了,我要死了。我看着若英的背影,时常会不期而然地谴责自己,我的谴责主要是我从来没有给若英以真正的幸福,打从那次在厂里的机房和值班室开始,一直到现在。现在她的困扰似乎更加严重,我不能好好地和她过性生活,无论从哪一方面讲我都没有给予她满足,至少我是这么认为的。性生活的和谐消失了,取而代之的是粗鲁,沮丧,和柔软。我现在都不敢面对镜子,镜子中的我日渐陌生,似乎离我愈来愈远,愈来愈差强人意。当然我不镜自照也知道自己开始衰老了,这是自然之理,头发里的白发愈来愈多,牙床开始松动,有一次我从梦里梦见啃啮土豆醒来后才知道板牙掉了一颗,现在另一颗板牙也开始摇摇欲坠了。我现在每天吃饭的时候不得不小心翼翼,谨慎行事。脸上也开始有老年斑了,眼袋松弛,颧骨高凸。我每次和若英上街,人们总是误认为我们是一对父女,我们的样子看上去的确愈来愈像。事实上,变化就这年把年开始的,其实我以前不是这么老相的,我的模样要比我的实际年龄小得多,以前似乎有某种支撑,现在一下子消失殆尽,就像一把坏了伞骨的伞那样。若英的蓬勃时常使我倍感矛盾和痛苦,若英总是在枕头边安慰我,可是我终究是一把没有用的伞。我多次鼓励过若英多出去逛逛,多交交朋友,和我老呆在一起,都有老人味了。我的意思是不言而喻的,但是我的好意遭到了若英的拒绝,若英发誓要永远留在我的身边,谁也甭想掠走她,她的肉体和她对我的爱。

若英放下了剪刀,掉头问我,怎么样准备好了吧?我说准备好了。事实上也没有什么可准备的,只是一些日常用品而已。好吧,我就来,剪好这一剪,我就来。她临出门还不忘记手头的活计,可见她对这门手艺的热爱。我们将一起到青城去,票已经订好了。到青城几乎是我暗中策划的,事实上我酝酿已久,从我回家歇着以来还真的没有像样的出一趟远门。这一次出行的确隐含着我的一些目的,自然首先是为若英考虑的。起初我想去一趟首都或者省城,最终选择青城主要是考虑到我年岁已高,来回奔波不易,既要玩到乐处又要考虑到停靠开销,青城自然是首选城市。火车从罗城到青城有两班,上午十点半启程,下午四点钟到达。还有一班是晚上九点钟出发,凌晨四五点钟到站,因为停靠小站时间稍微长一点。我们毫无疑问选择了早班车。车票两天前就定好了,现在放在我的衬衣口袋里。三路车站离我们的小区不远,我们拐过两个街角就可以到了,街上的人很多,有很多人跟我们的行头一样,一两个旅行包,一顶遮阳帽,还有左顾右盼的心情。我们开始等车,巨大的广告牌亮着灯,上面一个几乎半裸的女郎正在吸烟,毫无疑问那是一个香烟广告,女郎玉葱般的手指和涂得血红的嘴唇超过了她的其他部位的吸引力。她的眼神富有挑逗意味,街上的车来人往仿佛尽在她轻佻而自信的掌握中。若英几乎像劫持着我,我感到我的胳膊有点夹痛,可是我不愿割舍这点爱意,我忍受着,看着对面的教堂,圣保罗。我五岁的时候,或许是七八岁吧,曾经和我的父亲去过几次的,里面静穆的气息至今一想起来便环绕我的左右,那次我穿过那些高挺的建筑的阴影,手紧紧抓住我的父亲。我依稀记得我父亲跟我说,每一个人都要来的。当时我不明就里,事实上我现在才稍略领悟到一些什么。罪衍从来没有离开过任何一个人,错过的只是忏悔的机会。我想到了我的十八岁,我在一家叫德全的澡堂的水蓬头下,感受到了一种难以抑制的冲动和惊慌,我不由自主地笑了起来,若英站在我的旁边或许看见了我脸上表情的微妙变化。圣保罗的轮廓还是过去印象中的那样,只是碧绿的树丛中又有几个崭新的尖顶,除了神学院的学生,还有更多的人进进出出。公交车在密匝的浓阴中托着电辫子过来了,车门咣当一声开了,然后响起自动售票机里一串机械的话音。无论怎么样,我其实怀念那个脸上涂得很厚的女售票员,她们操着地方普通话,手指间夹着一条条折叠着的人民币,人民币上面沾着甜蜜的吐沫和肮脏的油墨。其实在更多的时候我生活在我内心的那个城市里。我慢慢地坐了下来,若英等我坐好后,她才坐下来。车上的人还不是很多,三路车的终点因为是火车站,因此大部分人都是挎着行李,随时都准备上车的架势,他们都紧紧地拽住自己的包袋。窗外明媚的阳光中闪过无数大大小小花花绿绿的广告牌,车子行驶得很缓慢。更多的人塞了进来,慢慢地过道上一个一个地填满了,若英在我旁边,几乎在我的肩上,说幸亏没有从鲇四站上,事实上我们开始就准备从鲇四大厦跟前上的,鲇四站几乎就在大厦的门口,那里有一棵巨大的香樟树,从香樟树跟前出发这几乎是我的偏好。因为这棵香樟树是我的祖上遗物,以前它是挺立在庭院中的,我小时候在它的跟前嬉戏过。而现在庭院的部分轮廓在城建地图的毫不保留的涂改中改换了方向。香樟树下现在仅仅是一个街道,更多的迹象表明,它正日趋繁华。我之所以从鲇四站上车,确切地说是从香樟树跟前上车,只是要自己体会那种离家的感觉。若英主要是担心我没有座位,没有座位,一个老年人一路站到终点站无疑是一次受罪,现在的年轻人是不会给你让座的,他们听着耳机,嘴里嚼着薯条,眼睛瞟着窗外,老年人根本不属于他们的世界。车子又停靠了下来,门哗啦一声。拉住铁栏杆的那些胳膊由于惯性不由自主地前后推搡着,然后车子里便充满了埋怨和叽咕声,甚至还有人尖叫。我们的座位离司机的驾驶座相隔五六个座位,其中包括那个面向座,也就是在司机座后那个座位上的脸是朝我们这个方向的。那个年轻人开始翻看一阵报纸,他的脚下好像是一只手提箱,报纸上的内容几站路的工夫很快就看完了。他抬起了头,起初是那样自然而然地抬起来头,忽然我看见他的眼神一亮。年轻人的表情很显然是被他的视野里某一样东西吸引住了,我下意识地看了看若英,若英出门前略略地化了妆,这个时候用美艳来形容一点也不过分,若英的脖子更具有吸引力。年轻人开始转眼看看窗外,窗外的街景在他的眼里茫然穿梭着,他显然是有意识地开始观察起来,尽管他慢慢地转过头来,正眼看着这边的动作很细微,还是没有逃过我的眼睛。站在我旁边的一个家伙,四十来岁,留着平头,方脸短须,毛啦啦的手上有一个耀眼的戒指。他开始手抓住过道上的横杆,后来趁着有人上车时的拥挤,他便换了一个手势。我敢断定,那个家伙不失时机地将手抓住我们面前的座上的横杆,是为着更方便地去偷窥若英脖子和下面的乳沟。我几乎听见那个家伙粗重的喘气声,若英似乎没有注意到这一变化。她显然在走神,她在想什么呢？或许她注意到了前面那个看完报纸的年轻人了,要不她的脸颊这儿怎么有了一丝红晕呢？年轻人这时候没有再转头向窗外了,他比刚才要大胆得多,热烈得多。我的猜测肯定没有错,在我们的前面有四个男的,两个女的,其中紧挨我们前座的两个男的,头发已经染过,他们正在交谈着什么,在偶尔传来的话音里好像是谈的摇滚音乐,也好像是某个迪厅发生的事,我不敢确定。在他们的前面是一男一女,男的大概四十岁左右,女的已经满是白发,他们似乎都很疲倦,不知不觉地就一个扶着一个仰着头在打瞌睡,我注意到他们肯定不是一起的,男的是在云南路上的车,而女的几乎和我们同时上的车。再前面的是一对情侣,他们在车座上依偎在一起,旁若无人地咬着耳朵说话或者亲吻。再过去便是那个看报纸的年轻人,他的包几乎夹在那对情侣和自己的膝盖中间。很显然,他专注的对象只有若英,他的视线从那边扫过来,停留在若英的脸上。若英很自然地转过头去,不再向前方看。若英似乎忘记了什么,譬如和我的交谈,或者做些小动作,捏我的手啊之类的,她甚至忘记了将头依偎在我的肩上。我开始看着若英又转回头来,那个小伙子的视线准确无误地瞄在她的脸上。若英低下了头,事实上,这个时候那个年轻人还在向这边看,脸上的表情似乎在回忆着什么。我稍稍前倾了一下身子,我想问若英是不是认识那个年轻人,可是我又不得不打消了这个念头。这次出行去青城,我实际上是在创造某种机会,因此我倒希望她真的认识他。这点愿望和我们出行的目的不相违背。在那只抓着横杆的有毛啦啦的手的旁边还有另外几个人,看情形他们是中学生,他们穿着统一的校服,他们谈论着然后哈哈大笑。到了散子街的时候,他们说笑着下了车,消失进阳光和人流中。我继续注意那个年轻人,年轻人柔和而执著的视线较之那只突兀的毛啦啦的手,我更喜欢前者,他至少使我处在某种惊喜中:若英毫无疑问是动人的。若英低眼的时候她的长长的睫毛使她看上去更加楚楚可人了,而且她的细微心思正在上面惊颤着。她似乎对那边过来的热辣辣的视线感到意外,并且不知所措。拐弯的时候,车子全身一震,若英像是从短暂的幻想中醒了过来似的,她慢慢地将头靠了过来。同时将手挽住我的胳膊,我再次地感觉到了一阵夹痛。这似乎是她忽然间记忆起来的一件事情。然而这点疼痛又是我乐于忍受的。我不得不摇头笑了笑,车子还在行进着。我看了看若英,若英已经闭上了眼睛,很显然她已经不在乎别人的视线了,无论它多么蛊惑人心。

下了车后,很快穿过火车站广场进了候车厅。候车厅里回响着一种隆隆的回音,似乎有成千上万的人正在那儿坐着,事实上,候车的人并不算多。我们很容易地找到了一个座位,若英还是依偎着我,她的视线却显得前所未有的缥缈,我忽然间意识到这个时候我再也不知道她,究竟在此刻想着什么。这个年轻娇媚的女人几乎是横躺在我的怀里,我感到一种前所未有的陌生,这个忽然而至的感觉和念头几乎吓了我一跳,我甚至怀疑起我到青城的根本动机,我觉得自己这么去做,无疑是一场阴谋。一个老年人狭隘的阴谋。我感到若英在扳动我的手指,她将我的手指扳直,弯起,扳直,弯起。过道里充满了行李箱的车辘辘声,还有清洁工不停的扫帚声。身后的椅子上还有人们的低语,而远处喧哗着模糊的声浪,头顶上的荧光屏滚动着车次和时间的字幕,若英说话了,她说,我其实并不想出门,你又不是不知道我手头的事情很多。我真不明白,若英为什么老是惦记着那些小衣裤还有她的客户。我说,既然来了,就来了,我劝导她应该出来呼吸新鲜空气,外面的世界日新月异,远比她的剪刀和小衣裤们精彩。若英呢喃了半天,我几乎没有听清楚她说什么,大概还是她的迟疑不决。好在开始剪票了。很快我们捏着票根上了车。并且没有费什么神就找到了车上的座位。那是我们的座位,若英还是靠着窗,她的视线盯着外面的水泥柱和旁边露出的一节铁轨看,铁轨亮锃锃的,行李车在上面呼啦啦地行走着。在我们的对面坐下了一个年轻人,岁数三十出头了,由于离得近,我看他,要比刚才在公交车上看那个年轻人更加确凿点,我几乎看见他脸上一颗小小的痣,和眼角细微的鱼尾纹。他看了我一眼,然后又看了若英一眼。他轻轻地喘了口气,很显然他担心过自己赶不上火车。他的全身包括那个红色的挎包一起松弛了下来,他伸直了左腿,几乎将腿脚伸到了过道上,然后他用他的左手将左口袋里的一块手帕掏了出来,擦完额头的汗后将手帕放回口袋里,之后才将腿收了回来。就在他慢慢地靠到了边上的时候,有一个妇女抱着一个孩子走了过来,女人瓜子脸,稍微瘦削,但是眉眼间还是妩媚之色。她将背上的孩子往上撮了撮,然后腾出一只手来,手里捏着票根。很显然她的座位是靠里面,她念着她的票号,那个年轻人只好将屁股挪了挪,然后又偏腿让那个背孩子的女人进位,孩子的屁股几乎擦过年轻人的头脸,他稍有反感地向一旁低下身子。事实上小孩有点病蔫蔫的,几乎填满了年轻人和女人之间的那个空当位置,他没有说什么。他的身子半侧半正着。视线忽而落在我们的茶几的腿上,其实透过茶几的腿间隙可以看见里侧若英的腿,我相信若英瘦削而性感的腿部肯定吸引了他,他将视线落在茶几上的那个铝合金果盘里,很显然就是一种掩饰的需要了。然后我看见他的视线又滑了下去。若英正看着窗外,至车子开动后,她还没有跟我说过一句话,她双手抱胸,眼睛盯着窗外飞动起来的事物上。中午的窗外,飞驶着一片白光。在对方的眼里我们无非是同座的陌生人而已。事实上这时候的情形就是这样,看若英沉默着,我也不想多说什么,对面的那个孩子脸色苍白中有一丝无力的红晕,她的嘴唇有点干,她喏嚅着什么,她的妈妈听见了,很快就将矿泉水送到了她的唇边。孩子喝水的时候,她的眼神似乎有点明亮起来,她打量着我和若英,然后又斜眼去看她们旁边的那个年轻人。年轻人正看着过道上推过来的餐车,狭长的餐车后一个白脸的女服务员尖尖地叫着矿泉水、稀粥、腊八和小报的名字。我们自己备了点干粮,也不多就中午一顿。我们主要是对车上的饮食卫生不放心,其实价格贵一点倒无所谓的。餐车迟迟缓缓地过去了,年轻人朝上看一眼女服务员衣服里高挺的乳峰,又往下看一眼餐车里的瓶瓶罐罐,看样子他并不打算为他的饥饿和无聊花一个子儿。他继续左右看着,餐车过去后,他又看了看女服务员的浑圆的臀部。那个臀部停顿了一下,然后几乎顶着餐车又向前移了过去。看得出此人行走于江湖多年,他的眼神里充满了老练、娴熟以及满不在乎。他再次看了看若英,这次是看了看若英的脸,而不是茶几后若英白玉似的腿。若英依旧曲臂抱胸侧脸看着窗外,火车正穿过阳光的田野,对面的孩子闭上了眼睛,她显得很疲倦,嘴角还有矿泉水的水印,她的妈妈用手抹了抹她的湿漉漉的下巴。我看到若英的嘴唇动了一下,她刚才显然看见了孩子潮湿的下巴了,她现在似乎又陷入了沉思。我担心她这个时候是不是想起了小冕和小泉,那两个孩子使若英陷在情感的泥沼中多长时间啊,可是我又不敢问,倘若她别有心思,我不是反而提醒了她吗?我不敢动弹,这是最好的选择,我默默中偶尔向若英这边瞟了两眼,我的眼神或许在对面的那个年轻人看来,也是不折不扣的登徒子。年岁已高,兴致倒不减嘛。那个家伙或许会这么想的。若英始终没有要说话的意思,她的嘴唇擦过点唇膏,亮亮的,但抿得很紧,仿佛在赌气不说话。若英刚才在候车厅的塑料椅上神情漠然了,她像一个真正的陌生人,这令我感到又一阵恐慌。我想象着她到站后,如何一个人离座下车然后独自一个人从广场的人群中消失,像水滴消失进水一样。或许有可能我会在某个街头再次看见她,她正手挽着另一个年轻的男人,他们正甜蜜和美地在散步,他们边走边谈,我几乎听见她的笑声。忽然车厢里的广播响起来了,这打断了我的想象,我无法接着刚才广场上的散步继续想象下去,广播里先播了一通注意事项,然后便是一段音乐,音乐似乎潮漉漉的,显得很低靡,事实上一点不好听,但是对面的年轻人似乎并不在意,他好像很乐意这种旋律,他开始噘起唇低低地跟着吹哼了起来,同时他跷起的腿在空中弹动着。那个孩子并没有睡着,她皱了皱眉,广播里的音乐不合时宜地打断了她的睡眠。她的妈妈脸色一直阴着,瘦削的脸和眉眼间透露出来的妩媚之色可以知道她的生活充满了艰辛和刺激,她眼睛也盯着窗外,从给孩子抹过湿漉漉的嘴巴后她就一直这样。侧脸的表情和几乎有点发呆的眼神可以看出她的疲惫,但是她不选择小眯一下,而是选择一种无望的遥想。忽然若英站了起来,她看着我将膝盖挪开,然后从那道空当里走了出来。年轻人看了看她的脸,若英似乎感觉到了他的视线,她回望了对方一眼。她开始走在过道上,在这个时候我才看见若英的身材是那么匀称优美,她的臀部在她走路的时候更显得生动,活泼。她向厕所方向走去。年轻人看见我的视线一直尾随着她,他决定和我这个老头说上两句,他首先舔了舔嘴唇然后说,不错啊,条子蛮正点的哦。话音里显然有点油腔滑调,他大概认定我和若英之间没有什么关系,也大概认定我和他一样喜欢眼睛粘在漂亮姑娘的奶子和屁股上。否则的话他不会这么说,现在因为有了同道的快乐感,情况就不一样了,不正经的人在一起很快就会相互肆无忌惮起来的。因此,他说完几乎侧身回头向那看去,我只是笑了笑,没有应和他。若英还站在那儿,看来厕所很忙。果然不一会儿,若英又返回到了座位上。她从我的膝盖前走过的时候仍然一声未语,她静静地坐下,然后又恢复到刚才凝望的状态当中去了。我感到了口干,这是我忽然间意识到的,同时我感到了屁股有点麻,这是比较常见的情况了,我决定站起来动一动,活络一下血脉,我从包里掏出一只水杯,然后我就离座去锅炉跟前弄点开水来。锅炉几乎靠着车厢过道门,它和厕所在一节车厢的两端。我走在过道上的时候,腿起初有一阵发软,不过稍后就好了,我从过道上走过去,两侧座位上的人有的在看报纸,几乎将报纸盖在了脸上,有的在打牌,牌在桌子上面弹跳着,有的在扒拉脚丫,有的眯着了,有的无目的地张望着。接连有几排坐着的是穿着统一军装的人,像是海军,又像是陆军学员。他们有的摘了帽有的没有,他们也在打牌,时不时地哄闹一两声。车窗外阳光携带着田野村舍树木河渠静谧地飞奔,飞奔。我向那边靠了过去。人很多,每个人的手里都有一个杯子样的盛水器皿,水龙头淌出滚烫的水,持续地听见水热气腾腾的浇击着器皿的响声。一个一个的杯子将杯口靠过去。就在我等水的间隙里,我从人缝里看见对面的车厢里有一个熟悉的人影,好像是小婵。背影看上去像极了,我突然有一种想喊住她的冲动。她毕竟是我的女儿啊。可是我又觉得仅靠背影显然是不能断定的,倘若喊错了人那就显得鲁莽了。但是另一层顾虑很快把那可能的鲁莽冲得无影无踪。因为问题的关键是,即使那人是小婵,小婵会不会理我。很长时间没有见过小婵了,我只听说他们兄妹俩分开住了。以前我曾去看过几次小婵,可她总是甩门将我拒之于外。看来她是一辈子不想原谅我了,在我的有生之年,她大概都不会理我,我经常为之黯然神伤。我只知道小婵谈了好几个男朋友。我总是向别人打听她和小鸣的情况,小鸣还在念书。当然他们的一些费用我都给他们了,他们有一个存折。我和儿女的联系至今还是维系在那个存折上的,一到时间我就将钱汇到了那个账号上去。小鸣的书据说念得不错,我跟他的班主任谈过,他说小鸣上大学没有问题。他的班主任是我小时候的朋友,后来又同窗几年,有关小鸣的消息他总是全盘告诉我,好在小鸣的情况一点也不糟糕,否则我都无法做他的工作。小鸣去年冬天还给我写过一封信,信的内容显然是有感而发,他在信中回忆起小时候的事情,那个时候李芸还在,他回忆起那个时候的餐桌,这个孩子的记忆力惊人,他还记得我曾经给李芸包扎过手指,那是他妈妈不小心切菜的时候切上了。孩子在信中说那个时候一个家多和美啊。而这一切转眼间就变成了回忆。这孩子似乎比他的姐姐要善解人意些,他在信中只字未提我和若英的事,他只是一股劲地回忆,最后他说是在晚自习的空当里给我写的信,他说外面冷清的月亮和室内日光灯管的电流声驱使他拿起笔来的。孩子在空当一词的下面还加一个着重号,从这点上看,小鸣的细致让我还放得下心来。小婵的事情似乎一直不怎么妙,有人告诉我小婵身边的男友总是不停地更换,像换衣服一样,那段时间里我几乎寝食难安,我想起李芸临死前说要好好照顾他们的话,我不由自主地感到内心的愧疚。最令我担心的是小婵会交上社会上一些二流子,我时常从报上读到我们这个城市的二流子正如沉渣泛起,动辄杀人越货,抛尸荒野,或者翻墙入室,劫人劫色,甚至当街抢劫也不乏其例。我记得有一次我冒着被小婵顶撞的可能到住处去找过她。我上楼的时候,心里策划着在小婵甩门前该怎么开口,到这种地步我也毫无办法,我准备佯装上门取东西的样子。记得门敲了好半天才打开,小婵在开门时我听见她嘀咕着说表数不是写在门上嘛,果然在门上用粉笔写着2248。很显然她将我当成了抄水表的。忽然她像是看清楚了什么,她脸上的表情立即显得仓促不安,并生出一股突然而至的怒意。她当时想立即关上门,可是我已经一脚踏进了门里,我说我来取东西的,取完就走。我当时的声音很大显然是给自己壮威,以期小婵能被爸爸的尊严惊吓住。小婵松开了门,侧身一旁。我进了去,屋子里显得很凌乱,可见小婵并不怎么善管家务,我几乎看了所有的房间,包括卫生间。我当时搜寻我要找的某种东西,样子看上去像是在搜寻房中某种可疑的迹象。那天至少我对两个地方心存疑虑,一个是卧室,床还是先前我和李芸睡的那张床,这从那个档板雕花还能看得出来。但毕竟已经面目全非,床单已经换过,上面放满了东西,譬如小婵的心爱的布熊什么的。枕巾看上去有点脏了,上面还有一两根长长的黑发,那肯定是小婵的。卧室里的疑点主要在那个枕头,枕头下面像橡皮套一样的东西露出一角,很显然那是慌张中放在枕头下的,至少也是粗心所致。还有一处是卫生间,卫生间里的玻璃拉门关着,可以依稀看见里面浴蓬头的影子,此外我似乎还看见另外一团影子。我遏制住了自己莫名的冲动,那种冲动掺和着一种不可遏止的怒火,我当时从卧室的书橱里拿走了一本书,我强忍住心中的怒气翻动着书页,看上去书确实是要找的东西一样。我不知道该对小婵说些什么,最后我踌躇了半天,还是什么也没有说,我离开的时候狠狠地甩上门,我故意用重重的甩门声告诫女儿,警示一下她的个人生活。后来我再也没有去过那儿,我不想看见小婵将房间里的所有一切弄得凌乱不堪,重要的是我担心进门后目睹让人尴尬的事情。小婵的私人生活显然十分地放荡,这么些时日以来,小婵和我越来越陌生。我关心她就仅仅像看着一个空壳的皮影而已。现在我喊住她,如果不是也就罢了,如果是的话,以小婵的性子她完全可以在车厢里人稠的地方给我难堪的,她可以当面不理睬我,甚至会破口大骂,她会的,这种情况也不是没有发生过。我想到有一次在街头和若英散步遇见了小婵,小婵当众就骂得很难听。那个时候正好是她没有了工作的时候,她那天几乎要和若英在街头厮打起来。我一想到那一幕就心忪,我再一次地向那边看看,小婵的身影进了车厢,然后给另一个瘦高个的影子挡住了。水很快就注满了杯子,杯口开始烫手。我小心地擎着杯子向座位上走去。我终于看见了那个孩子,孩子脸颊还是红红的,整个身体软塌塌的,她的妈妈又给她喂矿泉水了。孩子的下巴再一次潮湿了。若英不在位子上,对面的那个年轻人也不在,那两个空空的座位给人以怅然若失的感觉,我强作镇定坐了下来。若英上哪儿去了呢?我看了看过道的那边,厕所门口人已经少多了,但是没有若英的影子,是不是她已经过去了呢?我猜测着。由于离厕所那边不是很远,我坐着完全可以看见那边的动静。那个年轻人的包还在座位上,看样子里面没有什么珍贵的东西,否则也不会随手放在靠过道的座位上,好让人顺手牵羊,也许年轻人已经请小孩的妈妈帮忙照看了。我不知道怎么开口询问,只得坐在座位上静静地喝水,水还很烫,就像现在的情形有点让我棘手。我继续盯住厕所那边,厕所的门开了,先是左边的那扇,从里面出来一个老太,她似乎还没有完全系好裤带,嘴里咬着一根红色的布带。然后一个四十岁左右的汉子进了去,我几乎听见门框上金属门的碰合声。右边的那扇门开后我的想法落空了,若英并不在里面,而是一个中年男子走了出来,他用潮乎乎的手抹了抹头发。他几乎还没有回过神来,门就关上了,原来是一个男孩从他们的腋窝下钻了过去。火车隆隆地行驶着。我既没有看见若英,也没有看见对面坐着的年轻人的半个影子,我忽然地被一种不妙的联想抓住了。我想起了一九六七年的事情来,这是突然出现在我头脑里的一幕,大概同样是在火车上的缘故吧。当时火车里到处都是人,像一个个木塞子一样。斗志昂扬的木塞子。忽然厕所的门被撞开了,很多人都想拥进去,在当时的情况下,大家怎么也不能容忍一对红卫兵亲嘴的事实,这的确是真人真事,男的女的我都认识,在我们家的那条街上。我至今还记得那个红卫兵头目侯起春的话,他的话极具煽动性,这对狗男女玷污了这种伟大的时刻,人民绝不答应,毛主席也决不答应。侯起春去年夏天已经去世,当时他就那么煽动了公众的怒火,齐明和他的女友一起被活生生地扔下了火车。谁也不知道今天他们是否还活着。大概是死了,做违背人民违背毛主席的事的人肯定没有什么好下场,我当时也是这么想的。当时是晚上,谁也不知道外面是山川还是桥梁还是河流,黑咕隆冬的,所有的人都怒火中烧。火车行走着,若英还没有回来,我开始打算去找一找,可是我又觉得没有必要了。或许我忐忑不安的样子被小孩的妈妈看见了,她瞟了我一眼,说,马上回来了。她的语调和话音里似乎含着一丝嘲讽,她言下之意是你老色鬼还一刻离不得啊。过道那边的座位上坐着的看上去是三口之家,那是一对年轻的夫妇,中间还有一个孩子。是个男孩,孩子大概一两岁的样子,他几乎站在夫妇间的空当上,他手里正抓着一个赛璐珞小球,那个母亲银盘脸看上去比较丰满,她扶住孩子幸福而满足地望着他,孩子认真地玩着。我这个时候才完全注意到他们,或许是我刚才的注意力都集中到对面的那个年轻人身上了。我看见那个年轻的父亲微微笑了一下,他的笑是那种心照不宣的笑,虽不夸张,但是里面含着应和似的快乐。我低下头,再次啜饮了一口水。我对对面病孩子的妈妈的话置若罔闻,我只能这样,等着若英回来,我甚至在考虑若英落座后我要跟她说上几句,以证明自己并不是他们所误会的那样,我更不是什么老登徒子,而是这个性感妩媚的女人的丈夫。如果可能的话,我还会暗示若英像一个妻子那样小鸟依人,依偎到我的肩上来。我继续向那边张望着,那边的过道闪着粗粝的光芒,从那边的车厢过来一个人,正是我们对面的那个年轻人,他奋力从几个候厕的人中间挤了过来,他的脸上似乎春意荡漾,眉眼间有一种显见的快乐,他走起路来的弹力看得出来,他十分地自在和满足。很快,他走过来了,然后坐到了座位上。坐下来之后,他一直没有看我,其实我从他向这边走过来直到坐下我一直注视着他。可是他似乎怯于什么,又好像其他什么事实抓住了他的内心,他不由短暂地愣了一会儿神,忽然间他悟出了什么,再一次地将腿斜伸出去绷直了,手伸进了裤口袋,拽出了一张手帕,他揩了揩手,手潮呼呼的,不用问,他刚刚用过厕所。我注意到他的手帕却不是刚上车擦汗的那一条,而是色彩有点粉的一条。他揩完了手,他的那种表情仿佛刚揩完他裤裆里的那根东西一样。他边揩边自顾自地说,厕所还真他妈的忙,跑了好几节车厢才看见一个闲的。他把手帕放进了口袋,然后将他的红挎包打开,开始看起一本地图。自始至终他都旁若无人地做着这一切,他的神情让我有点嫉妒。若英会不会?譬如她刚过去他也进去了,因为那里闲。没有人注意到,即使若英会喊,那家伙或许很快就捂住了她嘴呢。即使有人听见若英的声音,愿意管一管的话,他或许会说若英是他的女朋友,那样一来,没有人会管他们的事了,谁会愿意管人家的私生活呢,然后若英没有办法了,她只有任由那个畜生胡来了。我不敢再往下想下去了,猜测的深渊使我有点无端地紧张起来,若英,我嘴里小声地念着她的名字。我感到了自己不能抑制的心跳,我再次喝了口水后额头上的汗珠全出来了。这时候我想起自己乘车去青城的初衷,我不就是想让若英出来散散心,交交朋友嘛。我慢慢地松弛了神经,我在考虑若英回到座位后我不会贸然地开口了,我不会问她去哪儿了,也不会问她渴不渴,我更不会暗示她靠上我的肩膀,沉默是最好的方式,我正想着,若英从那边过来了,很显然她也是去了另一节车厢,找了一个闲着的厕所。她的步态轻盈,我装作没有看见,将头别向窗户,我觉得这样可能更加明智一点,我的目光迎着她或许会让她不自在,那样就不太好了。我看着窗外,窗外出现了山的影子,我看见了坡草,鸟群,潺潺的流水和缠绕的藤蔓。我尽量让目光显得悠远,总之我要摆出一副气定神闲的样子来。但是我想我肯定做不来,我想我的脸色这个时候也不会太好,可我实在没有办法,能做几分就做几分吧。若英过来了,不一会儿,我能感觉到她脚尖触碰,我挪开膝盖的同时,我仍然佯装远眺的样子。若英习惯性地抹了一下裙子的下摆坐了下来,她的裙子是两侧开衩的那种,有点类似于旗袍,还是今年流行的新款式。这是她自己给自己做的惟一一件成人服装,她在上面做了一些改动,确切说是一些发明,如果说那些别出心裁的童装包含了一个母亲所有的爱的话,那么这件衣服则浓缩了她作为一个女人的所有的智慧。我看见若英的耳垂在黑发的映衬下显得非常白皙,她的耳朵轮廓鲜明,她将一缕发丝别向了耳后,我看见白白的耳朵跳动了一下。我慢慢地回过头去,看见对面那个年轻人正在翻看他的地图册,他似乎一直没有抬头来看落了座的若英一眼,而若英仍然保持着刚才的样子,微微侧着肩,脸向着窗外飞驰的白光。那个病孩子现在好像真正地睡着了,她的头耷拉着,嘴角有点溢出来的口水,亮晶晶的,全身倚在她妈妈的胳膊圈里,那个病孩子的妈妈似乎也半眯着眼,从那个细长的眼缝里她向若英看了看,眼神里混杂着羡慕和鄙夷,然后又向我这边看看,她的眼神直叫我喘不过气来,仿佛有足够的自信和将你们男人看透的意思。瞧那边的三口之家,孩子什么时候已经疲累了,已经在那个年轻的妈妈的膝盖上横着睡着了,他的头脸靠着窗户,窗口积聚的光芒在他的脸上闪耀着,而他的腿脚伸在那个父亲的膝盖上。他的父亲尽管也半眯着眼,但是看得出来,他绝对没有睡着,他的细长的眼缝里时刻都闪着要捕捉什么的眼神。他脸上的表情仿佛在说一切他都看在眼里。我忽然间也感到了一阵倦意,疲倦有时候就像是传染病,我开始合上眼,在合上眼前的那么一瞬间我几乎忘记了若英的存在,我不知道究竟是为了什么,为了自己的无端猜测和自己的妒火?我似乎没有多想,就睡着了。睡梦中我再次梦见了我的妈妈,我的妈妈挽着我的手,穿过无数条街道,无数棵树影,就像小时候去圣保罗教堂,或者去花园,然后我看见了一个池塘,池塘里浮萍长得很疯狂,妈妈指着一个漂亮的女尸说,那是你的妹妹。我吓得快要哭了起来,我紧紧地抓住妈妈的裤腿,妈妈带我离开了池塘到了一个僻静的地方,是一个房间,房间里光线很暗,房间里有张床上躺着一个人,那个人脸上蒙着一块白布,忽然间我就看见一张死人脸,死人脸打着皱,像一个失了水分的干菊。妈妈没有说什么,但是我看见那是李芸,在后来我梦见了好几个人,从一条雾茫茫的路上向这边走过来,模模糊糊的看不清楚,我问妈妈,他们是谁呀?妈妈说,你再看看,后来我终于看清楚了他们是小鸣小婵还有小泉小冕,他们一个个从我的身边走了过去,他们只是茫然地看了我一眼,然后就走了,脸上什么表情也没有。我看见他们了,原来是他们,我回头对妈妈说,可是站在我身后的确是若英,若英格格地笑了起来,我就惊醒了。我醒来的时候,看见面前的格局发生了变化,若英正在和他们说着话,显然他们说了一个什么笑话,若英和他们都开心地笑了。我睁开了眼睛,那个病孩子不知什么时候醒来了,她的脸上闪着少有的光彩,她妈妈嘴角上的笑容还没有离去。那个年轻人大概早就不看地图册了,包放在膝盖上,抱臂在胸一手托着下巴,看着包上的某个纹路,整个身体好像都处在一种回味中。那边的一家三口真正地睡着了,这边的笑声没有弄醒他们,这时候他们明亮的脸部一暗,火车进入了隧道。我眼前一点亮也看不见了,这时候我忽然间又捕捉到了车厢里的音乐声,我不知道它是否停过,但是它现在却清晰多了,并且变成了一种小步舞曲的格调。我努力地看了看我的左边,我想在这段黑暗中碰一下若英,给她一个小小的暗示什么的,请她不要有意无意地不理我,这不仅容易让别人产生误会,也会使我们之间的误会愈来愈深的。可是若英完全处在黑暗中,她几乎完全融入黑暗中了。我没有看到她,我有一种不祥的沮丧感。很快,黑暗从所有的人脸上抽身离去,所有的人浮现出来了。火车开始到达青城境内,一刻钟后便靠站了。

我们从出口出来,站在广场上,若英站在我的身边,她将包换在另一个手上,左手预备伸进我的臂弯里,我忽然间举起右胳膊在空中招了招,可是那边的的哥并没有理我,他径直将车开过来又从我的脚边驶过去,因为那边那个三口之家早就招手示意了。我环顾了一下四周,我不知道我为什么忽然间竟会拒绝若英那只伸过来的手,或许我还在为发生在火车上的隐秘深感不满,或许这隐秘并不存在,仅仅是我一相情愿的猜想而已,但我似乎无法释怀,完全是很在乎的样子,就好像真正地发生过了一样。看得出来我还有点气鼓鼓的。我前天就和我的朋友成梓清联系过,他欢迎我去。广场上人来人往,很多人举着写着名字的牌子,不时有大呼小叫的亲友相逢的惊喜声。我再次看了看出口处,我希望能证实一下我在锅炉跟前冲水的时候看见的那个女的就是我的女儿小婵,可是我没有看见她的半个人影。愈来愈多的人,大大小小的包,愈来愈多的腿。若英开始说话,她问我我的朋友会不会来接站。我说会的,我们是多年的老朋友了。事实就是这样的,我们上过山下过乡,交情不浅。我们已经多年不见了。三四年前在省城一次招商会上见过，由于当时忙忙碌碌的，也没有细谈，互相留了电话号码，然后各自忙去了。我当时在选择出游城市的时候之所以选择青城，内中一个主要原因其实就是成梓清的存在。在我脑海里翻腾起一个漆黑的夜晚，我和成梓清去大刘庄找黄浩下棋。那个时候我们是棋篓子，当时年轻，白天干活，晚上精力还很充沛，我们几个人合计好，一个星期来这儿黄埔大队，一个星期去大刘庄。轮流转的意思。黄埔大队离大刘庄有好几里路，中间经过芦村，泛水。我们那天晚上已经到大刘庄了，可是没有找到黄浩，有人告诉我们说已经去你们黄埔了，我们就知道有鬼了。当时成梓清的消息比我灵通多了，他不知道从什么地方知道黄浩和一个女知青好上了，据说是上海的。他当时停下来，骂了一句说肯定是和那个女的搞去了。无论怎么说，他都理亏。我们辛辛苦苦走几里路，他却去快活了。说着我们就回走了。忽然成梓清站住了，他的耳朵尖得很，我不明就里，这个家伙站在一个猪圈门口干什么。事实上我们是经过这儿。忽然，成梓清将手电一照，猪圈里有两个光身子。上面一个正是黄浩。成梓清说，你们两个要搞也应该到个干净的地方啊。黄浩听出来是我们的声音说，马上就好了，马上就好了。成梓清立即说不要了，你慢慢搞吧。然后我们亮着手电就走了。这个事情到今天我一想起来还觉得很鲜活，我似乎还能闻见那个猪圈的异味，他们在那儿搞确实不是个地方。后来据说黄浩和那个女知青都留在了大刘庄，也有的说早就回城了。而另一个版本说黄浩和女知青都死了，具体死因也不甚清楚，大抵是被捉奸了，后来女的上了吊男的投了河。那个时候各人忙各人的，忙回城那段时间谁还顾得了谁。往事使我又不由自主地笑了一下。若英已经不失时机地挽住了我，太阳有点晒人了，我的额头汗珠直冒。我在考虑如果还没有接站的话，我就直接找上门去。正这么想着的时候，有一个年轻人走了过来，广场的人这时候明显地少多了。他踩着短短的影子径直过来了，他操着一口青城普通话，说，您是裴祺阳先生吧，我是成总派来接车的。车子在那边，请跟我来。年轻人三十岁不到，动作很麻利，他对我们的辨认显得那么有把握，语气那么肯定无误，我想他肯定看过我给成梓清的照片，或者是合影。也许是看见我们是老夫少妻吧，这是最容易辨认的，一个干瘪的老头，一个妙龄女子。他几乎抢过若英手里的那个包，事实上那包并不重。我们穿过广场向那边泊车位走去的时候,年轻人不停地介绍着青城的一些风景,同时不失时机地说成总交待之类的话,年轻人语言风趣,在拉开车门上车之前,我们已先被他弄笑了。上了车后,年轻人介绍了自己,他说他姓王,我们叫他小王就可以了。车子从人缝里很快挤上了一条广阔的大道。青城的变化很大,现在每个城市都这样,几乎一天一个变化。小王很热情地介绍着这条街那条道,以前如何现在怎样。我不得不频频点头。车子在过红灯的时候,小王都不失时机地讲些风趣的事情,譬如青城市的一些领导人的轶事,譬如一些歌星演员之间的绯闻,他的那种八卦口吻一点不亚于一个娱记,说实话我都有点喜欢这个年轻人了。在车子进入到澎湖路的时候,他还为我们打开了收音机,收音机里说了一阵交通路况,然后便是没完没了的歌声,因为若英一直沉默不语,或许她还在为我在广场上拒绝她的手生气呢,总之她不言语,几乎低着眉看着膝盖上绞在一起的手。她将她的一节中指扳直,弯下,扳直,弯下。因为歌曲的缘故,小王暂时停止了他的啦呱,他执着方向盘显得很专注起来。车子拐弯了,有两个小姐从车边上走过,她们的一截截腿肚和脚下的斑马线一样白皙耀眼。过了好一会儿,车子停了下来,小王很快地下车帮我们拉开车门,然后他对另一个站在厅堂门口的阴影里的人大声地说,来了来了,你领他们先上去。我将车泊好。只见那个人立即跳下台阶,走了过来,这个年轻人和小王差不多,也十分麻利,抢下了若英手上的包。嘴里说欢迎欢迎,然后便在前面引路。一出车门踏上大理石的广场地面的时候,我就看见面前的高楼,直入云霄。厅堂的金碧辉煌让我瞠目,里面开着冷气,地面光滑充满倒影,小姐们个个明目皓齿,白臂修身,喉音如乐。年轻人边自我介绍边说叫我小柳,柳树的柳,边侧身让我们走在前面。小柳领我们穿过厅堂,向东北角的电梯间走去。电梯呼啦一下,升得很快,我们也不知道究竟到了几层,数字在显示板上一跳一跳的。电梯间里只有我们三个人,小柳,若英和我。我几乎听见自己的粗重起来的呼吸,我想自己大概不太适应电梯了,我感到心脏猛地揪紧了,但我还是故作镇静,我不想在若英面前丢丑,我毕竟还是个见多识广的人。若英站在我旁边,电梯里的光线辉映在她的唇角上,有些艳丽之感。若英眼睛盯住那个闪着二十七的红色数字看着,两手抓在一起垂在面前,她随身携带

的包,已在小柳的手上,小柳也盯住计数器看。电梯里有点沉闷起来,我
感觉到小柳不及小王话多,不会逗人。他脸圆圆的,说笑起来缺少幽默
感。好在这段时间极其短暂,小柳又恢复到他先前的麻利状,他在电梯间
的沉默和脸上的冷光,相对于现在的热情,一下子让人觉得判若两人。小
柳将我们领进了房间,屋内陈设非常豪华。小柳似乎认为我不知道这是
总统套房,而连续说了几个总统套房这样的字眼,这让我原本保留的好感
一下子烟消云散。事实上,这是一种礼貌,一个人应该对另一个人知道的
常识唠唠叨叨这起码不是一种尊重。我看了看,事实上,我以前出差去外
地所住的宾馆豪华程度不及这里的一半。我装出一种不是那么过分惊讶
的表情,若英要比我惊讶得多,这在我的预料之中,很快我在若英的脸上
捕捉到一种忽然而至的欢欣和愉悦。小柳说,成总说了,让你们先住下
来,他顿了顿继续说着,那边你们可以去洗一把澡,驱除驱除坐车的疲劳,
他指着沐浴间的方向。然后他找出了一个遥控器,按了一下,面前一个巨
大的显示屏,几乎是安在墙里面的,倏地一亮,电视里正放着侦探片,小柳
迅即又换了一台,这个台正在唱歌,一个染着黄发的女子像一条蛇一样扭
动。小柳又换了几个台,都在放肥皂剧,又按了一阵之后他将遥控器交给
了若英。然后他说了一句你们先歇着随即带上门便退了出去,我正要问
他成梓清人在哪儿,他已经不见影子。高楼确实很高,我站在窗前向下看
一眼,心便嘣嘣直跳,头有点发晕。过了好一会儿,这种"恐高症"才有所
缓解。若英又恢复了往常在家中照料我的习惯,她搀扶着我坐了下来,并
且不停地用手抚着我的胸口,若英的动作还是那样细微,手还是那样的柔
滑,我几乎还能感觉到她的手的清凉。但不知怎的,到现在为止,我和若
英竟然还没有说过一句话,我感到不可思议。原本我还是想说点什么的,
譬如在她替我抚胸口的时候,这是个很好的机会,我们相互一笑泯恩仇。
以前我们都是这样,一旦闹点小别扭的时候,憋住劲努力不笑最后还是其
中一个先笑起来,然后就都笑了,之间的矛盾就此一笔勾销了。可是我这
时候就是忍住不说一句话,我知道我还在为我的猜测动气。我在考虑怎
么开口,巧妙地套出若英的话来,在火车的厕所上有没有故事。可是我想
了半天,我想不出来怎么开口,我怔怔地听凭若英的手在我的胸口上摸来
摸去。电话忽然响了起来,电话铃的声音显得异常清脆,它几乎吓我一

跳,我看见若英的手也一哆嗦。我站起来去接电话。电话里正是成梓清
的声音,他的嗓门明显的粗壮起来了,他说话间夹杂着哈哈的笑声。他说
他现在正在开会,没有办法走开,请我不要介意。又一阵哈哈的笑声,然
后他说会一结束就赶过来话旧,在他挂电话前,他还特意说了一句嫂夫人
也来了吧。我肯定要见见的。见面再聊,见面再聊。说着然后挂上电话,
电话里的哈拉哈拉的笑声似乎还在我的耳朵里回荡。我显然被他的笑声
所感染了,我笑着说,这个成梓清。然后再次坐了下来。然后小王进来
了,他已经将车泊好了,并说他已经给成总那边汇报过了。然后他又关上
门,说让你们歇着,坐车一路肯定累得很,他关上门,随即又探头进来说,
有事就按桌上的铃,说完就消失了。我这时候才注意到桌上的铃,确切地
说是一个按钮。像一个红色金链的纽扣。若英看着电视,大屏幕电视上
的人几乎和真人差不多大小,或许由于这个缘故吧,感觉到屋内一下子热
闹不少。屋内仿佛也有了碰杯声,私语声,钢琴声,女人的笑声,鞋底在地
上的摩擦声等等,这时候我们仿佛就在那里面,或者说那些人正在我们这
儿,这个总统套房里。这种感觉使我们几乎维持到成梓清到来晚宴的开
始,这多少排遣了那段时间内的无所事事,还有我和若英一下子找不到话
的那种尴尬,我发现这种尴尬前所未有,和眼前总统套房里的每一样东西
一样新鲜。但是很快随着成梓清的出现,这些不快都消失了。成梓清比
以前更加快活了,到底是小我几岁,他稍稍发福了,挺着的肚子似乎比在
省城偶见的那次好像还要高一点了。站在他的面前我相对要寒酸多了,
一个又高又瘦的瘪老头而已。他先上前搂着我,我几乎感觉到他的肉掌
拍疼了我的瘦瘦的肩胛骨,然后他又跟若英握了手。成梓清和若英握手
时那么得体地看了一眼若英,若英有点面红了。宴席设在另外一个地方,
仍然在这栋楼里,但我却搞不清楚,楼的层数和电梯的升降弄得我晕头转
向。何况我的见识少得可怜。我从电梯里出来的时候,头上有点微汗,但
是我控制住了自己。我更不愿意让我的朋友笑话我:有这么年轻貌美的
妻子,却老得在电梯里挪不动步子了。宴席早就布置好了,小柳和小王站
在一边让座。旁边的两三个小姐早就站在一旁了,她们手里都擎着酒瓶。
就等客人落座她们倒酒了。成梓清坐在我的右手,若英坐在我的左手,小
王和小柳坐在我们的对面,若英用手碰了碰我,向我示意不要喝酒,她手

上的动作尽管细微,但还是被成梓清看在眼里了。他一边将酒瓶从一个小姐的手中接过来,没有理会将小王的手拨开,一边说,我和老裴交情很深哪,今天难得相聚,金口银口也得喝上杯把杯。成梓清的话显然不仅是说给小王听的,似乎也是说给若英听的。若英感到一阵窘迫,再次地面上一红。我笑了笑,看着成梓清倒酒,说道,她是担心我的心脏,我的心脏不好了。成梓清连忙说不要紧的,这酒好不伤肝不伤肺,也不上头。在席上,我们回忆起过去在一起的时光,都很感慨,尤其是谈到革命大串联的火车上,那对男女被抛下火车,大概是酒喝多了,成梓清提到了串联火车上的厕所,那个时候人多得很哪,他们也是躲得好。他的意思是不合时宜,不像现在你在什么地方搞谁都管不了,那个时候什么时候啊。他屈着肥厚的指弓在回忆的途中不时地敲了那么一两下子。然后我们又谈到了黄浩,我们哈哈大笑起来,那更不是个地方,他说。小王和小柳都有点不明所以的看着我们,他们也跟着笑了,尽管他们不知道究竟是什么使我们发笑,若英在一旁静静的,几乎听不见她吃菜的声响,成梓清似乎看出自己光顾说话,就站起来,移开凳子从我的身后绕到若英这边,他举着酒杯要敬她酒。很显然他是想让若英一起掺和到眼前的快乐中去。若英连忙站起来,她在这些礼节方面还是能做到恰如其分的,若英要用饮料回敬,但是成梓清不让,一定要来真的,若英没有办法,转眼看着我,我说你就喝点吧,抿一口也行。若英这才垂眼看成梓清往一个小杯子里倒酒,成梓清用杯口撞了一下若英的杯腰,然后一仰脖子吱溜一声先干了。若英也很快亮了杯底,我暗暗地为若英这一层干脆利落高兴,几乎顾不得老颜面,连忙夹了一块菜到她的嘴边,若英几乎是嗔怪地看了我一眼后才吃了菜。酒桌上往往杯子一响就不能把持了,小柳和小王的脸都红了,成梓清早就红到脖子根了。若英现在已经不止一杯下肚了,刚才的头一开,下面的名目又来了,劝酒这一套从小王小柳身上可以看出来,成梓清更可想而知。有朋自远方来不亦乐乎。成梓清嘴里开始反复这么一句,他的故友重逢的喜悦已经完全化作了一片喃喃自语。很显然,今天无论从哪个角度讲,都十分尽兴了,到位了。从宴席间出来的时候,有人几乎碰翻了桌上的瓶子,不知道是谁,然后我们出门的时候几乎有点跄跄跄跄了。幸亏有电梯,否则的话,还不知道怎么到房间里去。有小姐帮着倒好了茶,还有冰镇的饮料,我们坐下来。电视上还是演着肥皂剧,里面的云鬟鬓影,仿佛就在我们的身边。南边的大落地窗开着,可以看见外面的灯火,灯火像脚下的星星,闪闪烁烁。成梓清的手机忽然响了,成梓清站起来,还摇摇晃晃的,他接完电话后,走过来对我说,我有点急事,我先走了,让他们陪你们一会吧。在门口他再一次的用柔掌拍了拍我的肩胛骨,他还出人意料地抱了抱若英,我被他这个举动吓坏了,事实上我很快原谅了他,毕竟酒喝多了。若英的脸更红了,直到成梓清离去在那个走廊口消失她还没有回过神来似的,除了酒意还有另外一层东西在她的脸上燃烧着。

　我们看了一会儿电视,电视的感觉正好,里面的全是些俊男美女,他们似乎就在我们的四周走动,交谈,举杯。然而很快有一层挥发不去的悲哀的情绪环绕着我,我似乎看见电视里面那一个举杯的女人像是若英,她显然喝了不少,脸面酡红。她的穿着几乎和若英都是一个样的,我感到了一阵困意,但是我努力地睁开眼睛看着,那边的几个也显然喝多了,那个年轻人倒有点像小王,他摇摇晃晃的,坐在那边的拐角沙发上,他说着什么,那个像若英的女人,也说着话,脸上挂着笑,因为酒意,有点娇媚。那个男的走了进来,他像极了小柳,他像是关上了门。他们继续说着什么,我耳朵里模模糊糊的,甚至我的视线都感到模糊,我感觉离他们愈来愈远下去了。那个像若英的女人,走到了窗前,她稍微有点踉跄,步子有点不大稳,显然是窗外的夜景吸引了她,那么美的星海。她站到了窗前,那个像小柳的也走到了窗前,他们站在了一起。他们的背影看上去很般配,那个像小王的家伙已经像是睡着了似的,我感到眼皮往下耷拉,我努力地支撑住自己,脑海里一片模糊。然后看见另外一个门开了,像若英的那个女的进了去,那里面的显然是一个厕所,尽管我有点支撑不住了,但是我还是模糊地判断出那是卫生间,果然那个像若英的在那边吐了起来,嗓子里的污物外泄的声音使我的胃仿佛也翻腾了起来,我听见那个像若英的女人漱嘴的声音,水在她的口腔里鼓动着,尽管我的头有点不自主了,但我还是能想象得出来那种情况下的难受劲,我看见那个像小柳的也进去了,他似乎是要去帮助那个像若英的女人的,我好像还听见他的手拍背的声音。然后卫生间的门不知怎么地就关上了,我听不见里面的声音了,我也没有看见那个像若英的走出来,也同样没有看见那个像小柳的。我真的有点支持不住了,我觉得眼睛像是铰链连在了一起。电视还在播放着,他们出来的时候,大概已经是好一会儿了,我没有看到,我睡着了。醒来的时候,我忽然间有一种不知身在何处的感觉,起初的时候我还以为是在家中,可是豪华的床和其他摆设使我从记忆中缓过神来,我看了看,在我的身旁若英睡着了,她睡得很香,鼻息间有一种匀称的满足的气息。她的颈口还有些可疑的潮红,她的脸上竟然还有一丝笑意,忽然间我感到自己像是受了侮辱一样,从床上弹坐起来,床果真比家里的要高级多了。我下床的动作没有惊醒她。我在拽过裤子的时候,从裤子里掉出一样东西来,原来我一直放在口袋里,我几乎忘了。铁皮鼠。这时候窗外已经接近黎明了,看得见窗外灰灰的,我不敢在那个卧房里走动。我怕搅了若英的好梦,我这时候清醒多了,只是头有点疼,嘴里面没有味道,我今天被那么一点点酒弄得迷迷糊糊的就证明了我的身体的确是每况愈下,我甚至有点后悔自己散了酒性把持不住自己。我忽然发现在那个拐角沙发上,有一个人睡着了,那是小王,的的确确是小王,显然他一直是这么睡着的。电视不能看了,更不能有点声响,我几乎做到蹑手蹑脚的程度,因为我的确不想打扰他们的清梦。我又看了看,找了找其他地方,我没有看见小柳,我还到卫生间去找,也没有找到。这种寻找使我忽然间记忆起自己去女儿小婵那儿的寻找,我和现在一样注意了很多角落,似乎充满了疑问,似乎什么也没有。我最后瘫坐下来,我感到体力明显不支。小王睡着了,我不能跟他交谈,若英也睡着了,我更不能找她交谈。现在我不可能再睡了,即使要我躺下也睡不踏实了。我扭动着铁皮鼠的发条。我将它放在了地面上,这时候似乎是我惟一可干的事,确切地说是惟一一件唤起兴趣的事。地面上光滑得很,上了发条后的铁皮鼠像是从隐秘的角落钻出来的真老鼠一样,在地上乱窜起来。铁皮鼠吱溜吱溜的,一会儿不见了影子,但是很快我就听见那屋里传来了若英的尖叫声。我知道,她吓坏了。

YANGGEER

央歌儿

■ **央歌儿**，原名王瑶，女，哈尔滨人，2000 年开始文学创作。此篇为中篇处女作。现在深圳某单位供职。

流水飞红

央歌儿

过十几年以后,汲月想,张洁真是个女巫。

南宁女人张洁的目光像一束亚热带的阳光照耀着汲月的生活,使她的心始终忙乱地在异乡奔波,那里长满椰树,海水碧蓝,一个洁白的裸体女人游动在鲜艳的鱼群和海藻之间。张洁是破空而来绝尘而去的,她的面容消隐于那个停电的夜晚,她的名字融入千百万个平凡的张洁之中,我们的祖国有太多太多的张洁、张杰、张婕、张捷……他们或她们遍布大街小巷,那是没有个性时代的缩影。

八十年代初,汲月和张洁相识在沈阳的一个招待所里,她们住在三楼背街的一间房里,楼下是食堂,一股股炒菜的浓香总是伴随着丁丁当当的锅勺碰撞声袅娜而上,房间的陈设极为简单,有一种行色匆匆的味道:三张床、三个床头柜、三把椅子和一张桌子,除了电灯之外,没有任何电器。张洁使这个破旧的房间蓬荜生辉。她的衣着是极耐看的,在还没有"时装"一词的年代里,她的打扮诱惑人们去揣测她的历史,别致的水晶耳饰像一滴泪水,谁能不对一个耳朵上挂着眼泪的女人产生想象呢。直筒的睡裙是用便宜的泡泡纱做的,极淡的土粉色,下摆和袖口松松地抽着松紧带,穿上它,傲气的张洁立刻变成了一个妩媚而浪漫的闺阁女人。这使穿着背心和肥大的花布裤衩睡觉的汲月和她的同事林淑梅有说不出的压抑,她们羞愧地察觉到自己的生活原来是那么粗糙。林淑梅显然不喜欢张洁的"穷显摆",而汲月却有着强烈的要靠近这个女人的欲望。

一个停电的晚上,林淑梅去了本溪,公共洗澡间不开门,于是张洁就在屋里洗澡。蜡烛发出嘶嘶啦啦的响声,一缕缕灰黑的烟尘幽幽而长,张洁的身影遮盖了整个墙壁,像一只奇异的大鸟,这只大鸟无数次地栖在汲月以后的梦境里。在北方,我们更多地去公共澡堂洗澡,几个裸体挤在一个水龙头下,黏糊糊的肌肤蹭着黏糊糊的肌肤,毛巾拧得比柴干,刮过皮肤之后,攒积了数日的汗泥像刨花一样卷落下来,那里的人体毫无美感可言。而张洁的乳房在昏暗之中白得触目惊心,像含苞待放的牡丹花悬浮在氤氲之上,它饱满而多汁,但你绝不会把它同喂养联系在一起,它只是用来膜拜的。那个夜晚被南宁女人染上了一股妖气,太美丽的东西都有股妖气。看起来这更像是原始部族的祭祀:女人、裸体、火还有黑暗。从此张洁的气息总是随着水、火、风等流动的物体散发出来,汲月生活在这个场中而无法自拔,她的语言与作派都带着张洁的味道。

张洁的大拇指总是锉得很精致,涂着鲜红的指甲油,她神秘地说:有时候它就像浮标一样。当汲月第一次做爱时,看见浮标在躯体上波动,她想:这是一个多么有创造力的比喻啊。就是那个夜晚,张洁说你能成为天马一样的女人。那天晚上张洁说了好多话,汲月只记住了这一句,说这话时,张洁的脸上挂着蒙娜丽莎的微笑,不知是诅咒还是祝福还是玩笑,也许在黑夜里,她的脸上什么都没有,经过千百次想象的描摹之后,就成了货真价实的原貌了。

当汲月三十多岁还没结婚时,她的母亲愤愤地说:张洁真是个女巫。林彪说过:天马行空,独往独来。汲月三十多岁才结婚,半年后丈夫去了美国,在母亲看来,她不幸中了一句谶语。

丈夫小余去美国将近四年了,走时持的是商务签证,只有三个月的期限,现在"黑"了三年多了,由于在大学里学的教的都是数学,在美国很难找到对口的专业,最初是给一个公司打更,过着黑白颠倒的生活,情绪也是满灰的。信没写过几封,而且都是没有回信地址的,据说是为了提防移民局。婚姻生活实际上只是一种耳语了,这耳语在电话听筒里磨来磨去,光秃秃的,没了质感。小余又心疼话费,所以连必要的调情也省略了,听着小余诉苦,汲月就想起张洁耳朵上的"眼泪"。

小余和汲月可谓是青梅竹马了,一个楼住了近十年,两个人的父亲又在同一单位工作,汲月和小余的妹妹余静又是好朋友,从小学到初中都是同学。小余是个和善的哥哥,汲月经常和余静在一起捉弄他,给他起外号,冲他喷水。急了,他就找条绳将两个人绑在一起,趁着汲月吱哇乱叫的时候,在她鼻子上咬一口,嘴巴是热烘烘的,有点口臭。

后来两家各自搬迁,汲月高考落榜后,由于父亲突然去世,接班进了工厂。小余大学毕业后分到师大教书,由于无需坐班,几乎每天都要去汲月家报个到,屁股沉的时候要坐上二三个小时,好在汲月家的人也不拿他当外人,有时间就和他聊聊,该干什么干什么。小余也不尴尬,想来就来。从沈阳回来的第二年,汲月再次高考,上了大学,学的是政治思想教育,住校,每星期只回来一次,小余在汲家坐班的时间也改在了周六和周日。他的追求是下死力不讲技巧的,那份执着倒蛮古典,类似愚公移山。他从不包装自己,破洞的袜子,外眼角老积着擦不净的白膜,吧嗒吧嗒地吃汲月的零食,他的小气又限制了情调与浪漫。总之汲月不能容忍的男人身上的缺点,他恰好都具备了。小余把与汲月共同成长的经历看作是最大的优势,殊不知这恰是短处,以汲月的浪漫,她的爱情应具有穿越时空的奇遇性质,是忽如一夜春风来,千树万树梨花开的那种,要悬念丛生的。

汲月的母亲曾暗示小余别太指望汲月了,否则耽搁了自己。小余则含蓄地表示只要功夫深,铁杵磨成针。汲月母亲无奈地想:古人多浪费啊。她想让小余改变一下追求方式,就举了一个小事例来点拨他:有一个养牛能手,他的牛总是养得又肥又壮,人们就来跟他学艺,发现他喂牛时总是将一种草料放到牛费劲巴力才能够到的地方,问他为什么,他说这种草有一种特殊的味道,放在槽子里牛是不吃的,而吊到这个高度,它们就抢着吃了。小余听了后嘿嘿一笑说:放在槽子里不是一个味吗? 汲月的母亲有点目瞪口呆,转而一想,他的理解也不可谓不精辟,一语道破天机。

汲月也挥霍掉不少机会,她拒绝或终止恋爱的理由奇特得令人咋舌,有位不错的男孩被她拒绝的理由是他总是拎着一个裤衩兜上街。青春就这样蹉跎过去了,蓦然回首,只有小余在一如既往地注视着她。母亲曾告诫汲月:不要以为三十多岁之后,你的初恋情人还会在原地等候你。小余的守候有点悲壮与凄凉。

汲月的心是被张洁施了魔法的,一个声音不停地说快走快走,她像失去触角的蚂蚁乱闯乱撞。小余由于爱情问题一直悬而未决,再加上本身在高校工作,周围的人从国门出出进进,还有叔叔在美国的便利,难免出国心切。他的托福成绩考了五百六十多分,尽管申请签证时被拒绝了,但论起出国的章法要比汲月老到得多。那时出国还是件神秘的事,没有现在这么多铺天盖地的广告与咨询公司。小余也投其所好,经常拿一些国外高校寄来的免费资料给汲月看。这些资料都印制得极为精美,柔煦的阳光,古老的欧式建筑,绿毯样的草坪给汲月的美国情结系上了最紧的一道扣。当她想象着她和小余相偎在那样的草坪上时,竟也澎湃起一腔激情。况且这么多年磕磕绊绊地走过来,对人对事添了几分的宽容,外在的东西看得淡了,小余的痴心不悔着实令人感动。

汲月曾说过要么因快乐而结婚,要么因绝望而结婚。同小余结婚应该是后者,但这是不肯绝望的绝望,是靠婚姻来拯救的绝望。这是女人以不变应万变的法宝。没有人能懂得汲月结婚时的悲哀,于是她将这悲哀付与了更为荒凉的沉默。她感到自己像一个旋转的链球,被一只无形的大手抡着,起点到终点,终点到起点,只需要一种力,她就能飞出这个圈子,获得崭新的轨道和空间,她便真的能像天马奔腾,自由自在。可这种力始终没有到来,她只能宿命地将这只无形的大手定义为"命运"。

结婚以后,汲月终于把小余推到了美国。小余是一个进取心不强,得过且过的人,当初一心往国外奔也属于红颜一怒。将汲月搞掂后,对美国的兴趣也所剩寥寥,但迫于汲月的强大压力,只好出去了。没有一个人送别丈夫时能像汲月那样欢天喜地,她对小余说:烂在美国吧。三年多过去了,连她自己都对这话产生了怀疑,可能是年龄大了,体力和精力都不如从前了,往四十奔的女人了,还要去漂泊,还要去面对动荡和不知何时休止的劳碌、挫折、贫困……物质上的与精神上的折磨,她已经失去了同这样的命运争斗的最佳时机。三年多以来,她将时间和智慧都投资到了美国,至今仍颗粒无收。戈多始终没来,思考戈多什么时候来,是一件非常头疼的事。

婚姻即赌,愿赌服输自负盈亏。

晚上十点多钟,电话铃响了,一看这时间就知道是余静打来的,汲月明白这时间的选择上包含着一种警觉,好在汲月的夜生活并不丰富,除偶尔去唱唱卡拉 OK 外,通常就呆在家里看书看电视。自从两人成了姑嫂,话却比以前少了,添了许多客气,互道问候之后,竟有十几秒钟的冷场,接着便热烈地进入了减肥的话题。汲月说喝了三天的减肥瘦身汤,实在熬不下去了,顺其自然吧。余静说去年买的衣服,当时穿还挺宽松呢,现在都绷在身上了,那天吃了点饺子差点儿没把扣撑开。余静的爱人小杜插了一句嘴说:吃了五十多个饺子,不撑开才怪呢。接着是两人笑闹的声音。余静说:快放寒假了吧? 来深圳玩玩嘛,你还没来过呢。汲月叹了口气说:去什么呀,这段时间还得带团呢,得挣点钱哪,有了去美国的老公,人家就拿美国的标准来衡量你。

哟! 汲月还在乎别人怎么看? 余静开了句玩笑。汲婶的身体好吗? 她赶快转移了话题。我妈挺好的。汲月回答道,紧接着又把话题翻转过来:怎么不在乎别人看? 家里没人看,就剩下那么一点点给别人看的虚荣了,要是这点体面都没了,那还有什么乐趣呢? 余静说:我跟独守空房也差不多,我们家这位天天摸不着人影,家里的事、孩子的事一点儿都指望不上,也不知道净上哪去鬼混,我对他也宽松了,别给我惹身病回来就行。

电话里啪啪地响了几声,是巴掌打在肉上面的声音。汲月的痛苦在余静的快乐里放大着。每次聊天,余静总像交心似的谈点自己的苦恼。以便汲月找下平衡,但不说还好,一说更让汲月烦,她觉得余静在向她施舍,那浮皮潦草的痛应该是一种享受。而自己却还在为最最基本的需求而挣扎。

汲月说能往家拿钱也行啊。你哥呢,见不着影不说,连个音儿都少,美国往国内挂电话要比国内打过去更便宜,他打过几次? 到现在为止,除了还我舅的三万块钱外没多邮过一分钱。余静笑了,半真半假地说:谁让你非得让他去美国来着,美国人都这样,夫妻 AA 制。汲月冷笑一声说:还是那个种儿! 受中国文化教育三十多年,到美国才几年? 两边都冷场了,说声再见便挂断电话。汲月后悔刚才的话有点恶毒,那不是连小余全家都骂了吗? 覆水难收,爱怎么想就怎么想吧,这个份儿上了,用不着尽唠拜年的嗑。

说不清什么时候起,她们的通话总是以这种绵里藏针的交锋作结尾的。从言语上来看似乎是汲月占上风,可她心里清楚,其实败下阵来的总是自己。余静是以守为攻,不战而屈人之兵的,她像是手操百般兵器,身后有千军万马撑腰样从容,是谈笑间樯橹灰飞烟灭,是九段高手对业余末流的不屑一战。而汲月又总是因这样的轻侮变得气急败坏。

余静是汲月不愿嫁给小余的一个缘由。余静的路都是按最经典的设计走的,像计算过的严丝合缝。她考的是工业大学,他们那一届,全系只有十个女生。物以稀为贵,虽然余静不算漂亮,但性格开朗,身材匀称修长,所以也很受瞩目。刚一毕业就考上了研究生,并和同学小杜结了婚。做完硕士论文答辩后的一个星期生了一男孩儿。小杜到北京读博士,余静留在工大当教师,不用坐班,和婆婆轮流照看孩子,连个保姆都没用请。三年后,随丈夫去了深圳,现在小杜已有了自己的高科技公司。青春一点没糟蹋,人生该走的步骤都及时地走了,如行云流水。汲月和余静从小要好,但暗中也较着劲儿。余静学习好,汲月长得漂亮,虽然晚二年考上大学,可追求者中也有不少出类拔萃的。余静的一些大学同学也曾想通过余静和汲月联系上,都让余静不动声色地给打发走了,这还是后来才听说的。汲月没把握住机会而一路下滑,余静却一步一个脚印,况且干得好不如嫁得好,一下子两人便拉开了距离。所以她抗拒小余是不想整天面对这个距离,而关于余静的消息又总是和令她高不可攀的极物质的内容相关:开宝马、住复式套、去欧洲旅游……

没事的时候,汲月常常思考造成她和余静之间差距的原因,总结来总结去,终于不得不落入一个古老的哲学俗套:性格即命运。虽然两人都属于外向性格,但学文的汲月偏于浪漫,学理的余静偏于现实。汲月的经验源于文学,敏感、叛逆、标新立异、情绪化、跟着感觉走。余静的经验源于数理,稳健、扎实、随流入世、逻辑缜密、稳中求进。假如对着一堆半粮半砂来挑捡的话,有两种方法:一是往外挑粮食,二是往外挑砂子。余静是前者,汲月是后者。理论上讲,两种方法难分孰优孰劣,但实际结果却大相径庭,前者是务实的,每捡一粒都意味着收获,无论多少,都是可即刻用来煲粥煮饭解饥寒的;后者捡出的都是无用的东西,希望要到最后一刻去实现,就很容易失去耐心,极有可能放弃那堆无法完美的粮食,徒劳无获。

小余终于来了电话,听这种耳语感觉是怪怪的,像一个杳无音信的失踪者,又幽灵般地回来了。口音也有了变化,说不清是广东味还是北京腔,只是仍然把"扔"读成"neng"。通常的问候之后,便很快地切入正题,其实也想找一些体己话来说,无奈总像有一个人在旁边掐着秒表催促你。

汲月赶紧切入正题:房款什么时候寄来呀?还有经济担保,牛郎织女一年还能见上一次呢,我可是守了近四年活寡了。我们学校最多撑到这个学期完了,下岗一个也得是我摊上。

不知道是通讯质量不好,还是小余的沉默,通话时常被一段段空白打断。汲月觉得自己的话语掉进了深不见底的山谷,再也期待不到回声。

汲月你别一天到晚总钱钱的,要是有人要,我都恨不得去坐台了。小余显然没必要幽默的意思,涉及到钱,他总是不耐烦。

那就回来吧,教师又要涨工资了。汲月的口气温软下来,整天像惊弓之鸟有什么意思?

小余叹了口气说:回去以后买个好点的房子还是个穷人。迟疑了一下,他说:我花了六千美金办到绿卡了。房钱你先从你妈那儿借吧,再说我看那剩余的房权买不买都无所谓。小余又说。

汲月急了,为啥不买啊?说不定以后能变成商品房呢。再也买不着这么便宜的房了。我去不上美国就准备烂在这房子里了!你放心吧,不用发愁,是卖身还是卖血我会想办法搞掂的!

然后,他们例行公事地互道一声 I love you。小余冲着电话喷喷地吻了两下,接着就是一阵忙音。也许不知道什么时候这喷喷几声也会成为绝响。小余真的要烂在美国了,自己也成了这个"流亡者"家属了,简直令人啼笑皆非。那究竟是一块什么样的土地,可以让人走火入魔。她悲伤地想准备烂在美国的小余十有八九是不会为他永远住不上的房子付费了。

接完电话,睡意全消,一夜无眠就想着自己的惨。汲月想:怎么这么快就三十五了呢?少女时,在澡堂里看见那些中年女人们体态臃肿,大腹便便,两乳下垂,就觉得三十多岁简直是地老天荒了。三十五岁的感觉是无依无靠,上不着天,下不着地悬在半空的那种,自信残留不多,平常心又尚未具备,万事皆空又壮志未酬。自己身无长技,不懂电脑,没买过任何保险,心过早地漂泊到了异国他乡,荒芜了眼前的一切。自己为将来准备了什么?原以为就要抓住美国了,但美国像一个既不兑现承诺,又不使人绝望的情人,搅得她的生活乱了套。

　　她把自己彻底交了给小余,是觉得对他有绝对的把握,自信来自于小余对她长达二十年的爱情。可想来想去这爱情是空泛的,是没落到实处的,也最经不得推敲。这就是之所以汲月追忆两人的感情生活时,除了小余张着大嘴咬她的鼻子以外,再没有特别清晰的了,甚至连一次荡气回肠的吵架都没有。婚姻对于他们来说只是一个概念而已,说不定什么时候会像阳光下的一滴水,嘶——没了。他随时会从电话线的那一端消失得无影无踪。没有孩子也就等于没有人质可扣押,她能施加的砝码就是小余对她的爱情。但这对一个孤注一掷的人来说是多么微不足道。强大的美国在不断地改造他。用外语说话的小余还会用母语思考吗?嬗变已见端倪,我行我素,背叛、失去的乡音……被抛弃了怎么办?这个问题原来无需去想,现在却不能不想,维系两个人的线就像挂浆土豆拔出的丝,哈一口气就能断。三十五岁的女人该如何面对一无所有?汲月悲哀地发现自己走上的不是船,也不是岸,而是貌似岸又漂浮如船的坚冰,她只能任它分崩离析,却束手无策。

　　好不容易挨到早晨,汲月往国际长途对方付费台要了老吴的电话,这是她第一次主动给老吴打电话。她听见老吴兴奋地对接线小姐连连说:好的好的,接过来接过来。本来在通话前的最后一秒钟,汲月已想出了一个给他打电话的借口,但老吴并没问,只是一个劲儿地说我像你我像你。老吴国语讲得不好,把我想你说成了“我像你”。汲月说像我?我那么老那么丑吗?两个人都笑了。老吴说再过十几天我去看你,不知你有没有时间?汲月有点意外,问:真的还是假的呀?老吴说:千真万确。大概有二十多人,都是朋友和客户,本来要去日本北海道,但我像你呀,明白吗?汲月说:才多长时间,你又要来?神经病啊你?老吴显得有点激动:你怎么能说我是神经病?由于他国语不好,汲月无法从语气上判断他是惊讶还是愤怒,抑或是别的,只好挽救似地笑几声说:对呀,你是神经病,不折不扣的神经病!老吴又气又笑地说:你说我是神经病?见了面我非打你屁股不可!两人都忘掉了自己的年龄,小孩子样地开始胡来了。汲月发嗲地满嘴叫着老爸,老吴也亢奋地半闽南话半国语地说些低能的情话。半个小时过去仍意犹未尽。撂下电话,竟都有些依依不舍。汲月心想:这人都是怎么了,到了发情期了?大侦探波罗说得好:女人最大的弱点就是需要有人爱她。

可是,我没法阻止别人爱我,汲月自豪地想。

汲月一般是在周六或周日去看望母亲,这个时候弟弟一家三口多半在家,和弟妹聊聊天,逗逗小侄,时间就很快过去了。汲月害怕独自面对母亲的目光,那目光能一下子把你穿透,况且母女间总被一条无形的脐带连着,有种与生俱来的感应,无论怎么掩饰母亲都能发现破绽。汲月从小就不会撒娇,再加上父亲早逝,独身多年,所以性格硬朗,什么事都自己撑着,被母亲追问急了,免不了心烦,所以尽量避免单独和母亲在一起。

父亲去世时,母亲才四十出头,一个人的工资支撑三口之家,她用一双巧手装扮女儿,使女儿穿着体面,不失自信。她是一个有见地的女人,提前退休后一直做建筑公司的财务主管,去年才完全赋闲在家,股票炒得也是风风火火。

弟弟一家三口去了丈母娘家,母亲在给小侄做裤子,聊了几句无关紧要的嗑,母亲试探着问房款的事,汲月躲开母亲的目光说:反正他又不住,买不买是我自己的事,他又是那种把一分钱看得比月亮还大的人。

唉!在外面不容易,肯定也没挣什么大钱,他的专业又不好,又不能出苦力。母亲劝慰道。

千万不能找小气的男人做丈夫,以前总以为小气不是大毛病,跟品德无关。现在看起来,小气的人必定自私,当要为责任付出金钱时,他放弃的一定是责任。汲月说。

母亲现在做的只有尽力安抚女儿,她说:小余人品不错,人都有缺点,以后生活在一起了他一定能对你好的。

汲月自嘲地笑着说:他是对我好,但这个好字是不需要花钱怎么都好的好字,一旦同钱字较量上,这好便立马就没了。可现在有几样事情不和钱字联系在一起?

婚姻就跟赌博一样,母亲感慨地说,你王叔家的小铮恋爱八年,结婚八年,说离婚没用上两个小时,手续就办妥了。你刘叔和你刘婶足足打了二十年的仗。要现在的年轻人两天也过不下去。可如今老两口在一起好得不得了,老来相伴不也挺美满的么。我和你爸般配,感情也好,可他半道儿把我扔下了,还是个苦。生活的事都可放大,可缩小,看你自己怎么看。有的时候,看见邻居家的小媳妇们悠闲自得地领着孩子出去咧咧,我就想你选择的道路多累啊,什么时候是个头。要是在国内,你们俩也是比上不足比下有余吧,小余研究生也毕业了,房子也有了,可你偏让他出去,结果你也苦,他也苦……

没等母亲的话说完,汲月有点不耐烦了,抢过来说:怎么都说是我逼他出国?好像他水深火热都要由我来负责似的,没结婚的时候他还不是脑袋削个尖地要出去,还是美国好,不然,那些出去的人为什么宁可抛妻别子,不要老爹老妈,丧失国格和人格也要留在那里!停了一会儿汲月说:小余说他可以快一点儿得到绿卡。

母亲说:你们这些人好像在国内都活不了了一样,守家在地有什么不好?

母亲的平静并不出汲月的意料,汲月不愿再谈这些严肃的话题,就强横地把话岔到别处,谈起了同学小郝,说小郝一直没结婚,去威海五年多了,现在和一个韩国人同居,韩国人给买了一套房子,还有一部车。母亲沉默了一会儿,精心上好裤子的腰,然后缓缓地从缝纫机上抬起头来说:我看这样活着也挺好。

母亲的话四两拨千斤,刹那间,两人的目光碰撞在一起,又怕烫似的赶紧躲开,都很窘,仿佛被对方看破了心思。一时间没了话题,汲月借口说有事,便赶紧走了。走到门口,听见母亲大声地问:钱够不够花?想想三十多岁的人了,每一次还需要母亲这么问,真是有点心酸。

汲月所在的电子学校位于江北,由于历史和自然的原因,江北几乎没有开发,到了冬季,就显得人烟更加稀少了。现在电子行业不景气,生源又少,两头的困难把学校挤压得气息奄奄。这种半死不活的状态已持续好几年了,学校为了扩大生源,把招生的重点转向了周边各县及农村,但由于分配不理想,繁荣景象也只是昙花一现而已。再说各行业要求的学历越来越高,家长们宁可多花点钱让孩子读自费的大专,也不愿意让孩子来念这吃力不讨好的小中专。所以整个的大气候也对学校的发展不利,招生人数已是连年创历史新低,教室也出租了不少。大家都知道这种情形不会"熊"得太久了,学校早晚要黄,所以嘴上说着赶快黄吧,这半死不活的跟凌迟差不多,但内心里,看到学校的破败极不是滋味。

江北的房屋低矮,地势又低,冷空气长驱直入,温度明显比市区低。电子学校由于效益不好,只能采取定时供热,来暖气的时候热得像蒸笼,停气的时候能看见嘴里呼出的一团团哈气。办公室又多半在阴面,因此,没事的人都喜欢往收发室里钻,盘踞在小火炕上面侃大山,或者聚在某个朝阳的办公室,东一句西一句地闲扯。遇到有领导挨屋检查时,会马上有人来通风报信,人们便轰地一声散开,风声过后又聚在了一起。往日的明争暗斗已云消雾散,相互之间有了更多的关怀,大家从来没这么相亲相爱过,这是末世的相濡以沫。

下午,汲月正和几个人反锁在电教室里打扑克,有人敲门说马上到会议室开会。汲月的心沉了一下。直觉告诉她,这种临时决定要开的会,往往是要宣布重大内容的。

校长拿着文件的手已经颤抖了。上午,他被局里找去,宣布了取消电子学校的决定,而且下午将接管所有的账目。其实,局里在这个时候做出决定就是怕学校借年终之际滥发奖金;同时也表示了一种斩钉截铁的态度,既成事实就再没有周旋的余地了。

读完文件,校长两眼茫然,用大家几乎听不见的声音喃喃自语道:本来想让大家过个好年来着……看到学校在自己的任内终结,他充满歉疚。

虽然大家早就预料到学校迟早会有这一天,但这一天突然到来时,却明显心理准备不足,原来总还抱着点苟延残喘的幻想的。五十多岁的女书记只说了一句:希望大家抓紧期末工作,站好最后一班岗。便趴在桌上哭了起来。学校一成立,她就在这儿工作,十多年的感情以及对去路的茫然,使她的哭声近似于嚎啕。一时间,会议室里成了悲伤之地,许多女教师也都禁不住抽泣起来。

全部专业课的教师及部分行政人员、文化课教师被市工业学校接收,其他人员的去向待定。汲月教的是政治,自然属待定人员中的。现在这些待定的文化课教师的身份十分尴尬,因为工业学校归属市工业局管,属事业单位,所以他们又和公办教师不一样,很难转到其他公办学校教学。

直到下班后,汲月才轮到和校长谈话的机会。看着忐忑不安的汲月,校长有点惊讶地问:你还用担心吗?有美国兜着底呢,你老公一个月的工资差不多够你活一年的。

汲月明白,在机会栏里,自己肯定是被排在最后的那一个,同情的天平永远不会倾斜给一个身着名牌,能赚外快,手机整天响个不停,又有美国老公养活的人的。别人看的只是皮儿,内里的营营苟苟谁又知道呢?张爱玲说:人生是一袭华美的袍,爬满了虱子。真对。

小余去美国这几年里,汲月觉得自己像一个破败的贵族之家的主妇,焦虑地思忖着要为周末的盛大晚宴卖掉哪件古董。她紧张地捍卫着体面与优雅。人的生活通常是分成两部分的,一半是给人看的,另一半才是自己的。有的时候前者更重要,是属于精神领域的,我们需要可以和我们相匹敌的朋友,需要喝彩,需要注视。触及我们的目光无所不在,包括镜子,也是一种目光。有时,我们的生活会因某种目光而发生改变。如果我们失去固守的生活状态时,会是怎样的悲哀呢,那是十年后粗糙、泼辣的玛蒂尔德。

汲月胡乱地在市场上转了转,吃了碗兰州拉面,身体一暖,心里总算亮开点缝儿。市场里弥漫着腥臭味,鸡们鸭们惊恐万状地叫着,一个年轻少妇坐在鱼档后,那双美丽的眼睛比胖头鱼眼还呆滞。汲月走到自家楼下时,看见蒋立纯的那辆二手北京吉普停在了门洞口。汲月挺意外,你怎么来了? 其实她正想找个人聊聊。

蒋立纯说看你是不是夜不归宿。

汲月嘘了他一声,才几点,就查岗?

蒋立纯说你先上去,我把车停个地方。邻居都是小余的同事,汲月知道他是怕给自己添麻烦,所以先上了楼。

蒋立纯在《都市晨报》当主任编辑,他是汲月的初恋,分手后一直保持往来。两个曾经肌肤相亲的人的友谊再纯净,也和其他友谊有了质地上的差别,双方会私自留点旧日的特权,比如摸摸手、捏捏脸蛋儿、说些 A级以下的黄色笑话……但他们的分寸都掌握得很好,不即不离,既有朋友的宽容,又有老夫老妻的相濡以沫,按张重光的评价来说就是“绝版精品”。蒋立纯当年奉子成婚,一开始婚姻就处于霜冻期,汲月是他惟一可以倾吐心声的人,所以见他这么晚过来,她想肯定是和媳妇又闹别扭了。

费了好大力气,蒋立纯说今天早上张重光死了,真的。

汲月还以为他是冷脸说笑话,便故意顺着说,那红塔集团失去了最忠实的消费者。张重光是个不折不扣的烟鬼。

蒋立纯拉过汲月的手捂住眼睛,哭了。张重光是蒋立纯的大学同学,两人睡上下铺又气味相投,毕业后来往也相当密切。张重光当省电视台新闻部主任后,财大气粗了,隔三差五地便坐东请蒋立纯吃饭。因为他总带着小蜜,蒋立纯不愿做电灯泡,所以每次都拉上汲月,以求生态平衡。汲月并不甘心把自己降到小蜜类,但她爱玩,又特别想认识点有些层次的人,也就不计较"类"的问题了。在众人面前,她和蒋立纯绝对是井水河水,这并不是假清高,她知道,井水河水泛滥到一块,比洪水破坏力强。人到中年,情与爱不再是感性的,有了斗智斗勇的味道。汲月的心里是清清楚楚明明白白,她是不爱蒋立纯的,而且接触的次数越多,爱的成分越少。蒋立纯对她恐怕也如此。不爱并不妨碍他们息息相通,多年来默契地牵连着,大半是取决于各自家庭的动荡。两个人都意识到,当自己的婚姻触礁时,对方便是距离最近的那个岛屿——可以容身但不可久居。其实,家给予他们的只是萧条和寂寞,但却这样地怕失去家。

蒋立纯哭得抽抽咽咽,让汲月想起了自己学校的女书记。本来工作的事还想找张重光帮忙,这下可好,靠墙墙倒,靠山山崩。得的什么病,这么快? 汲月问,前天他们还在一起吃的饭。汲月是最见不得男人流眼泪的。男人么,悲痛的样子总该和女人孩子有些分别。

别提了,死得挺不、不……体面。半天蒋立纯才搜索到"体面"这个词。

张重光为人不错,有才气讲义气,到哪都是开心果,可就是好色,身边的女人更新换代得特别快。他常说"石榴裙下死,做鬼也风流",竟不幸一语中的,这句诗成了他的墓志铭。

张重光和一个女人死在了车库里。

蒋立纯的鼻音很重,不时发出堵塞的嘶鸣:他昨天跟他媳妇说晚上加班,可能得后半夜回来。结果早上九点多还没回来,他媳妇也找,台里也找,打手机一直没人接,几个人就到车库看他车在没在,一看车库门反锁着,就知道事儿不好了。

那女的我见过吗?

我都没见过,不是台里的,据说是个鸡。

张重光真是将毕生精力献给新闻事业了。汲月的话开始刻薄起来，他做了一辈子新闻，最后自己成了最劲爆头条。省城名妓，不是记者的"记"，是妓女的"妓"。从前，汲月对张重光并不反感，男人风流一点不能算毛病，起码说明他拥有除养家糊口之外的财力和智力。但嫖娼那就叫堕落了，让人有不洁之感。猪狗交配还要个实力相当呢。

汲月纳闷，汽车尾气能叫人送命，张重光连这点常识都没有？

唉，他可能也没想让时间太长。车屁股紧贴着库门，想把尾气从门缝儿排出去，谁知道怎么就……大概天雷勾地火的，兴头起来了，就把什么都给忘了。幽完一默，蒋立纯竟又哽咽了。

要是我死了，你会这么哭么？汲月突然一问。

蒋立纯听出了话里的妒忌、占有和谴责。顺着她的刀锋上太像巴结，逆着上又显得无情，所以他聪明地避实就虚说，为了避免回答这么难的问题，我决定比你先死。

汲月说我真纳闷你们这些人非要结婚干嘛。她用的是第二人称复数"你们"，而不是第三人称单数。下岗、死人、丈夫的怠慢使她心情恶劣，打击面也扩大到蒋立纯的身上。对你们来说有房就是有家，喜欢哪个女人就领到暖呼呼的床上干一把，还不犯法，堂堂正正，免得像老张那样死于非命。

蒋立纯已恢复原态，两腿舒服地架在茶几上。他慢悠悠地说，这有家没家是个心态问题，你说头发有什么用？还得梳啊洗啊剪啊吹啊，可一旦没有了，你自己就会觉得失去了某一方面的健康，别人瞅你的眼神都是怪怪的。

汲月开始收拾屋子，她不想让蒋立纯呆得太晚。而蒋立纯似乎没有要走的意思，他说在朋友那儿借了几盘光碟，我还没看，听说挺好的。他还没吃晚饭，打开 VCD 后便去厨房泡面了。

特写。某物体的局部。VCD 有些亢奋，呼啦啦直下"雪花"。汲月终于看清楚了那是什么东西，她一把关掉了电视，对走进来的蒋立纯说，我突然想起一件事，咱俩应该给张重光烧点纸钱去，他们家的人肯定不会给他烧的。

蒋立纯说我也想到这事了，在地上花天酒地惯了，别到天上再受穷。

你说那边找个小姐得多少钱？

有风的夜晚，汲月那在八楼顶层的屋子便像一叶小舟，在暴风雨中飘摇。楼下的自行车棚上的皱铁皮板发出嘎巴嘎巴的巨响，仿佛被撕裂一样。风呼啸着掠过地面，间或传来玻璃破碎的声音。这是个危机四伏的世界。汲月打开室内所有的灯，将电视的声音调大，嗲气十足的港台味国语回荡在房间里。她最不喜欢看是非恩怨永远纠缠不清的港台剧，她需要的只是同类的声音，让房间里多点活的气息。阳台的窗被风鼓动得咣咣直响，汲月下地去检查，她被自己映在窗子上的孤零零的身影吓了一跳。重新躺到床上已经睡意全无，她又想起老吴来。她不明白为什么孤独寂寞的时候想到的总是老吴，而不是小余。

老吴是台湾人，秋天的时候随旅游团来的游客，汲月当时是地陪。从领队那里知道，老吴在当地很有名，有辆劳斯莱斯。汲月当然给予比较特殊的照顾，这照顾无非是想让老吴能多多 Shopping 罢了。和老吴在一块的是一位姓袁的中年人，他不停地给汲月拍照，并充当两个人的翻译。他问汲月是不是开车上班。汲月说是坐车，公共巴士。老袁说：那你去台湾吧，他送你一辆车。他指指老吴说，是奔驰。

当了多年导游的汲月是见过世面的，她似是而非说：去台湾很不容易，必须是探望直系亲属才行。老袁说没关系，只要你想去，吴先生马上会替你办。

我有管道。老吴亲自解释道。

汲月问：不是偷渡吧，我不会游泳。几个人都笑了，气氛也随之轻松起来。老吴说：不会让你那么苦，正当渠道。汲月说我明白你们的意思，但我已经有了老公了，只能相见恨晚了。老袁问你的先生是做什么的？汲月说他在美国读书。

将这个信息暗示出去多少有怂恿老吴大胆追求之意。不管怎么说，有一个驾着劳斯莱斯的追求者，总可增添些传奇色彩。老袁和老吴用闽南话讲了一气，然后对汲月说：吴董事长说慢慢来，可以先做朋友。

在各 Shopping 店里，老吴财力初显，除了买进大量的鹿鞭、雪蛤一类的补品外，还以九千八百元的价格，买下了标价二万八的珍珠王项链，让汲月不小地赚了一笔。游客爱上导游的事是时有发生的，但绝大多数属逢场作戏,曲终人便散,像老吴这么执着的极少。

电话铃声响了,一个陌生的男人的声音,找汲月小姐。

我是袁俊成。电话里的人说。

谁?汲月有点蒙。

袁俊成。吴董事长的国语不好,有些事情怕说不清楚,让我同你讲。

是老袁,没完没了给她拍照的那个。好像是被熟人捉了奸,汲月很不好意思,说起话来不免有些支吾。老袁马上警觉地问是不是说话不方便,接着他问汲月想要点什么东西?没关系,董事长有钱。他鼓励说。

要什么?最想要的就是钱。汲月心想。这么多年来,最使她自豪或沮丧的就是不会向男人要钱,关键时刻,她所受的教育总在作怪。往往话已经在肚子里转了千百个来回,但一出口,便改弦易辙。她是多么羡慕那样的女人啊,每投身于一个男人的同时也掠夺了大量财富。汲月想尝试着用玩笑轻松的口吻说:把钱带足就行啊!但说出口的却是:给我带两瓶辣椒吧,宜兰产的剥皮辣椒。而且坚持只要两瓶就行。对方显然心理准备不足,不知是该对此要求松一口气,还是放心不下。老袁开玩笑说:你只要董事长人去了就可以是吧。

放下电话,汲月一阵后悔。她又丧失了一次敛财入账的机会。不要钱,总可以要个电脑或钻戒什么的,跟老吴最多只能是个物质关系,不求财,还能求着什么?反过来她又安慰自己:东西要了,人也就算是标了价,什么都不要,反而是无价的。让人摸不着底,主动权就掌握在自己手里,看情况可进可退。

冬季是北方的旅游旺季,团队量很大。汲月做兼职导游多年了,以往一般利用假期、双休日,或请病假,现在因为学校的劳动纪律不那么严了,也差不多成全职导游了,有团就接。

旅行社给她安排了一个台湾团,由于有雾,飞机差不多晚点了近三个小时,整个下午的行程全泡汤了。领队是个瘦高个儿的中年人,大概是被误机折磨得不耐烦了,表情非常严肃,只简单地冲汲月点一下头。趁客人排队上车的机会,汲月问旁边的领队贵姓,领队有些不好意思,急忙说我姓林,双木林,他摘下手套和汲月握手,两只手相触的刹那,啪地被静电打了一下,又急忙弹了回来。一个客人兴奋了起来,他冲着林先生说:哇!

这么快就擦出了火花？保重身体，每个地方都放电吃不消的。接着又拍拍汲月的肩膀说：小姐，慢慢来，反正我们今晚在这里过夜，他吃过药后一夜七八次没问题。

汲月面无表情，对付这种人最好的办法就是别搭理他，要不然多黄的东西都能流出来。林先生安慰道：有些台湾人就是这个样子，如果有谁动手动脚你跟我说，但不能直接跟客人冲突。你结婚了吧？哦，那就好多了，要是小女孩恐怕会吃不消。

车子直接拉着团队去旅游商店买御寒用品，林先生动员客人买了不少东西，汲月又换到两千多美金，情绪昂扬。晚上自掏腰包，花了二十多块钱买了两瓶酒，以领队的名义犒劳大家。客人热情地邀汲月一起同桌吃饭，一杯接一杯地敬她酒。差不多二两酒下肚的她心跳加快，面红耳赤，腿有点发软。她意识到自己不能再喝下去了，抽身想走，林先生紧紧按住她。汲月说：再喝就回不了家了。林先生说：先陪好客人，我还想换钱，很大的一笔，今晚我给你开房。

从餐厅到酒店的路上，林先生和汲月商量完叫早以及早餐的时间，便让汲月坐到座位上休息，自己拿起麦克风客串导游，他说的是闽南话，他边讲客人们边笑，汲月回头问他们笑什么，他们笑得更厉害了。汲月知道肯定和自己有关，也羞涩地笑了起来。

回到酒店，林先生给她开了陪同房。并亲自把她送到房间，帮她脱掉棉衣、棉鞋，投了块湿毛巾给她擦脸和手，像侍候一个患病的婴儿或宠物。汲月的头脑极为清醒，手脚也并未软到无缚鸡之力的程度，她乖顺地享受着他的呵护。林先生用手轻轻地触了一下她的脸颊，说：不那么热了，你这个样子很漂亮。

女人对即将发生的艳遇是有感应的，就像地震前的鸡鸣狗吠。从林先生的一双大手按住她那一瞬间，就知道今天晚上会发生点什么。她喜爱导游这个职业，除了收入的原因外，就是它总能提供各种悬念。

林先生说，他要换点人民币，一万美金的，问价能不能给得高一点。汲月说最高就是八八五了，给客人的是什么价儿你都知道。她今天跟客人都是按八三换的美金。林先生继续讨价还价，八九怎么样？

今天的汇率就是八九。汲月觉得还是对他实话实说的好。大家都是吃旅游这碗饭的,什么样的行情应该了解的,能让利到这份儿上,"情义"二字已是呼之欲出了。为了佐证自己的话,她拿出传呼,上面有小江早晨传给她的信息:今天的汇率是八九。汲月不敢肯定小江那里是不是会有这么多钱,她当着他的面给小江打了个电话。小江很兴奋地说有,马上就打车过来。

林先生显然很满意,他主动解释说自己向师大美术系的申教授买了一些画,申教授怕美金有假,只收人民币。你知道申季初吗?听说在内地很有名的。

大名鼎鼎的申季初。汲月心头一凛,怎么会不认识呢,小余的同事,又住在一个楼。要是在这里被熟人看见,总有点解释不清。好像酒劲才真正上来。有点晕。汲月说画画的我只知道徐悲鸿和张大千。但还是忍不住问他怎么会认识申季初。他说是经一位朋友介绍认识的,没见过面。他掏出电话本给申教授打电话,借此机会坐到了汲月的身边。他凝视着她说:你一点没醉。

被人戳破,汲月并不尴尬,她哧哧地笑了几声,索性坐了起来说,偷点懒喽,还用付小费吗?她半眯着眼睛斜瞥过去,那种目光很飞扬,像一股刮得没有章法的微风,让人乱翻心意。他领会了她目光里的内容,将脸贴了过去,轻声说女孩子都会塞乃(读 nai,撒娇)。他的气息里夹着浓浓的大股酒味,让汲月心动。

外汇贩子小江带着一个高大的男孩来了,大概是怕被打劫。汲月指着林先生对小江说按八八五给他吧。林先生换完钱还不忘叮嘱小江说:这么帮衬你,高一点给她噢!他一出门,小江和那男孩齐声夸赞道:你们这领队真明白事儿!小江把五百块钱交给汲月,往外走时又若有所思地环视了一下房间。

一个多小时后,林先生来电话说要去外面走走,在大堂等。汲月补好妆,容光焕发地下了楼。见了林先生,她问你的客人走了吗。林先生皱了一下眉,不耐烦地说,走了!和他女儿一起来的,拿着验钞器一张一张地验,很麻烦,点完钞票就走人,像个做生意的。

酒店就坐落在江边,隔一道防洪墙就是沿江公园。冬日的夜晚,这里早早地归于了沉静,连空气都清冽了许多,一座座俄罗斯童话式建筑已轮廓模糊,大大小小的船泊在岸边,在仿古路灯那收敛的光里显出了几缕落寞。只有远处公路大桥上流动的车灯,给沉默的江面增添了动感。汲月指着灯火阑珊的对岸说:我曾经在那儿当老师,教哲学。她尽量避免使用政治这个词。林先生问:现在为什么不教了? 汲月说:现在下岗了,也就是失业了。林先生说:怪不得你那么忧郁。汲月吃惊地说:你怎么会觉得我忧郁? 从来没人这么说过。说完她佯作轻松地笑了一下,将眼睛躲闪开去,投向了远方。林先生没回答为什么,只看着她。他的脸部特征及肤色更像江浙人,嘴形很精致,刚刚刮过胡碴的下巴泛着青光。小余的父母是无锡人,但小余却没长出江浙人的清爽。

和所有亚热带人一样,林先生对雪充满兴致,专在有积雪的地方走,看见树根下的雪堆,便像孩子一样往里蹦。突然他抱起汲月要往雪堆里放,他的力量是那么大,一下子将她拔了起来。汲月尖叫一声,佝偻起双脚,放赖似地坐在了地上。他趁机捧起一大把雪要扬向她,临了又舍不得似的,扬向她头上方的天空。雪四散开来,落在脸上星星点点一下子化成了水,使汲月赤红的脸像刚浸过露水一样新鲜。闹完了,他们细心地给对方拍打落到头上发上或领子上的雪,大团大团的哈气在脸庞与脸庞之间热烈地绽放着。

林先生提醒她:要不要给家里打个电话? 汲月说:我先生在广州工作,没在家。她撒了个谎。林先生说:那你为什么不去广州,还在这里带什么团哪? 广州的靓女那么多……汲月装作轻松的样子说:距离产生美嘛。林先生说:那纯粹是胡说八道,小别胜新婚,久别就要出麻烦的,夫妻一定要在一起。小孩子哪? 几岁了? 汲月复杂地摇摇头,说:没要孩子。但随即又用欢快的口吻说:只要两个人彼此相爱就够了! 她不想让他把自己想成一个怨妇,有家的男人多半不敢招惹怨妇,就像不敢招惹一条饥饿已久的蛇。

怎么会不要孩子哪? 他停下脚步,温柔地看着汲月。是压力太大了吧? 他摘下手套,两只大手紧紧地捂住了汲月的脸。他的动作是那么自然,好像积聚了二十年的情爱终于得以表达。他的台味国语又低又软,即嗔怪又心疼,汲月听见心在颤动中四分五裂的声音。她紧紧地贴在他的胸口感受着那种久违的气息,隔着毛衣、围巾和硬硬的胸肉,她听见他健康的心跳响着粗砺的回声。

以后让我来心疼你，他吻吻她的脸。

他们挽着手走回酒店，直接进了咖啡吧，要了两杯意大利咖啡，慢慢呷着。一个菲律宾女歌手在演唱英文歌曲。

在抒情的乐曲中，他们随意交谈着。林先生说我爱听这首歌，很老的歌，听一首老歌总有好多故事在里面。

汲月温柔地一笑，点头。

我要为你点支歌。他要来纸和笔，还附上了一百元的小费，递给了女歌手。

菲籍女歌手将歌曲演绎得很有激情，汲月虽然听不懂它的内容，但她陶醉了，因为这是他为她点的歌，还因为歌名是《To love you more》。

他刮了一下她绯红的脸：你真漂亮，自怜自艾的漂亮女人尤其让人心痛。汲月，你应该多认识一些台湾的大老板，自己做点生意，我来投资都可以。

汲月压抑住内心的惊喜，平静地说：是啊，我想尝试一下。

林先生又为汲月点了一首歌《I do if for you》。

听完歌曲，两个人竟都有点不好意思——为这特别年轻的情怀。林先生说：我并不是随便为哪个女人都可以点这样的歌的，我和太太的感情很好，所以在台湾从不搞女人。但男人又是天生的花心……他有点无奈地笑了。

听他大段地描述完他可爱的太太之后，汲月想自己遇见了一个高手。即使处于暧昧的关系中，女人衡量男人的道德标准也依然没变。能在心仪的女人面前褒扬太太，起码说明这个男人还不那么堕落。

勾引一个忠诚的丈夫是多么具有挑战性啊！汲月想。她笑笑说：台湾的男人不花心的少，尤其像你这样四十出头的。

我都快五十岁了。他认真地拿出身份证给她看。

汲月看了看，四十八。他看上去要比实际年龄小许多。

他开玩笑说：这个年纪的男人多半又返老还童，进入第二春了。今天晚上能搂着你睡觉该多好。他终于提出了实质性的问题。

NO! NO! 汲月俏皮地回应到，用英文既把拒绝的意思表达了，又不显得太正式,给他留着一线希望。

为什么? 他哀求地问。

不和刚认识几小时的男人上床是每一个正派女人的原则。汲月半开玩笑地说。

吊我胃口?

是的,吊你胃口,希望你下次再来。

那么下次在泰国见面好不好?

我倒想去泰国,但内地的情况你知道,出国由不得自己。只要你来内地,我一定会去和你见面,天涯海角。

到时要睡在一起。

是的,睡在一起。

汲月没过多遮掩,她知道以林先生的职业与作派肯定是经常和形形色色的女人打交道的,三招不过就能掂出她们的斤两。在这种男人面前,与其扭捏作态,还不如直抒胸臆,显出点知识女性的豪迈与自信来。女人多半爱在男人面前假扮天真,但殊不知自然天成的东西是最假作不得的。况且,过了不惑之年的男人在心理上和生理上正处于复杂阶段,他们比谁都懂得地久天长是什么玩意儿,费劲巴力地把一个女人从天真中拯救出来实在不划算,一个风流但不堕落的成熟女人才符合胃口。这个年纪的爱情以艳遇为主,但这个"遇"字,并非简单的随缘就分、合则谋,"知遇"的成分占得更多。

从咖啡吧出来,林先生没有再要求去她的房,只是说睡不着就打电话给我。汲月没想到这个夜晚的故事就这么轻而易举地结束了。本来,她的拒绝是温软的,有很大周旋余地的,她以为他们还可以再缱绻一会儿。戛然而止,使她的欲望又熊熊燃烧起来。经过自己的门口时,她牵住他的手臂,这挽里含有几分哀怜。走廊的监视器探头正对着他们,汲月坦然地看了它一眼,她感到自己飞速地爱上了他,是那种年轻蓬勃的、想让全世界知道的爱,全无偷情的晦暗。

半夜,她几次想打电话给他,听见敲门声,但不是敲自己房间的,心里便有说不出的怅然。她不否认自己想从这爱里攫取点什么。可是又能得到什么呢? 男欢女爱本来就是一场必散的筵席,只求轻轻松松快快活活,如果非要把责任希望这类沉重的问题搅和进来,会改变味道的。一夜风流你能指望它承载多重的分量呢。

早上不到六点门铃就响了,汲月雀跃着去开门。

他一把将她抱上床,问:睡得怎么样?

没怎么睡着,想你。汲月如实说。

那你为什么不打电话给我? 这么大一张床,搂在一起多舒服啊。他充满遗憾地说。

汲月问:你还什么时候来?

一定来,十二月十号有一个团,到时你做全陪好不好? 说准了到时必须睡在一起。

说准了! 汲月坚定地回答。

林先生目不转睛地看着她:如果你对旅行社这一行感兴趣我们将来可以联手来做,我出资金,但最好是在上海或杭州这样的地方,那儿的台商多,光是办理飞机票这一块就很可观。记住以后有什么困难就跟我说。

汲月默然一笑算是表示回答,她几乎对这种天翻地覆的际遇有点难以置信,怕它不是真的,怕它是个陷阱。

你想要点什么? 林先生问。

什么也不要。

林先生笑了:什么也不要的女人最难对付,一旦要了,就是你给不起的。

那就要一点吧,免得你心理负担重。要什么……要你 Love me more。

叫早铃声已响过,隔壁传来放水洗漱的声音,走廊里已经有人往外拿行李了。

林先生紧紧搂住汲月,这用力地一拥使离别产生了牵肠挂肚的悲伤。汲月,你要生一个孩子,没孩子的家只是个空壳,有了孩子才有了核儿,才会长肉。I do if for you。他耳语道。但是他没吻她,汲月早上那么用力地刷牙,满嘴里还残留着“黑妹”牙膏的清香。

接下来就是大半天急三火四的行程,林先生又恢复了严肃。

团队是下午三点的火车前往下一站,检票了,有人还在厕所里,出来时不紧不慢地洗着手。站台里满是导游的旗子,下车的人流和上车的人流淤塞在一起,火车催命似地鸣笛并扑扑地冒着巨大而短促的白烟。好容易将团队带到最后面的软席车厢,客人们乱作一团找不到座位。汲月挤上去帮他们找座位,驱逐那些没票占座的人。林先生在接行李,因为对寒冷的北方有备而来,客人的行李都是巨大的。行李员费劲地把它们高高地垛在车厢的连接处。又一拨人汹涌而上,林先生偏侧着身体递过小费,汲月从颠簸的人头上接过钱,紧张使两个人都忘了放松神情,只是挥挥手,林先生就赶紧转身去照顾那摇摇欲坠的行李去了。钱没按常规放在信封或红包里,四百,算多但不算很多。除了一张名片外,她没有任何他的信物,连个红包都没有。这钱是早晚要花掉的,上面的气息与指纹也将随着在天涯海角间兜兜转转。

本应优美而伤感的别离……

女人有爱就快乐。这爱一叶障目,签证、房款、下岗等尖锐问题变得模糊不清了,对小余也隐约有了体谅。

老吴和林先生都无法给她婚姻。男人出来鬼混并不是要以放弃家庭为代价的,他们总想鱼和熊掌兼得。但这种关系给她提供了一个关照自己婚姻的新角度。这种婚姻形式有它的妙处:体面又有自由度,它像摆进玻璃橱中的瓷器,雅致精美,具有较强的观赏性,破损的概率不大。而汲月需要的是无需落实到柴米油盐上的爱情,同样要有观赏性,是呼啸而来的箭、是挂在天上的虹、是打在窗上的雨、是夜半时分的电话铃声。

电视里一个金发女人说:我给他爱情,他给我温暖,我是职业情人。

看来什么都可以做职业的。汲月想。职业情人,多好。

由于暖流,城市里不见了冰天雪地的模样。天空晴朗,房顶的雪已融化,雪水顺着房檐滴答着。一切都是春天的繁荣气象,烤地瓜与糖炒栗子的香味飘满街头。女孩们抓紧时间享受这不多见的暖冬,穿起长裙,兴高采烈地走出家门。

这样的阳光使汲月想起了亚热带的南宁,还有高大雪白的神秘女人张洁。

海子说:当年基督入世,也在这阳光下长大。

因考虑到和林先生的会面,汲月花很多的时间在逛街上。逛街会激起女人的两个欲望:减肥、傍大款。一个“卡地亚”女包就花去将近两千块,内衣上又着实下了一番功夫,连文胸带羊毛的内衣内裤,又花掉五百多块。汲月盘算着如何能向老吴收回成本。她是不会向林先生要这笔钱的,在林先生面前,她是个独立的女人,她对林先生是有爱的,爱情是个易碎的东西,要小心翼翼才行。而对老吴这个替补,她尽可以耍些小孩子的蛮力与粗鲁,有没有形象都无所谓,随时可做杀鸡取卵式的了断。汲月花了五块钱给老吴买了一双毛袜子,当然这是一出小把戏,有抛砖引玉的意思。从财力上看,林先生不及老吴,但他毕竟年轻,有个美满的家,所以不会将自己箍得太死。林先生对她也有利用的成分,这样更好,相互利用就有了一块共同的土壤——用来培植根的地方。这样才会盘根错节,你中有我,我中有你,远比空洞的爱情来得扎实。

有爱的女人,平静、宽容、美丽。几天来汲月甚至忘记了美国,忘记了下岗,只有巨大的喜悦充溢在心头。她简直对生活产生了一种满足感。再有一个多月她就三十五岁了,三十五岁还要漂泊的女人是心酸的。虽然父亲早逝,但在能干的母亲的庇护下,也是丰衣足食,没有特别为钱发愁的日子。到美国去,需要重新开始艰苦的人生,住地下室、刷盘子洗碗、远离家人……人近中年,世道沧桑,声色犬马领略得不少,生活的磕磕绊绊磨练了她的韧性与耐力,但同时也告诉她一个最不愿意接受的事实:自己是一个平凡的人。曾经的万丈雄心只能说是年轻时的不知天高地厚而已。她做不了孤注一掷的赌徒,她是最舍不得生活的枝枝蔓蔓的小女人。这个年纪的女人,最怕的就是 nothing。

其实,女人既不想做鹰也不想做船,女人最大的心愿是做一棵树,扎在一个土壤肥沃雨水充沛的地方一劳永逸地生长。

老吴将在十二月八号到达,而林先生却一直没来电话。汲月甚至担心会不会是两个团合并在了一起。这个假设使汲月烦躁了起来,这样的巧合百年一遇,但也并非没有可能。她仔细地校对了两人的地址及地区代码,一个台北的一个台南的,南辕北辙,应该是不搭界的。

八号早晨,老吴从北京打来电话,问汲月晚上可不可以给找几个女孩,朋友们要玩玩。由于他的国语不好,怕说不清楚,就让身边的一位高先生跟她讲。平常带团,汲月是不答理这事儿的,有损人格,万一出了事名声扫地。但为了老吴,而且又不是她本人接团,也就无所谓了。她开口报价每人五百二，姓高的很爽快地说：告诉她们六百好啦，你也有八十块的折头好赚，我们去你那里消费，也是捧你的场，所以你要同姐妹们讲清楚做得尽力一点，不然吴先生也没面子。

初始，汲月只对他居高临下的傲慢不满，愤愤地说了一句：要不是吴先生，谁管你们的烂事！放下电话一咂摸不对味，姓高的显然把她当成"鸡"了，心里顿时生出对老吴的不满。

晚上六点，汲月来到酒店，询问前台，团队还没到，大概游览景点去了，便坐在大堂里等。汲月有时就想，自己的前生一定是个酒店的女侍，每天四处地擦呀洗呀，熟稔这里的一砖一石，她的灵魂挟带着酒店的气息，在汲月的周围散发出久远的芳香。

第一次进大酒店是十年前的事，当时是出全陪，到外地接团，同去的还有三个女伴。走进外乡的酒店竟是一种久别重逢的亲切，她的同伴们则兴奋地左拍右照，光是大堂就耗去了半卷底片。然后就大肆搜罗一次性牙刷、香皂、浴液、信封、火柴、茶叶、擦鞋布……汲月不同，她对小便宜的克制与漫不经心，使她保持了一种高贵。酒店之夜她几乎都是后半夜才上床，居家的夜晚是最家常最没特点的，一千个夜晚也差不多是一个样式。而每一个酒店之夜则是别有风情的。

等了一个多小时了，还不见团队的影子，看看表，已经八点半了。汲月有点坐不住了，到前台问了一下，说确实有一台湾团，但现在还没到，行李也没到。老吴他们的飞机是午后的，不到两个小时就可到这里，行李不可能随客人在一起应该早已被送到才对，会不会是飞机……她真心诚意地为老吴担忧起来。要了民航的咨询电话，因为不知道航班号，只问了一句从北京来的航班是不是正点，得到肯定答复，心松了下来。看来没有坠机事件。

将近九点半老吴的团队才到，老吴小跑过来连连作揖，抱歉抱歉！他穿着呢子的西装西裤，透出了几分老牌绅士的儒雅。名牌的东西就这样，穿上了，就由不得你不像样子。瞅着汲月，老吴笑得很灿烂，下面的一排假牙是金属制的，发着黑灰的光泽。头发稀疏，有了一块不小的"地中海"。

你没穿棉衣？

够了,我一直坐在车上,反正景都看过了。老吴解开西装扣子,拍拍里边贴身的鸭绒坎肩说。看着他的老,看着他的单薄,那份执着的分量加重了。

几个比较年轻的人过来和她握手,熟稔地叫她"汲小姐",看来一路上老吴没少显摆他俩的事。

进了房间,老吴拿出一千块钱来,汲月不要。老吴有点急,你嫌太少了?这是见面的规矩,还有的,你明白吗?他的笑容里有几分谄媚,让汲月心生厌烦。老吴将钱塞到她的包里,又忙不迭地拿出剥皮辣椒,辣椒用塑料瓶子装的,清汤清水的,不是汲月要的那种,但她装着很感兴趣地欢呼了一声,算是给老吴一点面子。老吴受到鼓励,拉住汲月的手连声说:我像你!我像你!他的手粗而硬,摸上去有隔着一层的感觉。像老吴这种年纪又不会讲国语,尤其是南部的人,多是台湾的本土居民,世代过着农耕的生活,日出而作,日落而归。脚整日插在稻田里,背在溽热的阳光里沤着,扶着铁犁的手磨出了一层再也磨不下去的老茧。他们勤力地耕种,精心照管鸭塘,可他们生活的字典里写的最多的仍是"辛苦"二字。有一天城市向他们逼近了,他们的田野和池塘逐渐消失,成为高速公路、厂房或写字楼。政府征用了他们的土地,也给了他们慷慨的补偿。日子前所未有地蒸蒸日上,他们脱胎换骨,经商、开工厂、出国旅游、养二奶……依旧的只有那满手的老茧和一口固执的乡音。

汲月拿出给老吴买的袜子让他穿上,老吴简直受宠若惊,连声说舍不得穿要拿回去镶起来,然后挂到卧室里。汲月说没听说谁把臭袜子镶起来的。她拿着袜子试着在墙上比量了一下,这一比量才发现一只袜子比另一只足足长出一寸!她气愤地把袜子扔进纸篓里,老吴又捡了回来,笑着说:一样是珍品。

一阵敲门声,是行李生。汲月扭转身子去打电话,她不想让他们看清自己的脸。导游和行李生不免要接触的,有了印象就很麻烦。真艺发廊那边已空出了床位,叫他们赶紧去。

老吴的朋友们高声大气地来到房间,他们普遍比较年轻,争先恐后地和汲月热烈握手。老吴装出非常气愤的样子叫他们不要握得时间太长。原定只去八个人的,但六位和太太一同来旅游的也非要去,汲月只得通知发廊再尽快腾出六个床位来。

老吴一个接一个地收钱,他点钱的手格外灵活。朋友们开始打趣老吴,不时地发出大笑,虽然说的是闽南话,但汲月知道他们说的肯定和自己有关。她不瞅他们,也不乐,眼睛直勾勾地盯着近在咫尺的电视,一个劲儿地想:他们在说我什么?他们怎么看我?她不会跟老吴去下一站的,和他们不是一类人,而且是融合不了的两类人,她没法刀枪不入。落寞地坐在亢奋的人群中,心里满是对林先生的想念。

进真艺发廊一打眼你就知道里边是做什么的了。长条形的店面宽仅两米多,靠墙三个洗手池油腻腻的,没有通常发廊里的冷烫精味、刀剪和碎发。只是在巴掌大的桌子的侧面挂上了一把吹风筒,地上七零八落地放着几只圆凳,像模像样立着的收银台上除了一个茶杯外,什么也没有。后面是一扇紧关着的门,奥秘在门里。呼啦一下进来十几个人,发廊的空间立刻局促起来。

只有七八个空床,为了不让到口的生意跑掉,他们谎称十四个床位已经搞掂。跟这种地方没法理论什么职业道德的。老吴的朋友们也都有点不高兴,他们想数管齐下。领班小红招呼出一群打扮得跟"圣诞树"似的小姐来,狭小的空间立时充满了欢爱场所特有的喧哗与骚动。汲月心急如焚。真艺发廊地处中心地带,这黑苲苲的人堆特别惹眼,出了事真正兜着走的是自己。汲月建议将小姐带回酒店去,几个和太太一同来旅游的坚决反对,终于有五位架不住小姐的诱惑,进了里屋。剩下的几个抗议似的一声不吭。汲月背对着他们傲岸地站着,心中在酝酿着一场袭向老吴的风暴。她的气质、衣着是和这里截然不同的两个路数,更有了曲高和寡的孤独,走进来的嫖客都不免多看她几眼。四五十分钟后,几个人陆续出来了。大概是看老吴的面子,较温和地抱怨小姐的手法不够好,欠缺耐心,床铺不干净等等。

汲月走进里间和小红结了账,老吴则把没做的人的钱退了回去。不知是意犹未尽还是想甩开老吴和汲月,他们悠闲地聊天、吸烟。看在老吴的份儿上,汲月给他们介绍了附近的"名模夜总会",她并没有跟他们一起去的意思,只想给他们指一下路,但他们默契的没一个人吭气,没一个人动地方,怕再一次被当大头似的。汲月和老吴便灰溜溜地出了门。

　　坐在出租车里,汲月没和老吴说一句话。已经是午夜一点多了,这样的时间没法再回家了,愿意不愿意都要与老吴过夜了。一进房间,老吴连连道歉,汲月冷着脸问:他们有什么可不高兴的? 老吴说:不会的,不会的,他们都是很好的朋友,没有不高兴。那你道什么歉? 汲月不依不饶,窝了一肚子的屈辱,开始向老吴开火。

　　由于怕惊扰隔壁,她不得不放低声音,这本已使攻势打了折扣。有些话老吴又听不懂,不得不时常停下来解释某一个词或字,这样就影响了她本应气势如虹的陈述,愤怒也变得支离破碎了。闹着闹着,也觉得没劲了,老吴千里迢迢来赴这一夜的幽会,本已有些可怜了,天又这样冷,人这样老,何不互相善待一点呢。

　　床上之事,老吴已是心有余而力不足了,但毕竟久经沙场,极力在手法上做些弥补,借此表明自己老而弥坚。汲月也不戳破,两人都没睡意,不停地聊天,喝花旗参茶。

　　老吴的皮肤是微温的,布满了细密的褶皱,好像轻轻一剥就会从骨头上蜕下来。但触上去倒蛮滑腻的,有点像剥去鳞的死鱼。

　　其实他们更像是屏幕上下的两个人,看似面对面的,其实是自说自话,一个只管演一个只管看。由于语言的障碍,理解是囫囵吞枣的,也无需费力去猜,这个听众即形同虚设又如此重要。她讲她的小余,他谈他的产业房子和车,间或谈起太太孩子,他和太太多年以前就不住一个屋子,她很胖,整天不停地嚼槟榔。汲月突然想问老吴那条珍珠王项链是给谁买的,但终于没问。几乎一夜都在聊天,两个人对国语或闽南语的领悟能力得以超想象地发挥。汲月没想到会有这么多的话同老吴讲,在老吴面前,她是敞开心扉的,多龌龊的隐私都敢泄。

　　老吴真的是老了,有时听着说着就发出了鼾声还夹着嘶嘶啦啦的哮喘。他的皮肤、方言、黑灰色的假牙还有带着焦糊味的花旗参茶,都让她分外隔膜。说不定哪一天,他这样躺着躺着就过去了,心肌梗死或脑出血一类的老年病。汲月被这个念头吓了一跳,突然有种不真实的感觉。她起身看看老吴,装着无意似地轻轻碰了他一下,老吴并未睡实,马上精神奕奕起来,重又进入话题。再富有的人走向暮年都是伴着凄凉的,走进老吴的生活也就意味着自己过早地去感受这种凄凉,这越走越黯淡的前景能给予她什么灿烂的未来呢。

　　怕遇见熟人，汲月决定早点离开酒店。她洗完澡，老吴也已经起床了，在喝花旗参茶。精力和话题都透支完了，两人多少有点麻木，冷了场，屋里很静，只有空调暖气呼呼地响着。汲月在唇上涂了一层厚厚的口红，以避免再去碰老吴的假牙。

　　听说汲月要走，老吴明显不高兴了。他说：汲月，你太不给我面子，朋友们都知道你要跟我一起去下几个地方的。我再问你一遍：你到底跟不跟我一起去？钱不是问题，我不会亏待你！

　　老吴的强硬让汲月心里舒服，她喜欢有霸气的男人。但他俩不会再有下一站了，她现在心里只有一个念头就是赶紧回家。

　　你愿意我留在这里吗？老吴问。

　　汲月不想再和他兜圈子了，笑着说：唉！这儿这么冷，早晚还是个散，别神经病了。

　　老吴拉过汲月的手说：你知不知道，上次被你骂了一句神经病我两天没睡着觉，当时就想为这句神经病我也要去找你。连我的太太都觉得奇怪，她问我那么冷的地方为什么不到半年要去两次。要是单纯为找女孩子解闷，台湾、澳门、珠海随便挑拣，不必花这么大的气力。你也都看到了我对床上的事已不感兴趣了。如果想去台湾就找我。

　　虽然不爱老吴，但心里也还是有些不好受，禁不住勾起自己被情灼伤的记忆。

　　老吴拿出一千块钱来给汲月，疲惫、无奈加剧了他的苍老，人像突然矮小了许多。汲月心中添了几分怜意，她没推辞，这点钱对老吴来说只不过是为昨夜买单吧，九牛一毛的。他们只投资那种立即产生回报的感情，按质论价，办多少事付多少钱，不见兔子不撒鹰的。汲月没和老吴一起用早餐就打的回家了。

　　已经十二月下旬了，林先生还没来电话。老吴走了以后没有再和汲月联系，两人都默契地从对方的生活中隐退了。可汲月的感情非要落实到一个人身上不可的。她手机日夜开着，家里的电话开通了国际长途。最后实在忍不住了，她决定往台湾打个电话。林先生的手机始终关着，汲月自己也记不清打了多少次了，她几乎怀疑号码不是真的。她还注意到宅电和旅行社的号码是一样的。台湾有很多这种家庭作坊式的旅行社,先生为董事长或总经理,太太则兼任秘书一职。汲月先打好两套腹稿,万一是他太太接的电话应说什么。果然是一个女声,很职业地说了一声:你好,宇达旅游。汲月用尾音拉得很长的台味国语说:请找林先生。没遭到任何盘问,稍等片刻,林先生接了电话。听说是汲月,他惊讶了一下,有些语无伦次:我刚从国外回来。生意好吗? 你公司的传真没变吧,那好,过些时候我就将团费汇过去,那就这样,给杨经理代好,Bye－bye!

　　爱有多消魂就有多伤人。放下电话,汲月的心空了。他显然没在乎她说什么,而更在意他太太听什么。其实这种艳情本来就是人生的一个过场,自己偏要狗尾续貂。真的是老了,竟为一次寻常的逢场作戏激动了那么久,他可能的确是个忠诚的丈夫,他为自己开房也仅仅是怕换到假币。汲月不愿相信这种猜测就是最后的答案,她像过录像带一样寻找驳斥的证据:他说 I do if for you。他说记住有什么困难就跟我说。他说到时要睡在一起……可这些疼爱与呵护今后却再也享用不到了。人生之事真是瞬息万变,昨天你还觉得全世界都在自己手中,可一觉醒来才发现原来只是春梦一场。那被润色了一万次的情节,像只渐行渐远的河灯在红尘往事里忽明忽暗。地球真是水的星球,一切都是漂浮的,那究竟有没有靠得住的东西呢?

　　圣诞节前收到小余的贺卡还有信。信写得很用心,可能脱离母语太久了,好多词都用的英语,错别字也多。但可以看出来小余的心情已不似从前那般灰了,各方面都有了转机,换了一部新车,住址也变了,现在可以在家里做饭了。信的最后他幽了一默说惟一不想换的就是太太。他说给汲月寄去几套衣服和一只手袋,不知包裹收到没有。他留下了地址和网址,落完款后,他才羞羞答答地提到房款的事,说要还叔叔的钱,另外正打算为汲月办理赴美一事,手头紧张,希望能暂时向她母亲借点救急。

　　虽然来信并未解决汲月的任何实际问题,但给心情黯淡的她以不小的安慰。她找出前几年小余寄来的圣诞卡,音乐都是"铃儿响丁当",而今年的则是"可爱的家",不知是巧合还是别有心意,看来美国把小余也熏出了点浪漫情调。她仔细地品味着信里惟一和自己未来命运有关的那句话"……正打算为你办理赴美事宜……"又是一个将来时!

但不管怎么说小余还在为他丈夫的角色尽力，经过了和老吴和林先生轰轰烈烈的艳情后，汲月心境又回复到一个"空"字上，只是这个"空"空得纯粹了，不似从前浮满泡沫。信她读了好多遍，每读到"现在可以在自己家里做饭了"的时候，鼻头总会一酸，仿佛看见巨大的蒸气像隆重庆典上的烟火快乐地蹿向天花板。家的概念在汲月的头脑中第一次这么朴实，素面朝天的女人，只穿着短裤、露着满身汗毛的男人，馊了的炒瓜片儿味，一堆待洗的衣服。这个包罗万象的家粗糙得如同锅碗瓢盆，天天都能听到生活在上面敲敲打打的声音。

四张贺卡同时打开，薄薄的声音刮着耳鼓，在房间里热闹地乱作一团。

包裹单第二天就到了，汲月当时正和同学华凯在家里吃饭。两个女人热烈地欢呼起来。由于是国际邮件，要到邮政中心去取，离汲月家很远，华凯一心想做美国时装的第一观众，也要跟着去，两个人便迫不及待地打了辆车。一路上，谈论的全是CD呀范思哲呀BALLY呀，饶舌的出租车司机也不断凑趣，问她们是做什么工作的。两个人一起说没工作，下岗了，车费能不能免点啊。司机说：大姐，要说你们是下岗的，那也肯定是主动下岗，傍上大款了呗！两个女人由于心情太好，竟全都哈哈地笑了起来。

包裹不大，一尺见方。在营业厅里找了个角落，汲月掏出备好的裁纸刀将包裹就地开封。一件接一件地抖搂完之后，两人面面相觑，傻了眼。这些衣服全都尺码过大不说，样式也俗不可耐，那件连衣裙花色还可以，但质料太差，腈纶的，嚓嚓直起静电，一个劲儿往手上沾。最让人目不忍睹的是粉色的上装，类似八十年代初流行过的猎装，四个兜，锃亮的铜扣。所谓手袋其实只是化妆包，没巴掌大。为了安慰汲月，华凯拎出那套运动服说这件还可以，就是稍大了一点。汲月蹲在地上，茫然地问：你说他是给哪个太太买的啊？由于极度失望，她根本没注意到自己的姿态是如此的不雅。

再把这些东西往纸箱里放时怎么也塞不进去了，汲月气急败坏地说：算了，不要了！拿回去有什么用？连农村亲戚都不会要。要买就买好点的，全是跳蚤市场的破玩意儿，打发灾民哪！华凯劝道：别啊，人家一片心意,那儿可能也难找小码的衣服,欧美人都是巨型身材。她到别处要了一只塑料袋,把衣服装好,抱在自己怀里。

小余的抠门儿汲月是早有领教。追求汲月那么多年,小余只送过她两样礼物:一块"德芙"巧克力,一条用相思豆做成的项链。每次都是临出门前突然转身塞给汲月,然后逃之夭夭,那局促里既有厚道也有些猥琐,好像塞过来的是炸弹或避孕套。

由于失望,两个人再也提不起摆谱儿的兴致了,悻悻地坐公共汽车回家了。

圣诞节那天正在接团,小余的同事徐舟打来电话,说现在根据国务院的精神,高校也在裁员,出国留学逾期不归者,都在被裁之列,寒假之前就要结束这项工作。

汲月语无伦次地讲着解说词,但脑海里不断想着裁员的事。幸好是个香港团,听不大懂国语,汲月不用讲得太多。

小余当时出国是按自费留学将来回校工作这个条件而保留公职的,但当时没和学校签订正式的合同,更没交抵押金,因为根本没打算回来。像小余这种情况各高校有很多,领导也是心知肚明,只是有风吹草动的时候,难免在他们头上开刀。小余已经政治避难了,工作要不要也都无所谓,关键是房子的剩余产权款还没交,学校有权收回的。

当初,汲月迟迟未下定结婚的决心,恰巧小余的学校分房,借着这个缘由,两家老人出面最终促成了婚事。交房款时,小余家的人包括汲月都犹豫了,因为出国一事已见规模,他们抱着广种薄收的想法,分别申请了美国、加拿大、新加坡。当时新加坡一家公司对小余面试后很满意,已通知了去北京培训的时间,经济上已是力所不支。小余的父亲退休后一直在无锡的一家公司干,公司给了一套房子,老两口肯定要在老家无锡度晚年了,这儿的一套正好给汲月他们住。小余便以楼层不好为由想将房子转给买不上房的同事,这样可白得一万块钱。只有汲月的母亲坚持必须买房,她对小余和汲月说:先买房,出国的钱实在不够我可以向舅舅给你们借。房子还怕多么? 地点也不错,以后肯定要升值的,等你们俩都出了国再卖也赔不了。

小余家虽然不那么乐意,但无奈当初是借买房的名义结婚的,只好照办。汲月知道母亲是替自己留条后路，但她已是个生活在别处的人了，母亲非要买这个房好像要把她框住似的，很不吉利，所以对母亲的杞人忧天颇感不耐烦。母亲正告她：你不要指望小余家的那套房子，那是他父母的，不是你的。

汲月说这才叫置之死地而后生嘛！

母亲冷笑一声说：有活路的时候为什么偏要往死地走？你以为任何人都能绝处逢生的？女人可以没家，但不能没房，没家没房的女人比丧家犬还惨！母亲悲怆的表情将汲月震慑住了。她现在着实佩服母亲的远见卓识，和小余结婚以来可以说是败招连出，惟一可圈可点的就是这两居室的房子。当时刨除小余教龄学历等方面的优惠还不到三万块钱，并包括地板块、瓷砖、厨房壁柜等小装修。

汲月心乱如麻，中午几乎没吃没喝。她打电话给徐舟，叫他帮忙问一下房子的事。下午，徐舟回电话说：如果小余不回来，学校肯定是要收回房子的，还是要先同学校周旋，起码等房产证拿到手再说。她让徐舟给小余发一份电子邮件，自己在大脑里急速地想着对策，一边还得强颜欢笑地对付客人。

晚上九点半才将客人安顿好，北方的圣诞节没什么热闹可言，走在冷冷清清的街道上，汲月感不到冷也感不到饿也感不到疲倦。看着被路灯拖长的影子，心中只有凄凉。一个乞儿迎面走来，一脸与年纪不相称的冷漠。两个孤孤单单的人擦肩而过，汲月忍不住回头看了看他，她跑过去摸摸他的脸蛋儿，塞给他十元钱，转过身时已是热泪盈眶。

徐舟家和汲月家楼挨着楼，汲月打了个电话，知道两口子参加朋友聚会才到家，于是就上去了。徐舟的爱人小方是师大出版社的，和汲月两口子都很熟。由于徐舟的教龄比小余长，学历职位都比小余高，爱人又是同一个单位的，所以住的是三室二厅，装修得富丽堂皇。

你真有福。她由衷地对小方说。

小方知足地笑了：当初跟他的时候也没想到能有现在这样。人都说穷得丁当响，他连这丁当一声都响不出来，什么也没有啊！一双五块钱的塑料凉鞋坏了还得粘粘再穿。我跟他整整住了三年男生宿舍，九点以后就不能出门了，那帮男生光膀子穿个小裤头在走廊里走。不怕你笑话，晚上小便只能往便盆里撒,夜里那声儿特别响,自己都不好意思。早晨四五点钟趁没人再出去倒了。夏天开着窗还好,冬天一宿那味儿! 我跟你遭多少罪啊! 她撒娇地捅捅徐舟。

徐舟说:别不知足,我那也是端屎端尿的侍候你三年哪。

后来就住筒子楼,六家人共用一个厕所,半夜都得穿得整整齐齐的,上完厕所这困劲儿也没了。小方接着说。

行了,人家汲月有事呢,就听你忆苦思甜了。三个商量来商量去,觉得这事还得让系里出面为好。徐舟说明天再跟系主任商量一下,摸摸大致情况,如需要小余那边出什么手续,他会直接给小余发 E – mail。

临走换鞋时,汲月注意到鞋架子上那双恺撒男鞋,至少要一千多块,心想徐舟真是鸟枪换炮了。两口子一起送汲月回家。小方说:汲月,我要是你就让小余回来,或者你赶紧过去,这样时间长了对谁都不好。再说我并没觉得国外怎么好。徐舟从日本回来的时候我到上海去接他,人家那些小日本都那么清清爽爽的,啊! 这位先生可倒好,胡子拉碴的,头发把眼睛都遮住了,一个劲儿地用手往上撩。本来预计见面要亲热一番,问候问候,可一看他那样,我就来气了,我问他:怎么不理发? 他说日本理发太贵,攒着回来一块理。气得我火冒三丈:钱有攒的,头发还有攒的? 人也得活出点精神来呀! 世界上有再多的美味,也只有一个胃,有再多的娱乐,一天也只有二十四小时。与其在外面捉襟见肘的,还不如在国内体体面面的像个人似的活着算了。再说男人独自在外时间长了……

可能是为了安慰汲月,徐舟赶紧说:要是能在国外稳住阵脚当然更好了,国外的条件确实是国内没法比的。

回到自己家里,气氛顿显单薄了。鞋架上没有大码的男鞋,卫生间里没有男人的剃须刀,只有床上挂着的巨幅婚纱照才说明了这个家庭的结构。照片上的一对玉人实在是太精致了,失去了日常的温馨,超凡脱俗地俯看着人间。徐舟两口子似乎对汲月有种隐隐的可怜,其实汲月并没强烈地感到没有男人的家有什么不妥。每种生活方式都有各自的长处,她对小方的生活挺羡慕,但又不情愿把自己的生活否定个一无是处。生死有命,富贵在天,看来俗世的理想真的难与天命抗违。有的女人无奈地嫁鸡随鸡却不小心骑上了一条龙,有的一心攀龙附凤却只拣了一条虫。

　　圣诞夜小余会去哪儿狂欢呢？也可能独自一个人,胡子拉碴,头发老长,满脸的冷漠？汲月真诚地为丈夫难过起来,第一次感到这么强烈的思念。她想起了小时候小余经常带着她和余静去捉蜻蜓,回到家后用蜡烛烧着吃。

　　操起电话拨了一长串的号码,电话通了,她这才想到在美国还是白天,没到圣诞夜呢。正要挂断,突然一个女人的声音:喂——汲月第一反应是要放下电话,随后马上意识到这是在给丈夫打电话,她理直气壮地反问了一句:你是哪位?

　　我是他妈妈。你是——噢,汲月吧!几乎同时都听出了对方的声音。

　　您什么时候到的美国?汲月惊异问。

　　婆婆显得有些慌乱。答非所问地:啊——哈,叔叔的小儿子六号结婚,我们就都来了。

　　还有谁去了?

　　就我和你爸爸,就我们两人来参加婚礼。余强啊?他出去了。等他回来我叫他打电话给你啊。好、好,再见。

　　放下电话,天旋地转。

　　婆婆为什么不敢说什么时候到的美国?看来已经有一段时间了。汲月找出小余给她的圣诞卡,五号写的。这么说他写这封信的时候,他的父母已经在美国了,为什么只字未提?余静——对!余静肯定在那儿!不然婆婆不会此地无银三百两地强调两个人。汲月对这一点与其说是一种女人的直觉,不如说是对对手的高度警觉而产生的敏锐。她知道以余静的脾气,家里的事肯定都要掺乎一把的,包括小余对她的策略都是余静一手策划的。难道仅仅是去参加叔叔儿子的婚礼,还是另有阴谋诡计?

　　还有一个女人,很胖或很矮,长得不漂亮,但有绿卡,有住房,和小余同居二年以上……或者是个长着酒糟鼻的拉美人,和前夫有三个孩子。她穿着水磨蓝的棉布衬衫,系着带卡通画的围裙兴高采烈地给全家人烤冬瓜馅饼或戴着胶皮手套切洋葱。余家全家人都喜笑颜开地盯着她。这个夜里,汲月被自己假想出来的这个女人折磨得身心俱裂。千百种想法从汲月的脑海中闪过,她像一个侦探一样剥开表面的蛛丝马迹去寻找事物的实质。

为证实自己的推断,一早她就往余静家打了电话,小杜接的,说余静外出了。他体贴地说如果有事,你放下电话,我打给你。

小杜打来电话,汲月问余静什么时候回来,小杜说大概要半个月吧。

汲月语气平静地问:余静是去美国了吧?

小杜尴尬地咳了一声,坦率地说:对,是去美国了。

嫉妒以及被遗弃的屈辱使汲月哽咽了。看来这个家只有我一个外人,不是商量要休我吧?那为什么这么偷偷摸摸躲躲藏藏的。由始至终他们没拿我当家里的一员来看待。

小杜赶紧解释:不是那么回事,你也别太多心了。老两口早有心去看看儿子,特惦记着。叔叔给发的邀请函和经济担保,手续办了快半年才批下来。没说刻意想瞒谁,可能是隔得太远,交流少。余静呢正好我们公司刚同美国有了些业务,她持的是公务护照,所以批得特别快。本来是去洛杉矶,但是怕两个老人都不会英语,路上再有什么事,就一块去旧金山了。余强一知道他们要去旧金山,马上就说能不能把汲月也一块办过来,我们都还和他开玩笑说成天光想着媳妇了。他们不告诉你可能是怕你心里难受,这么多年都没去上。

汲月不想表现得太失控。她说:小杜,你也算是个外人,如果你处在我的位置上,你心里会怎么想?

小杜理解地说:不高兴是肯定有的。

小余给我来信也只字未提,余静前些日子打电话还让我去深圳的,这难道不是刻意相瞒?去美国凭的是能力和财力,去不上只能怨自己。不过同事邻居谁上美国还能打声招呼呢,一家人又没什么过节儿,我是个丧门星?这几年怎么过来的想想都后怕,嫁到他们家四年了,反而一无所有了。工作没了,房子也快没有了。汲月禁不住抽泣起来。

房款还需要再交多少?两万够不够?小杜问。

不用,我自己想办法。

别客气,你把确切地址告诉我,我给你寄去。这钱你什么时候手头宽裕了,什么时候还我。

放下电话,心情稍缓和了一些,不管怎么说小杜这个人还不错。突然,一个念头蛇样地咬了她一口,去追求小杜!她被自己的邪恶下流吓了一跳,呸呸地冲天吐了两口,像要把它完全赶走。

来到酒店,客人都吃完了早餐,汲月匆匆地吃了片面包便赶快上车了。中午将团队送走,顾不得去报账,便直接来到母亲家里。母亲听说汲月没吃饭,赶紧进了厨房,但估计到女儿肯定有事,只简单地炒了点米饭。虽然早上只吃了片面包,但感觉不到饿,炒饭里又放了太多的油,一看就腻了,勉强噎了一口。

母亲警觉地在女儿脸上扫视着。汲月本想整理一下心情,平静下来再同母亲说,但无意中触到父亲的遗像,泪水夺眶而出。母亲拿起毛巾给她擦泪,自己也禁不住哭了起来。自从父亲去世后,汲月几乎没在母亲面前流过泪,她不愿意给本已很多悲苦的家再添伤感。汲月断断续续地把整个事情的前前后后讲了一遍。

听完之后,母亲如释重负。她镇定地对女儿说:先办房子的事,一会我去银行取钱,该花的地方就花,无论如何要把房子保住。其他的事你就别管了,美国又不是哪个人的,谁有能耐谁去。唉,你要是有个孩子,这房款的事他们家能置之不理?为了孩子,小余也不能瞅着你下岗吧。现在说这些也没用了,最要紧的是你自己得抓紧学点东西,该进修进修,学学电脑、英语,如果你自己有一技之长,在社会上稳住阵脚,就是自己过也没什么不可以的。你是有能力的,关键是入错了行,当初就不该学什么政治思想教育,你的个性根本不是搞政工的料。那时你谁的话都听不进去,就听小鲁的。小鲁现在做什么呢?

早就去新加坡了。

太太是哪儿人?

哎呀——早都没联系了,又谈他干什么?汲月有些不耐烦了。

我不是担心你没有专长嘛。我要不是有会计这门专长,你爸一死,这日子还不知道怎么过呢。等小余来电话,你要好好跟他唠唠,不能因为电话费就总打马虎眼哪。但如果你一接电话就跟他吵,他还能愿意给你来电话吗?这事你也就别再提了,不依不饶反而降低自己身份。你在小余面前也是霸道惯了,好话不得好说,现在的小余可不是以前的小余了,该温柔的时候就得温柔。中国有那么多的关于忍辱负重的古训一直流传到今天,就是因为古往今来的人都有无可奈何的时候,向丈夫低头算丢人吗?

　　我觉得跟他过得都没劲透了。这么多年,气力都用在同他玩伎俩上了。现在要是有合适的,我立刻同他 Bye – bye。汲月咬牙切齿地说。

　　这事我看也不能怨小余,以小余的力量也不可能把他父母和妹妹都弄到美国去。

　　肯定余静出的钱呗。

　　所以就没有什么特别冒犯你的地方,只是没和你打招呼而已。两个人哪有不发生磨擦的,过日子就得这样熬,就跟广东人煲汤似的,不到火候味道就是出不来。再说你的年纪已不小了,别这山望着那山高了。

　　汲月问,妈,我要是被人包了你会反对吗?

　　母亲苦笑了一下,要真到了山穷水尽的地步这也是条路,只要你不觉得委屈。其实这么多年来我对你的期望很简单,有房住,钱够花,生活有奔头就行了。但女人终归是有个家好,没家别人老看着你可怜。谁呀?小蒋?

　　汲月心里也明白,如果就事论事,余家的人也并无太多可指责的,就是没同她打招呼而已。但任何人遇到这样的事,都不会从最简单那一面去考虑,这就像有六个人坐在一起,其中五个在交头接耳,并且神情诡秘。剩下的那一个,如果智商正常的话,就会想到这肯定是和自己有关的猫儿腻。也许他们谈的只是克林顿和莱温斯基。这几年,汲月一心想去美国,工作上、生活上基本上是与世无争了,谁评了先进,谁挣了大钱都在她心中引不起什么波澜。惟有对美国她有一种蛮横的垄断心理,她最听不得看不得的就是某某去了美国,尤其是她这么多年没巴结上的美国,余静却长驱直入。她苦苦奋斗而得不到的东西,余静却犹如探囊取物。她承认自己的痛苦还有一个别名叫嫉妒。

　　不顺遂时,人的心敏感而娇弱。绝望却得不到善待,便要生恨的,这恨有的可随走出困境而消解,有的则是生了根的,逐渐累积枝和叶,不经意的时候,竟长成了一株难以撼动的树。

　　看时间不早了,母女二人去银行取钱。取完钱,母亲怕汲月马大哈把钱弄丢了,执意要陪她回家,然后晚上住在女儿那儿。汲月明白母亲的心意,也就由着母亲了。

　　和系里沟通的结果比较乐观，徐舟在里边做了不少工作。先让小余发个传真回来，表示一下完成学业之后，继续回母校工作。又象征性地交了五千块钱的押金。

　　回到家，汲月开始心疼起钱来了。母亲劝她说：该花的地方就得花，钱不是为人服务的吗。没事！这么多年在外面干，炒股也赚了点，别让你弟弟他们知道。母亲神秘而又有点得意地说。汲月心头一热，只有母爱才是最靠得住的东西，八十岁也还是得有个妈啊。

　　可能由于这几天太过于疲劳，一觉便睡到上午九点多，母亲已经走了。阴天要下雪的样子，室内的空气干燥，有股暖气的焦糊味。醒来的这段时间往往是最难耐的，因为迎接你的又将是一个碌碌无为无所事事的日子，最糟糕的是你不知道这样的日子还要继续多久。由梦境走向现实是空虚的，何况是一个漏洞百出的现实，你知道它四处都破着，但不知如何修补，更不知道这样的现实交给你的明天是什么样子。什么地方出了错？生活竟稀里哗啦地多方位坍塌。

　　外面下起了雪，真正的鹅毛大雪，沸沸扬扬，那欢乐是雄壮的。

　　新年时小余打来电话。两人都愉快地相互问候 Happy new year。小余叫她 sweet heart，生吞活剥的一些甜言蜜语总让汲月感到文不对题。很少这么亲密过，反而叫汲月不知所措，一时间竟想不出该如何应对小余的亢奋，她心酸地想：我都不会撒娇了。汲月问爸爸妈妈他们好吗？小余说挺好的，没办法总不放心我，非得要来看看。六十岁以上的人很容易获得签证的。汲月明白这是小余在做解释，她口是心非地说应该去看看，他们去一次不容易，你多抽点时间陪陪吧。

　　电话真好，只表演声音就行，表情怎么凑合都可以，咬牙切齿地说出那些肉麻话，反而少犯恶心。平时二人吵吵闹闹总觉得时间不够，没把理儿论清楚。琴瑟相和、举案齐眉的祥和气氛百年一遇，两个人却没多少话说了。

　　回光返照？

　　汲月没提钱的事，小余自然乐得不提。汲月心想这样的男人叫人恶心一百年，可又不得不委曲求全。其实，人有什么抛不掉的东西？肢体内脏出了毛病该割的还要割掉呢，可自己具备表达这种血性的条件吗？总不能血本无归吧。

临告别时,小余满怀豪情地说:老婆,耐心等待吧,我快有出头之日了。

汲月说:不会是等待戈多吧?

小余说:对我那么没信心?

幸好小余知道戈多是谁。

老吴又有了音讯。十二月最后一个晚上,他打来电话,跟汲月说Happy new year。国际长途带着悠长的回声,像从幽幽山谷间传来的一般,有种穿越时空的沧桑。而在这夜深人寂的时刻,在岁末,远方的关怀是别样的温度,百无聊赖的问候与漫不经心的敷衍竟注进了一种情意。这样的时刻宜于每一对相爱或不相爱的情人倾述衷肠。

夜晚,女人的心最薄,极容易穿透。

老吴问:想不想来台湾?汲月说:想。你能帮我找到工作我就去。老吴说:你不用工作,钱的问题你不用考虑,只要你不嫌我老……

汲月知道,他永远不会给她独立的机会的。于是她恶毒地说:怎么是我嫌你老,本来你就是老人家嘛!

我怎么是老人家哪,我还很年轻。老吴赖巴巴地塞乃,他的屋子里有许多人,在笑。

汲月说:对啊,你是年轻的老人家!她听见老吴笑得上气不接下气地对周围人说她说我是年轻的老人家。电话机里传来一片乱哄哄的狂笑声。

汲月趁热打铁,你一个月给我多少钱?这颇为厚颜无耻,但从和男人屡战屡败的交锋中,她明白了一条颠扑不破的真理:一定要先索取,后奉献。别老玩高贵,想做一个物质的女人,就要舍得一身寡。职业情人。

屋子里暖洋洋的,柔软的水鸟被散发着"雕牌"皂的芳香。一只绒布沙皮狗卧在枕头上,用奇怪的眼神打量女主人。就在温软的调情中,他们完成了一项意向性合同。房子、车、月薪……

汲月不停地拨着遥控器,脑海里却翻来覆去的只有一句话:得到,还是失去?这和哈姆雷特的那句伟大的名言颇类似。

南宁女人张洁的微笑在黑暗中滑过。

随着第十二下钟声敲响，一枚硬币拖着银光闪闪的弧线，滑落到新的一年。

CHENGQIWEN

陈启文

陈启文，男，1962年出生。湖南临湘人。80年代开始文学创作，出版过两部长篇小说、一部散文集。发表有中短篇小说30余篇，获过湖南省青年文学奖。现居岳阳。

仿佛有风

陈启文

　　柳叶儿用她黑黑的眼睛望着父亲。

　　但爹什么也没有说。爹默默地弯下腰去，解下在树桩上缠了一夜的缆绳，把船放了。又伸长手臂把船一推，小船打了一个旋儿，船首便朝着湖心了。

　　湖，是平原上的湖。行船均匀的节奏摇晃着一片辽阔的平原，令人备感天涯的无边无际。父亲这时就只能看见女儿的一个背影。父亲看着女儿柔软的背影一起一伏如波浪一般地远去了。是一个晴天。尽管太阳还没有出来，而且云也很厚，但那红乎乎的极其温暖的一片颜色，让老人觉得心里暖和。是一个晴天啊。

　　三四月间的湖水是一年中最清的湖水，清得看不见水，清得仿佛能看见水的灵魂。柳叶儿把头深深地低下去时，看见自己的影子无声无息地在水中漂着，像一件顺水而下的衣裳那样漂着。三四月间的湖里，鱼还小，莲藕还在深厚的湖泥里慢慢成长，荷叶还没有长到应有的高度，一片一片地漂在水面。湖乡人，此时惟一的收获是从湖底里抽出的藕舌子。藕舌子是那种还没有长大的藕，但已经有了藕的形状，连根一起拔起，白的根，金黄的钻，鲜嫩的藕节，拖着一条长长的尾巴。很好吃，掐成指头长的一小段一小段，在热油滚沸的锅中小炒，炒得出春天的景色。

　　父亲每天一早挑着藕舌子去小镇上卖。爹已经驾不得船了，他的眼神不好，眼花，一个人在湖里划着船时，他常常会在水里看见另一个小镇，看见一些死去多年的人在明亮的镇街上走动，看见一些年轻时看不见的东西。人老，最先老的是眼睛啊！爹偶尔这样叹息一声。他已经很难看清这个自己划了一辈子船的大湖,已经很难把一片水域和另外一片水域分开,晕晕乎乎,就觉得这个湖更大了,大得已让他找不着自己了。爹于是不再驾船,也不让柳叶儿划船送他。爹其实是怕了这个大湖。现在他信得过的只有自己的两条腿了,每次去镇上,都是走路去。从村里走到镇上,十五里。先沿着一道像牛背一样的湖坝走七里,下了坝,朝东拐一个弯,再走八里,这也就是爹常说的上七下八。爹挑着担子在湖坝上走。天气晴朗时柳叶儿坐在船上可以望得见爹在湖坝上一步一步地走,一个人那么醒目地行走于旷野之上,很远地一看,这无边的旷野反而觉得更加空旷了。那么远的路,那么远。

爹说,路要走熟,走熟了就不觉得远了。

但柳叶儿不想让爹再这样走下去。她对爹说,我去吧,我去卖藕舌子。柳叶儿说了这话又有些心虚,小镇她也常去,但她毕竟还是第一次去镇上卖东西。她真不知道到了镇街上该怎么吆喝。

她试着喊出一声:"卖藕舌子呃——"

脸一红,又四下张望了一阵,生怕别人听见。

一对鸟远远地飞过来,仿佛刚从昨晚的夜色里飞出来,而飞在最前面的那只,已经把头伸进了今天早晨的阳光里,两只眼睛在那里慢慢地闪跳。渐渐地,看得见湖泊与湖泊之间的那个小镇了,犹沉浸在清晨薄薄的白雾里。先是看见黄盖矶上的一座庙,很高,也就叫着黄盖庙。树林深处,伸出一道琉璃的飞檐,在尚未散尽的雾中,愈发显得缥渺而又高远,很像一个梦境。

原来的湖比现在的还大。柳叶儿小的时候,父亲用船载着她和娘到庙里来烧香,可以一直撑到庙脚下的石阶前。石阶左右,测出水涨水落的高度,吊着一排排系缆的铁环,供沿湖四乡的人泊船。湖乡人,几乎每家都有一条柳叶儿正驾着的这样一条小船,船头尖尖的,船尾像燕尾一样分开,划起来又快又稳。一个人背得起,很轻,却能装很重的东西,载得动一头牛。湖乡人划着它,春天里抽藕舌子,夏天里采莲须,秋天里摘莲蓬,上街,走个亲戚,到湖心里去撒网,都方便。现在船不见少,湖却小了,在湖里划着船时不觉得湖变小了,看上去仍然是无边无际,离镇近了,才发现湖水已经挨不着镇边了。湖水已经离镇子很远了。远远地看过去,小镇还在水天之际浮着,实际上四周都是坡地,种着豌豆、油菜。那些铁环自然是没什么用处了,被镇上的孩子撬去做了游戏用的滚轮,实在撬不走的,就在风中雨中锈着,宛如一个个锈死的日子,供人凭吊,抑或也会勾起一些老人在落日下对往事断断续续的回忆。

现在泊船的地方,离小镇有一里多路。柳叶儿把船撑过来时,那里已停了不少船,还有一些船正从四面八方划过来。柳叶儿很熟练地把船划进了两条船之间,又像套马一样把绳端连成一个圆环,掷过去,很准确地套在一根系缆的木桩上。下了船,挑起担子走上了野草丛中的那一条被露水濡湿了的小路。她有一双长腿,非常长,走成一种春天的阳光下少女应有的那种姿态。她的背影很美。开始上坡了,踩着庙脚下的石阶向上攀登,不太陡,但很高。娘那时牵着她往上走,走到一半高时,会停下来,扶住白石的栏杆歇一口气。石阶上布着一些脚印,都很湿,都是早来的人们留下的。但柳叶儿觉得她是踩在娘走过的脚印上,娘的脚印好像就夹杂在这无数的脚印之间,娘就在柳叶儿前面不远的地方走着。十几年了,娘还是娘原来的样子,喘息一阵,慢慢地又走,伸腰,看见那座门廊高大的古庙,廊檐下是一排漆得血红的柱子,庙门开着,黄盖一声不吭地坐在那里。黄盖,柳叶儿是知道的,就是那个心甘情愿地挨了打的人。他一声不吭地坐在这里,坐了多少年,屁股下长出了一层暗绿色的青苔。娘跪下去给他磕头时,柳叶儿就怯怯地站在一根廊柱旁,看。

柳叶儿挑着担子爬上了最高的一级台阶,她没有在庙门口停留,她怕自己再次看见娘那磕得快要流血的额头。她从庙的一侧绕了过去,绕过去就是镇街了。

虽说是一个小镇,却是当年黄盖演练东吴水兵时建起来的,因为地势平坦,无山可依,历世凭水筑城。无论深街小巷,出口一律朝着大湖,连街道两旁的树木,也是一种向着湖水生长倾斜的姿势。又因江南水乡雨水繁多,门户都造得严紧,廊檐都盖得宽阔,以便过往行人遮风避雨。有河之处必有街道,有溪之处必有深巷。临街的人家,一般都是前店后屋的格局,早晨卸了铺板,开门经营生意,夜里上了铺板,回后屋去睡觉。铺板漆成土红色,又用毛笔写上大写的编号,以免弄错。店铺与居室之间,有一个天井,栽一棵桃树,或植三两根修竹,热了可以乘凉,冷了可以晒太阳,天晴时也就在天井里吃饭,人人活得自在。尤其脾气又好,每有那乡里来的村夫,为了秤杆的一点高低,口里不干不净跳起脚来骂娘,店主也只是抱定了手臂,坐在那里微笑。即使哪个汉子因为贪杯,在街上的一家饭馆里多喝了一点,然后扛着酒兴到这里来撒野,真的动了手脚,这做生意的也只是招架,绝不还手。什么都能忍,蔼然一派忍者之风,这生意能不好么。人人又怀了一点深藏不露的绝技,别说一条醉汉,再过来两三条也抵挡得住,因而不至于吃亏。这里又是从湖南去湖北、江西的过境之地,来来往往的人很多,也确实是一个做生意的地方。

又有人说,这个小镇并非黄盖当年建起来的那座,那一座不知是什么缘故早已沉没在大湖底下了。当秋日里极明亮的太阳照彻湖水时,或是阴雨的夜晚,一道白得耀眼的闪电划开大湖时,可以十分清楚地看见水中的那座古镇,屋宇绵亘,檐廊衔接,由东南向西北绵延铺陈达二里之遥。好大一个镇! 甚至能看见街上的行人和打着杏黄旗向城外奔去的黄盖的兵马。

柳叶儿那忠厚的父亲不是看见过吗? 然而,这却是最让柳叶儿揪心的事。她知道看见水中的那座小镇意味着什么。

走过一座桥,柳叶儿的身影在水里晃了一下。水静桥平,是那种具有浓厚江南水乡风情的青砖拱桥。桥那头,就是那条专门卖鲜货水产的小街,也有挑担子的,也有踩三轮的。柳叶儿把担子卸在一棵树底下。脸是绿的,树叶拂着她的脸。街,原来是用磨平的长条青石铺成,可惜,现在全都撬掉了,又拆掉了许多临街的老屋,拓出了一条又宽又直的大街,平平整整地打着一层水泥。人挨人的,都和柳叶儿一样,蹲在街道两边,卖鱼,卖鸭子,卖白菜萝卜、茄子辣椒。有了大棚之后,原来的时令鲜菜也就不分什么季节地生长。还有卖青蛙的,用细绳子缠住青蛙的两条腿,青蛙也还是爬,一串一串地爬,很艰难地爬出一尺来远,立刻又被主人拽了回去。这些卖东西的,都是四乡里的农民,很早就往街上赶,太阳晒干了露水就走,是那种所谓的露水集。等这边收了摊,那边做门面生意的街道才会真正地热闹起来。乡下人口袋里有了钱,小心地揣着,走过去,这家铺子里称两斤红糖,那家小店里买一条毛巾,脸上都是兴奋而满足的表情,又都很聪明地防着自己不要被镇上人骗了。

柳叶儿也很喜欢逛街。等卖完了藕舌子,她要好好地去逛一阵。可是,怎么卖呢?两筐藕舌子,水灵灵地摆在那里。

"卖藕舌子呃——"

没出声,在心里喊的。

但终于有一个人走过来了。他看见了柳叶儿的藕舌子,柳叶儿却躲在树干后面。那个人在筐前蹲下,把手伸进去,从里面翻出一把,对着阳光看了一会儿,又很干脆地咬了一口。这就是镇上的人,镇上人买东西,只要能吃的都要尝一口,一口鲜。尝了,这才伸直腰,似乎是真的要买了,却没有看见卖东西的人。喊一声:"哎,这是谁的藕舌子?"

问上门的生意啊,柳叶儿竟没有胆量去做,躲闪着两只眼睛,像一只随时要逃走的小兽。

"我的。"柳叶儿很小心地应了一声。

那个人显然没有听见,又用更大的声音喊了一声:

"喂,这是谁的藕舌子,卖不卖呀?"

"卖呀,怎么不卖呢。"答话的却是坐在柳叶儿筐子旁边的一个女孩子,卖菠菜的。这情景,她已经看了一阵子,想,自己第一次上街卖东西,不也是这样吗?她一面热情地笼络住买东西的汉子,一面站起身,把柳叶儿从树后面拉了出来,又用鼓励的眼神看着她。柳叶儿终于出来了,这一步迈得好艰难。可又不会称秤,秤杆忽而翘得高高的,忽而又垂下,秤砣往下滑,落下来,险些儿砸了那个人的脚。

那个人把脚一闪说:"真没见过你这样卖东西的人。"

当然没见过,柳叶儿是第一次上街卖东西啊。

柳叶儿的头低得不能再低,脸红得仿佛要掉下来。结果还是坐在她旁边的女孩子帮忙,从柳叶儿手里拿过盘秤,称好了,又不失时机地对那个汉子说:"大哥,也买一把菠菜去吧,刚从园子里摘回来的呢。"

那菠菜自然是新鲜碧绿的,叶脉间还挂着露水,而这女孩也是如菠菜一般鲜嫩,笑得又那么好看,汉子就是不想买,也要买了,买了还格外高兴,走时,口里哼起了花鼓调:"刘海哥呀,哎,胡妹妹呀,哎……"

这边,那女孩又在开导柳叶儿:你看,做生意并不难呀,做惯了,还觉得好玩呢。"

"我有点怕……"

"怕什么呀,将钱买货,将货卖钱,你这样一想,就不怕了。"

"我想……以后会好一些的。"

"对呀,对呀!"女孩高兴地拍着柳叶儿的手背,又问:"你是哪村的?"

"大柳庄。"

"大柳庄? 那你一定认得柳槐大叔喽?"

柳叶儿惊讶地把头抬起来,说:"那是我爹呀,你认得?"

"啊呀!"女孩也惊喜地叫了起来,差点把柳叶儿抱住了,"柳叶儿,原来你是柳叶儿呀,我早就该想到的。你猜猜,我是……"

这还用猜吗,柳叶儿从女孩叫出自己名字的那一刻就知道了。柳叶儿从来没有像今天这样高兴过。"阿莲姐,你是阿莲姐!"

阿莲点了点头,又笑,笑得细长的一双眼睛眯起来,很媚。

阿莲家住北湖沿的谷花洲,和柳叶儿家隔着一个大湖。柳叶儿常听爹说起湖那边的阿莲姑娘,说她吆喝的声音怎样的好听,说她怎样的懂事,善解人意,心眼又好。而当着阿莲,父亲又会夸他的柳叶儿,夸他的柳叶儿怎样会撑船,衣服洗得如何干净,怎样会煮饭。两个女孩,那时坐在各自的岸上,都想着对方长得什么模样。偶尔,湖那边的一个女孩唱歌,湖这边的女孩也听得见。这都是湖水的波涛一浪一浪地寄过来的,虽然像梦中一样隔着什么,遥远,却又十分清楚。

不知不觉间,地上的阳光已经变白了。两个女孩卖完菜,一个挑了空担,一个挽了竹篮,去逛街。自此之后,人们就常常看见她俩在一起,像一对亲姐妹般在镇子里走来走去,阳光一会儿照在她们的脸上,一会儿映着她们的背影。她们走得很有劲,四只大脚片甩得亦响亮。但是走过一面能映出人影的玻璃橱窗时,她们也会和城里的女孩一样放慢放轻脚步的。她们喜欢镜子,喜欢一切明亮的有光彩的东西。偶尔也会走进镜子里,试一件新衣服,或者穿上高跟鞋小心翼翼地站起来,很镇静地讨价还价,最后还是脱下了。但她们以很快的速度一人买了一个蕾丝花边的纹胸,粉红色的,而且都要了大号,然后又像做贼一般地溜出来。她们那无拘无束地长出来的乳房都很大,浑圆,饱满,即使穿着夹衣,也能感觉到里面如小兽一般的跳跃。

这就是湖乡的女孩,脚大手大,很红的脸,很黑的头发,无论走到哪里,哪里就飘荡出一股富有生气的水藻气息,而古老的小镇也就添了一分真正的鲜亮。

柳叶儿家后面有一片湖洲。

整个春天,附近几个村庄的牲口都在这里放牧,也都是一些平常的牲口,水牛、羊、小叫驴。也有一些黄牛,但很少。黄牛的故乡在遥远的北方,湖乡里的黄牛,还是日本人当年从黄河一带赶过来的,驮着枪械弹药被日军驱赶着跋山涉水到了这里,日军走了,它们就留了下来,繁衍生息,家族却并不兴旺,可能是水土的关系。湖洲上惟一的白牛是松林家的,那么白的一头牛,却由一条很黑的母牛生下来,一家人都很惊慌,后来听兽医说是变异,变了种。

湖洲很大,大得没有形状,看不清是什么形状。因而便有了一点神秘的色彩。每年入夏之后,人们会有几个月的时间看不见它,它完全被湖水淹没了,可以算是湖底的一部分。水大时,几乎快要平岸,坝边外的湖水可以溅到垸内人家的瓦顶上,像下雨一般发出清脆的响声。那时村里的老人,就会把用猪血浸泡过的大罾,架在自家的屋门口,扳发水鱼。柳叶儿她爹有一次扳了一条三十多斤的鲤鱼,半人长,他傻傻地看着鱼,竟然觉得有点害怕。那还是好多年前的事了。

在湖洲上放牧,都是敞放。有的把牛绳绾在角上,有的干脆把牛绳下了。这里的草好,充满了水分,甚至能听见它们运足了底气、吱吱叫的生长声,又像有一种不可思议的力量在催发它,但最终却体现在牛身上,牛很有劲,两条年轻雄健的公牛,时常为了一条漂亮的母牛,眼瞪眼,角对角,后腿蹬直,一副要拼命的架势。

好在所有的牛角都是朝后弯曲着生长,因而很少有挖死的牛。一些过于残暴的牛,必须骟掉。但骟牛却是另一种残忍,把一条壮牛放倒,要用掉几十个汉子的力气,一头牛的倒下,是山一般的轰然倒塌。而骟牛者,却只用一把柳叶儿轻轻一旋,就把一种力量的源泉毁灭了。当然,那两枚晶莹如鹅卵一般的奇妙之物,又会使某一个委顿的男人变得傲慢起来。

很少看见放牧的人。他们把牲口赶到这里之后,还有很多事可以干。在浅水里抓湖蚌,摸螺蛳,或用两根竹篙卷起湖草,担回去肥田。也有撒网捕鱼的,在寂静的阳光下,有人忽地一下把网撒开,网撒得很圆,高高地飘过头顶。

而此时,那个叫松林的孩子,早已翻过湖坝,直奔一棵大树而去。

湖洲上只剩下了一个小女孩,穿一件花褂子。一头母牛走了过来,肚皮几乎拖在地上,看样子又要生了。小女孩摸了一下母牛的耳朵,又摸了它的角。牛站在那里没动,牛似乎在思考着。牛在草滩上躺下了。小女孩也在草滩上躺下了,靠在牛背上斜躺着。牛吃了湖洲上的草,牛毛也长得像水草一样茂密,散发出一股热烘烘的春天的气息。

小女孩眼望着不远处,那里有一头小牛犊,正在吃草。

小牛犊吃草的样子是那样可爱,时而晃晃耳朵或摇摇尾巴。它不是吃,而是用舌头舔着草芽儿。草芽儿咩咩地叫着,好像很痛。但牛吃过的草,长得很快。牛走过的地方,是一大片极目而绿的草地,而且有了这个春天的第一朵花,一朵小女孩叫不出名字的小黄花。她记得,去年的春天它也是开在这里。湖洲上一年一年都是这样,那丛狗尾巴草,也还是长在原来的地方。牛已经把它吃了三次了,它还是长在原来的地方。而那朵小黄花,小牛犊用湿润光亮的鼻子在上面嗅着,嗅了一会儿,又走开了。它把一大片草吃了,惟独把一朵小黄花留了下来。小牛犊似乎也懂得春天的意义,那花一传十,十传百,一夜之间就把整个湖滩开遍了。

牛不是别人的,牛是小女孩自己家里的。沿湖一带的人家,除了在湖里捞食,也还种着几丘水田,几厢油菜。爹那时就对小女孩说,等你长大了,有一头牛就是你自己的。爹的意思是说要用一头牛给她陪嫁。每个春天,都会有很多姑娘出嫁。阳光照着牛,也照着骑在牛背上的新娘。牛肚子上贴着大红的剪纸,新娘高高地扬起柳条鞭,眼里闪着骄人的光芒。而那个新郎,则牵着牛绳走在前面,低着头,走得像一个犯了错误的孩子。

小女孩觉得好笑——想起自己骑着一头水牛出嫁的样子。

有时候,她会在草棵间拾到牙齿。牛在吃草的时候会把牙齿掉进草丛里。有小牛的,也有小羊的。但小女孩拾到三颗牙齿都是自己的。她把嘴里掉下来的那几颗牙齿看了又看,牙根处连着几缕头发一样细的血丝。她看了很久,看得眼睛都模糊了,再看,就觉得那牙齿是别人的。

牛背是温暖的,太阳把牛背晒黑了,太阳把远处一头牛身上的八哥也晒得如乌鸦一般黑了。小女孩靠在牛背上,纳一只鞋底。鞋底很厚。她却要在上面绣一朵花。即便绣得再美,鞋底被人踩在脚下了,又有谁看得见呢?会有人看见的,走在路上就有人看见了。人从路上走过,鞋底的花印在路上,会有很多女人围上来看,会赞叹不已:"啧,这是谁家的女孩,好巧的手呀。"湖乡的妹子,中意了哪个男孩,就会给他做一双千层底的鞋子,任他走到哪里,就再也走不出这女子小小的手心了。不过,这个小女孩还小,她只是觉得好玩,或者怀着一点隐秘的好奇,才纳这只鞋底的,也就不太用心。她绣了一会儿就靠在牛背上睡着了,牛也睡着了。鞋底从手里滑下来,落入一片草丛。

而此时,那个叫松林的孩子已爬上了一棵树,把手伸进那只早就看好了的鸟窝里,摸。鸟窝是金黄色的,里面温温存存地睡着四枚鸟蛋。鸟蛋是银白色的,他一只一只地掏出来,还是热的呢,手心里滑过一种非常鲜美的感觉。松林溜下树,像捧着宝贝似的捧着四枚鸟蛋,翻过湖坝,不见了。过了很久,一只鸟飞回来,看着那只空鸟窝,叫了起来,啾啾,啾啾,啾啾……叫得如失了儿的母亲。那声音优美而又近乎悲戚,也许要等到十年之后,才有人听见它的叫声。

不知什么时候,一条豆丝草爬到牛背上,悄然开了一朵花。牛慢腾腾地站了起来,两条前腿一跪,两条后腿往后努力地一蹬,很费劲地站了起来,豆丝草的藤子断了,那朵很丑的花却还缠在牛毛上。小女孩也醒了,站起来,站起来发现自己已经是个大姑娘。她笑了笑,并不惊讶。她觉得这是应该的,春天嘛,春天什么都长得快。而远处,那个骑着牛渐渐朝这边走来的男孩子,人和牛,看上去都很小,小得像一只蚂蚁那样在一片广阔的阳光下慢慢爬行,渐渐地近了,渐渐地大了,在离她一丈多远的地方,站住,却是一条很大的牛,和一个像牛一样壮实的小伙子。

柳叶儿站在湖洲上,看着松林过来了。

"柳叶儿!"松林叫了一声,两条腿在牛肚子下面甩来甩去。

柳叶儿不怕他。在所有人面前都显得羞答答的柳叶儿,惟一不怕的人,惟一不会在他面前显得害羞的人,就是松林。她把额前的几缕头发朝后撩了一下,仰起脸孔问:"干吗?"

"柳叶儿!"松林又叫了一声。

"干吗? 你不说我可走了。"

松林策牛走近柳叶儿身边,把身子弯向她,低声说一句:"不干吗,我就是想这样叫你。"

气得柳叶儿一拧身,把船篙举了起来。

松林笑了一下,一鞭子甩在牛屁股上,牛猛地往前一蹿,四蹄生风,跑成一朵云。天地间的一切都看不分明了。化作一股浓浓的香味。

清明节就要到了,湖乡清明的夜晚是很热闹的。要打锣。

傍晚,柳叶儿掮着船篙回到家里,父亲正坐在门口的大柳树下擦一面铜锣。他们家的房子是村西第一家,后门向着湖坝,大门朝着世世代代围垦出来的一片田园。

沿湖坝向东一条线排着数十重房屋,砖墙瓦顶,屋前屋后都栽着湖柳,村人也大多姓柳。大柳庄名副其实,是一个人丁兴旺草木繁荣的大村。柳叶儿家也是三间高大的瓦房,是去年秋天盖的。一个老单身汉,一个小女子,居然盖起了这样大的房子,让村人为之一惊,又一震,你能感觉到一个真正家庭最深的那种精气神,那种蓬勃。你没有理由不把他们当一户人家看,尽管这家里只有一个不停地咳嗽的老人,一个小女子。村人对老人愈加敬重,对柳叶儿也愈加珍爱。

他们家的那棵柳树,也是全村里最高大的一棵。就是老人靠在身后的那一棵。这是父亲在女儿刚刚降生时栽下的,柳叶儿的胎衣就埋在树底下。在江南水乡,湖柳遍地都是,命贱,随便折下一根枝条往泥里一插,就活了,就能茂茂盛盛地长成一棵大树。但也没有什么用处,打不得船,做不得犁辕,只能劈了当柴烧,煮的菜很香,炒的菜好吃。

爹低着头,头上落满了柳絮,仍然在擦那面铜锣。这样的铜锣,湖乡人几乎家家户户都有一面,通常就挂在堂屋的照壁上,进门就能看见,伸手就可以拿下来。要是有人在大湖里迷失了方向,就拿出来敲一锤下去,那铜黄闪亮的声音回荡在大湖的上空,数十里之外都能听见,迷失在远处的人,顺着这大锣的声音就能找到岸了。

湖乡人在清明的夜晚打锣,和找人是一个道理。每个人拎一面大锣,走过荒草漫淹的小径,一声锣伴着一声杜鹃啼血般的呼唤,阴阳两隔的亲人们又在这铮铮震响之中相聚。而坟头上也将点亮一只只纸糊的灯笼,仿佛在安详地等候着照亮那些久违的面容。

"十一年了啊。"爹这样叹息了一声。

娘已经走了十一年了,爹是一年一年数过来的。柳叶儿却常常会把娘死了多少年忘记。但她忘不了娘死去的情形。娘躺在爹的怀里,她那软绵绵的生命,也被爹的一只有力的胳膊挽住了。娘在昏睡了很久之后,又慢慢地睁开眼睛,看着在爹身后站着的柳叶儿。娘吃力地抬起一只苍白的手,示意她过去。她却不敢过去,还往爹身后缩了缩。是爹把她推过来的。娘喘息了一阵,才用手捂住她冻得通红的面颊,她知道,娘是想给她一点温暖,可那冰凉的感觉却一直延续到现在,还印在柳叶儿的脸上。娘身上已没有一点血气。娘又叮嘱爹,叮嘱一句,爹就点一下头,到最后,爹的脑袋已深深地伏在娘的怀抱里,像一个孩子依偎在母亲的怀抱里那样,哭。娘的胸口洇湿了一大片,娘又合上眼睛,重回到死寂中去了。但爹听见了娘的声音,那声音是从娘微弱地跳动的心口里响起的:"把柳叶儿养大,嫁一户好人家……"

娘用最后一口气吹灭了床头的那根松明子,室内全为月光所笼罩。那是一个遍地月光的冬夜,娘的脸,被窗外射进来的月光映得很白很白,那样平静,令人吃惊地展示了一个生命结束时的完美,以致柳叶儿至今仍觉得死是一件很美的事。她没有哭,直到娘被爹抱进棺材里,直到这世间一个曾经美丽的女子渐渐地被一锹锹地掀起来的黄土完全覆盖,她,七岁的柳叶儿才疯了一般地扑在刚刚垒起的新坟上,把手插进温热的泥土里,她要摸一摸娘的身体,她想把娘的手抓住,怕娘走远。

铜锣已经擦得很亮。父亲把它举起来,一只眼睛眯着,盯着那面锣看。许久不动,像一尊雕像。柳叶儿走过来,摇着爹的手,摇着爹的身子。她觉得有什么话要跟爹说,突然又把她想要说的话忘了。父女俩映在那面铜锣里,默然地,眼珠转得很慢,似有泪要涌出。终于,父亲用手指在锣上弹了一下,那锣立刻就发出一声低低的尖叫。"你娘会听见的。"爹说。

娘的坟离村子不远。父女俩一前一后地走着。这一个清明没有下雨,天很黑,柳叶儿听见爹在前面摸索着走路的声音,夜色中似有许多人说话,看不见人,又夹杂着一些很低的令人备感压抑的哭声。柳叶儿低着头走了一阵,抬头,突然发现爹不见了。她害怕起来,张开嘴正在呼喊,一片光芒把密密地遮挡着的夜色撕开一片,不像平常的灯光,似乎隔着什么。隔着一层纸。父亲把纸糊的灯笼供在娘的坟头上,它会一直亮着,直至灯油燃尽。爹站在光晕里,给娘作了三个长揖,然后在一个土坎上坐下,烧纸钱。柳叶儿在娘的坟前跪下了。坟前竖着三四杆树枝。吊着被雨粘住了的纸幡残片。那还是去年的清明挂上去的,黄的绿的,早已流尽了一年前的鲜艳。现在,柳叶儿又把新扎的纸幡挂了上去。

纸钱一片一片地点燃,然后变黑,变成灰烬。柳叶儿和父亲,仿佛也被点燃一次,又熄灭一次。直至烧得一片不剩,爹唇间那一星水光也熄灭了,柳叶儿忽然很委屈地叫了一声:"娘啊!"

锣声四起。

清明过后,湖水就一天一天地往上涨了。

早晨起来,柳叶儿发现自己昨天站过的那道湖坡,只一夜,几乎就像梦一般地淹没了。要等到秋天,等到湖水退却之后,它才会露出水面。但露出水面之后它还是原来的那道湖坡吗?柳叶儿从小在湖边长大,而这个湖,几乎每天都在变,每天都给人一种异样的感觉。这也是大湖最神奇的地方,最令人不可思议的地方。

谁也说不清这个大湖是什么样了。

又一天近晚,柳叶儿驾了船驶向岸边。岸已不是原来的岸,那些微微涌动着的白色浪花,离湖坝已经很近了。原来长在湖洲上的草,现在都在水里长着,依然青枝绿叶。近岸的湖水中浮满了无数乌珠一般的蝌蚪,人在还没被水淹没的草丛中走过,或船向岸边靠拢时,立刻就会掷来一片鲜亮的蛙声,却并未看见青蛙。

太阳快要落水了。湖乡人,把太阳落山叫太阳落水。没有山。湖乡人没有见过太阳落山是怎样一种情景。山在离湖乡很远的地方。平原惊心动魄的广大,使大山迄今为止在湖乡人心目中仍然是一段遥远的传奇。他们讲起山里的事,像是在讲几千年前的事,几万里之外的另一个国度里的事。湖乡人每日目睹着太阳落水时的壮丽情景,那不是一刻,那是一个十分缓慢而又漫长的过程,太阳渐渐地变得很大,天地间的一切为之静默,比湖水更远的还是湖,许久,太阳和湖,皆令人不可思议地一动也不动,仿佛凝固在那里。

而那个远道而来的小伙子,就是在这时出现在柳叶儿面前的。他朝着夕阳面水而立,像是伫立于一个巨大的光环里,白衬衣,蓝色的长裤,浑身静穆,而被霞光照亮的脸上,却是聪明而又纯和的一种表情。

显然,柳叶儿在那一刻是被这样一种几近于神一样的形象和表情迷住了,她和她的船在湖里逐波逐流漂荡了许久,也恍然不知。后来,还是那个小伙子在岸上喊她,不停地向她招手,她才把船稳住。先静静地定了定神,方才把船撑过去。

"姑娘,麻烦你把我送到北湖沿去,好吗?"

柳叶儿点了一下头,想也没想,她已经不会想事了。但她看见小伙子手里捧着一只鸟,很大的一只鸟,白得只有两只眼睛是黑的,黑而且圆,几乎是明亮地睁着。正是这样一只白鸟,使这个后来在湖乡流传了很久的故事有一点儿半传奇的色彩。

现在小伙子已经坐在柳叶儿的船上了。

现在柳叶儿已经调过了船头。她的手仍有些心虚地抖动着,船便驾得有点慌乱,一个本来可以回避的浪头,却没有避开,扑过来,溅了小伙子一身一脸,小伙子竟然像个孩子般地发出一声惊叫。一直低着头的柳叶儿,连忙抬头瞥了小伙子一眼,满脸水珠的他,果然是个孩子,像是刚刚哭过的泪流满面的孩子。她发现了这一点,心就跳得没有原来那样急了,手也不再慌乱。柳叶儿只把手里的船篙轻轻一摆,一大片水浪便无声无息地平静了,船也平静了。船只有在行驶时才会显得如此平静。几乎看不见水的流动,而船确乎如箭一般地射向湖心。

此时已经轮到小伙子惊讶了。他被姑娘臻于绝妙的姿势迷住了。不用桨,也不用舵,只凭一根竹篙的翻卷、伸缩、变化,就有了方向,有了前行的动力,有了一条船在航行中必不可少的一切。刚才那个还羞羞答答的姑娘,突然就充满了滔滔不绝的活力和驾驶者的尊严。而此时那一轮如血的残阳已经沉没,背景深处是点燃了一般的晚霞。在这样的背景下小伙子已经入定般地坐着,脸上悄然爬上了一种神圣的表情。湖在这时也就更有一个大湖的感觉。

夜雾渐浓。小船像梦一般地触着了北湖沿的浅滩。近岸草丛中的萤火虫闪闪烁烁,而远处村寨里的灯光也一盏一盏地亮了。北湖沿一带有许多村庄,柳叶儿不知道小伙子要去哪儿。她问小伙子去哪儿。小伙子才大梦初醒一般地站起身来,在苍茫的暮色中仔细地辨认了一会儿,说:"好像就是这儿。"

船靠岸了,小伙子跳了下去,又回过头来,说:"姑娘,谢谢你了,你的船驾得真好!"

柳叶儿咬着头发抿嘴一笑,很邪。她在夜色里其实是很放肆的,很野的。她也没有看见小伙子的表情,小伙子似乎还在水边犹豫了一阵,才转身走了。踩着湖滩,向北湖沿的坝上走。人在雾里走,腿不见了,手不见了,只看见一个脑袋在水一般的雾上面飘着。柳叶儿渐渐看不见小伙子了,但听得见那草绿花香中一路远去的脚步声,每一步都走得很有劲,每走一步都在用力拔脚,那脚下的土地是十分松软的。

柳叶儿快快地调过船头,这才有了一点点惆怅,觉得那小伙子是真的走了,船上空空的,柳叶儿心里也空空的,突然像少了许多东西。柳叶儿当然想到了北湖沿的阿莲姐。阿莲姐住在谷花洲。柳叶儿从来没有去过谷花洲。就是去过,在夜色中也辨不出来。如果是白天,柳叶儿一定会找到谷花洲的,也会会阿莲姐,去看看她住的那个想起来都觉得很美丽的村子。柳叶儿一路这样想着,这样想着心里就不觉得空空的了。

天空有了些白的意思。月亮要出来了么? 柳叶儿仰起头来看了看,脸上掠过一片柔软的感觉。一片羽毛落在她脸上了。她知道有一只鸟正从自己头顶上的天空飞过。鸟在叫。但柳叶儿听见鸟儿清脆的叫声时,那只鸟可能已经飞到很远的地方去了。

湖坝上的锣声又响了。

柳叶儿不知道自己在湖里划了多久,那回头的路竟是这般漫长。柳叶儿只知道在白漫漫的雾中努力地划着,她也不知道自己划到哪里。但她听见了远远传来的锣声。爹见她这么晚了还没有回来，一定是急了，一定以为她在大湖里迷失了方向。爹煨在锅里的热饭热菜也该冷了吧。爹已是老绵羊一样慈祥的爹，年轻时也是牛一样的汉子，牛一样的脾气，常常醉得让人抬回来，娘劝了几句，就要挥拳相向。好糊涂的爹呀。但锣声却越来越清晰了，从白雾和波涛中传过来，穿过一切，到这里，更有一种光泽。

"柳叶儿呃——"

"爹——呃——"

彼此都在向着远方呼唤。

柳叶儿的船渐渐地划近了岸边，父亲没有看见，但父亲听见水响，水在船舷两边流动的响声。还没等柳叶儿把船缆掷向岸边，又是哗啦哗啦一阵水响，原来老人已经踏进了水里，一直蹚到齐脖子深的地方，老人抓住了船舷，他怕那条船突然又跑了，他紧紧地抓住船舷，几乎是凶狠地往前推着。

一湖的水顿然乱了，渐渐又复归于静。

父女俩上了岸。

柳叶儿仿佛从很远的一个地方回来的呀。柳叶儿扑进爹湿透了的一串串往下淌着水的怀里，仿佛是久别重逢一般。

"你还知道回来呀？"爹的声音硬邦邦的，像他咬得紧紧的牙齿一样，一串热泪却滚了下来。爹几乎是哭一般地喊道："你还知道回来呀！"

阿莲来找柳叶儿时，柳叶儿还刚起来不久。

因为有雾，夜晚被延长了。看见太阳时很多人吃了一惊，似乎天一亮就到了半晌午。太阳从窗棂间射进来，射进柳叶儿的眼睛里，柳叶儿醒了。又睁着眼睛躺了一会儿，目光穿过窗户，望着半天云里的太阳出了一会儿神。好静啊。在沉默了很长一段时间之后，一只鸟开始在远处的树林子里叫。它很寂寞地叫了好一阵，又飞到柳叶儿家门口的那棵柳树上叫。又叫了一阵，便无缘无故地一展翅膀，飞走了，柳叶儿的视线被它牵出很远。

她想起昨晚的那个小伙子和他怀中的那只白鸟。想着这事时柳叶儿已经抱着一只红塑料脸盆向湖边走去。她从大柳树背后看见了爹,裤腿高高地挽起,扶着犁,正在耕一片水田。快要插中稻了。湖乡田多,泥黑,长得出好稻子。那些用湖草沤了许久的泥土,被锋利的犁铧一叶叶地翻过来,揭开,闪烁着乌金一般的光泽。但爹却在不断地咳嗽,是昨晚在冷水里冻着了吧,爹是一天一天地现出了老态,背也驼了。柳叶儿想起以前,好像就是前不久啊,爹和一群同样年轻的汉子,牵着自家的牲口在夕阳下饮圆了肚子,又用桐油一遍一遍地油过的木桶,挑满每一只空着的水缸。满满的一担水,挑着,爹一路走过来,大气不喘,脚步不乱,上坝,下坡,进了门,仍然是满满的一担水。哗啦一响,两桶水一齐倒进水缸里,这才觉得有什么东西被惊醒了似的,归栏的牛,看家的狗,东头一声西头一声地叫起来,而娘,系着围裙,倚着门槛,那么骄傲地看着父亲,阳光把她的脸照得一片红晕。

　　上了坝,柳叶儿远远地向娘的坟头看了一眼,娘的坟此刻也是被阳光照耀着的。

　　大半个湖滩已经沉浸在水里了。刚涨上来的湖水,呈浑黄色,土腥味很深。泥刚刚泡软,泡化。父亲知道女儿爱干净,早早地就在湖坝拐弯处寻觅到一湾清水,又搭了一条长长的跳板,给女儿洗衣,洗脸梳头。柳叶儿像骑马一样骑在跳板尽头,两条腿浸在水里,精光赤赤的两条腿,随了那波涛一起流着,却并不流走。

　　浓浓的有一阵阵荷叶的清香飘过来。很多的新荷,居然长在了不久前人们还在走路,牛儿还在吃草的湖洲上。而那些湖草,现在像是直接长在水面上的,泛泛滥滥的漫开去,绿得如深渊一般。荷叶没有这样绿。荷叶的绿,含着一点天空的颜色。这个时候的荷叶,已经纷纷举起来了,它们离开了水面,离天空就近了一点。柳叶儿向远处望去,远处也是荷叶,一湖的荷叶。昨晚她的船,其实是在荷叶里走过来的,她却没有意识到,眼里只有一个人,和他抱着的白鹭。那鸟好怪,走了那么远,竟然一声不叫,也不动,反而显得更加美了。

　　柳叶儿解开她的辫子,把头低下去,一片青乌乌的头发倾泻如水,从那柔软的发丝里流淌出一股富有生气的水藻气息。而湖水也就泛出了血色。柳叶儿把整个头、整个脸完全浸在湖水里了。长久地沉浸着。水里的声音又是一种不同的声音。吐着水泡的鱼,沉默的湖蚌和螺蛳,以及深藏于洞中的黄鳝、泥鳅、螃蟹,人在岸上时是听不见它们的声音的,然而在水里,却能听见它们隐秘的倾诉和彼此的呼唤。原来它们并不是沉默的,它们也有自己的声音和语言。喁喁的,唧唧的,仅仅只是丝毫的响声,柳叶儿听不懂,但是,她听见了。

猛然地,几乎是巨大的一声水响,惊得柳叶儿抬起头来。

看见水里伸出一条手臂,手里抓着一条鱼。水花溅开处,又冒出一个脑袋,嘴里还叼着一条筷子长的鲤鱼。是松林。那鱼甩动尾巴,猛抽着松林左右的脸颊,抽得一张脸更黑了。松林游过来了。松林像狗一样四肢并用地往跳板上爬,从头到尾黑到脚,几乎是光溜着身子。

“你这个砍脑壳的!”柳叶儿气极了,一脚把松林踹了下去。一串水泡浮上水面。松林在水里翻了一个跟斗,又不见了。等到松林在一匹荷叶下露出头来时,柳叶儿已跑到岸上,手里抓了一把土坷垃。脸仍红着,但这时已不是生气了,这时是要故意淘气一下,湖乡的女孩手臂很有劲,漂漂打得好,石头也扔得很远。但柳叶儿是不会用石头打松林的,打坏了他的头,这傻小子不就更傻了。柳叶儿结结实实地抡圆了胳膊,像是要打他,又像是要吓唬他。

“春鲫夏鲤,鲤鱼是很好吃的呀!”松林把两条鱼都拿在手里了。他冲柳叶儿叫了一声,一块土坷垃飞了过来,松林往水里一沉,又不见了。柳叶儿不想再打了,但没打到松林又觉得有点不解恨,就把土坷垃一块一块地朝着松林那边扔,看也不看。却听见哎哟一声,声音软绵绵的,土坷垃也打在软绵绵的一个地方了。柳叶儿略略有一点惊奇,这傻小子还会装女人叫唤呢。

“你疯了呀!”软软的又一声。

只见近岸的荷叶与水草拂动了一片,一条船放了过来。阿莲立在船头,正揉着自己的胸口呢。

柳叶儿两眼放光,“阿莲姐,是你呀!”

阿莲把船划到柳叶儿脚下,在跳板的一根木柱上系了缆。两个女孩儿彼此打量着,你望我一阵,我望你一阵,然后又一齐笑了。柳叶儿看见阿莲鼓着高高的胸脯上有一团泥土溅开的痕迹,就伸手去替她拂,拂得衣服下的那一对东西,像熟透了的果子一样不停地跳动。

阿莲说:"你这土坷垃打得可真准呀。"

柳叶儿又笑,扶着阿莲的一只胳膊,泪都笑出来了。忽然又把腰伸直,凑近阿莲的耳朵说:"它也要吃奶哩。"

话一出口,自己的脸倒先红了。

"你好放肆了啊,你好野了啊!"

阿莲扑过来,在柳叶儿那一团跳得像小兔子一般的肉上拧了一把。两个姑娘扭成一团,又捏,又捶,都有点忘形了,都有点失态了,甚至有点儿浪了。柳叶儿挨了几下,把一只手抬起来,瞅准一个空子正要去揪阿莲一下,一怔,却停在空中不动了。看见了松林。这傻小子,就躲在不远处的一片水草中,一双眼睛睁得大大的,根根头发直立,一直瞅着这边呢。阿莲也看见了,悄悄在柳叶儿腰眼里捅了一下,问:"你想不想他也这么捶你,这样捏你?"

"谁要他呀,黑得像一条牯牛。"

"这你就不懂了,我的好妹妹,这样的人才踏实,靠得住,疼你。"

说得挺认真的,是亲姐姐对亲妹妹才说的那种心里话。柳叶儿本来还想赌气地说一句,那你就跟了他呀。但没说,阿莲那样诚挚的一种表情,柳叶儿说不出口。又朝那边瞟了一眼,傻小子不知什么时候已经走了,这一次是真的走了。直到柳叶儿驾了船送阿莲回去,那家伙再也没有露面。

阿莲这次来,其实是为了打听一件事,或者是为了证实一件事。她问柳叶儿:"听说住在这个湖周围的人都要搬走呢,你听说没有?"

"没有啊,你听谁说的?"

"北湖沿一带的人都在传着呢,又从城里来了一些人,县里的、省里的都有,每日里都在湖里转悠,也不知是干什么。"

"你就没问过他们?"

"问过的,但他们不说,挺神秘的。他们只说这个湖越来越小了,原来的湖比现在的要大三倍,一直连着洞庭湖。"

"这我倒是听爹讲过,他小的时候,这个湖里走得八叶桨的大船,满湖都是白帆,上得长沙,下得汉口。你想,那该多大呀。"

"那些人还说,这湖里的鸟也越来越少了,有一种鸟,只剩下了几百只,整个地球上啊,都只剩几百只了……"

柳叶儿心里一动,她的心又飞到了那只奇怪的白鸟身上,又飞到了那个抱着白鸟的小伙子身上。

"我要回了啊,柳叶儿。"阿莲说。

柳叶儿这才醒过神来,一把将阿莲捉住,"怎么说也得吃了中饭再走,我爹天天都在家里念叨你呢。"

阿莲轻轻地解开柳叶儿的手,说:"下回吧,我还要回那边去收鱼箥呢。这鱼在箥里折腾一夜了,再不收,就不新鲜了。"

这么一说,柳叶儿也不好再挽留她了,就去离跳板不远的树桩上解了自己的船,送她。两条小船荡进荷丛中,荷叶一片一片地绿过去。更令人神往的是,已经能看见偶尔从水里露一下的尖尖的荷苞了。

"莲花快开了呀。"阿莲说。

"是啊,再过半个月,就可以采莲须了。"

然而,半个月后柳叶儿在湖里看见阿莲,却一声不响地躲开了。

柳叶儿坐在船上采莲须,看不见柳叶儿,只看见一片荷叶在摇晃,只看见一朵朵摇曳于荷叶之上的莲花忽然不见了。湖里的莲花和池塘里的莲花不同。池塘里的莲花是白的,湖里的莲花是红的。这种红,不像平常的那种红。这种红,仿佛被夏日里的阳光点燃了一般,红得热烈,红得像要呼喊。柳叶儿的十个手指,亦被那鲜红的汁液染得如涂了蔻甲一般。但柳叶儿要采的却不是莲花的花瓣,而是那金黄的莲须。莲须可以入药,可以泡茶喝。晒干了,卖得出好价钱。湖里的一切东西都是野的。野鱼、野鸟、野菱角、野莲藕、野莲花、野莲蓬,由着你去一一收拾。湖乡人有了这样一个大湖,好像什么都不缺了,什么都有了。

这样的一个大湖,当然不只有柳叶儿这一条船,荷丛深处飘来一阵歌声——

> 红莲开花哟没人见,
> 莲蓬怎长这么大了?

> 白莲藕长哟没人见,
> 莲藕怎长这么多心眼了?

　　柳叶儿忙碌着的手停住了。那声音极清亮,如水晶般的透彻,不像是湖乡汉子用很粗、很野的喉咙吼出来的。她静听着。一切都静悄悄地凝然不动。柳叶儿的歌也唱得很好,虽然平常不大唱,要唱,也是一个人偷偷地唱,唱给自己听,但现在她突然很想唱了,她运了一口气,张开嘴,正要对过去,另一个女孩却抢了先:

> 红莲花开哟哥不见,
> 哥的眼睛长得太高了。
> 白莲藕长哟哥不见,
> 妹的小心眼儿白长了……

　　这声音好熟悉啊。这不是阿莲姐在唱嘛。
　　柳叶儿对着歌声飘来的那个方向看,掀起荷叶的一条缝,影影绰绰地看见一条船,一对唱歌的男女坐在同一条船上呢。果然是阿莲。阿莲坐在船头,剥着莲花。后面撑船的那个小伙子……是他?
　　忽然有水鸟惊起。柳叶儿急忙把船首掉了过来。原来她一直都不知不觉地向着歌声响起的地方划。幸亏没有划过去呀,这么远都看得见阿莲和那个小伙子亲密的神态,幸亏没有划过去呀。柳叶儿急忙回了船,低着头,朝着自己的岸边划,连头发缠在荷杆上了,她也不管。荷杆上有刺,头发挂在有刺的荷杆上,是应该慢慢解开的,她却一挣,挣断了几丝,好像那是别人的头发。船后面,拽起一道白白的水浪,莲花撒了一路,漂浮在水面上。
　　"那不是柳叶儿吗?"
　　阿莲也看见了在荷丛中闪了一下忽然又不见的脸。
　　小伙子问:"柳叶儿是谁呀?"
　　阿莲已经朝柳叶儿逃去的那一个方向喊了:"柳叶儿——"
　　一大片荷叶晃动,船早已不见。

　　柳叶儿回来时,父亲正和一个老汉在说着什么。这是一个剃头的老汉,附近几个村庄里的头,都是他剃,从孩子出生后的第一个头,到一个人一生中的最后一个头,都是他剃。每个人的脑袋他都摸过,他因此也备受尊敬。女人自然是不必剃头的,但要开脸。开脸也是他的业务,用两根柔韧的棉线,很巧妙地把女人脸上的汗毛绞干净。那是很舒服很惬意的一种享受,看女人脸上那眉飞色舞的表情就知道。但今天他到老柳家来,既非剃头也不开脸,而是受松林家的委托来提亲的,神态十分庄重严肃,偶尔把一杆铜头铜嘴的长烟袋送到唇间,抽上一口,,然后很慢地吐出一口烟雾。那只四角镶了铁皮的剃头箱子就放在脚边,始终没有打开。

　　湖乡的姑娘小伙即使自己对上了象,最终也要请出一个德高望重的长者穿针引钱。恋爱是自己的事,娶媳妇嫁姑娘却是父母的事,而这父母与父母之间却像前世有仇,尤其是养女儿的人家,眼看着养得人长树大的姑娘要嫁到别人家,像是一盘棋走了二十来年,就要输了,必定会设置种种障碍让对方赢得艰难一些,也并非一定要多少彩礼,只是要让男家明白新娶进门的媳妇来之不易,女儿也就弥足珍贵。但大老柳家的情况又有点不同,人人都晓得他是要招上门女婿的,这反而使一些养了儿子的人家犯难,明摆着一个又俊又勤快的女孩儿,却不能上门提亲,让儿子去当上门女婿,脸上怎么说也不大光彩。

　　剃头的老汉说成了许多亲事,他话不多,但一句就是一句,讲的是道理,摆得平是非,既能让男家低了头却不丢脸,又能让女家输了人却不输气,就像手中那把玩熟的刀子,头上脸上都给你摸着溜光的。比如柳叶儿的婚事,他就想出了绝妙的主意,先按嫁女儿的礼节把柳叶儿嫁出去,小两口在那边住上十天半月,再搬过来,和大老柳一起过日子,养老送终,那边有了脸面,这边得了实惠。大老柳也觉得这主意不错,他更满意的还是松林那孩子,野是野了点,却有一副好心肠,力气也大。

　　松林家在离大柳庄七八里外的一个村里,说起来这孩子的命也苦,三岁时爹就死了,过了两年,娘带着他又嫁了人。那边原来也是有孩子的,两人共起炉灶后,陆续又生下了几个儿女,对松林的照顾也就少了。那后爹又是谁也惹不起的角色,连自己的亲生儿女动不动就打,何况松林。这做娘的,虽是亲娘,也想着要保护好这个从另一户人家里带来的孩子,但保护的惟一的办法却是每日里逼着松林做事,砍柴、烧火、放牛,一刻也不闲着,以为这样就不会挨打了。但还是挨打,要在一个小孩身上找一点打他的理由,那还不容易。小小的松林,身上没一件好衣,衣服里没一块好肉,夜里不敢回去睡觉,就睡在湖洲上。大老柳看见了,怀着一颗慈父般的爱心,把他抱到自己的家里睡,添一双筷子一只碗,让他把饭吃饱。一个月少说也有十天,松林就在大老柳家里吃、睡,这样的日子就成了松林的节日,连说话也比在自己家里响亮,那阴暗的童年少了一些辛酸。柳叶儿和松林是一起长大的。小时候,吃,在一只菜碗里抢菜;睡,像一个窝里睡着的两只小狗。也吵嘴,也打架,打过了,松林要走,柳叶儿脸上泪还没干呢,又伸开两只手拦着松林,口里却嚷着:"你走,你走呀!"

那时只盼着两个小的快点长大,等到真的长大了却又有了更多的烦恼。女儿还是自己的女儿,却像不认得了。松林毕竟是别人家的儿子,也很少在这里住了,偶尔在这里吃一顿饭,被走过的人看见,过后也要拿大老柳开一点玩笑,虽说没有恶意,却是个话柄,常常弄得他满脸通红,仿佛一个藏了很久的秘密被人揭穿了。他一直盼着松林家请了人上门提亲,那家里虽没把孩子当回事,可这桥,这路,还非得从那里走起。现在,那边终于请了剃头的老汉来说合,也算是走出了第一步。老人心里自然高兴,口里却支支吾吾,答应得并不利索。这也是人之常情,你媒人不跑烂几双鞋子,这边就答应了,那算怎么回事,难道自己的女儿嫁不出去了?没人要了?

何况,还不知道女儿怎么想呢。

柳叶儿刚刚走进树影里,两个老汉就一齐噤了声。这个剃头的老汉,柳叶儿是认得的,平常在路上碰见了,也要亲热地喊一声伯伯,可今天,竟然笑都没有笑一下,就进了门,解下腰里系着的一只布袋,往屋角里一扔,又往自己的房里一钻,咔嚓一声落下了门闩。

那剃头的老汉脸上就不好意思起来,把烟袋伸到鞋帮上去叩了叩,插在腰带上,又拎起他的剃头盒子,起身告辞。

大老柳有点难为情地赔着小心:"小孩子,越大越不懂事了……"

"都这样,我们家的也不会喊人,现在的孩子啊!"剃头的老汉感叹着,走到树底下，又回过头来问道，"你看这事……"

"过一阵……过一阵再说吧。"大老柳还是那句话。

剃头的老汉踩着一条田埂走远了。

做父亲的返身进屋，女儿仍然把自己关在房里。

柳叶儿把自己关在房里想了一阵，越想越觉得自己可笑。为啥呢，就因为那个小伙子坐了你一回船，你就见不得他和别的女孩子在一起了？你是他什么人呢？他又是你什么人呢？柳叶儿瞧着镜中的自己。她解开上衣，用毛巾揩去了肩上和乳沟里的汗珠子。一对雪白的乳房纹丝不动地映在镜子里。你想不想他这样揪你，这样捏你呀？她想起了阿莲半个月前说的话。原来是自己在生阿莲的气呢。你怎么就不去找一个黑得像牯牛一样的家伙呀？

柳叶儿笑了起来，对着镜子。又朝镜子哈了一口热气，用手指在上面画了一个大叉，心里痛快了不少。

吱呀一声门响，柳叶儿出来了。

爹已经走进厨房，开始生火做饭。

"我来吧，爹。"

还是原来的柳叶儿，很乖，很孝顺，怕爹累着，却不怕把自己累着。

柳叶儿差不多快要把那个小伙子忘记了时，却又在湖里碰见了他。

这次，他一个人弄一条船，划得很慢。穿的是一件背心，两只膀子露在外面。很黑呀，柳叶儿看见那两条晒得很黑的胳膊，觉得特别解恨。

"柳叶儿！"小伙子居然叫出了她的名字。

柳叶儿不答，也不看他。但那条船却撑过来了。——讨厌！她皱了一下眉头，把身子狠狠一扭，斜着身子驶过去了。驶进一片荷丛，荷丛很深。她歇了篙坐在那里采莲须，任由小船在荷叶与荷叶之间周旋。许久没有动静。身后却传来一声笑，小伙子坐在她身后笑，船首接着她的船尾。

"柳叶儿，我怎么得罪了你呀？"

柳叶儿把船又往前划，过了一会儿又划了回来，盯着小伙子看。

"你看你，像是要吃了我呀。"小伙子说。

柳叶儿扑哧一声笑了,说:"我要看清楚你是不是你。"

"我还以为你很老实呢,原来你的老实是假装的呀。"

"跟你学的呢,谁要你那样总是盯着姑娘看。"柳叶儿发现自己的胆子真的变得很大了。又问,"她呢?"

"谁呀?"

"还有谁呢,那次和你坐在同一条船上,唱阿哥阿妹的那个姑娘。"

柳叶儿好狡猾呀,故意装着一副不知阿莲为谁的神气。小伙子却在心里窃笑,小伙子当然知道她是阿莲的好姐妹,而且一下子就明白了这姑娘在吃阿莲的醋,这其实是一个什么心事也藏不住的清澈单纯得如湖水一般的姑娘呢。小伙子像一个大人看着一个捉迷藏的孩子却不挑明,故意拿了话去逗她:"噢,你说的是阿莲啊,她是我房东家的女儿,我跟她学划船呢。"

柳叶儿又一惊,原来小伙子就住在阿莲姐家里呀。

小伙子看了柳叶儿的脸色,知道她不高兴了,连忙又献上一句她爱听的话:"我也想跟你学划船呢,你的船划得真好。"

柳叶儿却不领情。"这湖乡的姑娘谁不会划船呀,你是不是对每一个姑娘都这样说,我也想跟你学划船呢,你的船划得真好。"还故意学了一下小伙子那城里人说话的腔调,非常的调皮和可爱。

等小伙子笑过了,柳叶儿又好奇地问:"那天你怀里抱的一只鸟,怎么一声不叫呀?"

小伙子又笑了起来,说:"傻丫头,那是一只珍禽的标本呀。"

"标本?"

"是啊,看上去是活的,那样美丽,其实却死了,不能叫,不会飞……"小伙子的目光变得忧郁了,脸也绷得很紧。

"听说住在湖边上的人都要搬走了?"过了一会儿,柳叶儿问。

"是啊,是应该搬走啊,不过……"小伙子叹息了一声。

两个人都不动了。

柳叶儿坐在那里没动,小伙子也没动,天却一下子黑了。仿佛这一天还没有开始就要结束了。很厚的云,正在铅色的天空展布着。牛在叫。天也黑乎乎的,牛也黑乎乎的。在还没有被湖水完全淹没的湖洲上,一条条模糊的身影奔走于湖坝上,他们在呼唤自家的牛,他们也像牛一样地叫,哞——哞——哞……

天突然又亮了起来,已经看得见雨的颜色。

"要下雨了啊。"柳叶儿说。

"我来了这么多天,还没有下过雨呢。"

小伙子又变得像个孩子一般兴奋了,仰起头来望着天空。

但雨却终于没有下。

雨是在几天后的一个晚上才开始下的。

那晚天气很热,各家都搬了竹榻,卸了门板,睡到湖坝上来。即使没有一丝儿风,有了这一湖的水伴着,人也会清凉许多。柳叶儿睡在竹榻上,爹睡在离她一手远的门板上,摇着蒲扇,在替她赶蚊子。听见爹说:"睡吧,睡吧,明日你还要赶早去镇上卖莲须呢。"

她就闭着眼睛。闭着眼睛也能看见小伙子那时而含着忧伤的眼睛,时而又像孩子般天真的笑脸。寂静渐渐笼罩了一切,整个村庄在月影下移动。她微微地侧过身子,去看爹,爹的一只手滑在门板下,扇子落在地上。爹睡着了。柳叶儿似乎过了许久才睡着,又似乎一直没有睡着。她是全村人第一个发现下雨的。她几乎是欣喜若狂地叫了一声:"下雨了,下雨了啊!"

雨把那个夜晚落得一片明亮。人们惊呼着,背起竹榻、门板,夹着凉席,纷纷奔向家里。柳叶儿却站在雨中不动。

爹催她:"你疯了,快回家啊!"

柳叶儿像是没有听见。一片雨声。远处的荷叶上也是一片雨声。浑圆的像珠子一般的雨点在柳叶儿身上一朵朵地溅开。其实只有一滴雨。一滴雨在反反复复地下,看起来就有数不清的雨。柳叶儿第一次这样近这样仔细地观察雨点。但爹却以为女儿是真的疯了,爹站在一片大雨中瞪着站在另一片大雨中的女儿看,雨从女儿的额前流下来,流成一道道寂静的水帘,女儿却一点感觉也没有。爹扔下夹在腋下的门板,跑过来摇着女儿。"你怎么了呀,你怎么了呀,我的好女儿!"

柳叶儿笑了,"没怎么呀,爹,我只是想在雨里站一会儿,凉快,像冲凉一样。"

　　柳叶儿背起竹榻往家里走时,父亲那颗悬着的心才放回原来的地方。看着女儿拿着干毛巾,进了自己的房子,关了门,老人才把额头上的雨水连同汗水一齐拂了,隐隐的,心里还有针刺般疼痛的感觉。

　　"爹,你去睡呀。"女儿叫了一声,从门缝里透出来的灯光熄了。

　　父亲在女儿的房门口坐了一夜,一夜无事。

　　阿莲又一次来到了大柳庄。在湖坝上,碰见了柳叶儿她爹。

　　"老柳叔,你这是去哪儿呢?"

　　"阿莲呀,阿莲呀,好久没看见你了。"老人兴奋地把肩上像褡裢一般挂着的两只布袋晃了晃,"我去卖莲须呀。"

　　"柳叶儿呢?"

　　"还在家里睡呢。"

　　走到柳叶儿家里,门关着,窗户却开着。蚊帐里,柳叶儿脸朝窗户睡着,一头漂亮而柔软的头发,遮着半个脸,还有半个脸贴在枕头上,像画出来的一般红。柳叶儿的睡姿真美,实在太美了。同是女孩儿的阿莲,看着这个在梦里静静躺着的姑娘,竟然有一点儿恋慕。窗户的木框上挂着一面镜子,阿莲取下来,把太阳的反光照到柳叶儿的脸上。柳叶儿呻吟了一声,醒了,看窗外,阿莲早就缩在窗台下面了。柳叶儿翻了一个身,脸又朝着墙睡。阿莲又把镜子反光照到蚊帐上去,一时间像是无数轮的白日在晃动。柳叶儿坐起来,伸了一个懒腰,看见阿莲映在两个窗棂之间的脸,恰好像昨夜大雨降临之前的月亮。

　　落了一场大雨,天气凉快了不少。房前屋后,到处都是潺潺的流水声,仿佛有一千条小溪在流淌。廊檐沟里,浮动着无数的蝌蚪,一夜之间就脱落了尾巴。

　　"我要出嫁了呀。"

　　柳叶儿梳头的时候,阿莲忽然说。

　　柳叶儿拂开头发,很注意地看了阿莲两眼。

　　"嫁给谁呀,怎么没听说过?"

　　"还能是谁呢,近水楼台先得月呗。"

说了,又诡谲地一笑,很暧昧,眼神里似乎还有眼神。

柳叶儿果然有些慌了。柳叶儿呀,还嫩了一点,还斗不过这位心机很深的阿莲姐。阿莲却又在柳叶儿的屁股上一拍,说:"你是不是喜欢上了住在我们家的那个小伙子呀?"

柳叶儿不说话。柳叶儿吹着树叶上的一滴水珠,吹成一条很长的白线。

她俩这时是站在柳树下的。

阿莲看见柳叶儿不说话,又一把将她搂进怀里,两只手抱了她两个肩头,滚圆滚圆的。柳叶儿身上,隐藏着一种让阿莲深深同情的东西。阿莲有些伤感地说:"柳叶儿啊,你想不想他也这样搂你这样抱你呀?我知道你想,你想吧,想得越透彻越好,那不是我们要嫁的人啊,那个城市我们是走不进去的啊。"

"那你……"柳叶儿用疑惑的眼神看着阿莲。

"看你吓得,脸都白了呢。你以为我真的要嫁给你想的那个人啊?我才没有你那样傻呢。我要嫁的人,也是黑得像牯牛一样的汉子啊。"

柳叶儿听了,久久地把手按在自己的胸脯上,真有死过一次的感觉。女孩子之间的感情真是难以捉摸,很快又像原来那么亲密了。柳叶儿咬着阿莲的耳朵轻声地问:"你……真的不想?"

"想啊,怎么不想,想一想不也挺美吗?"

阿莲乐呵呵地露出一副天真的样子。

然而柳叶儿暂时还不能理解阿莲笑声中的内涵,她还非常单纯,心里充满了对一个可爱男人的甜蜜感觉,他明亮的前额,他唇间的一点儿阴影,还有那两条冷不防会抓住她的手臂,都深深地吸引着她。

很难说是巧遇了。在往后的一段不算短的日子里,会有一条船早早地从那边放过来,又有一条船早早地从这边划过去。可能会有雾,会有雾中的呼唤和寻找。这种呼唤,不是用人的语言或歌声,而是用鸟的声音。远远地听一声鸟叫,这边的一只鸟也叫了起来。像真的两只鸟在叫一样,天真之中充满了出人意外和巧妙的情趣。一定会有浪花在船头溅起。这种瞬间的不易捉摸的东西,在没有雾的早晨,突然被阳光照亮了,随后落下,却已在船的后面,汇入一片白水中,再也无法辨认。很多的浪花溅起来,很多的瞬间连续不断,绵延成一个湖泊。两条船在上面划出小小的段落之后,渐渐靠近了。彼此深情的一瞥,然后……

大湖永远都是一个秘密。

柳叶儿每天早出晚归,做父亲的自然有所察觉。他虽然绝口不提一个让女儿脸红的字眼,却很担心。

这丫头,人是一天天长大了,心事却越来越不可捉摸了。尤其是那晚很晚才回来之后,好些天,都是一副魂不守舍的样子。常常一个人坐在湖边的跳板上发痴,又跑到她娘的坟头上去流泪。偶尔又很高兴,好像有很多话要对爹讲,话到口边却又咽了回去。做父亲的猜出女儿的一半心事,却不知道女儿是在为谁伤心为谁流泪。他也暗自把村里那些勤快的、聪明的、长得标致的小伙子一一猜过,却没发现女儿和其中的哪一个相好。外村的,外村的女儿又只认得一个松林。

但松林已经好久没有来他们家里了,也没有在湖洲上看见他。水快要把湖洲淹没了,只剩下一小片地方,放着大柳庄的几头牛。这时候的牛也忙,早稻已经收割了,要用牛车拉到镇上去卖。同时还要翻耕田地,准备种晚稻。离湖比较远的村庄,还是靠种田为生,水田多,种的又是两季,活累人。往年再忙再累,松林也会隔三差五地到这个家里走一趟,拎几只用火铳打下来的鸟,或者是一只被夹子夹断了腿的小兽,有时还会捉一条蛇来。

松林好久没来,倒是那个剃头的老汉又来过几次。大老柳想,松林可能是因为这边一直没有松口,不好意思过来吧。那边是认真的,这边也应该给那边一个稍微明确一点的答复了,可是,每次大老柳想要问女儿时,女儿却总是把脸一默,好像明白做父亲的要说什么,一声不吭地就顶了回来。做父亲的当然不会勉强女儿一定要嫁给谁,女儿要是和一个人真心相好,即使那个人不肯做倒插门的女婿,他也认了。但是……

听见女儿在床上慢腾腾地翻着身子。

夜已深了。

早晨起来,柳叶儿又要下湖去,被爹拦住了。他好像等了她一夜,眼窝陷下去很深,而从很深的地方射出来的目光,却亮得刺眼,让她不敢正视。她就望着爹的一双腿,一双腿以令人难受的缓慢劲来回走着,仿佛缩短了一些,仿佛被很沉重的一种东西压迫着。柳叶儿感到紧张,她从来没看见爹这个样子。她使劲地打破沉默,叫了一声:"爹!"

父亲看了女儿一眼,看见女儿一片娇嫩而略呈红色的额头,他的心有点软了。但他还是问:"湖里还有莲花吗? 没看见你打莲须回来呀。"

"……"柳叶儿一动不动地忍耐着。

"湖里长出了莲蓬吗? 就是长出来了,也只有一指头大,还不到摘的时候啊。"

柳叶儿把身子转过一边,望着别处。

"那你还去湖里干什么? 你说呀!"

"我就是要去,那里凉快。"

柳叶儿顶撞了爹一句,声调完全变了,脸也变了。长这么大,她还从来没有顶撞过爹,就像爹也从来没有阻拦过她一样。

一阵风扑上来,那是她赌气地跑走时卷起的。做父亲的没有追上去,他已经追不上女儿一路飞奔而去的脚步。他站在那里,身体僵直地望着女儿刚才站过的地方,仿佛女儿仍对着他站在那里。水浪声从湖坝外面传过来,很响。这声音不像他熟悉的听惯了的声音,甚至是以一种类似恐惧的感觉向他袭来。老人慢慢地挪动着步子,他能感觉到两条腿在不停地哆嗦。七月份,天气已经异常炎热,连早晨也散发出一股令人窒息的热气。老人沉闷地走了很久,终于走到了他想来的地方,一座坟。他在那里坐下了,眼望着远处,也并非要望什么,只是这么呆呆地望。

——她爹,你还记得我临走时说过的话吗?

——把柳叶儿养大,嫁一户好人家……

坟头上的青草在他的身上投下了隐隐的影子,在这个季节,草已经长得很深了,他坐在那里,腰部以下都被草遮着。他又往下躺了一点,斜靠在坟头上,一如肩膀靠着肩膀,彼此靠得很近。这样就可以听见一些声音了。

他听见了。

柳叶儿把头一偏,躲过一片迎面而来的荷叶,把船划了过去。

——她看见一只鸟。

是小伙子怀抱过的那种大白鸟,它试探着在不远处的荷叶上站稳了,荷秆立刻就被压弯了,鸟儿的影子映在水里,这样反而显得更美。柳叶儿好奇地伸过一只手去,鸟儿又一飞,同时痛苦地叫了一声。小伙子第一次向她伸过一只手来时,柳叶儿也发出了这样痛苦的一声尖叫。

第一次,每个女人第一次都是要受伤的。

这只鸟也受伤了,血正从它湿漉漉的闪闪发亮的羽毛中渗出来,宛如一抹淡淡的晨光。看样子它刚从一个枪口下逃出来,惊魂未定。它没有飞多远又落在了另一片荷叶上。柳叶儿划着船,慢慢地向那只鸟靠拢。她想要看看那只鸟伤在哪里,血是从哪里流出来的。抬起头,举起胳膊,鸟儿听见一丝轻微的响动,马上又飞走了,还是没飞多远,伤的好像是翅膀。它飞不远了,只能飞出一小段一小段的距离,但人还是无法追它。人如果不设下圈套或发明火枪、弹弓一类的凶器,是永远也追不上一只鸟的。人没有翅膀。如果人要是长了翅膀,这个世界就彻底完了。

柳叶儿开始叫唤,她的叫声和鸟儿一样充满了痛苦。她的叫声和鸟儿的叫声一模一样,渐渐地,看不见那只鸟了,也看不见柳叶儿了,连远处荷叶的晃动也看不见了。但还能听见鸟叫,两只鸟在越来越远的地方叫,分辨不出哪一只是真的,哪一只是假的。

柳叶儿知道自己在哪里,鸟儿把她带到一条船边上。那条船站稳在一片白水里,好半天都没有动一下。鸟儿踮起一只脚,在船头上立住。那是一只空船,船上没有人。那是小伙子经常划的船,小伙子不在船上。柳叶儿一下子蒙了。柳叶儿就开始唱——

> 红莲花开哟哥不见,
> 哥的眼睛长得太高了。
> 白莲藕长哟哥不见,
> 妹的小心眼白长了……

唱了,她就静静地等待着。她想小伙子的歌声马上就要从大湖的某一个角落里传来了。小伙子就是这样的,他常常故意躲着柳叶儿,等柳叶儿找他找得要哭了时,他突然从天而降地到了她的身边。因为他是城里人,城里人是一种突然出现又会突然消失的东西。柳叶儿不傻,她想,我就守在这条船边上,你总会回到船上来吧。柳叶儿好傻啊,一只空船在水里停了这样久了,小伙子又不是鱼,他会在水里躲这样久?小伙子又不是鸟,他把船划到湖心里,难道又长翅膀飞走了?

等柳叶儿看见远处漂着一只撑船篙,她就明白了。她明白了,北湖沿南湖沿的乡亲们也明白了。几乎每一个人都听见了柳叶儿的尖叫声,那已不是看见一只鸟受了伤而发出的尖叫声,那是有人溺水时才会发出的尖叫声。整整一天一夜,柳叶儿连续不断地发出这样的尖叫声,她已说不出一句话来了,她惟一能发出的声音就是尖叫。千百条船在她连续不断地尖叫声中把大湖撒满了,船上的汉子撒着网,拖过每一寸水面。湖沿上的老人们打着锣,锣的嘴慢慢裂了开来,那一天一夜里湖沿上的人敲破了多少铜锣。入夜,又燃起了一湖的火把,火光照着大湖,把大湖照成了白痴,大湖傻了,将近黎明时,大湖慢慢吞吞地把一个人吐了出来,小伙子浮出了水面。

小伙子浮出水面的地方离南湖沿已经很近了。小伙子落水后似乎一直是在朝着南湖沿游的。几个汉子把小伙子捞了起来,最终把他停放在了南湖沿上,那是水与岸生死相接的地方。柳叶儿不再尖叫,她现在很冷静了,她采来了十几片阔大的荷叶,垫在小伙子的身下。躺在荷叶上的小伙子浑身新鲜干净,白得像一条刚从水里捞起来的鱼那样白。柳叶儿就挨着小伙子新鲜干净的身体坐着,她的身体和小伙子的身体接触的地方渐渐地湿了,洇湿一片……

做父亲的也终于发现了女儿的秘密,当一种不祥的预感经过漫长的夏季终于降临,降临成为一种灾难时,老人显得没有女儿那样冷静。他把手里的铜锣一扔,就伏在小伙子的身上哭了起来,点点滴滴的水和泥,顺着他的袖口往下淌着,老人的两腿陷在软泥里,越陷越深。柳叶儿轻轻摆了一下手,示意父亲别动,父亲把浑身新鲜干净的小伙子弄脏了。柳叶儿示意老人别动,老人就不动了,四周围着的人也没有一个动的,一齐木在那里。

柳叶儿慢慢地把小伙子握得很紧的一只手打开了,手心里有几片羽毛。水可以打湿一切东西,但打不湿羽毛,小伙子的手一松开,那几片羽毛立刻就飞走了。羽毛在幽静的空气中滑动的声音多么奇妙,默立在那个清晨里的每一个人几乎都听见了。为了救一只受伤的鸟,一个城里来的小伙子在大湖里溺死了。这是一个故事。这个故事在那几片羽毛飘飞时而去,默立在那个清晨里的每一个人几乎都听见了。

莲蓬熟了,大湖里渐渐有了成熟的味道。一个又一个的莲蓬等着柳叶儿去摘。一个莲蓬被她抓在手里,手心里很满。她很享受。柳叶儿很喜欢吃莲蓬,为了剥开一只熟透了的莲蓬,她等了一年。

莲米被层层地包裹着,先要剥开一层松软的、海绵一样的东西,取出果实,果实上还包着一层碧绿的薄皮,露在外面的尖儿却是钻蓝色的,栽在底下的那一截又是白里泛黄的颜色。把这一层皮剥开了,还不能吃,两瓣挨得很紧的莲米之间还有一枚苦胆,它是可以长成一片荷叶的,长成一枝莲藕的,可以开出很红的莲花,结出很大的莲蓬。但是很苦,很苦啊。这样苦的东西柳叶儿已吃不下去了。她刚把一颗莲米扔进嘴里,就哇哇地想要呕吐,但什么也没有吐出来。泪水流了出来,她呕出来的只有泪水。

莲蓬熟了,阿莲要出嫁了。

柳叶儿没有去送她。早早地,她就把船撑到了阿莲家后面的芦苇丛里。她看见阿莲好几次走上湖坝,朝南湖沿那边望。她知道阿莲是在望她,阿莲早就说好了要她当伴娘。但柳叶儿知道自己已不能给阿莲当伴娘了,她已经不是黄花妹子了,她知道自己实际上已经是一个女人了。一个女人是不能给新嫁娘当伴娘的,这是湖乡里的规矩。柳叶儿懂得这个规矩。

柳叶儿和她的船藏在坝脚下的苇丛里。阿莲看不见柳叶儿,但柳叶儿看得见阿莲。她看见了阿莲脸上失望的表情,还看见了阿莲家的屋脊上缭绕不断的炊烟。柳叶儿特意选了这么好一个地方,是为了看一眼阿莲做新嫁娘的样子啊。

哗哗的,哗哗的,是唢呐的声音,隔着一片湖水传过来,那唢呐犹如刚在水里浸过,吹得如浪头一般地打着旋儿。这是发亲的唢呐。柳叶儿的一双眼渐渐红了,映满了岁月的色彩。那一片寂静的白水,倒映着芦苇的影子,也是红的,凄美无比。湖乡人嫁闺女,发亲都很晚,不管迎亲的新郎多么着急,不管女儿要嫁到多远的地方,都要一拖再拖,这样是为了把女儿多挽留一段时间。女儿只要跨出娘家的门槛,再来,就是一个客了。在她跨出用红纸铺着的这道门坎之前,要跑下来给她的祖宗牌位、给她的长辈——磕头,她要走了,她再也不是这个家里的人了。这是一个忧伤的时刻,虽非死别,却是生离,即使再坚强的女孩,也是要哭的。柳叶儿想,阿莲姐这会儿正伏在她娘的怀里哭吧。三声起身炮放过,迎亲的,送亲的,依次出现在坝上,一长列人沿着湖坝向西边走。柳叶儿知道,阿莲姐嫁得并不远,西去八里的一个村庄。却仿佛是走在一条遥远无期的旅途上,每个人的身体都向前倾着,脚后扬起的尘土,又把他们的脚遮蔽了。风吹起来了,一长列人的手臂开始晃动,老的、年轻的、还有小孩儿,在落日的背影里走得渐渐看不见了,像一阵风似的被刮去了。惟有那哗哗的、哗哗的唢呐声,在这迷茫的大湖上空继续回荡。

柳叶儿病了。

做父亲的自然明白这事自己不好出面。他默不作声地从一扇门里走进另一扇门里,末了,仍然是无力地坐在女儿的房门口,阴郁的目光中充满了胆怯而无助的表情。他不能眼睁睁地看着女儿去死。但他也不想让女儿的一生淹没在别人的唾沫与自己的泪水之中。在这时,松林走到了老人身边。松林看着老人蹲在一块石头前磨刀,打着赤膊,伛偻着本来就伛偻着的背脊,一节一节的脊骨断裂了一般,磨一下,那脊骨就古怪地扭动一下。是早晨。老人看见那两只沾满了露水、湿泥和碎草的黄球鞋,知道是松林来了。但老人却不敢抬头去看松林。一阵难堪的沉默之后,老人低着脑袋很快地说:"柳叶儿病了,要上医院,我老了,背不动她了。"松林还是不说话。

老人在寂静的、磨得很亮的刀锋上看见松林的脸。一张神色疲惫又憋得铁青的脸。"你走吧。"老人轻声说。

松林却凄然地一笑。

"还是我来背她吧,我有力气。"

老人的手一抖,指头被刀锋划破了。只流出小小的一滴血,像一滴被太阳映红了的露珠儿。

柳叶儿伏在松林的背上,又宽又厚像牯牛一样的背啊。昨夜的露水很大,润湿了路面。松林的脚沉重得抬不起来,鞋底粘了厚厚的一层湿泥。一条黄泥的土路仿佛都粘在脚板上了。柳叶儿听见了松林骨缝里运足了力气而吱吱叫的声音。柳叶儿忽然热泪盈眶地叫了一声,松林啊。

那扇漆得很白的门,打开,然后又关上了。门上有一块玻璃,也挂着同样白的一幅帘子。松林坐在门外面的条椅上,看着帘子上蜷伏着的那个红得像蛇信子一般的十字,心慢慢地跳着,在往下沉。突然听见门后面一声凄惨的尖叫,门被撞开了。柳叶儿扶着墙壁,跑了过来,钻进松林的怀里。

"我怕,我怕呀……"

松林紧紧地搂着柳叶儿,搂着湿透的、像从水里捞起来的一个身体。护士走过来了,白帽子和白口罩之间露出的两只眼睛,和她手里拿着的那把明晃晃的钳子一样,闪着寒光,连声音也是冰冷的,"是你的?"

松林沉默着。

"我在问你呢,听见了没有?"

松林使劲地打破了沉默,"是我的……"

"看不出啊……"护士本要这样讥讽一句,看见松林那血红的、瞪得快要掉出来一样的眼珠子,终于没有说出口。又退后了一步,站得离松林远了一点,问:"还做不做呀?"

松林把脸转过一边,看着别处。

"不做了。"松林过了好一会儿才说。

柳叶儿从松林的怀里抬起头来,望着松林,像望着一个刚刚浮出水面的脸庞,多少次她看着这样的一张脸从水里冒出来,却没有一点儿感觉,也从未动过感情,而现在,望着这张脸,望着松林,柳叶儿却脸色苍白,嘴唇颤抖,说不出话来了。她被一种自己从来没有察觉到的无比强大的力量深深地攫住了。她喃喃的,像求助一般地呼唤着:"松林,松林,你好傻啊。"

松林抱着柳叶儿走出镇上的医院,像个强壮的父亲抱着襁褓里的婴儿。

"把孩子生下来吧……"

松林说。他把柳叶儿抱得更高了一些。柳叶儿衬衣上的一粒扣子挣开了,露出一截白白的肚皮,像春天怀孕的鱼肚一样,微微地抖动着,很有光泽,很有生气。松要把脸歪下来一点,轻轻地贴在上面。他的脸变得柔软了,他仿佛嗅到了土壤中那令人着迷的嫩芽的气息,他开始怀着甜蜜的心情想象柳叶儿肚子里的孩子,如果是一个女孩,她一定很会唱歌;如果是男孩子,他一定聪明而又顽皮。他是城里人播的种,但他是松林的儿子,是湖乡里最聪明的一个儿子。儿子飞奔在前,银项圈上的铃子丁丁作响,松林在后面追着……

"松林,松林,你好傻啊。"

柳叶儿梦呓一般地说。她已经在松林那行走的节奏中睡着了。

汛期很快就过去了。这一年的水没有往年大,刚刚漫到坝脚下就开始后退。一个淹掉了的湖洲又默默地出现了,空空荡荡,让人觉得有点陌生,有点摸不着边际。想要再看那条通向湖边的路,看不出什么来,没有了,掩埋于青黑的淤泥之下。有多少走熟了的路,就是这样消失的。湖草倒伏着,曾经那样青翠那样鲜美,现在却混合着土壤的浑黄和被湖水浸泡得太久的惨白色,像胶粘在那里一样。还有一小摊一小摊的积水,宛如这个大湖离去时洒下的眼泪,过不了多久,它们就会被这秋日的阳光晒干。而此时,却有一条条小鱼在里面活泼地游动。

一个人,划着一条船从对岸驶过来,这才发现已经没有让他系缆的地方。在湖水退却的最初一段时间里,湖泊与陆地的界线是模糊的,一些湖蚌,一些螺蛳,以及小水洼中那些活泼地游动的小鱼,就这样迷迷糊糊地遗留在岸上了,然后会有一个渐渐静止的过程,不会太长。太阳不但会烤干湖滩上的积水,那一片青黑的淤泥最终也会晒得发白,露出土地本来的颜色。但现在还没有。那个人从船上往下一跳,马上就只剩下半截身子了。船看来是划不动了,他用手推着船,吃力地把船推向一个既像是水泊又像是陆地的地方。他反复地端详了一会儿,又用手试了试,确信这只船不会漂走了,便朝湖坝这边走来。裤腿挽到了大腿根,稀泥也一直淹到了大腿根。看上去,仿佛不是用腿在走,而是用剩下的半截身子在一寸一寸地往前移。

那条船可能会一直留在那里,连同青黑的淤泥一起晒干,直到木头纤维里的最后一滴水分也晒干了,会有人把它翻过来,船在这时会有一条条裂缝,从这一面可以看见另一面透出来的阳光,像手指缝间透出来的阳光。把船翻过来的人,会用刮刨刮尽它身上的每一个小污垢,切掉一些被虫蛀过的木板,加固几个逐渐松弛的榫头,然后把新打出来的桐油和糯米一起拌匀了,填满裂缝,又用桐油将整条船一遍一遍地油过,那船,不管划过多少年了,却又是一条新船,泛着古铜的色彩,摸一下,是很有弹性很温暖的肌体的感觉。

秋天是修船的季节。湖乡人在这时很少下湖,很少用船。藕舌子已经抽过了,莲须已经打过了,莲蓬已经采摘了。荷叶正在变黄,变枯,低沉地叹息。静静的湖水中,一片荷叶下颔的倒影。每天都会有一片空白出现,在夜里,在人们睡得很熟的时候,一大片枯荷忽然不见了。到了冬天,挖湖藕的人们,才发现它们并未漂远,每一片荷叶都覆盖着曾经把它高举的那一片湖泥,很薄,像一层暗绿色的苔藓。会挖藕的人,不会刻意地去寻找藕钻,只用锹扒开这一层苔藓般的荷叶,用了力气和汗水,挖下去,就会看见一只白藕了。这是今年的藕。再往下挖,又会看见更大的一只,这是去年的藕。再往下挖……

岁月被层层揭开,大湖被从里到外的翻转过来,一些原来看不见的东西,被揭开后,被发现后,无疑是令人惊喜的、愉快的,不觉得累了。他深深地被一种东西吸引着,但并没有意识到自己的脚,已经踩在他父亲、他爸爸、祖祖辈辈踩过的那一层层厚土上。他在自己挖开的大坑里下沉,已经看不见他了。只见一锹锹泥土掀上来,泥土摔在泥土里,在他周围越堆越高。这一音调不断重复的过程会持续很久,直至夜幕降临。

夜晚很长。

不知谁家的牛,忽然一声长哞,把天喊亮了。又不知是谁家的汉子在尖声叫唤,似被凶狠的女人揪住了耳朵,又似从床头翻滚到地上。这是湖乡里春日早晨的一种情景。每一个村庄,每一户人家,每一个男人和女人似乎都经历过。可能会有一些鸡,由一只雄鸡打头,一只一只地从鸡笼里走出来,一只母鸡措手不及,滑下一只蛋。可能会有一只黄狗,或者黑狗白狗,身上浇满了露水,兀自在睡梦中摇了几下尾巴,忽,忽忽。突如其来的一脚,踢在屁股上。狗不叫,箭一般地射出去,半截身子插在一个草垛里,还是不叫。可能会有一个汉子,蹲在柳树下洗脸。说不定是哪一棵柳树,湖乡里到处都是柳树。一个女人趿着鞋从房里出来,衣襟敞开着,大半个乳房露在外面,奶头上吊着一个娃。娃儿正在吃奶,哼哼唧唧,好像吃奶也是一件很累的事。女人突然把手一扬,一片金黄色的谷粒在空中散开,像雨点一样落下来,鸡们都不叫了,栽着头,认真地吃。汉子已经洗完脸,抬起头,一张脸被早晨的阳光照得亮堂堂的,依旧黑。女人弯腰拾起地上的那枚鸡蛋,手心里滑过一种很温暖、很鲜美的感觉,圆滚滚的,像她在夜里摸过的另一种东西。

湖乡就是这样,实在没有什么很新颖很有意义的事。但偶尔会让你有一点小小的惊奇,比如说那个汉子,或者是另一个汉子,他要出门了,有很多事等着他干,撑船,抽藕舌子,到湖洲上去放牛,扶着犁去耕田,水缸里没有水了,要去湖里挑水,等等。这时女人走过来了,把一条胳膊拦在汉子的面前,而手里却端着一只碗,碗里卧着那只刚磕破的鸡蛋,还是双黄的,飘着儿缕血丝。湖乡有很多的汉子,都喜欢生吃鸡蛋,补血气,长精神。汉子仰起脖子,把鸡蛋吸了进去,又迈开两条腿,好像是真的要走了,忽然又一脚,将刚磨过的一把刀踢到女人面前,哐的一声,好凶险。

"要是那狗日的再来缠你,你就用这把刀,劈了他!"汉子说。

这时你可能会略略有一点惊奇吧。但那女人却并不惊讶,只把脸偎在娃儿的脸蛋上,并不笑,脸上却有笑意。

一切都是那么安静、似乎刚刚下过一场大雨。女人走过湖洲,腋下夹着一领卷成筒筒的凉席,去湖边洗。有很多小孩,一人拿了一只碗,一双筷子,扒开草棵很仔细地寻找着一种黑得发亮的像鼻涕一样的东西。是地皮冻,在打过雷、下过雨之后,草棵间会突然长出许多这样的东西,打汤喝,很鲜。

昨晚是真的下过一场大雨啊。女人记起来了,半夜里很沉闷的一声春雷,惊醒了孩子,哭了很久。她把奶头塞进孩子嘴里,又轻轻地拍着,拍着,孩子睡着了,自己也睡着了。

　　天空亮得像一面镜子,无数的人影在天空晃动。妇人很轻很小心地走着,仿佛在天空上走过一样。但她还是看见了那朵小黄花,她记得这是去年春天里第一朵开放的花,现在却低着头,仿佛在风中无声地流泪。

　　走到湖边,女人把卷成筒筒的竹席展开,中间有一块污黑的血迹。那是她的血,是她生娃娃时流出来的血。女人挽起裤腿,蹚进水里,没有浪花,一大片白光在水面上漂着。席子是金黄色的。金黄色的席子在一片白色中漂着。湖水流过来了,湖水又流过去了。有很多东西是应该随水一起流走的。流走的东西正在变得遥远,但这个大湖却从来没有流走,她仍然深沉地躺在这一片没有边界的土地上。

　　直到那一片血污洗得再也没有一点痕迹了,女人才把席子卷起来,她要回去了,她惦念着躺在摇篮里的孩子呢。浸透了湖水的竹席比原来重了许多,女人走得很慢,走得很慢的女人看见一些刚才没有看见的东西,她看见了一只半藏在草丛里的鞋底,女人弯腰拾了起来,上面绣着一片绿色的荷叶,还有一朵红莲花,没绣完,斜斜地插着一根针,闪闪发亮。

　　女人记起来了,这是她靠在那条牛背上绣的。

附　录

芳草在沼泽中

　　迟子建著　原载《钟山》2001.1　刊于《小说选刊》2002.2

歇马山庄的两个女人

　　孙惠芬著　原载《人民文学》2002.1　刊于《小说选刊》2002.2

救灾记

　　陈世旭著　原载《人民文学》2002.8　刊于《小说选刊》2002.10

消　灭

　　张　者著　原载《收获》2002.1　刊于《小说选刊》2002.2

请好人举手

　　曹征路著　原载《上海文学》2002.6　刊于《小说选刊》2002.8

瓦城上空的麦田

　　鬼　子著　原载《人民文学》2002.10　刊于《小说选刊》2002.12

夜街上的三轮车

　　熊　棕著　原载《雨花》2002.3　刊于《小说选刊》2002.6

铁皮鼠

　　林苑中著　原载《山花》2002.3　刊于《小说选刊》2002.5

流水飞红

　　央歌儿著　原载《大家》2002.4　刊于《小说选刊》2002.9

仿佛有风

　　陈启文著　原载《十月》2002.5　刊于《小说选刊》2002.11

图书在版编目(CIP)数据

2002 中国年度最佳中篇小说/小说选刊杂志社编.—桂林:漓江出版社,
2003.1

(年选系列)

ISBN 7 – 5407 – 2924 – 4

Ⅰ.2... Ⅱ.小... Ⅲ.中篇小说—作品集—中国—当代

Ⅳ.I247.5

中国版本图书馆 CIP 数据核字(2002)第 096077 号

2002 中国年度最佳中篇小说(上/下)

编者⊙中国作家协会《小说选刊》

责任编辑⊙赵涛 李淑娟

封面设计⊙罗 赟

出版发行⊙漓江出版社

社址⊙桂林市南环路 159 – 1 号 　　　**邮编**⊙541002

电话⊙(0773)2821573 　2863956(营销部) 　2865335(邮购)

传真⊙(0773)2821268 　2802018

E – mail:ljcbs@public.glptt.gx.cn

http://www.lijiang – pub.com

印制⊙广西地质印刷厂

开本⊙890×1240 　1/32

字数⊙870 千字

印张⊙29.75

版次⊙2003 年 1 月第 1 版

印次⊙2003 年 1 月第 1 次印刷

书号⊙ISBN 7 – 5407 – 2924 – 4/I·1761

定价⊙46.00 元(上/下)

图书在版编目（CIP）数据

2002 中国年度最佳中篇小说/小说选刊编选. —桂林：漓江出版社，
2003.1

（年度最佳）
ISBN 7—5407—2924—4

Ⅰ.2… Ⅱ.小… Ⅲ.中篇小说—作品集—中国—当代
Ⅳ.I247.5

中国版本图书馆 CIP 数据核字（2002）第06007号

2002 中国年度最佳中篇小说（上、下）
编者 ⊙ 中国小说学会及小说选刊
责任编辑 ⊙ 张谦 于永梅
封面设计 ⊙ 涛声

出版发行 ⊙ 漓江出版社
地址 ⊙ 桂林市南环路 159—1 号   邮编 ⊙ 541002
电话 ⊙ （0773）2813579、2802956（发行部） 2803235（总编室）
传真 ⊙ （0773）2822264、2802018
E—mail:ljfbs@public-glptt.gx.cn
http://www.lijiang-pub.com
印刷 ⊙ 六和彩印制中心
开本 ⊙ 850×1230 1/32
字数 ⊙ 870千字
印张 ⊙ 25.75
版次 ⊙ 2003年1月第1版
印次 ⊙ 2003年1月第1次印刷
书号 ⊙ ISBN 7—5407—2924—4/I.1761
定价 ⊙ 46.00元（上、下）

漓江图书专线：服务热线电话，营销咨询
漓江图书网上书店：如有印装质量问题，可随时寄至工厂调换